『松前蝦夷地嶋図(部分)』文化5年〈1808、文化13年・村山直之模写図〉(北海道大学附属図書館蔵)
※原図:秦 檍丸「蝦夷島地図」(京都大学総合博物館蔵)

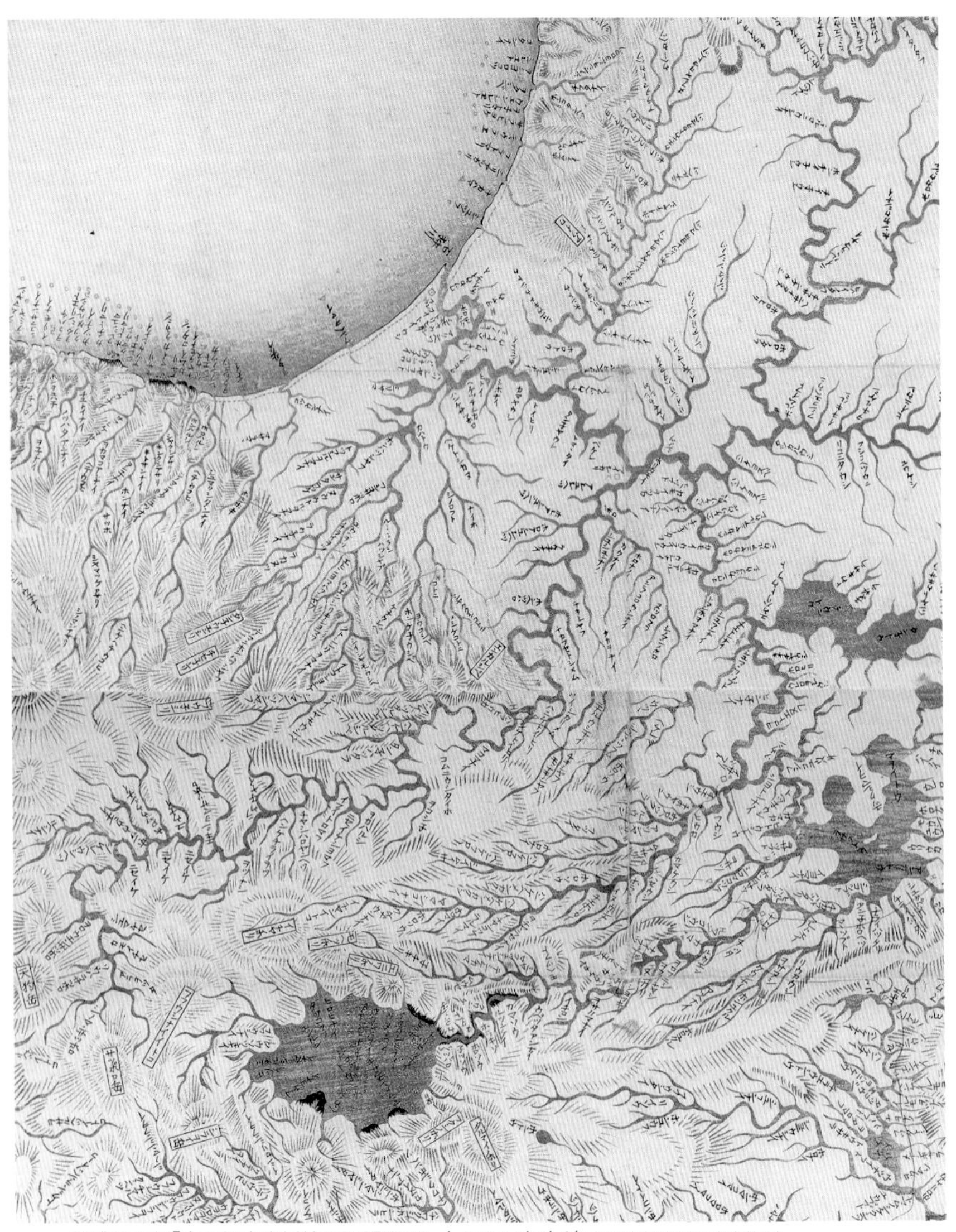

松浦竹四郎『東西蝦夷山川地理取調図 五・十（部分）』安政6年〈1859〉（北海道立文書館蔵）

当頁解説　蝦夷地探検家として著名な松浦竹四郎（武四郎）が、膨大な調査資料に基づき作成した代表的な地図。幕末期の地図としては最も詳細で美しく、彼が書き残した記録「蝦夷日記」とともに、アイヌ語地名研究に不可欠な基礎資料である（参照：本文II—序論・Chapter01・12、巻末付録）。

前頁解説　サッポロ川（現豊平川）は現札幌市北区東茨戸付近で石狩川（現茨戸川）に注いでいたが、19世紀初頭に流れを変え、現江別市対雁で注ぐようになった。本図はサッポロ川とツイシカリ川の併合を示す初期の地図で、流域にはアイヌ語地名も多い（参照：本文II—序論・Chapter12、巻末付録）。

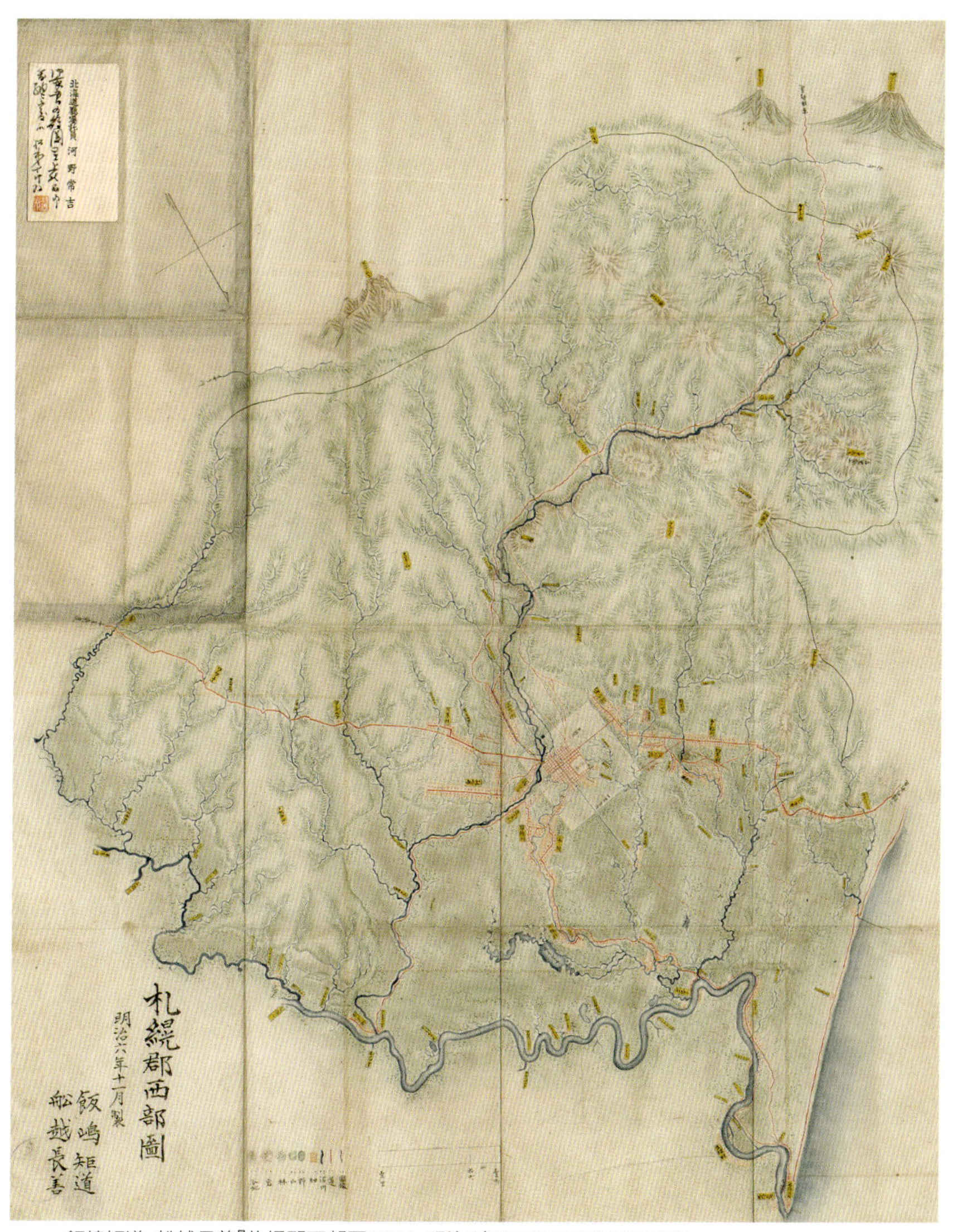

飯嶋矩道・船越長善『札縨郡西部図（部分）』明治6年〈1873〉（北海道立図書館蔵）

解説　明治初期の札縨郡〈石狩川以南・エベツ川（現千歳川）以西〉を描いた地図。主要な河川・山岳、アイヌ語地名・コタン（集落）のほか、札幌本府を中心とする保護移民の村落などが記され、開拓初期の札幌の状況が伺える（参照：本文II―序論・Chapter02・09・10・12、巻末付録）。

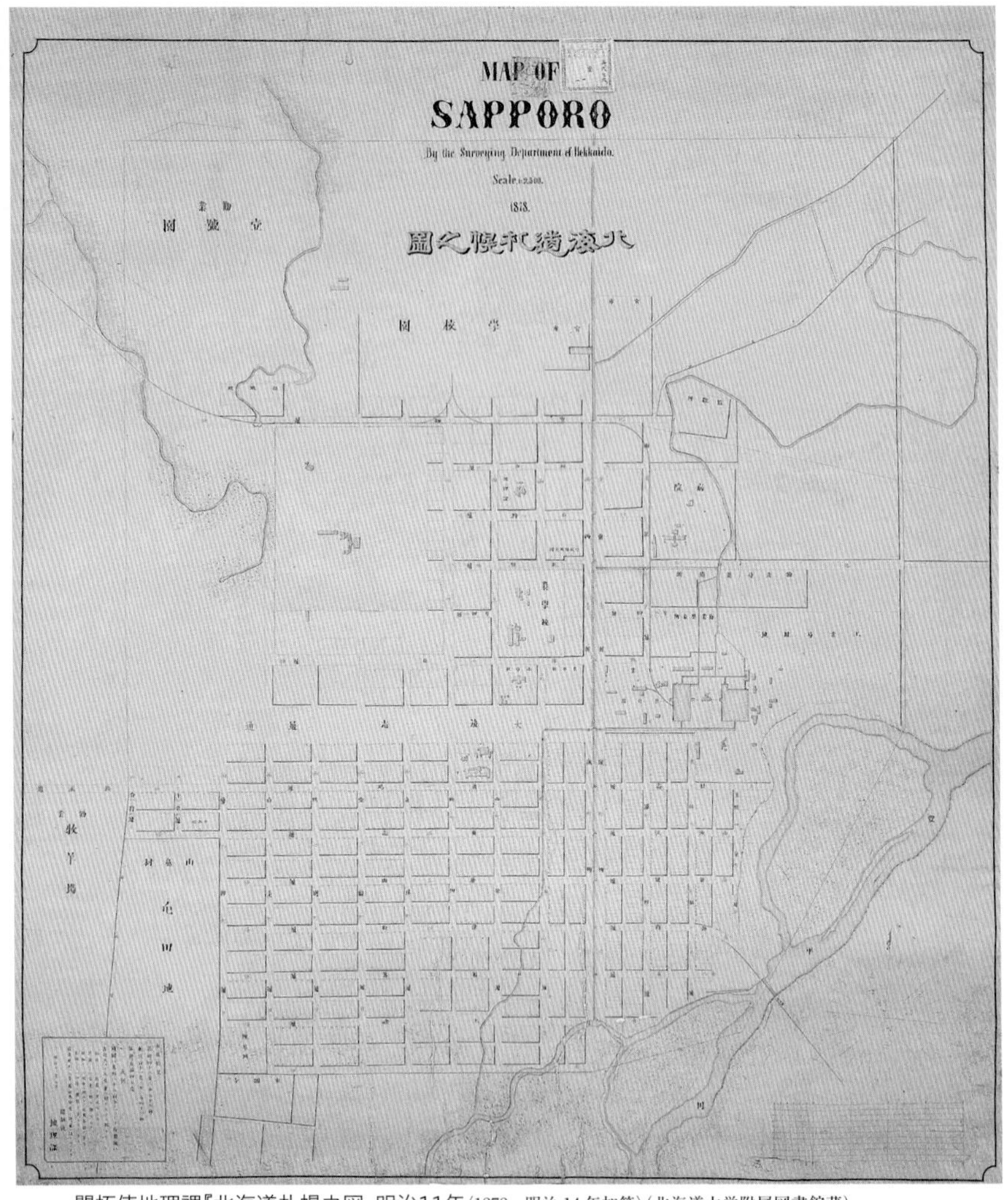

開拓使地理課『北海道札幌之図』明治11年〈1878、明治14年加筆〉(北海道大学附属図書館蔵)

解説　精細で美しい開拓使時代の代表的な札幌市街図。豊平川や細流、札幌本庁舎・札幌農学校・豊平館・小学校・病院・工場などの主要施設、山鼻屯田兵村のほか、東西・南北の通りにつけられた道内国郡の名称と明治14年に改められた条丁名も見える（参照：本文II― Chapter02・12、巻末付録）。

北海道庁『二十万分一北海道実測切図 札幌・樽前（部分）』明治24年〈1891〉（北海道立文書館蔵）

解説　陸地測量部の「北海道仮製五万分の一図」が出版される以前に、北海道庁が近代的測量事業に基づき作成した本格的な地形図。漢字表記の国郡・町村・集落、河川・山岳などの名称に加え、カタカナのアイヌ語地名、ローマ字表記の各種地名などから、地名の変化が伺える（参照：巻末付録）。

石狩州

石狩郡　下川郡　海岸南ヲタルナイ北アツタ領界として凡四里八丁川筋八寒当別津石狩等皆此郡に附ス

イシカリ川[illegible]下川郡と[illegible]又石狩国の石狩郡ハ河内国之河内郡に[illegible]和泉[illegible]

蓋シ大隅[illegible]

札幌郡　察幌郡　津石狩川口より上サツホロ下サツホロ樋平辺迄ヲ以テ此一郡ニ仕立候事

サツホロをサツテクホロの義サツテクは乾キタル義ホロは多く大キク[illegible]乾キ上リタル所多キ義之此川急流ニて洪水の節も早く乾く故ニ号しと[illegible]

上：松浦武四郎『蝦夷地郡名之儀取調書』
明治２年〈1869〉７月（松浦武四郎記念館蔵）
下：松浦武四郎『西蝦夷日誌 巻之五編』
文久４年〈1864〉（松浦武四郎記念館蔵）

解説　松浦武四郎の著作に見える「札幌」の古い地名表記である。上には「上サツホロ」「下サツホロ」「札縨（サツホロ）郡」「察縨郡」などと記し（参照：II部序論、II部第１章）、下には「フシコサツホロ」「察縨」「サツホロ」と記している。

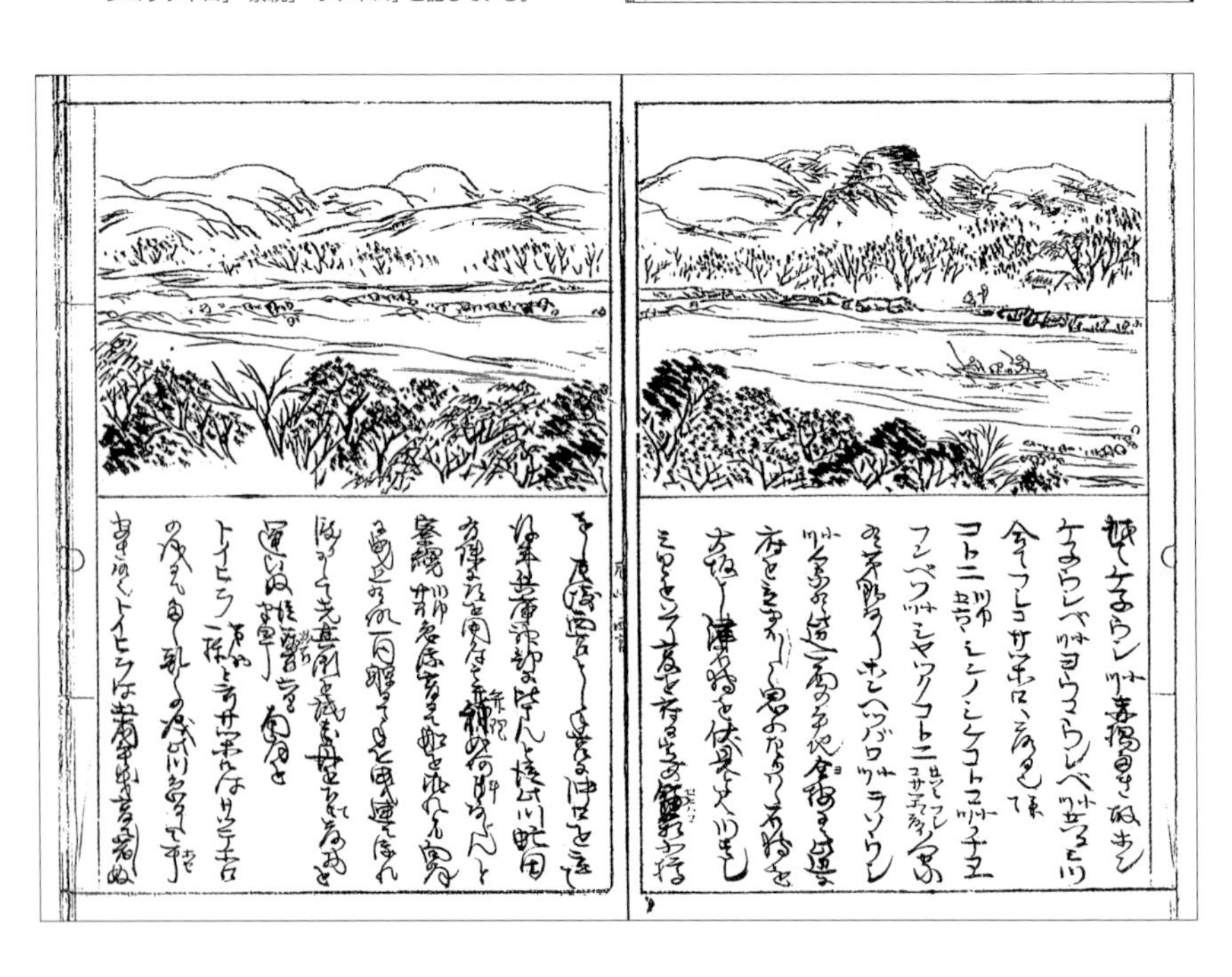

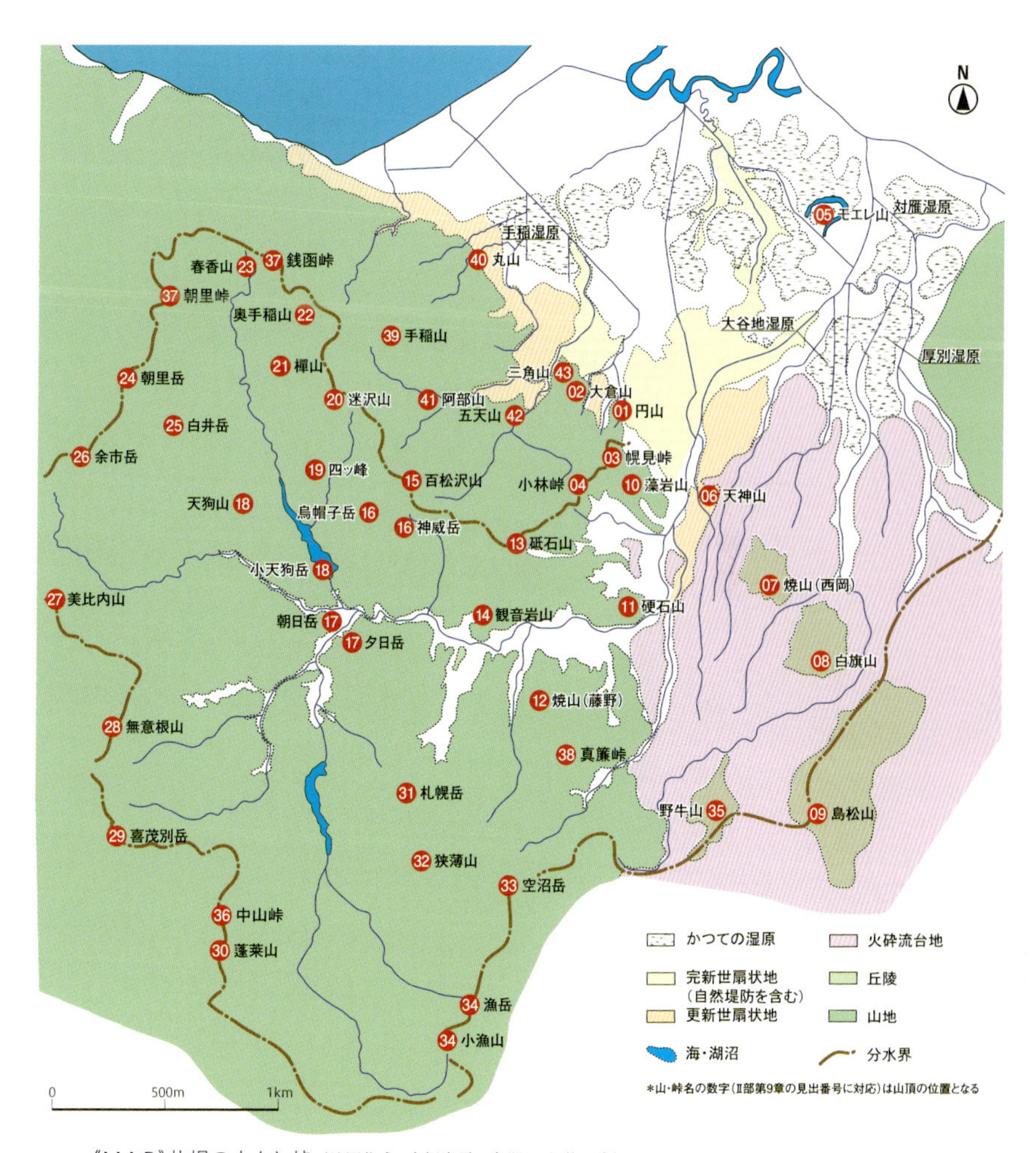

《MAP》札幌の山々と峠（地図作成：宮坂省吾、参照：Ⅱ部第９章）

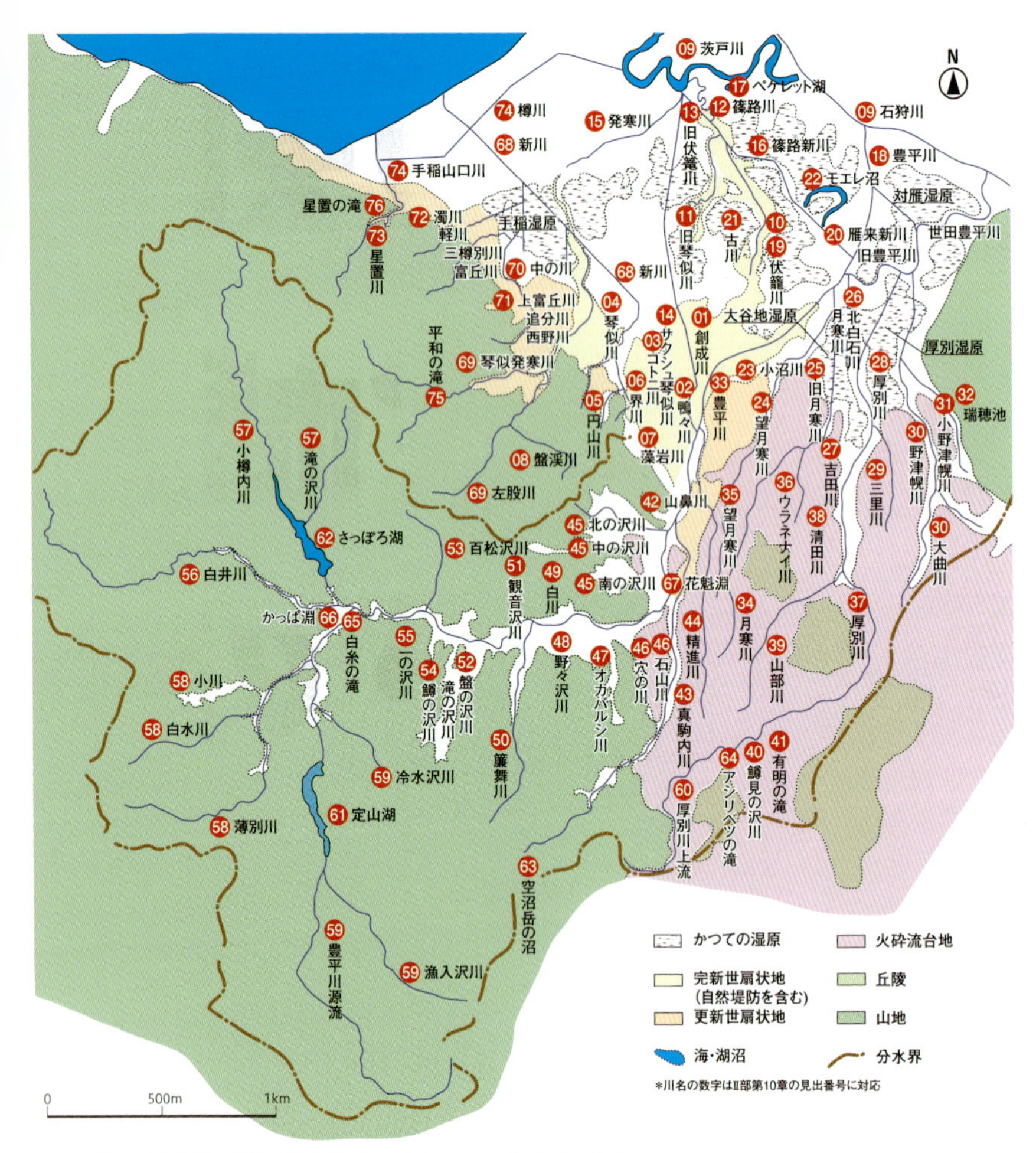

《MAP》札幌の川と湖沼、滝（地図作成：宮坂省吾、参照：II部第10章）

札幌の地名がわかる本

増補改訂版

関 秀志 編

亜璃西社

はじめに

地名は言うまでもなく、土地につけられた名称であり、文部省の『地名の呼び方と書き方』（昭和34年）は、「陸地・水域に関する名称、都市・村落などの集落名称、地方や国の名称など、地点・地線および地域につけられた名称」としている。さらに、研究者たちによって詳細な分類が試みられているが、簡潔な分類は自然的地名、人文的地名、歴史的地名の3分類が一般的である。いずれにせよ、地名の多くは、住民の社会生活における必要から生まれたものであり、地域社会の特性や歴史を反映した「重要な文化遺産」「歴史遺産」と言える。

札幌を含む北海道史の大きな特色として、先住民族アイヌの居住地に、全国各地からそれぞれの地域の文化を持った和人が移住して現在の北海道が形成され、同時に国策として開発が進められたことが挙げられる。

こうした歴史的特色を反映して、北海道の地名にはアイヌ語に由来する地名、特に暮らしと係わりの深い自然地名がきわめて多く、同時に移住・開拓関連の地名（移民の出身地の地名、移民のリーダー・農場主などの氏名、原野の区画測設により設定された○線・○号など）も目立つ。しかし、暮らしや社会が変化するのに伴い、地名も大きな変化をとげてきた。

北海道の地名については、これまで多くの文献や辞典などが刊行されてきたが、札幌の地名に限ると、昭和52年（１９７７）発行の『さっぽろ文庫１　札幌地名考』（札幌市教育委員会文化資料室編）が広く市民に親しまれ、利用されてきた。しかし、本書の発行からすでに40年以上が経過し、この間に、札幌市は飛躍的な発展・変貌を遂げ、分区に伴い多数の新地名も誕生した。

このような状況を踏まえ、最新の情報を盛り込みながら、地名をとおして札幌の歴史と地域の特性が浮かび上がってくる、一般読者（主として札幌市民）向けの本の刊行をめざして、本書の編さんに着手した。

本書で対象としたのは、合併前の旧町村を含む現札幌市域だが、全道的な視野のもとに記述することに努めた。全体はⅠ部とⅡ部で構成し、巻末に主要な地図に記載された地名の一覧「地図に見る札幌の地名」と索引を載せた。

Ⅰ部では、各区の歴史と概況並びに全現行行政地名（行政区域名）について解説し、限られてはいるが、その他の主要な地名も取り上げた。

Ⅱ部は、地名「サッポロ」「札幌」の歴史を紹介した序論に加えて、13のテーマを設定し、アイヌ民族史・アイヌ文化史、札幌市史・北海道近現代史、産業・交通史、教育・文化史、北海道自然史、北方地図史など、多様な視点から地名の成立や変化についてのアプローチを試みた。

また、読者が札幌の地名についてさらに詳しく知りたい際に役立つよう、脚注をできる限り多く設けるように心がけた。

とはいえ、執筆・編集期間の制約などから、記述が不十分な部分も少なくないが、本書が札幌の多様な地名に興味を抱き、その歴史について関心を深めていただくことに寄与できれば幸いである。

令和4年9月

関　秀志

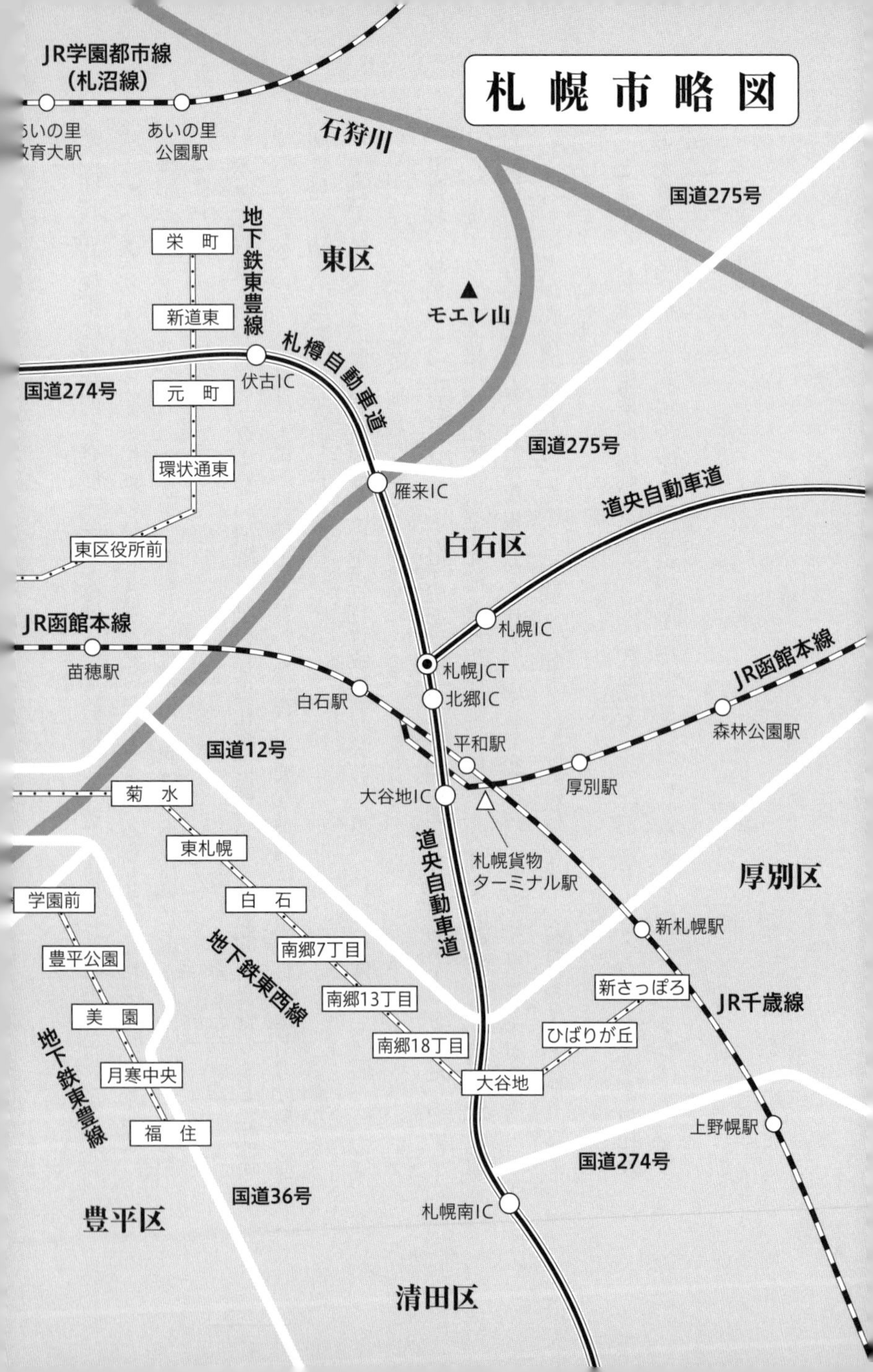
札幌市略図
JR学園都市線
(札沼線)
あいの里公園駅
石狩川
国道275号
地下鉄東豊線
栄町
新道東
東区
モエレ山
札樽自動車道
伏古IC
国道274号
元町
環状通東
国道275号
雁来IC
道央自動車道
東区役所前
白石区
JR函館本線
札幌IC
苗穂駅
札幌JCT
JR函館本線
白石駅
北郷IC
森林公園駅
平和駅
国道12号
厚別駅
菊水
大谷地IC
東札幌
札幌貨物
ターミナル駅
厚別区
学園前
白石
道央自動車道
新札幌駅
地下鉄東西線
南郷7丁目
豊平公園
南郷13丁目
新さっぽろ
JR千歳線
美園
ひばりが丘
南郷18丁目
地下鉄東豊線
月寒中央
大谷地
福住
上野幌駅
国道274号
国道36号
札幌南IC
豊平区
清田区

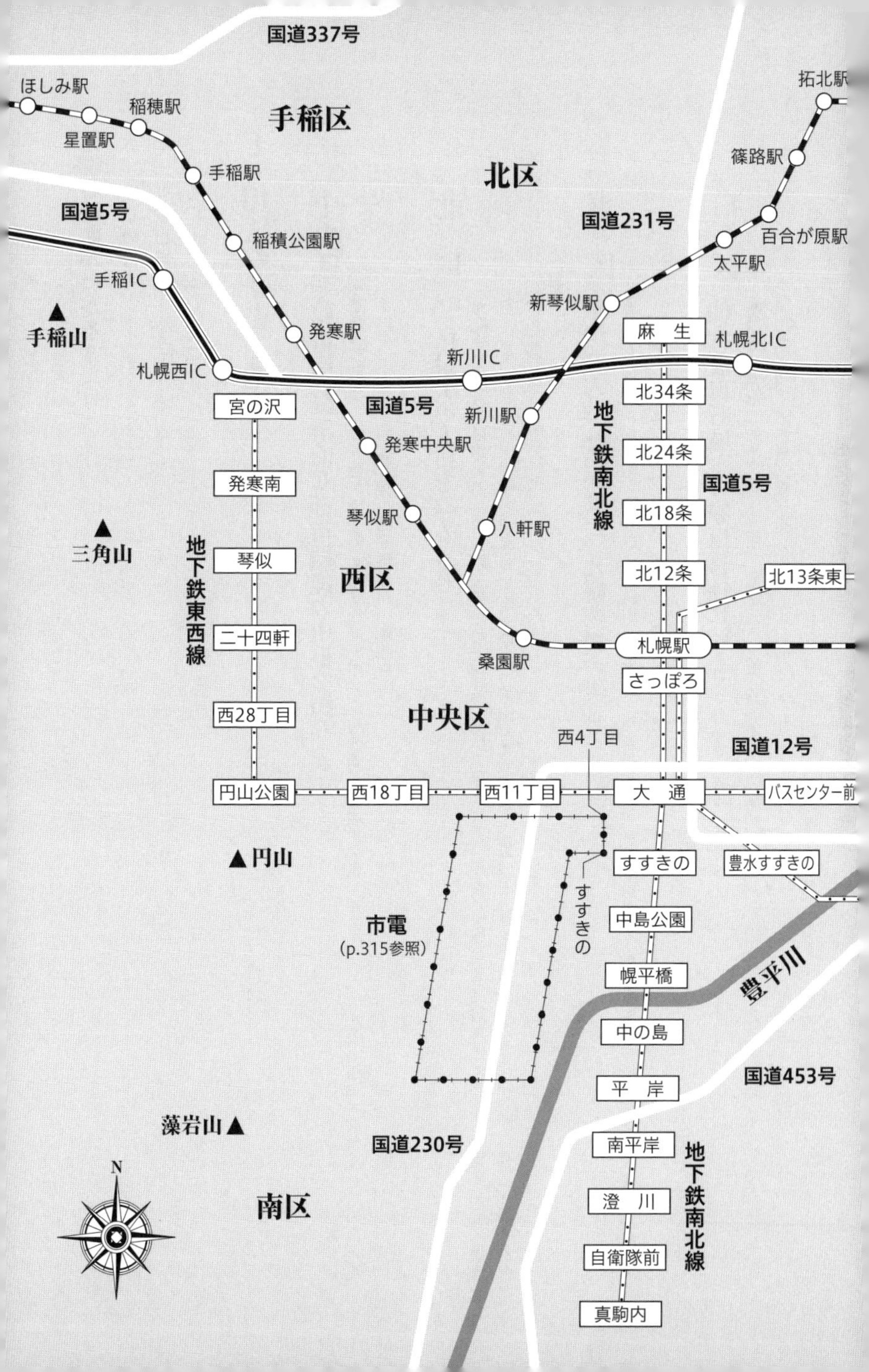

国道337号
ほしみ駅
稲穂駅
星置駅
手稲区
北区
手稲駅
拓北駅
篠路駅
国道5号
国道231号
百合が原駅
稲積公園駅
太平駅
手稲IC
新琴似駅
手稲山
発寒駅
麻　生
札幌北IC
札幌西IC
新川IC
宮の沢
国道5号
北34条
新川駅
地下鉄南北線
発寒中央駅
北24条
発寒南
国道5号
北18条
琴似駅
八軒駅
三角山
琴似
西区
北12条
北13条東
地下鉄東西線
二十四軒
桑園駅
札幌駅
さっぽろ
西28丁目
中央区
西4丁目
国道12号
円山公園
西18丁目
西11丁目
大　通
バスセンター前
円山
すすきの
豊水すすきの
すすきの
市電
(p.315参照)
中島公園
幌平橋
豊平川
中の島
平　岸
国道453号
藻岩山
国道230号
南平岸
地下鉄南北線
N
南区
澄　川
自衛隊前
真駒内

札幌の地名がわかる本 [目次]

はじめに……2
札幌市略図……4
この本を読む前に……10

I 10区の歴史と地名……11

中央区 **政治的、経済的な都市機能の中枢を担う**(榎本洋介)……12
◉歴史と概況 大通西/大通東/旭ケ丘/界川/中島公園/盤渓/伏見/双子山/円山/円山西町/宮ケ丘/宮の森/すすきの/山鼻/桑園/狸小路/創成川/創成橋

北区 **10区最大の人口を誇る**(中根有理)……32
◉歴史と概況 篠路・篠路町篠路・篠路町上篠路/あいの里・南あいの里/太平・篠路町太平/拓北・篠路町拓北/麻生町/新川・新川西/新琴似・新琴似町/屯田・屯田町/西茨戸・東茨戸/篠路町福移/百合が原公園・百合が原/烈々布/釜谷臼/安春川

東区 **平坦な大地に拓かれた、札幌開墾の礎**(山内正明)……48
◉歴史と概況 丘珠町・北丘珠/苗穂町/東苗穂・東苗穂町/雁来町・東雁来・東雁来町/中沼・中沼町・中沼西/モエレ沼公園/伏古/本町/栄町/元町/光星/鉄東/美香保

白石区 **仙台藩白石城主の家臣移住に始まる**(谷中章浩)……60
◉歴史と概況 菊水/菊水上町・菊水元町/東札幌/中央/栄通/南郷通/本郷通/平和通/本通/流通センター/北郷/川北/川下/米里/東米里/横町/上白石

厚別区　多数の住宅団地を擁する札幌の副都心（榎本洋介）……74
◉歴史と概況　厚別町上野幌・上野幌／厚別町小野幌／厚別町下野幌／下野幌テクノパーク／厚別西／厚別町山本／大谷地西・大谷地東／青葉町／厚別北／厚別中央／厚別東／厚別南／もみじ台北・同西・同東・同南／厚別町旭町／厚別町東町

豊平区　豊平・月寒・平岸の各村から発展（榎本洋介）……88
◉歴史と概況　豊平／旭町／水車町／中の島／西岡／平岸／美園／福住／月寒・月寒西・同東・月寒中央通／羊ケ丘／八紘／アンパン道路

清田区　自然環境に恵まれ、近年は宅地化が進む（濱本武司）……102
◉歴史と概況　清田／里塚／有明／北野／平岡／真栄／美しが丘／里塚緑ケ丘／平岡公園／平岡公園東／厚別川／旧国道36号／白旗山

南区　開拓の歴史を秘める広大な区（佐藤真名）……112
◉歴史と概況　定山渓・定山渓温泉西・同東／簾舞／砥山／豊滝／小金湯／石山・石山東／硬石山／藻岩山／北ノ沢／中ノ沢／南沢／川沿・川沿町／砥石山／藻岩下／真駒内・真駒内上町・同緑町・同曙町・同幸町・同泉町・同南町・同本町・同柏丘・同東町・真駒内公園／常盤／滝野／芸術の森／藤野／白川／澄川／駒岡／湯の沢／軍艦岬／豊平峡／水松沢

西区　北海道初の屯田兵が開拓を牽引（池田 茜）……138
◉歴史と概況　発寒／八軒／二十四軒／西野／宮の沢／琴似／福井／小別沢／山の手／西町北・西町南／平和／琴似本通／広島通

手稲区　西区から分区した山麓の住宅地（小黒七葉）……152
◉歴史と概況　曙／稲穂・手稲稲穂／金山・手稲金山／富丘・手稲富丘／前田・手稲前田／軽川・手稲本町／星置・手稲星置・星置南／新発寒／明日風／手稲山口／西宮の沢／稲積／曲長通／手稲山口バッタ塚／トド山

II 多様な地名の成立と変化

II 多様な地名の成立と変化……163
序論 地名「札幌」の歴史 関 秀志……164
Chapter 01 先住民族アイヌの暮らしと地名 佐々木利和・谷本晃久・永野正宏……192
Chapter 02 札幌市の発展に伴う行政地名の成立と変遷 榎本洋介……230
Chapter 03 移民と家臣団で形成された屯田兵村と開拓村落の地名 中村英重……260
Chapter 04 新興住宅地・団地の成立に伴う新地名の誕生 中村英重……282
Chapter 05 札幌の近代産業史を飾り今も生まれる産業の地名 大庭幸生・山内正明……292
Chapter 06 道路、公共交通の駅・停留場、橋梁——その歴史と名称の変遷 濱本武司……308
Chapter 07 札幌の幼稚園、小・中学校の名称に見る特色と地域性 岡田祐一……322

Chapter 08
神社と公園の名称に見る
地域の歴史と地名のかかわり　岡田祐一……336

Chapter 09
扇状地を囲む山々と峠
──名称の由来と形成史　宮坂省吾……346

Chapter 10
川・湖沼・滝の成り立ちと
その流路、名称の由来　宮坂省吾……370

Chapter 11
昭和戦前期に施行された
字名改正事業と地名の変化　関 秀志……408

Chapter 12
江戸期～明治初期の記録や地図に
現れる札幌とその周辺の地名　髙木崇世芝……432

Chapter 13
戦前の琴似町字名改正における
「宮の森」「盤渓」の由来を再検証　和田 哲……452

付 録❖地図に見る札幌の地名（作成：山内正明／監修：関 秀志）……491

あとがき……468
10区の歴史と地名索引……503
アイヌ語地名索引……494
編者・執筆者プロフィール……505

この本を読む前に

1. 本書は、大きくⅠ部とⅡ部に分けて構成されている。Ⅰ部「10区の歴史と地名」では、札幌市内各区の歴史と現行行政地名のすべてを紹介し、一部その他の地名も取り上げた。Ⅱ部「多様な地名の成立と変化」では、さまざまなテーマから札幌の地名が成立した過程やその変遷について考察した。そのため、Ⅰ部とⅡ部の内容が一部重複する部分もあるが、Ⅰ部の内容をⅡ部で補完することを目的としているため、ご了承いただきたい。

2. 本文中の氏名の敬称は省略した。また、文中の年号は和暦を基本に、各節の初出については西暦も併記した。ルビは原則ひらがなとしたが、昭和戦前期の字名改正事業で定められた字名のルビについては原則カタカナとした。

3. 地名などの固有名詞は、当時の名称と現在の名称が異なる場合、それぞれを併記した。また、松浦武四郎の表記については、時代や作品によって「武四郎」や「竹四郎」などと異なるため、あえて統一はせず、原典に従った。

4. 本書では「アイヌの人びと」「先住民族アイヌ」「アイヌ民族」などの表現を文脈に応じて使用した。また、アイヌ語起源とされる地名については、主にⅡ部第1章「先住民族アイヌの暮らしと地名」で説明したが、それ以外のアイヌ語起源と思われる地名については、アイヌ語地名研究者の説などを適宜引用して紹介した。

5. 本書の中には、今日の観点からみると差別的と捉えられる語句や表現が見られるが、これは歴史的事実を記述することを目的としており、差別を助長することを意図したものではないことから、そのまま掲載した。

6. 本文を補足するため、主に語句の説明などを脚注として本文下に配している。ただし、同じ語句が度々登場する場合は、参照ページを示した。

7. 本書は基礎文献として「角川日本地名大辞典」編纂委員会編『角川日本地名大辞典1 北海道 上・下』（角川書店、1987年）および札幌市教育委員会文化資料室編『さっぽろ文庫1 札幌地名考』（札幌市、1977年）を参考にさせていただいた。各項の末尾に挙げた参考文献は、原稿を書く上で参考にさせていただいた文献のほか、その項の内容をより深く知りたい方に読んでもらいたい文献も一部紹介した。

8. 掲載した写真の所蔵先は各写真説明に付し、主に札幌市公文書館、北海道立文書館、北海道大学附属図書館の所蔵品を使用させていただいた。また、北海道立文書館については道立文書館、北海道大学附属図書館については北大附属図書館の略称を用いた。なお、撮影者名の記載がない写真は、編集部撮影分もしくは著作権フリーのものとなる。

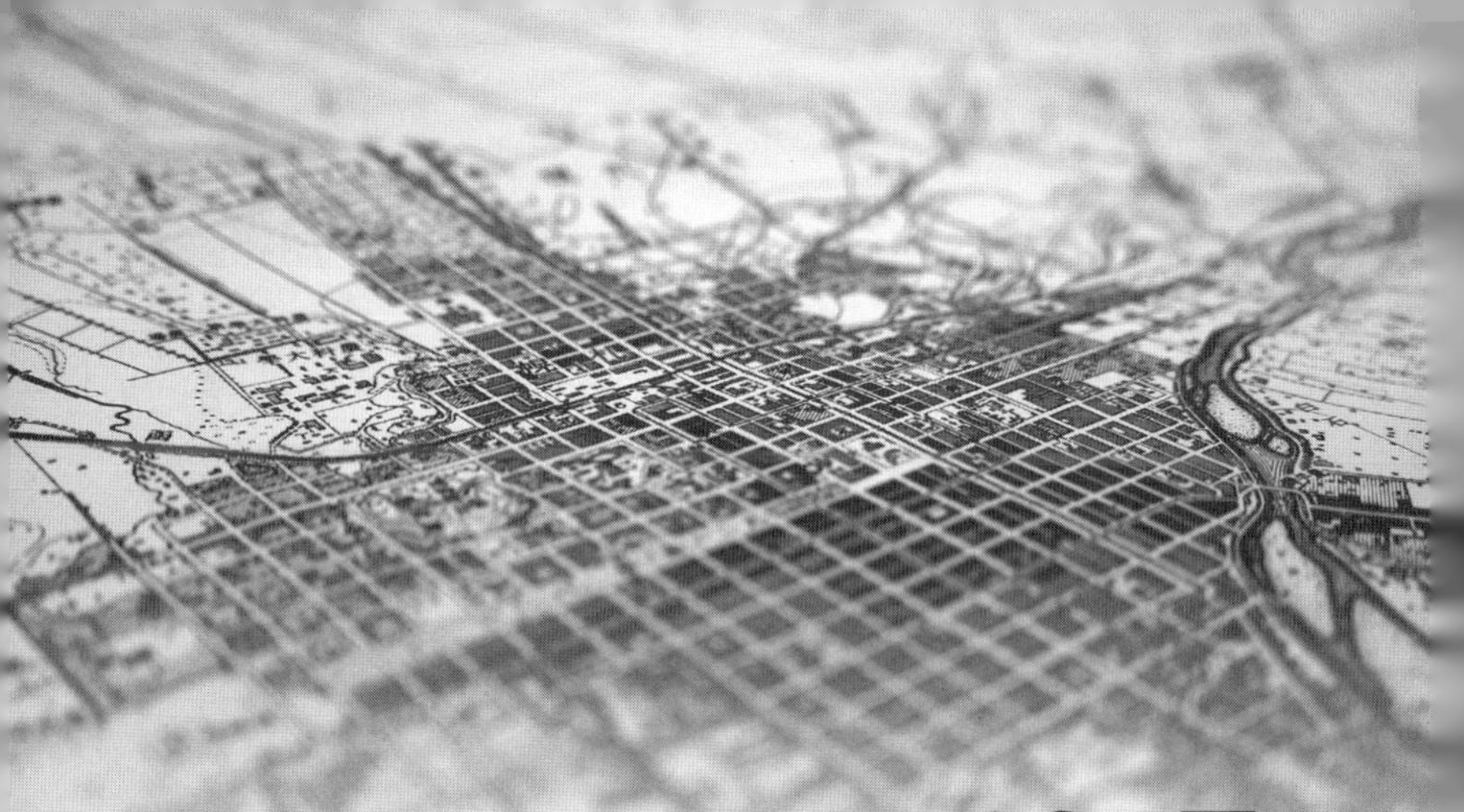

Ⅰ
10区の歴史と地名

地名の成り立ちから知る
この街の歴史と
知られざる地域の歩み

since 1972

中央区（ちゅうおうく）

政治的、経済的な都市機能の中枢を担う

DATA

面積＝46・42平方キロメートル（市総面積の4・1％）
人口＝24万1656人（市総人口の12・3％）
世帯数＝14万8789世帯
性比（女性＝100）＝82・9
平均年齢＝47・0歳
＊2022年4月1日現在

◉歴史と概況

札幌市の中心部に位置し、おおむね北は函館本線から南は藻岩山の山裾まで、東は豊平川、西は琴似川や藻岩山を越えた西部の山岳地域にまで広がる。

明治2年（1869）、開拓使は札幌本府の建設を始めるとともに、本府（開拓使本庁周辺）東部に木工場・製鉄所・製糸場・製紙場・麦酒醸造所などを設置し、隣接する農村にそれらの原料となる大麦や繭などを生産させて買い上げた。その後、明治19年に北海道庁が置かれると、それらの工場は払い下げられ、民間企業が勃興した。

明治期後半からは政府出先機関の設置が始まり、大銀行の支店などの金融機関、本州資本の企業の支社や支店も多数集まっていく。大正期に入ると、この状況はさらに進行。昭和15年（1940）の国勢調査で、ついに札幌市の人口が全道一となり、以降も政治的、経済的な中枢機能が現在の中央区に集積していく。

その結果、公務員や銀行員などに加え、サービス産業・小売業などに就くサラリーマンの増加が著しく、後に一般化する人口構成比の典型が、ビジネス街を有する中央区では早くも先行して形成されていた。

　昭和16年に円山町と合併して以来、札幌市は同25年に白石村、同30年に琴似町・札幌村・篠路村、同36年に豊平町、同42年に手稲町と、隣接する町村との合併を繰りかえして市域を広げた。そして、昭和47年の政令指定都市移行時に、中央区を含む7区が発足した。

　市では都市計画に基づいた用途地域の指定により、工場地帯の郊外移転を進めるとともに、長期計画と5年計画を組み合わせて住宅地の拡大と人口の配分をコントロールした。

　そのため、中央区の人口は一時減少するが、土地の高度利用地区の指定により高層住宅の建設が相次ぎ、人口の中央区回帰も起きている。さらに近年は、札幌駅・道庁・ススキノ周辺や創成川東地区など、都心の再開発も進んでいる。

〈執筆担当　榎本洋介〉

行政地名

大通西（おおどおりにし）

区の北部、札幌市街地の中央部に位置し、1～28丁目があり、東境を**創成川**（そうせいがわ）が北流する。明治5年（1872）、本庁下や市街地と称された地域には、通りごとに道内の郡名を町名として付し、現在の大通に当たる通りは「後志通（しりべしどおり）」と名づけられた。その後、明治14年に**条丁目**を採用することになり、後志通を「大通」とし、創成川の西側を大通西○丁目とした。*1明治2年に**島義勇**（しまよしたけ）判官が札幌で**本府**（ほんぷ）建設を始める際の計画図『石狩国本府指図（さしず）』を見ると、北部を官庁や官宅地とし、南部の町屋地と分離するために42間（約76メートル）の空閑地を設けている。この空閑地は、城の周りの堀としての役割や、役所・役人のための居住地と庶民の居住地を分ける地域と考えられる。その後、東京の大火、函館や余市の大火の発生によって、火防帯（線）の役割が強調されるようになった。

かつて花壇の造成や芝生化が行われた大通の公園化は、明治34年、大通7丁目に**黒田清隆**（くろだきよたか）像を建設するに際して、6～8丁目を溜池や築山のある小公園としたことに始まる。明治40年には東京市嘱託の長岡安平に、円山・中島・大通に設置する公園の設計を依頼し、公園整備を行った。太平洋戦争敗戦後は、GHQ（連合国軍総司令部）に接収されたり、市民の運動場となったりしたが、その後

創成川　28頁参照。

条丁目　明治14年、郡名を町名にすることを廃し、大通を基線として南北に南○条、北○条とし、創成川を基線に東西に東○丁目、西○丁目とした。その後、住宅地の広がりにあわせて順次拡大。南・北○条東・西○丁目の区域は、中央区から北区、東区にまで広がっている。

***1**　最初に1～8丁目が設定され、明治23年に通称「元桑園及元緜羊場」を9～20丁目とし、昭和16年の円山町との合併時に字円山の一部を21～28丁目とした。

島義勇　1822～1874年。佐賀藩士。藩主・鍋島直正の命により、安政3年から2年をかけて蝦夷・樺太を巡視。明治2年に開拓使判官となり、北海道の開発に貢献したことから「北海道開拓の父」とも呼ばれる。

本府　184頁参照。

開拓使仮庁舎屋上より札幌東部を望む〈部分〉（明治4年撮影、北大附属図書館蔵）

は公園化が進められ、昭和32年（1957）には1丁目に**さっぽろテレビ塔**が建設された。*2

また、公園沿いの南北はオフィスビルが連なるビジネス街となっており、西13丁目以西はビジネス街と住宅地が混在する。

大通東（おおどおりひがし）

区の北東部に位置し、1～14丁目がある。9～14丁目の南側は**豊平川**を境に白石区と接する。北境を国道12号が通り、西境を創成川が北流する。明治5年（1872）に「後志通」となるが、同14年に条丁目を採用した際、後志通を「大通」とし、創成川の東側を大通東○丁目とした。*3明治5年、開拓使が創成川の水力ならびに資材運搬の便をもって、1～2丁目間に水力・蒸気による**器械所**を設けて以来、北3条あたりまで鋳造・製粉・木工・馬具・製糸・紡織の諸工場が設置された。

黒田清隆　1840～1900年。鹿児島出身の政治家。開拓長官として北海道開拓に尽力。のちに首相、枢密院議長などを歴任した。

さっぽろテレビ塔　大通公園東端に建つ、高さは147.2メートルの電波塔。昭和32年開業、同36年に日本初となる電光時計が設置された。

***2**　昭和25年からさっぽろ雪まつり、平成4年からはYOSAKOIソーランまつりの会場になるなど、さまざまなイベントの会場として利用されている。

豊平川　386頁参照。

***3**　最初に1～3丁目が成立し、明治21年に4丁目が成立した。その後、明治43年に札幌村との境界変更が行われ、札幌村大字苗穂村の一部を編入した際、町名を5～14丁目に変更した。

器械所　292頁参照。

明治20年頃からは諸工場が民間に払い下げられ、長らく札幌の工場地帯として発展、現在は公共企業・施設、商社・商店を挟んで住宅が立ち並ぶようになっている。歴史的には、東部に貧困者の集住地があるなど発展しづらい地域であったが、昭和47年（1972）の**札幌オリンピック冬季大会**開催を契機に、貧困者の集住地を解消。その後も、大通東を含む条丁目地区東側は再開発がなかなか進まなかったが、近年は高層住宅などの建設が進み、人口が増加している。

旭ケ丘（あさひがおか）

区の西部に位置し、**札幌（豊平川）扇状地**の平地部である市街地から、藻岩山北山麓の高台にかけての住宅地。隣接して界川、双子山、伏見の各地区、ならびに南区があり、南円山地区の一部をなす。

もとは円山南町で、昭和25年（1950）に行政地名として定められた。東向きの高台に位置するため、朝日の陽光が射し、太陽の恵みを受ける丘を意味して命名されたという。*4 6丁目には、昭和33年開校の市立札幌旭丘高校がある。

界川（さかいがわ）

区の西部に位置する、東は旭ケ丘、西は双子山という高台の住宅地。大正13年（1924）、札幌温泉土地会社がこの地区を住宅地として開発・分譲し、同時に温

札幌オリンピック冬季大会　正式名称は、第11回オリンピック冬季競技大会札幌大会。昭和47年2月、市内を中心に各種競技が行われ、冬季オリンピックとしてはアジア初開催となった。

札幌（豊平川）扇状地　豊平川が上流から運び続けた土砂の堆積によって形成された地形。

***4**　その後、一部が昭和35年に南9条西、同40年に南10条西、南11条西となり、同54年に伏見町の一部を編入して1～6丁目となった。

泉浴場と娯楽場の建設にも着手した（湯は定山渓からコンクリート管で引いた）。昭和4年（1929）には、市電との連絡を目的に札幌温泉（郊外）電気軌道も開業するが、同5年、変電所の焼失で温泉施設が閉鎖され、後に軌道も廃止となった。

もとは円山町字円山で、昭和16年の札幌市への編入時に「滝ノ沢」となった。その後、昭和25年に一部が「界川町」となるが、同54年に界川町と双子山の一部を合わせて「界川」1~4丁目の行政地名が成立したことで、界川町は消滅した。界川の地名は、旧円山村と旧藻岩村の境界を流れる界川にちなむという。4丁目には、札幌市創建百年を記念して作られた**旭山記念公園**がある。

札幌温泉（昭和2年頃撮影、出典：『札幌大観』）

中島公園（なかじまこうえん）

都心南東部に位置する都市公園で、豊平川と**鴨々川**に挟まれた地域に広がる。昭和61年（1986）、南10~15条西4丁目と南11~13条西3丁目が、「中島公園」の行政地名に改称された。元は山鼻村に属し、明治19年（1886）に札幌へ編入されるが、同43年に山鼻村が札幌区に編入されたことで同区山鼻町に属

旭山記念公園　昭和46年竣工。円山と藻岩山との間の斜面上に広がる。定山渓温泉から湯を引いた札幌温泉が開業したことから、温泉山の愛称で呼ばれた。昭和21年には札幌市に土地が寄付され、温泉山スキー場となって親しまれたが、札幌市創建百年を機に公園に改修された。

鴨々川　372頁参照。

子どもたちで賑わう中島公園スケートリンク
（昭和5年撮影、札幌市公文書館蔵）

し、大正14年（1925）になって札幌市南10条〜15条西3、4丁目となった。

この場所は、札幌で都市建設が始まった明治初期、「元右衛門堀」と呼ばれる二つの貯木池が造成された場所と言われる。後に大通東に貯木場が設置され、その役割を終えるが、池はそのまま残った。明治19年の札幌区編入後は、中島遊園地として設備され、園地は民間業者に貸与されたほか、物産陳列場・競馬場なども設置された。明治41年からは、東京市嘱託である長岡安平の設計により、中島公園の本格的な整備が行われ、同43年、「中島公園」に改称された。*5

その後、大正7年の開道五十年記念北海道博覧会や昭和33年の北海道大博覧会など、多くの共進会や博覧会の会場になるとともに、園内の池は冬季にスケートリンクとなり、大正期からは氷上カーニバルも開催された。昭和33年には大通西1丁目にあった**豊平館**が園内に移築され、同46年には**八窓庵**も移設されている。昭和46年には地下鉄南北線の開業で、公園の北端に中島公園駅、南端に幌平橋駅が開設された。平成7年（1995）からの再整備により、遊園地の子供

＊5　初期は「鴨々中島」の俗称で呼ばれたが、明治18年に「中島遊園地」、同43年に現在の名称となった（『さっぽろ文庫84　中島公園』）。後に園内には、野球場、スケート場、プール、体育館などのスポーツ施設が設置されたほか、ボート池・日本庭園、100種以上のバラを集めた百花園、菖蒲園が整備され、子供の国・御伽の国といった遊戯施設も設置された。

豊平館　明治14年竣工の、開拓使が建てた洋造ホテル。国の重要文化財指定。

八窓庵　江戸時代初期、大名茶人として名高い小堀遠江守が近江（滋賀県）の現長浜市に建てた旧舎那院忘筌とも呼ばれる茶室。国の重要文化財指定。

の国が円山動物園内に移転。その後、北海道立文学館やコンサートホール「Ki（キ）tara（タラ）」が開館し、緑豊かで文化の薫る空間へと変貌している。

盤渓（ばんけい）

区西部の山間部に位置する。昭和18年（1943）、琴似村大字発寒村字「盤渓」の行政地名が定められ、同30年の札幌市への編入時に琴似町盤渓となった。昭和47年の政令指定都市（以下政令市）移行で区制を施行、中央区盤渓となった。*6

もとは盤ノ沢と呼ばれ、明治期にこの地で製炭を行ったことが開拓の始まりになったという。都心から見ると藻岩山の裏側に位置し、琴似地区を北流する発寒川東側の源流部に当たる。かつては純農村だったが、現在は農地に加えて市民の森やスキー場などもある行楽地として市民に親しまれている。

伏見（ふしみ）

藻岩山の北北東斜面を占める住宅地。もとは円山町の一部で、昭和16年（1941）の札幌市編入時に、札幌市「伏見町」として成立。昭和54年、伏見町と山元町のそれぞれ一部が、「伏見」（1～5丁目）となった。*7

明治4年（1871）、移民が入植して四軒村（よんけんむら）と通称したことに始まり、同7年に山鼻村となった後は山根通（やまねどおり）と呼ばれた。明治40年に現在の

*6　この時、盤渓の一部が分離され、西区小別沢となっている。

*7　この時、伏見町の一部が旭ケ丘5～6丁目となった。

盤渓小学校の教室風景（昭和38年撮影、札幌市公文書館蔵）

伏見2丁目に伏見稲荷神社を遷座し、これにちなんで同43年、「伏見」に改称した。かつては園芸・蔬菜（そさい）の栽培地だったが、現在は住宅地となっている。地区内にはもいわ山ロープウェイのもいわ山麓駅や藻岩山登山口があり、藻岩山探勝の玄関口でもある。

双子山（ふたごやま）

北が円山原始林、東は旭ケ丘、南が界川、西は円山西町と接する。もとは円山町字円山に属し、昭和16年（1941）の札幌市と円山町の合併により滝ノ沢となり、同25年に滝ノ沢の一部を分離して、「双子山町」の行政地名を定めた。昭和47年の政令市移行時に中央区「双子山」となり、同54年に双子山1～4丁目が設定された（一部が界川1丁目と円山西町9丁目となり、その後も小変更が行われている）。

地区名は、円山の南斜面に二つの小山が連なることにちなむ。大正中期頃からスキー場として親しまれたが、大正12年（1923）に宅地開発が始まり現在に至る。地区の中央部を主要道道札幌環状線が横断し、1丁目には**地蔵寺**（じぞうじ）がある。

円山（まるやま）

区の西部に位置し、地名の由来は明確ではない。この地区は、島義勇開拓判官

山鼻村字伏見の蔬菜畑
（昭和5年撮影、札幌市公文書館蔵）

地蔵寺　正式名は、真言宗智山派地蔵寺。本尊である札幌開拓延命地蔵尊は、明治4年に現在の南1条西5丁目に祀られていた。その後、札幌市街の発展に伴い西方へ移転し、昭和5年には現在の大通西19丁目に地蔵寺が建立され安置されるも、同31年には現在地に移された。

が東北・北陸から移民を募集し、明治3年（1870）、酒田県（現山形県）から農民30戸が入植して開いた**庚午三ノ村**を母体に、翌年、円山村となった。同年には、村西部の丘に札幌神社（現**北海道神宮**）が建立されている。

明治39年に北海道二級町村制が施行され、隣接する屯田兵村中心の山鼻村と併せて、藻岩村大字円山村となった。昭和13年（1938）、円山町に改称し、同16年の札幌市編入時に、伏見町、山元町、円山南町、滝ノ沢、宮ケ丘、円山北町、札幌市に連なる条丁目となった。現在、行政地名として残る「円山」は、山である**円山**の部分にのみ設定されている。

もとは農業地帯で、農家は札幌区（市）との境界付近で開かれた**円山朝市**で産品を販売した。大正期からは、札幌の市街地と**連坦**して宅地化が進んだことで閑静な住宅街となり、近年は高層マンションが立ち並ぶ地域に変貌している。

円山の街並み（大正15年頃撮影、出典：『円山百年史』）

円山西町（まるやまにしまち）

円山動物園の西側から南側にかけての丘陵

庚午三ノ村　入植した年が庚午であったことにちなむ。庚午一の村は苗穂、庚午二の村は丘珠だった。233頁参照。

北海道神宮　明治4年、新政府が北海道開拓の三神（大国魂神・大那牟遅神・少彦名神）を祀る札幌神社を創建。昭和39年、神宮に昇格。境内の桜は明治8年、佐賀の乱で処刑された島義勇開拓判官を偲び、献木された桜150本に始まる。

円山　347頁参照。

円山朝市　明治中期、南1条西11丁目付近で自然発生的に誕生。後に多くの農家や仲買人が集まるようになり、移転を経て大正期には市場の建物が建つまでになった。戦後は北7条西24丁目付近に移転し、平成9年に閉鎖されるまで続いた。

連坦　都市計画で、区画をまたいで街区が繋がること。

円山朝市の賑わい（大正期撮影か、出典：『円山百年史』）

地に広がる。昭和28年（1953）、滝ノ沢の一部を分離して「円山西町」の行政地名が定められ、昭和47年、政令市移行時に中央区円山西町となった。*8 明治20年（1887）頃から建築材などにするため伐木が行われ、同27、28年には入植者による開墾が始まった。近年は自然に恵まれた住宅地となっている。

宮ケ丘（みやがおか）

北海道神宮を中心に円山公園や円山動物園、円山陸上競技場、円山球場を擁するほか、北側に一部住宅街がある。

もとは円山町字円山の一部で、昭和16年（1941）の札幌市編入時に「宮ケ丘」の行政地名が定まる。昭和47年の政令市移行時に中央区宮ケ丘となった（同54年に一部が円山西町2・8丁目となる）。*9 明治初期は本州の樹木などの育成を行う円山養樹園であった。明治40年（1907）から円山公園の整備が始まり、大正10年（1921）に養樹園は札幌区へ払い下げられ、順次整備されていった。

＊8 その後、昭和51年に一部が宮の森1条14丁目、同54年には円山西町と双子山町と宮ケ丘のそれぞれ一部が、円山西町1～10丁目、円山西町の一部が双子山3丁目となっている。

＊9 神社や公園部分は宮ケ丘、北1条宮の沢通の北側道路沿いに宮ケ丘1～3丁目が設定されている。

宮の森（みやのもり）

区の西端に位置し、北は道道二十四軒手稲通、西は西区山の手、南は盤渓、東は宮ケ丘と円山西町に接する。もとは琴似村大字琴似村字十二軒で、地名は明治4年（1871）、**辛未（かのとひつじ／しんび）一ノ（いち）村**の移民が12軒入地したことに由来する。昭和18年（1943）に琴似町の字名変更が行われた際、札幌神社の山林を含んでいたことから「神域ノ周囲ニ位置シ日夕宮ノ森ノ森厳（しんげん）サヲ拝スルヲ光栄トシ」（『琴似町議決書昭和十八年』）て、「宮ノ森」の行政地名が定められた。*10 現在は、宮の森、宮の森1〜18丁目、同2条17丁目、同3条1〜13丁目、同4条1〜13丁目が設定されている。

北部の平地には住宅街が広がり、南部の山地も中腹まで住宅街となっている。山頂側には**大倉山**ジャンプ競技場と宮の森ジャンプ競技場があり、大倉山の競技場には**札幌オリンピックミュージアム**も設置されている。

そのほかの地名

すすきの

区の北部中央に位置し、地区名は明治4年（1871）から残る通称名。現在は北日本随一の歓楽街と言われる地域となっている。明治2年11月から開拓使による本府設置が開始されるが、その頃に秋田屋などの旅籠（はたご）屋（食事を提供する宿

辛未一ノ村　開拓使が近在の農民や出稼ぎを、現在の南4条以南に移住させ、その年の干支にちなむ村名を付けた。

***10**　昭和51年に一部が、宮の森1条6〜13丁目、同2条7〜17丁目、同3・4条11〜13丁目となる。昭和52年には一部が、宮の森1条1〜5・10〜11丁目、同2〜4条1〜6・10〜11丁目、同3条7〜11丁目、同4条7〜11丁目となった。さらに昭和57年、一部が宮の森1条18丁目、同4条11・13丁目に、昭和61年、一部が宮の森4条12丁目となる。その後も地番整備や住宅地の拡大によって細かな変更が行われている。

大倉山　348頁参照。

札幌オリンピックミュージアム　昭和47年開催の札幌オリンピック冬季大会にまつわる資料を中心に、ウィンタースポーツの歴史資料を展示する博物館。

西北方向から見た草創期の薄野（明治５年撮影、北大附属図書館蔵）

屋）が存在し、**飯盛女**（めしもりおんな）も置いていた。明治4年から本府建設が再開されることになり、多くの労働者が集まることを予測した開拓使は、小樽の遊女屋や他の地域の旅籠屋に飯盛女を置くことを許可した。同時に札幌では、建設を始めたばかりの市街地の南外れ（現在の南4～5条西3～4丁目）に、2丁四方の郭地（くるわ）（遊郭）設置を許可し、そこを薄野（すすきの）と命名した。明治5年、開拓使はさらに〝公然売女〟の許可を政府に求め、太政官指示の出ぬまま薄野の旅籠屋を遊女屋とした。

その後、南2・3条の中通りは狸小路と称され、**曖昧屋**（あいまいや）と呼ばれる店が集まった。明治20年代以降、人口増加で市街地が南へ広がったため、狸小路も住宅地に囲まれるようになり風紀上の問題が生じた。そのため、警察による取り締まり強化と薄野への移転が求められ、多くの店が薄野に移って三等貸座敷（遊女屋）となった。しかし、市街地の南方への拡大はやまず、やがて薄野を越え中島公園周辺にまで広がった。明治40年に現在の南9条に**札幌区立女子職業学校**が開校してから

飯盛女　江戸時代、宿場の旅籠屋で、旅人の給仕をしながら売春も行った。

曖昧屋　料理店や旅館などに見せかけ、売春を行う店。

札幌区立女子職業學校　明治40年創設の専門学校。市立高等女学校（現在の道立札幌東高）の前身となった。

は、女学生の通学路にある売春街が問題視され、明治末頃には薄野遊郭の移転が求められるようになる。さらに、大正7年（1918）の開道五十年記念北海道博覧会開催が決まると、移転の声が一層高まり、ついに大正8～9年にかけて遊郭街は豊平川東側の白石地区に移転し、名称も札幌遊郭に改称した。

その後も、薄野の歓楽街としての位置づけは変わらず、戦後も拡大を続けた。広義には、南3～8条、西1～9丁目の範囲とされ、喫茶店・料飲店・バー・キャバレー・スナックなどが立ち並ぶ。このほか、地下鉄南北線すすきの駅や東豊線豊水すすきの駅が開設され、デパートやビジネスホテルも進出した。*11 札幌名物の**ラーメン横丁**は旧郭（くるわ）内にあり、今も観光客で賑わう。遊郭時代の名残としては、**豊川稲荷札幌別院**の境内を囲む玉垣や本殿が、往時を偲ぶ遺構となっている。

札幌駅前通沿いにあった頃のラーメン横丁
（昭和41年撮影、札幌市公文書館蔵）

山鼻（やまはな）

区の南部に位置し、北は大通から南は**札幌（豊平川）扇状地**の**扇頂**（せんちょう）までの扇状地一帯を指した。明治7年（1874）、石切山道（いしきりやまみち）の左右に入植したところを山鼻村と命名して成立した。この石切山道が東本願寺の南側あたりから、藻岩山の東端、俗に**軍艦**

＊11　大型雑居ビルを中心とした高層化も顕著だが、長い不況の中でビルが壊され、跡地が駐車場となっている部分も目立つ。

ラーメン横丁　正式名は、元祖さっぽろラーメン横丁。昭和26年、南5条西3丁目の東宝公楽会館横に誕生した「公楽ラーメン名店街」に始まる。昭和46年、同じ条丁目の北側に移転し、現在も17店が営業する。

豊川稲荷札幌別院　南7条西4丁目にある、明治31年創基の禅寺。玉垣などの寄進者には、地元の有力者や興行主、芸妓も多く、花街との関わりが深かった。昭和47年、地元有志らが花柳界の無縁仏と水子の冥福を祈るため、境内に「薄野娼妓並水子哀悼」の碑を建立。

札幌（豊平川）扇状地　16頁参照。

扇頂　扇状地の頂点を扇頂、末端を扇端という。

山鼻屯田兵屋の配列（明治９年撮影、札幌市公文書館蔵）

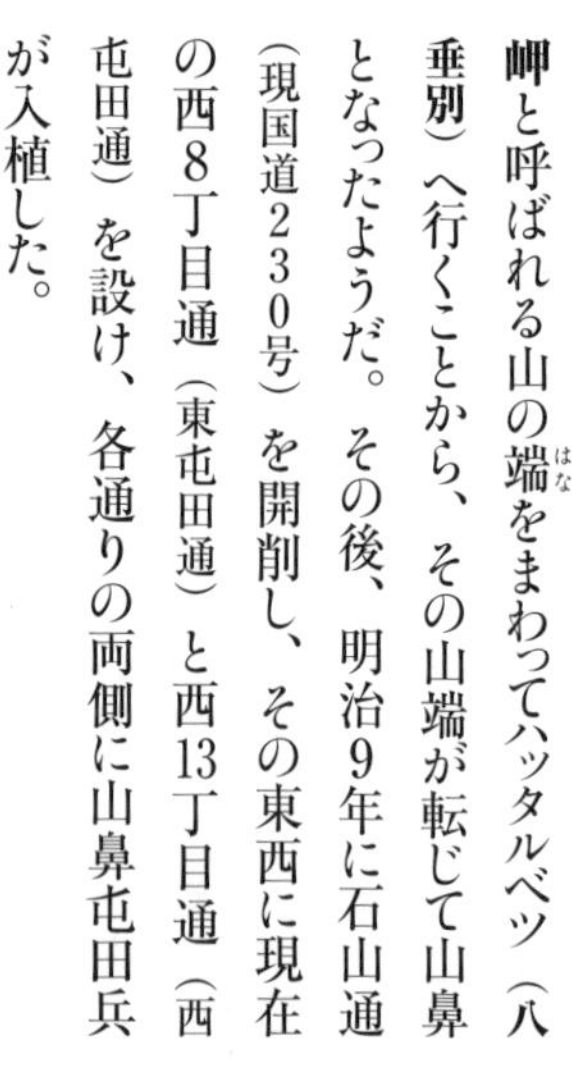

岬と呼ばれる山の端（はな）をまわってハッタルベツ（八**垂別**）へ行くことから、その山端が転じて山鼻となったようだ。その後、明治9年に石山通（現国道230号）を開削し、その東西に現在の西8丁目通（東屯田通）と西13丁目通（西屯田通）を設け、各通りの両側に山鼻屯田兵が入植した。

明治39年、円山村と山鼻村に北海道二級町村制が施行され、藻岩村大字山鼻村となった。明治43年には、札幌区との境界変更で山鼻兵村の大部分が札幌区に編入され札幌区「山鼻町」となるが、大正14年（1925）、全域に南1条から南30条までの条丁目が設定され、山鼻町の地名は消失した。一方、山鼻村西端の藻岩山麓は、明治43年に札幌区へ編入されず藻岩村大字山鼻村として残った。昭和13年（1938）に「円山町字八垂別、字白川、字山鼻」となり、同16年の札幌市編入時に「伏見町、山元町、南円山町、藻岩下」となって、こちらの山鼻も消失した。現在、山鼻の地名は、南14条（**行啓通**（ぎょうけいどおり））以南の山鼻地区を担当する行政機関「山鼻まちづくりセンター」や連合町内会、小中学校や公園の名称として残る。

軍艦岬　134頁参照。

八垂別　120頁参照。

行啓通　明治44年、後に大正天皇となる皇太子が札幌を訪問し、山鼻も巡回した。それを記念して、巡行した南14条通の一部がこの俗称で呼ばれるようになった。

桑園（そうえん）

開拓使が養蚕業を移民に奨励したことから、明治7年（1874）、南1条以北、**琴似川**（ことにがわ）まで、開拓使の**官園**（かんえん）以西、琴似川支流までの地域に、模範園として桑園を開設。旧酒田県（現山形県）から開墾者を募って栽培が行われた。行政地名や町名になったことはなく、俗称として桑園ないしは桑園地区と呼ばれてきた。駅名や小学校の名称として残り、**北海道知事公館**敷地内には開墾（桑園）碑が建つ。

狸小路（たぬきこうじ）

中央区の南2条と南3条の中通りにある商店街。狸小路商店街振興組合に加盟しているのは、アーケードのある1～7丁目だけだが、広義には1～10丁目までが狸小路と呼ばれる。明治4年（1871）に再開された札幌本府の建設時に造られた、碁盤の目状の地域の一角を占める。その歴史は、創成川河畔に自然発生的に現れた商店に

スズラン灯が立ち並ぶ狸小路5丁目
（昭和3年撮影、出典：『札幌大観』）

琴似川 373頁参照。

官園 開拓使が設置した、いわば農業試験場。札幌官園は、現在の道庁から北大構内にかけて置かれた。

北海道知事公館 昭和11年、三井合名会社の別邸として建てられ、昭和28年に知事公館となった。庭園での散策が楽しめるほか、館内の見学も可能。

始まる。明治18年には、西1・2丁目に勧工場(かんこうば)（百貨店の前身）が開かれ、狸小路発祥の地となった。*12
しかし、明治25年の大火を契機に飲食店は減ってゆき、本格的な商店街が形成されていく。大正14年（1925）に狸小路連合会を結成し、*13昭和13年（1938）には狸小路商店街商業組合を結成している。第2次世界大戦に敗れた直後は、狸小路にも闇市が出現したが、その後は商店街の整備が進み、1〜7丁目に初のアーケードが設置されるなどして、全道から買い物客が集まる道内随一の商店街へと発展した。*14
昭和46年の地下鉄南北線の開通にあわせて、地下街のポールタウン（駅前通）とオーロラタウン（大通）が誕生した。これにより、中心街の人の流れが大きく変わり、狸小路商店街の客足は減少し始める。その後も、JR札幌駅の高架化による再開発など、他地区との競合が一層強まり、閉店する店舗も目につくようになっていた。しかし近年、アジアからの観光客が狸小路に集まるようになり、周辺地域も含めてドラッグストアや飲食店、ホテルの進出が著しい。

創成川（そうせいがわ）
札幌市街地を南北に縦貫する人工河川。*15幕末に**大友亀太郎**による**御手作場**(おてさくば)開墾のため、新たに開削された新堀（俗に大友堀という）に始まる。明治3年（1

***12** 当時の1〜3丁目付近には、居酒屋のほか、白首(ごけ)（私娼や売春婦のこと）屋と呼ばれる曖昧屋が多かった。そうした人々を「狸」と呼んだことから、「狸小路」の名が付けられたといわれる。住宅街に囲まれるようになると、警察の取り締まりが厳しくなり、すすきのに移転して三等貸座敷となった。24頁参照。

***13** 大正14年には、2〜4丁目にアスファルト舗装を施したほか、スズラン灯を設置するなど、商店街の振興が徐々に図られた。

***14** その後、昭和40年代になると、3・4丁目では札幌市の市街地改造により集合店舗化も行われた。

***15** 豊平川から分流した鴨々川を水源とし、中央区南6条の都心から、北区や東区の住宅街を北進し、旧石狩川の茨戸川に注ぐ。

870）、札幌へ薪を輸送するために建議された、札幌本府―銭函間の運送用および排水用の新堀計画によって新たな堀の開削が始まる。*16南3条〜南6条までを吉田茂八が新たに開削（吉田堀）、北6条から麻生北側に北東流する琴似川までを寺尾秀次郎が開削（寺尾堀）し、既存の南3条〜北6条の大友堀と合わせて運送路とし、札幌本府建設のための資材や食糧の運搬が寺尾の請け負いで行われた。そして明治7年、この堀を創成川と命名した（次項「創成橋」参照）。

さらに明治19年、札幌北部の湿地帯を乾燥化し、耕作地とするために、麻生から茨戸まで**新川**（琴似新川とも）を開削したことで、現在の創成川が開通した。創成川は明治14年に条丁目を導入した際、市街地の丁目を東西に分ける基線にもなったほか、南7条―大通間には、かつて6月の札幌まつりになるとサーカス小屋や縁日が軒を並べ、年の瀬になると市がたっていた。その後、都市整備が進むと創成川沿いは風致地区となり、柳の並木が両岸を覆った。現在は川畔が**創成川公園**として整備され、市民憩いの場となっている。

消防望楼より創成橋以南を望む
（昭和3年撮影、札幌市交通局蔵）

大友亀太郎 48・181・231頁参照。

御手作場 50・181頁参照。

***16** 明治28年には、銭函―札幌間の輸送路として花畔―銭函間運河が開削され、石狩川を経て、茨戸―札幌間は創成川がその役割を担った。創成川区間では船舶をスムーズに往来させることを目的に、水位調整用の閘門（こうもん）を設けた。しかし花畔―銭函間は砂地の部分が多く、大雨や洪水時に護岸の維持が難しかったため、数年で使われなくなった。406頁参照。

新川 39頁参照。

創成川公園 平成23年、「創成川通アンダーパス連続化事業」（道路を地中化し、創成トンネルを建設）によって地上部に整備された公園。

明治期の部材を生かして復元された現在の創成橋（平成30年撮影）

創成橋（そうせいばし）

中央区の創成川と南一条通が交差するところに架かる橋。明治2年（1869）からの本府建設に際して、当時、数少ない人工物だった**サッポロ越新道**と新堀（俗称大友堀）の交点を、道路の起点にしたとされる。そのため、近年の創成川と創成橋の改修に合わせて、橋の東側の袂（たもと）に明治の初めにあった里程標（りていひょう）を復元し、西側の道路端にあった建設開始の記念碑を再設置した。

本府建設を始めた頃の創成橋は、丸太橋だったという。明治4年に架けた木製の新橋に名を付けることになり、開墾掛の案は「始成橋」だったが、当時の**岩村通俊**（いわむらみちとし）判官が「創成橋」を提案、これに決定した。その後も幾度かの改修や掛け替えが行われたと思われ、明治43年の**石造拱橋**（せきぞうきょうきょう）築造時は、橋梁台帳（札幌市公文書館所蔵の複写資料『〈札幌支庁〉仮定県道南海岸線橋梁台帳』）によると、札幌産硬石と登別産軟石を使用。また昭和53年の改修時には、軟石の劣化が進んでいたため、登別中硬石が使われた（『さっぽろ文庫8 札幌の橋』）。その後、平成期の大規模改修に際しては、この明治期の欄干や親柱を生かして復元が行われている。*17

サッポロ越新道　安政4〜6年頃、幕府と場所請負人により開削された、日本海岸の銭函と太平洋岸の勇払（現苫小牧市）を結ぶ道路。千歳新道、シコツ越とも。

岩村通俊　1840〜1915年。土佐藩（現高知県）出身。明治期の官僚。明治政府に入り、箱館府権判事、開拓判官・大判官となって北海道開拓の基礎を築いた。

石造拱橋　石造りのアーチ橋のこと。

＊17　平成22年の復元改修工事で、市内最古の石造橋であることが判明。その歴史と技術を後世に継承すべく、往時の姿で復元された。

［参考文献］
『札幌大観』（北海道教育研究会、１９２９年）
円山百年史編纂委員会編『円山百年史』（円山百年史編纂協賛会、１９７７年）
札幌市教育委員会編『新札幌市史』第一～七巻（札幌市、１９８６～２００５年）
北海道神宮『北海道神宮史　上巻』（北海道神宮、１９９１年）
札幌市教育委員会編『さっぽろ文庫８　札幌の橋』（札幌市、１９７９年）
札幌市教育委員会編『さっぽろ文庫84　中島公園』（札幌市、１９９８年）
『住居表示旧新対照表』
中央区旭ケ丘ほか４地区（１９７９年）／中央区円山西町地区（１９７９年４月23日実施）
『地番調査・旧新対照表』
中央区双子山町の全部及び円山西町　宮ケ丘並びに宮の森の各一部（１９７９年３月30日現在）／中央区宮の森の一部区域（１９８２年）／中央区宮の森１条18丁目～４条13丁目（１９８２年）／中央区桑園地区〔函館本線以北〕（１９８３年）／中央区桑園地区〔函館本線以北〕（１９８３年）／中央区南23条以南地区（１９８４年）／中央区南22西10～南29西12の一部（１９８４年）／中央区南19条西５丁目地区等（１９８５年）／中央区南13条～15条地区（１９８５年）／中央区南16条～18条地区（１９８５年）／中央区南19西６丁目地区等（１９８５年）／中央区南13～18条地区（１９８５年）／中央区南９西１地区等（１９８６年）／中央区宮の森の一部地区（１９８６年）／中央区南９西１地区等〔南９～12条西13～23丁目〕（１９８６年）／中央区南９条西１丁目地区等（１９８６年）／中央区宮の森１条15丁目の一部区域（１９８６年）
『札幌市の住居表示　平成６年』
『平成７年10月30日から新しい住居表示が実施されます（中央区版）』

since 1972

北区（きたく）

10区最大の人口を誇る

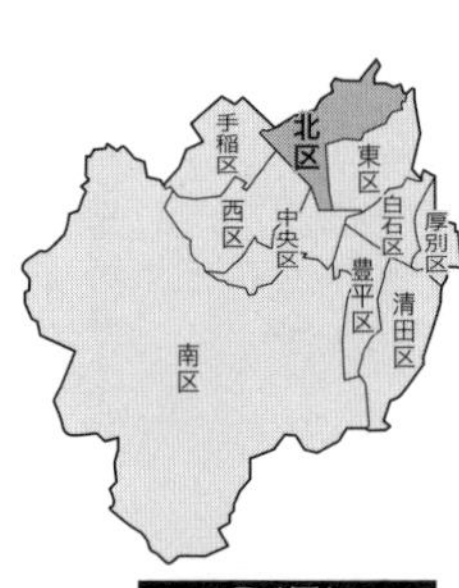

DATA

面積＝63・57平方キロメートル（市総面積の5・7％）
人口＝28万4889人（市総人口の14・5％）
世帯数＝15万4470世帯
性比（女性＝100）＝90・4
平均年齢＝47・4歳

＊2022年4月1日現在

◉歴史と概況

昭和47年（1972）、札幌市の政令指定都市移行に伴い誕生。10区の中で3番目の広さをもつ。区の東部は創成川などで東区と、西部は新川を挟んで西区および手稲区と、南部はJR函館本線を境に中央区と、北部は発寒川・茨戸川・石狩川を隔てて石狩市・当別町と接する。

地勢は平坦で山がなく、郊外には大小多くの河川が流れ、水辺に恵まれる。鉄西地区などを除き、粘土層や泥炭からなる地質で、地盤は軟弱である。

安政5年（1858）頃、石狩役所調役の荒井金助が旧篠路村（現篠路）に農民十数軒を入植させ、この地区の開拓が始まった。明治20年（1887）に新琴似地区へ屯田兵が入植し、同22年にはその北隣に旧篠路兵村（現屯田地区）が成立し、開墾が進められていく。

昭和2年、現在の幌北地区（創成川と北大構内に挟まれた地域）に市電鉄北線（北6条～北18条）が開通し、同39年には旧国鉄新琴似駅前まで延長。昭和9年の札沼線開業で、新琴似・篠路地区と市街地のアクセスが向上し、沿線に宅地が増えていく。昭和46年には地下鉄南北線が開通し、鉄北線は同49年にその役割を終えた。また札沼線

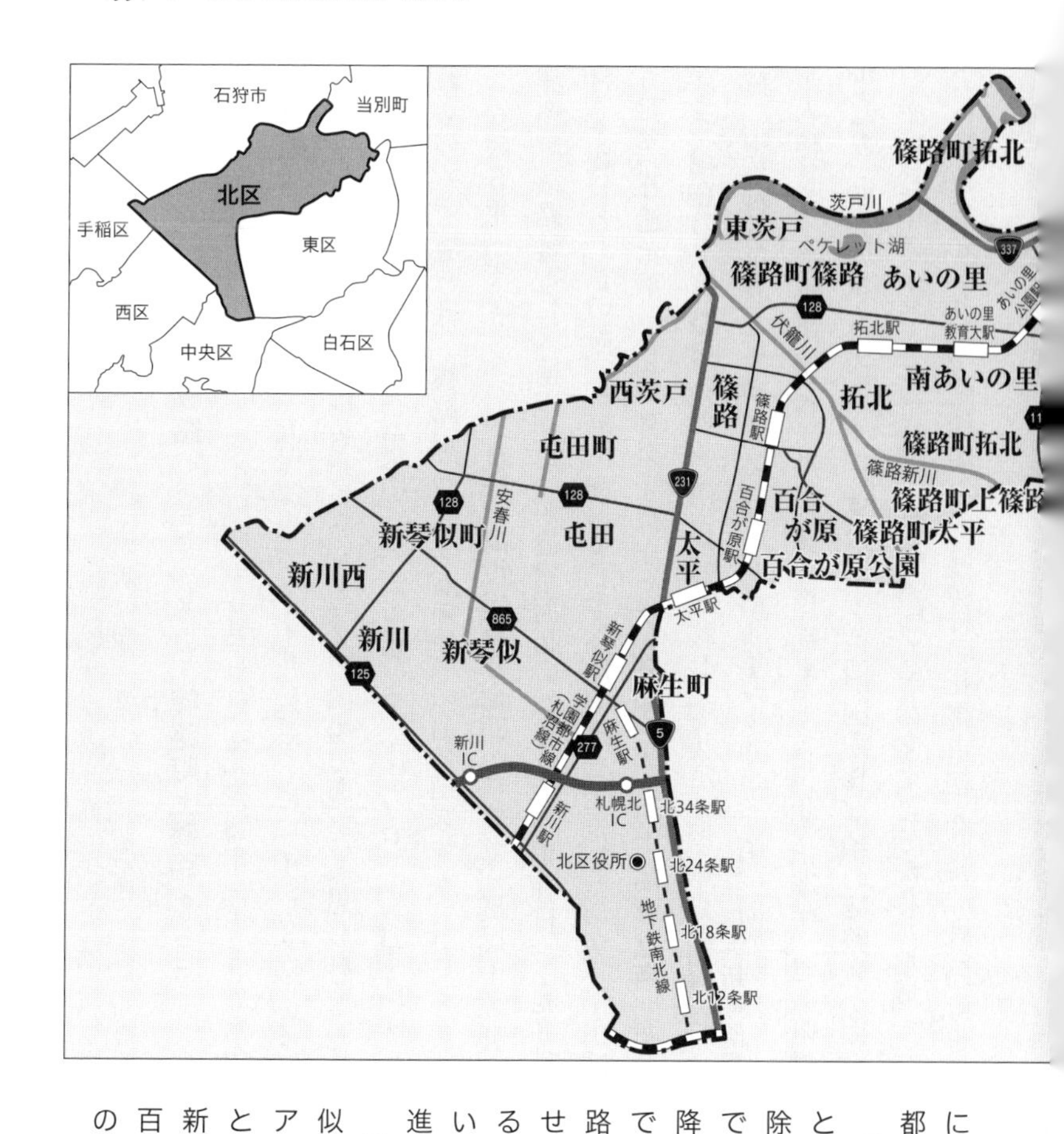

には、平成3年（1991）に学園都市線の愛称が設定されている。

昭和20年代までは、札幌中心部と接する鉄西や幌北などの地区を除き、区の大半は農業・酪農地帯であった。しかし、昭和30年代以降、札幌市の人口が急増したことで、農村だった新琴似、屯田、篠路地区にも宅地化の波が押し寄せ、今では10区最大の人口を擁するまでになった。現在も篠路、あいの里地区で、さらなる宅地化が進んでいる。

区全体は、旧札幌市街地、旧琴似町地域、旧篠路村地域の3エリアに大別でき、区内の連合町内会としては、北、新川さくら並木、新琴似、麻生、篠路、屯田、太平百合が原、拓北・あいの里、幌北の9地区が設定されている。

〈執筆担当　中根有理〉

行政地名

篠路（しのろ）・**篠路町篠路**（しのろちょうしのろ）・**篠路町上篠路**（しのろちょうかみしのろ）

地名としての「シノロ」は江戸期から見られ、元禄13年（1700）の『**松前島郷帳**』に「しのろ」、『天保郷帳』（446頁参照）に「イシカリ持場之内」「シノロ」と書かれており、早くからサケ・マスの漁場であったと思われる。江戸中期に設けられた**イシカリ十三場所**にも、「上シノロ・下シノロ」の各場所があった。これらの「シノロ」は、篠路川（376頁参照）の名に由来する。*1

安政5年（1858）、石狩役所調役の**荒井金助**（あらいきんすけ）が私費で、農民十数軒を現在の篠路町篠路付近に入植させたのが農業開拓の始まりで、荒井村（上荒井村・下荒井村）と称した。この時、荒井の配下として篠路の地を選定したのが、**早山清太郎**（そうやませいたろう）であった。万延元年（1860）にはハツシヤブ（発寒）在住の中島彦左衛門が、移民を募って現在の上篠路に入植し、中島村と称した。その後、中島の退去により荒井村、中島村を併せて篠路村となり、明治4年（1871）頃、旧盛岡藩の士族10戸が入植して十軒（じっけん）集落（現篠路町上篠路の南部）もできた。明治39年、二級町村篠路村となり、昭和9年（1934）には村の中心に旧国鉄**札沼線**（さっしょうせん）の篠路駅が開設された。

昭和12年の字名改正では、「**札幌太**」などの字名に分かれた地域が「篠路（シノロ）」の行政地名となり、*2昭和30年の篠路村の札幌市編入時に、篠路町を冠した、

松前島郷帳　207頁参照。

イシカリ十三場所　177頁参照。

＊1　山田秀三は「篠路はもちろんアイヌ語からの名であろうが意味が全く分からない。さすがの永田地名解もただ？印をつけただけである」（『北海道の地名』）とする。

荒井金助　231頁参照。

早山清太郎　1817〜1907年。福島県出身。最初は琴似に入植し、後に荒井金助に認められ篠路の開拓に尽力。明治4年、篠路村の名主となり、元村街道や篠路川の開削を行い、篠路の開祖と呼ばれる。147・231頁参照。

札沼線　昭和6年開業の札沼北線（石狩沼田—中徳富駅間）と同9年開業の札沼南線（桑園—石狩当別駅間）が、同10年に全通し「札沼線」に改称。現在は「学園都市線」の愛称で、桑園—新十津川駅間が営業する。

「篠路町篠路」と「篠路町上篠路」となった。*3篠路エリアの南東部に位置する篠路町上篠路は、もとの五ノ戸（ごへ）、十軒地区で昭和12年に「上篠路（カミシノロ）」となった。かつては、**エンバク**やタマネギの栽培、牛馬の飼育がさかんな農村だったが、昭和30年代以降は宅地化が進展。昭和56年、篠路町篠路の市街地化された部分が、「篠路」条丁目となった。現在の篠路町篠路は、北が茨戸川から南が伏籠川まで、東は拓北・あいの里との境界から西は篠路川までで、茨戸川沿いに**ペケレット湖**がある。

あいの里教育大駅前（平成12年撮影、札幌市公文書館蔵）

あいの里（あいのさと）・**南あいの里**（みなみあいのさと）

もとは北区篠路町拓北の一部で、拓北ニュータウン計画による住宅地として造成が始まり、昭和59年（1984）に行政地名となった。北は国道337号、南はJR学園都市線に接す

札幌太　山田秀三はサッポロプトの語源を「伏篭川（篠路川）の河口で、（中略）satporo-putu（札幌川・の口）の意。シノロプトともいう」（『北海道の地名』）とする。

＊2　それまでの行政区名は、本村・横新道・烈々布・学田・十軒・五ノ戸・興産社・山口・釜谷臼・大野地・上福移・中福移・下福移・中野・沼ノ端・上茨戸・下茨戸の17の集落。

＊3　この時、字中野だけ篠路町中沼に改称され、字福移の一部が江別市に編入された。44頁参照。

エンバク（燕麦）　イネ科の栽培植物で、種子が飼料や穀物となる。明治初期に導入され、特に北海道では軍馬の飼料として栽培が奨励された。オーツ麦とも。戦後、自動車の普及でウマの飼育頭数が減り、栽培面積が激減した。

ペケレット湖　378頁参照。

太平駅（平成21年撮影、札幌市公文書館蔵）

る。北海道教育大学札幌分校（現札幌校）が、昭和62年に中央区から移転することになり、その前年にあいの里教育大駅が開業。地区内の釜谷臼駅も平成7年（1995）、あいの里公園駅に改称された。
　地名は、明治15年（1882）にこの地へ入植した徳島出身の滝本五郎が、その翌年に藍（あい）の栽培を始めたことにちなむ。明治19年に篠路興産株式会社を設立した後、道庁の補助政策により事業を拡大。「興産社」の地名も生まれたが、明治後期に化学染料が台頭し、藍の栽培は衰退した。平成18年には、あいの里公園駅南側の篠路町拓北だった一画が、ニュータウン開発に伴い「南あいの里」の行政地名に改称された。

藍　タデ科の一年草。葉や枝を発酵させ、濃青色の天然染料とする。

烈々布　45頁参照。

太平（たいへい）・篠路町太平（しのろちょうたいへい）

かつて烈々布（れつれっぷ）と呼ばれた地域で、明治16年（1883）に福岡県人による報国社（ほうこくしゃ）団体の入植で開拓が始まった。昭和12年（1937）の字名改正で、平坦な地形であることと、平和を意味する言葉であることから、篠路村「太平（タイヘイ）」の行政地名となった。

昭和30年、札幌市への編入時に「篠路町太平」となり、昭和40年頃から宅地化が進展したため、同53年には市街地部分を「太平」に改称。平成10年（1998）、篠路町太平の一部が「百合が原」となった。昭和61年、地区内に札沼線（現学園都市線）の太平臨時乗降場（翌年、太平駅に昇格）が開設されている。太平は、北は学田川から南は鉄道線まで、東は百合が原、西は国道231号（創成川通）に接する。篠路町太平は百合が原公園東方に離れて位置し、大半が農地である。

拓北（たくほく）・**篠路町拓北**（しのろちょうたくほく）

もとは篠路村の「山田開墾（後の山口）」「大野地（おおやち）」「興産社」と呼ばれた地域。拓北地区北端に位置する「山口」は、明治初期に開かれた農場主の名から、かつて山田開墾（山田農場とも）と称した。明治15年（1882）には山口県人5戸が入植しており、それにちなんで後に山口開墾と称した。拓北地区南部を占める「大野地」は、泥炭低湿地だったことにちなむもので、開墾も遅れていた。しかし、明治23年に**アカンボ川**排水溝が開削され、土地が改良されて農耕地となった。

昭和12年（1937）の字名改正では、山口を除く「興産社、**釜谷臼**、大野地」が**北海道拓殖銀行**の社有地となっていたため、拓殖精神を喚起する意も込めて、篠

アカンボ川　赤坊川とも。381頁参照。
釜谷臼　46頁参照。
北海道拓殖銀行　295頁参照。

路村「拓北（タクホク）」の行政地名が定められた。昭和30年の札幌市編入時には、「篠路町拓北」に改称された。昭和40年、ひまわり団地が完成し、2年後には東篠路駅（平成7年〔1995〕、拓北駅に改称）が開設され、宅地化が進展。同58年に市街地化した部分を「拓北」に改称している。拓北は、北が道道128号茨戸福移通、南は篠路町拓北、東はあいの里・南あいの里と篠路町拓北に接し、西は伏籠川を挟んで篠路と接する。篠路町拓北は、拓北・あいの里・南あいの里を挟んで南北に分断され、北部は茨戸川緑地と農地、南部は主に農地となる。

麻生町（あさぶちょう）

もとは札幌市琴似町新琴似の一部で、東を創成川、北〜西を琴似栄町通、南を西5丁目樽川通に囲まれた三角地帯である。明治23年（1890）、**北海道製麻会社**（後の帝国製麻株式会社）が、**亜麻**製線所をこの地に設置。新琴似屯田兵村や周辺農村で、さかんに亜麻が栽培された。後に「帝麻（ていま）」の地名となるが、昭和18年（1943）の字名改正で琴似町「新琴似（シンコトニ）」となった。第二次大戦後、化学繊維の普及で製麻業は衰退し、昭和32年に工場は閉鎖され亜麻栽培はとだえた。工場閉鎖後、跡地は売却され、昭和32年から麻生団地の分譲が始まる。その翌年には、地元住民から町名新設の請願が市議会に出され、昭和34年に「麻生町」の行政地名が定められた。昭和38年に市電鉄北線が麻生町まで延伸。昭和43年には麻

北海道製麻会社　294頁参照。
亜麻　294頁参照。

生町1〜9丁目が設定された。さらに昭和53年には、地下鉄南北線が麻生駅まで延伸し、住宅街の表通りは繁華な商店街となっている。なお、函館本線の札幌駅周辺から麻生までの間は、中央区から連続する条丁目地区となる。＊4

新川（しんかわ）・新川西（しんかわにし）

地区名は、札幌から石狩湾に注ぐ人工河川の**新川**に由来する。琴似町大字琴似村の一部で、新川および琴似川の右岸（北側）沿いに広がり、かつて酪農地帯であったことから「**東牧場**(ひがしまきば)」「**西牧場**(にしまきば)」と称された。琴似と新琴似を結ぶ茨戸街道（現道道277号琴似停車場新琴似線）と新川が交差する辺りに集落ができたことから、新川部落の呼称が生まれ、昭和18年（1943）の字名改正で琴似町「新川(シンカハ)」の行政地名が定められた。昭和30年の札幌市編入時に「琴似町新川」となり、昭和47年の政令指定都市（以下政令市）移

五叉路の麻生町交差点（平成4年撮影、札幌市公文書館蔵）

＊4 北27条あたりを境に、南はもとからの札幌市の区域、北は琴似町の区域で、かつては新琴似の墓地や学田（学校維持費の財源として与えられた貸し付け用の農地）があった。

新川 北海道庁が設立された明治19年に開削が始まった、全長13キロメートルの運河を兼ねた排水路（雨水・汚水などを排水するための水路）。工事には、樺戸集治監の囚人なども使役されたと伝えられる。完成時期は着工翌年とも5年後ともされ、定かではない。

牧場 区域の大部分が新琴似兵村の公有地で、茨戸街道（現在の道道277号琴似栄町通）を境に、東牧場と西牧場に分かれていた。屯田兵村では農耕が主体のため、この地区の公有地は一般農家に貸し付けされ、明治中期から畜牛農家が入って牧場を営んでいた。

新琴似屯田兵中隊本部（昭和58年撮影、札幌市公文書館蔵）

行時に琴似町をとって「新川」となった。＊5昭和61年、地区内に札沼線の新川臨時乗降場（翌年には新川駅に昇格）が開設された。平成6年（1994）には、宅地化が進んだ西部の市街地を「新川西」に改称。新川地区は、条丁目のある住宅街と大半が農地の番地エリアに分かれる。

新琴似（しんことに）・新琴似町（しんことにちょう）

明治20年（1887）、**琴似屯田**兵村の北方に位置する**琴似**村内の未開拓地に、「**新琴似屯田**兵村」が誕生した。既存の兵村と区別するため新を冠し、これが地名の由来となった。兵村は当初、茨戸街道（現道道琴似停車場新琴似線）から北西に伸びる6本の道路沿いに、220戸の兵屋が配置された。中心は**中隊本部**のあった四番通（現道道樽川篠路線）で、その北側が五〜六番通、南側が三〜一番通となった。明治期には亜麻、大正〜昭和初期にはダイコンが栽培された農業地帯であったが、昭和9年（1934）に旧国鉄新琴似駅が地区内に開設、同39年の市電鉄北線

＊5　政令市移行に伴う区制の施行時に、琴似町は中央・西・北の3区に分割されることになり、同一の町名が二つの区（西区と北区）におよぶことを避けて、地名から琴似町がはずされたという。

琴似屯田　140・261頁参照。

琴似　アイヌ語に由来するとされる。208頁参照。

新琴似屯田　265頁参照。

中隊本部　新琴似屯田兵村の本部として明治19年に建てられ、現在は新琴似神社境内で保存される。昭和40年に市へ寄付されたことから、創建時の姿に復元され、札幌市指定有形文化財となった。内部が公開されており、屯田兵に関する資料を保存・展示する。

の新琴似駅前までの延伸と市営バス路線の伸張もあり、住宅団地の開発が相次いだ。
もとは琴似町大字琴似村・篠路村の各一部で、かつては「南一番〜南六番通」*6「帝麻(ていま)」「学田(がくでん)」などの地名に分かれたが、昭和18年の字名改正で「新琴似」の行政地名となった。昭和30年の札幌市編入後も字名は変わらなかったが、同33年に住民から字名変更の請願が出され、翌年「新琴似町」に改称。その後も宅地化が進み、昭和43年には条丁目を設定、同47年には新琴似町の市街地化した部分が「新琴似」条丁目となっている。新琴似地区は、北の新琴似12条から南の新琴似1条まで、東は道道琴似栄町通から西のおおむね新琴似第5横線まで。農地の多い新琴似町は、新琴似以西、石狩市との境界までとなる。

屯田（とんでん）・**屯田町**（とんでんちょう）
明治22年（1889）、巨木が群生する湿地帯を伐採・整地して開かれた「**篠路屯田**兵村」に、7県から屯田兵220戸、1056人が入地して誕生。創成川と直角に、南から北へ一番〜四番通の4本の道路が開削され、三番通に中隊本部が置かれた。明治29年、篠路村に編入されて一般農村となり、同39年には兵村地域のみ琴似村に移管されて琴似村大字篠路村となった。
度重なる水害を乗り越え、後に稲作地帯へ発展。新琴似屯田兵村の北

*6　新琴似屯田兵村の北に位置した篠路屯田兵村の通り名には、「北一番通」など「北」が冠された。

篠路屯田　105・266頁参照。

新琴似を始め北区はダイコンの一大産地だった。写真は篠路村の収穫風景（大正期撮影か、北大附属図書館蔵）

新琴似側から見た屯田防風林（平成２年撮影、札幌市公文書館蔵）

にあることから、通り名に北を冠した篠路村「北一番通」などの字名があった。その後、昭和18年（1943）の字名改正で、屯田兵村にちなむ「屯田（トンデン）」の行政地名となった。[*7]昭和30年、篠路村の札幌市編入で琴似町屯田となり、同34年には「屯田町」に改称。昭和41年からは屯田団地の造成が始まり、宅地化が急速に進んだことから、翌年には市街地部分を「屯田」条丁目に改称した。

エリア全体は、東の創成川、西北の発寒川に挟まれた三角形の地域で、西に安春川が流れ、南は**屯田防風林**で新琴似と接する。屯田町は大半が農地で、東端は安春川、西端から北端にかけて発寒川が流れる。

西茨戸（にしばらと）・**東茨戸**（ひがしばらと）

地区名はアイヌ語に由来するとされる。[*8]もとは篠路村の一部で「茨戸太（ばらとぶと）」「上

*7　札幌市内にあった4つの屯田兵村のうち、「屯田」の名称が行政地名に残るのは、この地区のみとなる。

屯田防風林　屯田地区と新琴似地区の境界に位置する、約3キロメートルにわたって延びる幅約70メートルの防風林。強風から農作物を守るために、自然林を残して作ったものとされる。

*8　210頁参照。

茨戸」「下茨戸」に分かれたが、昭和12年の字名改正で「茨戸（バラト）」となった。昭和30年、札幌市への編入時に篠路町茨戸に改称した。旧石狩川（茨戸川）に篠路川と発寒川が合流するこの地は、サケ・マスの漁場で、かつて茨戸太部落（集落）と呼ばれた。明治16年（1883）には**前田農場**などが開設され、農業開拓も進められていく。当時の交通は船運が主で、石狩川を茨戸まで蒸気船で遡り、そこから札幌に向かった。明治44年には、札幌と茨戸を結ぶ馬車鉄道*9が石狩街道に開通し、宿場町が発展。しかし昭和6年（1931）、石狩川の切り替え工事で蛇行部が本流と切り離され、河港としての役割を終えた。

その後、昭和33年に茨戸油田が開発され、原油・ガスが生産されたが、産出量の減少で同46年に生産を中止した。昭和47年の政令市移行で、篠路町がとれて再び「茨戸」となり、平成9年には西部を「西茨戸」、東部を「東茨戸」に改称し、茨戸の地名が消失した。西茨戸は創成川と発寒川に挟まれた三角地帯、東茨戸は茨戸川・篠路川・伏籠川に囲まれた地域で西茨戸の北東に位置する。

篠路町福移（しのろちょうふくい）

篠路町の東端、石狩川沿いに位置し、もとは篠路村の一部であった。明治15年（1882）、筑前（福岡県）の士族40戸が現在の福移地区付近に入植し、最初は筑前開墾と称した。のちに**当別太（とうべつぶと）**（現在は当別町の地名として残る）の呼称となる

前田農場 旧開拓使官吏の堀基が開き、明治27年に前田利嗣へ譲渡され、酪農中心のアメリカ式農場となった。

＊9 札北馬車軌道として開業し、翌明治45年に全線開通したことから同年、札幌軌道に改称した。大正11年からは、夏場のみガソリン機関車が使われた。昭和9年、旧国鉄札沼線が開通し、競合路線となったことから、その翌年に廃止された。

当別太 山田秀三は「永田地名解は『トー・ペッ。沼・川。旧名チワシペト。早川』と書いた。（中略）松浦図を開いて見たら、当別川下流の西側（今の石狩太美駅の近くらしい）に、昔は沼が並んでいたのだった」（『北海道の地名』）という。

百合が原公園（平成7年撮影、札幌市公文書館蔵）

が、時期は明らかでない。その後、篠路本村—当別太—雁来を結ぶ道路が開削されると、農家が散在するようになった。明治25年、現在の福移地区南西部に中野四郎が農民を入植させたことから「中野開墾」と称するようになり、「中野」「**沼ノ端**（ぬまのはた）」の字名が成立した。当別太はやがて「上・中・下当別太」に分かれ、さらに昭和10年（1935）までの間に「福移」（福岡県人が移住、開墾したことにちなむ）になったとされ、「上福移・中福移・下福移」が成立した。昭和12年の字名改正で篠路村「福移（フクイ）」となり、同30年の札幌市への編入時に「篠路町福移」に改称されている。なお、中野・沼ノ端は字名改正で「中野」に改称された後、昭和30年に「篠路町中沼」、*10同47年には「東区中沼」となって消失した。地区の大半は農地である。

百合が原公園（ゆりがはらこうえん）・**百合が原**（ゆりがはら）

昭和58年（1983）の**百合が原公園**開園時、園内部分が「百合が原公園」の行政地名に定められた。その後、平成10年（1998）には、篠路町太平と東

沼ノ端　後に「沼の端」に改称。かつては大きな沼だったモエレ沼東岸に広がる地域だったことにちなむ。

***10**　昭和24年、前年に開校した中野小学校の校名をめぐり、中野と沼の端の地名改称問題が生じた。そのため、双方の頭文字をとって「中沼」と通称されるようになり、校名も中沼小学校に改称された。

百合が原公園　昭和天皇在位50周年記念事業で造成された、敷地面積約25ヘクタールの総合公園。世界の百合広場では、約100種類のユリが栽培される。

区栄町の一部区域が、「百合が原」条丁目に変更されている。
昭和61年、百合が原公園が「'86さっぽろ花と緑の博覧会」の会場になった際、地区内に学園都市線百合が原臨時乗降場（翌年には百合が原駅に昇格）が新設された。百合が原地区は、おおむね東の百合が原公園と西の鉄道線に挟まれた地域で、百合が原公園地区は公園内にのみ設定された行政地名となる。

そのほかの地名

烈々布（れつれっぷ）

現在の篠路町太平に当たる烈々布部落は、明治16年（1883）、福岡県人が入植したことに始まり、同21年の石狩街道開削以降、開拓が本格化する。大正5年（1916）測図の2万5千分の1地形図には、篠路烈々布、丘珠烈々布、札幌烈々布の地名が見られ、広い地域で使われていた呼称であることがわかる。しかし、その語源についてはさまざまな説があるものの、今もはっきりしていない。*11

現在、烈々布の名称は、烈々布神社を始め烈々布会館、烈々布地蔵尊、烈々布公園などに残る。なお、昭和57年（1982）開館の烈々布会館には、篠路烈々布郷土資料館が併設され、古文書や資料などを展示する。

烈々布神社（昭和52年撮影、札幌市公文書館蔵）

*11　224頁参照。

釜谷臼駅〈現あいの里公園駅〉
（昭和51年撮影、札幌市公文書館蔵）

釜谷臼（かまやうす）

江戸期からある地名で、西蝦夷地イシカリ場所に含まれた。現在の篠路町拓北・福移付近に当たる。山田秀三によれば、「カマヤウスならkama-ya-us（平べったい岩が・岸に・ついている）のように読まれる」（『北海道の地名』）という。**郷帳**（ごうちょう）類には見えない。明治2年（1869）、石狩国札幌郡に属し、同4年頃に篠路村の一部となる。のちに釜谷臼の表記となるが、昭和12年（1937）の字名改正で「拓北（タクホク）」となり消失した。*12

郷帳　433頁参照。

＊12　地名としては消失したが、昭和33年開業の札沼線「釜谷臼駅」として名称が復活。平成7年に「あいの里公園駅」となるまで地域の古名として存続した。

安春川　378頁参照。

安春川（やすはるがわ）

北区西部の新琴似地区から屯田地区を通り、発寒川を横断した後、石狩市花川の東部を流れて茨戸川に流れ込む、人工の排水路。開拓期に泥炭層の湿地帯を乾燥させ、農耕適地とするために掘削された。これは、新琴似屯田の中隊長だった安東貞一郎の着想のもとに開削されたと言われ、**安春川**の名は安東の名と請負人の春山某の名をとって命名されたとの説と、安東が開削工事を春に始めたことにちなむとの説がある。

［参考文献］

北海道自治行政協会編『篠路村史』（篠路村役場、1955年）
新琴似開基七十年記念協賛会編『新琴似七十年史』（新琴似開基七十年記念協賛会、1957年）
『広報さっぽろ』1967年2月号（札幌市総務局広報課）
札幌市北区市民部総務課編『北区エピソード史』（札幌市北区、1978年）
札幌市立太平小学校『郷土誌太平』（郷土誌太平刊行会、1978年）
山田秀三『北海道の地名』（北海道新聞社、1984年）
新琴似百年史編纂委員会編『新琴似百年史』（新琴似開基百年記念協賛会、1986年）
冨賢隆編著『篠路烈々布百年』（篠路烈々布開基百年協賛会、1987年）
札幌市市民局地域振興部戸籍住民課編『札幌市の住居表示』（2004年）
小林博明『ふるさと新琴似』（日本興業株式会社、2005年）
札幌市北区役所市民部総務企画課編『エピソード・北区』（2007年）
札幌市教育委員会文化資料室編『札幌の歴史』52号（札幌市教育委員会、2007年）
角川日本地名大辞典編纂委員会編『角川日本地名大辞典1　北海道地名編　上』（角川学芸出版、2009年）
角川日本地名大辞典編纂委員会編『角川日本地名大辞典1　北海道地名編　下』（角川学芸出版、2009年）
札幌市市民文化局地域振興部区政課編『札幌市の区勢』（2017年）
『札幌市の公園・緑地』（札幌市建設局みどりの推進部、2018年）
札幌市北区役所編『北区ガイド』（札幌市北区、2018年）

since 1972

東区（ひがしく）

平坦な大地に拓かれた、札幌開墾の礎

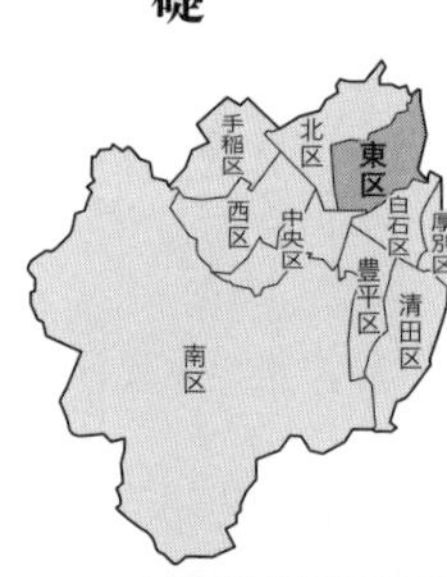

DATA

面積＝56・97平方キロメートル（市総面積の5・1％）
人口＝26万1592人（市総人口の13・4％）
世帯数＝14万5467世帯
性比（女性＝100）＝90・3
平均年齢＝47・2歳
＊2022年4月1日現在

◉歴史と概況

市域の北東部に位置し、旧札幌村と旧篠路村の一部からなる。南部はJR函館本線を境に中央区と、西部と北部はそれぞれ創成川、旧篠路村を境に北区と、東部は豊平川および石狩川を境に白石区、江別市、当別町と接する。

区域は豊平川や伏籠川が形成した平坦な堆積平野で、その中でも排水性が良く、肥沃な土壌に恵まれた自然堤防上を中心に、明治中期からタマネギ栽培が行われるようになった。中でも明治時代に品種として確立され、旧札幌村から全道に広まった「札幌黄」の発祥地として知られる。作付面積こそ少ないものの、近年は地域の伝統作物としてブランド化されている。

もっとも低平なモエレ沼周辺には、泥炭層が分布する。区内の最高地点は、平成17年（2005）オープンのモエレ沼公園内に、不燃ごみや公共残土などで造成された築山「モエレ山」の62・4メートルで、頂上からは札幌全域を一望できる。

開拓の祖は、二宮尊徳の門下生でもあった幕吏の大友亀太郎で、慶応2年（1866）、現在の北13条東16丁目付近に十余名と入植。周辺に70町歩あまりの御手作場を拓き、

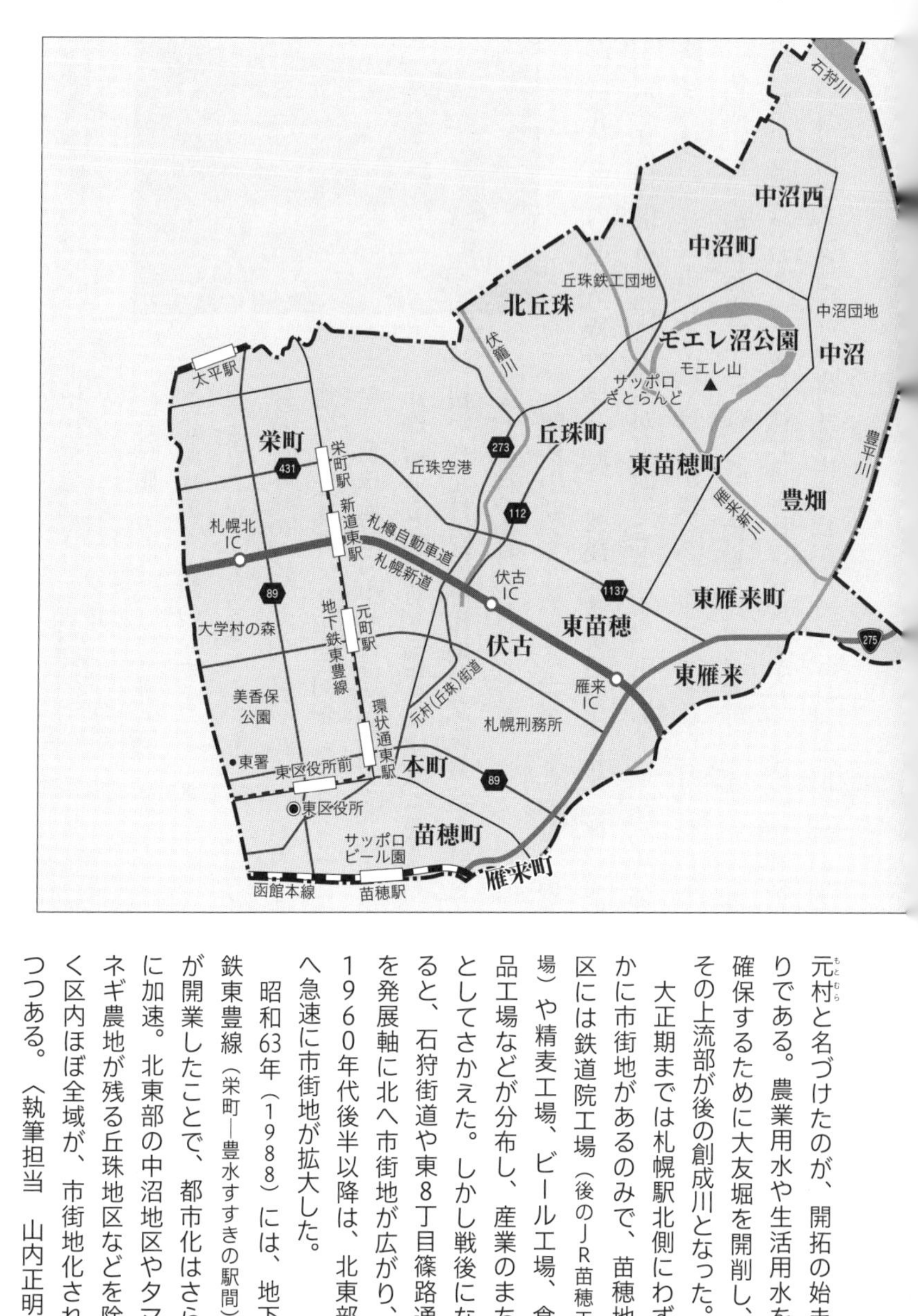

元村（もとむら）と名づけたのが、開拓の始まりである。農業用水や生活用水を確保するために大友堀を開削し、その上流部が後の創成川となった。

大正期までは札幌駅北側にわずかに市街地があるのみで、苗穂地区には鉄道院工場（後のＪＲ苗穂工場）や精麦工場、ビール工場、食品工場などが分布し、産業のまちとしてさかえた。しかし戦後になると、石狩街道や東８丁目篠路通を発展軸に北へ市街地が広がり、１９６０年代後半以降は、北東部へ急速に市街地が拡大した。

昭和63年（１９８８）には、地下鉄東豊線（栄町―豊水すすきの駅間）が開業したことで、都市化はさらに加速。北東部の中沼地区やタマネギ農地が残る丘珠地区などを除く区内ほぼ全域が、市街地化されつつある。〈執筆担当　山内正明〉

空から見た丘珠町（昭和39年撮影、札幌市公文書館蔵）

丘珠町（おかだまちょう）・**北丘珠**（きたおかだま）

語源はアイヌ語の〈オッカイ・タム・チャラパ（男が刀を落としたところの意）〉といわれ、〈オッカイ・タム〉の音に丘珠の漢字を当てたものとされる。現行行政地名「丘珠町」は昭和30年（1955）に定められた。丘珠地区の中心には**伏籠川**が北流する。一帯は丘珠植土と呼ばれる肥沃な土壌に恵まれ、開拓当初から**元村**の**御手作場**で試験栽培されるアワ、ヒエなど雑穀の作付が行われた。

明治中期からは、タマネギ「札幌黄」の栽培が盛んになり、道内最大の特産地へ発展。戦後も食生活の洋食化に伴い需要が増加し、保存性に優れ長距離輸送が可能なことから、京浜など本州の大都市圏へ販路を広げていった。現在も広く農地が残り、タマネギ栽培が行われている。

伏籠川左岸の自然堤防上には、**丘珠街道**（現道道花畔札幌線）がくねくねと曲折しながら走っており、沿道には丘珠神社、丘珠小学校、さらに昭和50年前後に相次いで開校した丘珠高校や丘珠中学校がある。丘珠村と旧元村の境界には**庚**

伏籠川　かつて豊平川（江戸期はサッポロ川）下流部の本流だったが、19世紀初頭の大洪水で流路を東に変え、旧豊平川となった。その後、札幌扇状地扇端の湧水を水源に小流を保っていた。226・379頁参照。

元村　416頁参照。

御手作場　江戸時代末期に設けられた幕府経営の開墾地。28・181頁参照。

丘珠街道　元村街道とも呼ばれ、石狩から茨戸、篠路を経由して元村に至る主要道だった。当初は篠路道と呼ばれたが、札幌本府建設に伴い石狩が玄関口となったため、石狩街道の名がついた。その後、創成川沿いの現石狩街道に主機能が移ったことから、以降は旧石狩街道と呼ばれている。

庚申塚　村境などに密教の鬼神などを祀った塚。石塔を添えることが多く、庚申塔とも呼ばれる。

中塚（しんづか）があったが、現在は伏古に移設されている。南西部には道内便の拠点空港、丘珠空港がある。これに隣接して複合型レクリエーション施設「つどーむ」があり、全天候型ドームを中心に屋外にも各種施設を持つ。北東部には農業体験交流施設「サッポロさとらんど」、その北側に**環状グリーンベルト構想**の拠点公園としてアーティストのイサム・ノグチが基本設計を手がけたモエレ沼公園がある。

現行行政地名「北丘珠」（昭和58年設定）には、昭和40年代に丘珠鉄工団地および丘珠地区工業団地が造成され、50社以上の中小企業が立地する。同時期、その南側に新栄団地、みずほ団地などが造成され、宅地開発も進んだ。

苗穂町（なえぼちょう）

語源はアイヌ語〈ナイポ（小さな川の意）〉とされ、札幌扇状地扇端部の湧泉を源に、網状に北流した伏籠川東支流の小川を指すという。古くから**イシカリ十三場所**の一つとしてナイボ場所が開かれ、サケの漁場でもあった。明治3年（1870）、酒田（山形）などから120名余が入植し、**庚午一ノ村**（かのえうま／こうご）と称したが翌年、苗穂村に改称。行政地名「苗穂町」は、昭和30年（1955）に設定された。

その後、開拓使顧問**ケプロン**が、湧水豊富な札幌市街東部からこの地域にかけてを工業地区として開発するよう提言したことから、葡萄酒醸造所、麦酒醸造所、精麦工場など多くの官営工場が建設された。周辺は水利や地味もよく、大

環状グリーンベルト構想　手稲山、円山、藻岩山など南西部山地の森林と、北西部に広がる農地、草地に囲まれた自然環境を保全するための構想で、これらを補填する公園も配置。モエレ沼公園のほか、前田森林公園、宮丘公園、平岡公園などが該当する。

イシカリ十三場所　34・177頁参照。

庚午一ノ村　入植した年が庚午であったことにちなむ。庚午二ノ村は丘珠、庚午三ノ村は円山だった。21・233頁参照。

ケプロン　ホーレス・ケプロン。1804～1885年。御雇教師頭取兼開拓使顧問。米国農務局長の職を辞し、明治4年に来日。4年間の滞在中、道内を視察して報告書を提出。開拓政策について指導・助言を行い、北海道開拓の基礎づくりに貢献した。

麦、麻、小麦などの畑作のほか官営葡萄園が35町歩余（約35ヘクタール）開拓され、工業原料として供給された。明治42年に鉄道省札幌工場が建設され、その翌年には苗穂駅も開業。鉄道輸送の利便性から、製菓、乳業、醸造など各種工場が立地する工業地域に発展した。平成30年（2018）、苗穂駅は旧駅の西側約300mの位置に移転し、東区側への連絡通路を備えた橋上駅となった。北口周辺では、高層マンションの建設など大規模な再開発が進む。

東苗穂（ひがしなえぼ）・**東苗穂町**（ひがしなえぼちょう）

現行行政地名は、「東苗穂町」が昭和30年（1955）、「東苗穂」が同57年に設定された。明治13年（1880）、この地区に札幌監獄（現札幌刑務所）が置かれたが、大正期までは**三角街道**（さんかく）沿道に農家が散在する程度で、周辺は荒地のままだった。そのため、東苗穂3条界隈は刑務所南側の通りが監獄通と呼ばれ、バス停「刑務所裏」もあるなど刑務所のイメージが強く、それを変えようと地域住民が三角を「ミスミ」と読み、美住町と称した時代もあった。その後、昭和40年代後半からは、三角街道を発展軸に宅地化が進んだ。

雁来町（かりきちょう）・**東雁来**（ひがしかりき）・**東雁来町**（ひがしかりきちょう）

雁来の語源は和名で、枯木に由来するとの説もあるが不明。明治29年（18

明治13年に現在地へ移転した札幌刑務所
（昭和36年撮影、札幌市公文書館蔵）

96）版の地形図では「カリキ」のルビが見えるが、大正5年（1916）版、昭和25年（1950）版の地形図には「カレキ」と表記されている。明治4年、開拓使の募集に応じて宮城県から21戸が**対雁**（ついしかり）に入植したが、劣悪な泥炭地の上、交通の便も悪いため開拓を断念し、同年19戸70人が雁来へ転住したのが始まりである。明治期の地形図には、**雁来街道**沿道に集落が認められる。

この地でも度重なる水害に悩まされたが、昭和19年に米里付近から篠路新川に連続する排水路（雁来新川）が、札幌刑務所の囚人労働力によって完成し改善された。都市化は昭和60年に第1次、平成8年（1996）に第2次土地区画整理事業が行われ、平成20年代に入って大規模な宅地開発も進んでいる。

行政地名は「雁来町」（昭和9年設定）、「東雁来町」（昭和30年設定）、「東雁来」（昭和60年設定）があり、雁来町は無人の豊平川河川敷にのみ残る地名である。また、雁来新川と三角街道が交差するあたりには、豊畑（とよはた）の通称地名がある。昭和10年頃に付けられ、神社やバス停、公園、橋梁などにその名が残る。

中沼（なかぬま）・**中沼町**（なかぬまちょう）・**中沼西**（なかぬまにし）

モエレ沼を囲む地域で、東側一帯の大地主中野に由来する字地名「中野」と、その西側にあった「沼の端」の字地名から、昭和30年（1955）に両者の頭文字から名付けられた*1（行政地名は同47年設定）。平成5年（1993）には北丘

三角街道　三角点通とも呼ばれる。本町から雁来新川と交差するあたりまでの通称地名で、東苗穂の中心道路である。大正5年の地形図には三角の記載がある。おそらく沿道の三角点（現在標高点はあるが三角点はない）を道路の起終点としたと推測できる。なお、現在石狩川の堤防で行き止まりとなるが、そこには4・3メートルの三角点がある。

対雁　明治4年に設置された対雁村を指す。同39年、江別村・篠津村と合併し、江別村の大字名となる。現在は、江別市と当別町に地名が残っている。

雁来街道　明治9年、札幌までの馬車道として開削。当別や月形へ通ずる道路として、物資の運搬などに重要な役割を果たした。現在は、交通量の多い国道275号（空知街道）となっている。

＊1　44頁参照。

珠から広がった市街地に「中沼西」、同17年にはモエレ沼東側に造成された中沼団地に「中沼」の行政地名がそれぞれ定められた。

モエレ沼公園（もえれぬまこうえん）

平成17年（2005）の**モエレ沼公園**開園時に行政地名となった。モエレ沼の語源はアイヌ語〈**モイレペットー**（流れの遅い川の沼の意）〉といわれ、豊平川の**河跡湖**（かせきこ）である。周囲は市内で最も標高の低い地域の一つで、札幌の鍋底となっているため排水性が悪く、開拓当初から大規模な排水工事が繰り返された地であった。

伏古（ふしこ）

語源はアイヌ語〈フシコ・サッポロ・ペッ（古い札幌川の意）〉とされ、フシコと略されたという。[*2]明治29年（1896）版地形図では伏戸札幌川、大正5年（1916）版では伏籠札幌川、昭和25年（1950）版では伏篭川と記され、平成2年（1990）度版から再び伏籠川が復活。昭和50年版には、同年の区画整理事業で誕生した「伏古」の行政地名が見える。昭和40年代まではタマネギ畑が多かったが、伏古団地の造成をきっかけに同50年代以降、一気に宅地化が進み市街地化した。また西部には昭和38年、元町（もとまち）団地が造成され、カラフルな三角屋根の**ブロック造り寒地**（かんち）**住宅**の家並が有名になった。

モエレ沼公園オープン初日の様子
（平成10年撮影、札幌市公文書館蔵）

モエレ沼公園　札幌市が昭和57年に着工、平成17年にグランドオープンした、敷地面積188・8ヘクタールの広大な総合公園。「公園全体を一つの彫刻作品にする」というイサム・ノグチのコンセプトのもと、自然とアートの融合を目指している。

モイレペットー　381頁参照。

本町（ほんちょう）

東苗穂の南西にあり、もとは東苗穂町の一部であった。昭和42年（1967）の区画整理事業に伴い行政地名となった*3。その際、モトマチの呼称にする要望もあったが、すでに元町（もとまち）の地名があったことから「ホンチョウ」の呼称になったという。環状通の南側に沿った細長い地域で、かつて地元では「上苗穂」と呼ばれた。

栄町（さかえまち）

昭和30年（1955）、札幌村字元村が札幌市に編入された際、地域住民の「栄える」ことへの願いから命名された。現在、栄町の行政地名は、丘珠空港の西側と総合運動施設「つどーむ」周辺、および「百合が原公園」南東部の一角に残るのみで、大半は市街化の拡大に伴う区画整理により条丁目表示となった。北端は北51条東15丁目で、東端が北37条東30丁目となる。また周辺一帯には、**栄小学校**を母校に「栄」を冠する小学校が6校ある。昭和63年には地下鉄東豊線が開通し、地区内に始終点となる「栄町駅」が設置され、周辺地域の通称となった。

三角屋根の寒地住宅が並ぶ元町団地
（昭和39年撮影、札幌市公文書館蔵）

河跡湖 蛇行の著しい河川下流域で流路が変わり、旧流路の一部が取り残されてできた湖沼。三日月形をしたものは、三日月湖とも呼ばれる。

＊2 226頁参照。

ブロック造り寒地住宅 道内各地にある火山礫を利用した、コンクリートブロックを主要構造とする北海道独自の住宅。昭和30～50年代に数多く建築された。

＊3 この地域は、元村の御手作場開墾が始まった地である。56頁参照。

栄小学校 藤古（ふしこ）尋常小学校烈々布分教場として明治36年に開校した歴史を持つ。

栄町の地名が誕生する以前は、広く**烈々布**（れつれっぷ）と呼ばれた地域で、栄町は札幌烈々布と呼ばれた地域に当たる。その中心は現在の北42条東10丁目界隈で、烈々布神社と栄小学校がある。

そのほかの地名

元町（もとまち）

もとは**札幌村**字元村の一部で、昭和30年（1955）の札幌市編入時、元村にちなんで旧元村の南部が「元町」となった（北部は栄町に）。昭和30年代後半からは、都市化の進展で地区内が次々と条丁目に変更されるなどした結果、同56年に元町の地名は消失した。現在は、地下鉄東豊線の元町駅や小学校、図書館などにその名が残る。元村はもと札幌村大字札幌村の一部で、幕末に開墾されたサッポロ御手作場に始まる。明治3年（1870）、新たな入植者が入った隣地が札幌新村と称したため、元からあった御手作場が元村になったという。

光星（こうせい）

北8条から北12条、東7丁目から東14丁目界隈の地域の通称名で、昭和9年（1934）に私立光星商業学校（現光星中学・高校）がこの地で開学してか

烈々布　烈々布の語源はアイヌ語のル・エ・トイ・プ（道がそこで川を切っているものの意）との説があるも不明。すでに消失した地名で、わずかに神社や公園などに烈々布の地名が残されている。45・224頁参照。

札幌村　181頁参照。

道道花畔札幌線〈通称ななめ通〉の街並み
（平成12年撮影、札幌市公文書館蔵）

ら、自然発生的に「光星」の呼称が定着した。正式な地域名として扱われたのは、昭和44年から同57年まで「光星地区再開発」として、雑然とした道路区画に古びた住宅や商店、小工場などが密集するこの地区に、区画整理事業が実施されてからである。再開発は順次進められ、東区役所、保健所などの行政機関を中心に、道営の14階建高層アパート（光星団地）、ショッピングセンターなどが建設された。

さらに、昭和63年に地下鉄東豊線東区役所前駅が開設され、東区の中心地的機能を果たしている。現在も、商業施設や集合住宅、事業所などに「光星」の名を冠する施設が多数あり、地域の通称地名として定着している。

鉄東（てっとう）

ＪＲ函館本線以北、北12条東8丁目界隈までの地区で、ファイターズ通商店街のある通称**ななめ通**を中心とするが、その範囲は不明瞭である。札幌市鉄東地区**まちづくりセンター**が北9条東5丁目にあり、そのサービス提供範囲は光星

ななめ通　かつて元村（元町）街道として札幌本府と元村を経由して茨戸まで通ずる明治初期の主要街道であった。平成15年、北海道日本ハムファイターズの札幌屋内練習場が付近に完成したことから、応援する気持ちを込めて、沿道の商店が連合して「ファイターズ通」と命名した。

まちづくりセンター　東区には鉄東、苗穂東、伏古本町、札苗、北光、元町、丘珠、北栄、栄西、栄東の10地区にまちづくりセンター（旧札幌市役所出張所）があり、一つの地域単位として地域住民にサービスが提供されている。

地区や、さらに北東の北15条東15丁目にある地下鉄東豊線環状通東駅周辺までを含む。昭和36年（1961）から同42年にかけて、158・6ヘクタールを対象に数次の土地区画整理事業が行われ、同41年には鉄道北側の沿線に**札幌総合卸センター**と札幌繊維卸センターが設置された。令和12年（2030）の新幹線札幌延伸に合わせ、北6条西1丁目から東1丁目にかけて新幹線駅が設置されることになり、鉄東地区の再開発がにわかに活発化した。札幌総合卸センターはビルを新築して東側隣地に移転し、その跡地では大規模な再開発が進んでいる。

札幌総合卸センター　昭和41年、35社の参加で設立された協同組合。現在は令和元年に新築したビルに移転し、14社が入店する。

札幌繊維卸センター　昭和40年、25社の繊維問屋によって設立された、全国初とされる商業団地。平成26年に解散し、跡地には高層マンションなどが建つ。

美香保（みかほ）

美香保公園の周辺地域一帯を示す通称地名。昭和3年（1928）、この地区の地主であった宮村朔三、柏野忠八、大塚藤四郎が、それぞれ所有する約5000坪の土地を提供し、「地域の発展と地域住民に親しまれるものを」と頭文字をとって「ミカオ公園」と命名した。昭和10年には札幌市に寄贈され、市はさらに周囲2万坪を買収して整備し、ミカオに「美香保」の漢字をあてたものである。園内には、美香保山と呼ばれる築山や遊具施設のほか、野球場、テニスコート、昭和47年には冬季オリンピック大会のフィギュアス

北海道大学第三農場の成墾紀念碑
（平成30年撮影）

ケート（規定競技）会場として美香保体育館が建設された。このあたりから北49条まで、東1丁目から同8丁目あたりまでは、そもそも**北大第三農場**として開墾された地域で、北26条東3丁目に開墾碑が残されている。

昭和25年には、北26条東4丁目界隈に75戸の木造家屋が建設された。進駐軍の解体資材などを利用し、10万円程度の建設費用だったことから「10万円住宅」とか「文化住宅」と呼ばれ、北大教職員が多く入居したことから、やがて「大学村」の名が定着した。かつては、札幌市民生協第1号店の大学村店やバス停にその名が使われていたが、現在は消失してしまった。ただし、町内会名や「大学村の森公園」、銭湯の名前などに、わずかにその名残を留めている。

北大第三農場　明治22年、道庁から支給された札幌郡札幌村烈々布の土地約95万坪を茨戸開墾地とした。同窓会の所有を経て、第三農場となる。戦後の農地解放により、教員用住宅地を除き売却された。

［参考文献］
札幌地理サークル編『北緯43度札幌というまち』（清水書院、1980年）
岡部三郎『札幌の自然　地学編』（富士書院、1987年）
札幌地理サークル編『ウォッチング札幌　地図に映る150万都市』（北海タイムス社、1987年）
札幌市教育委員会文化資料室編『さっぽろ文庫58　札幌の通り』（札幌市、1991年）
「丘珠百二十年史」編纂委員会編『丘珠百二十年史』（丘珠開基百二十周年記念事業協賛会、1991年）
山内正明「札幌烈々布『大学村』周辺の歴史とその変貌」（札幌地理サークル会誌第48号、2015年）
*札幌市公式ホームページ「苗穂周辺地区のまちづくり」（2017年）
*モエレ沼公園公式ホームページ（2017年）

since 1972

白石区（しろいしく）

仙台藩白石城主の家臣移住に始まる

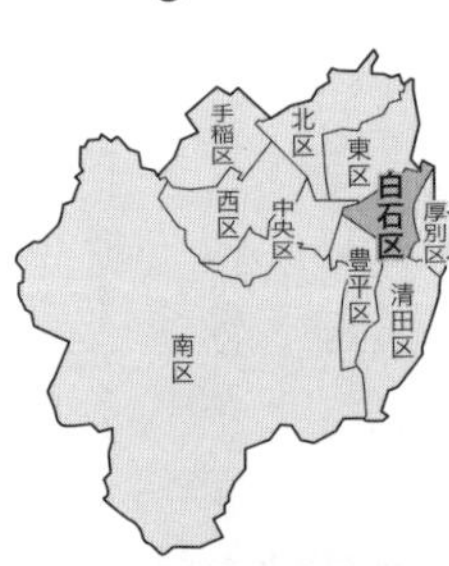

DATA

面積＝34・47平方キロメートル（市総面積の3・1％）
人口＝21万3394人（市総人口の10・9％）
総世帯数＝12万5906世帯
性比（女性＝100）＝90・4
平均年齢＝47・2歳
＊2022年4月1日現在

◉歴史と概況

市域の東部、中央区と厚別区との間に位置する、豊平川と厚別川に挟まれた区。南西では東北通を挟んで、豊平区及び清田区と接する。区内の河川は、前出の2河川のほか、月寒川や望月寒川などがある。

白石区の歴史は、戊辰戦争に敗れた旧仙台藩の白石（現在の宮城県白石市）城主・片倉家の家臣らが移住したことに始まる。明治4年（1871）、北海道を目指して600余人が出発し、その内の67人が同年11月に、当時最月寒（望月寒）と呼ばれた現在の白石区中央付近に移住。彼らは真冬の寒さに耐えながら短期間で住居を完成させ、これに感心した開拓使の岩村通俊判官が彼らの郷里の名を取って「白石村」と命名した。その後、明治5年2月までに104戸380人が移住した。

以後、上白石村地区の分村や昭和25年（1950）の札幌市との合併（これにより札幌市白石町となる）を経て、札幌が政令指定都市に移行した同47年4月、白石区が誕生した。区内にはJR函館本線・千歳線や市営地下鉄東西線などの公共交通、並びに国道12号など東西に伸びる道路が走るなど、交通網が発達している。

昭和50年に始まった「厚別（新札幌）副都心計画」の進展により、人口が著しく増加したため、平成元年（1989）11月に厚別区を分区し、厚別川が現在の区の東端となっている。また区の東部には、道内の物流拠点である流通センターが広がる。

なお、区内の町内会連合会は、菊水・白石・東札幌・北白石・東白石・北東白石・白石東・菊の里の8地区に分かれる。

〈執筆担当　谷中章浩〉

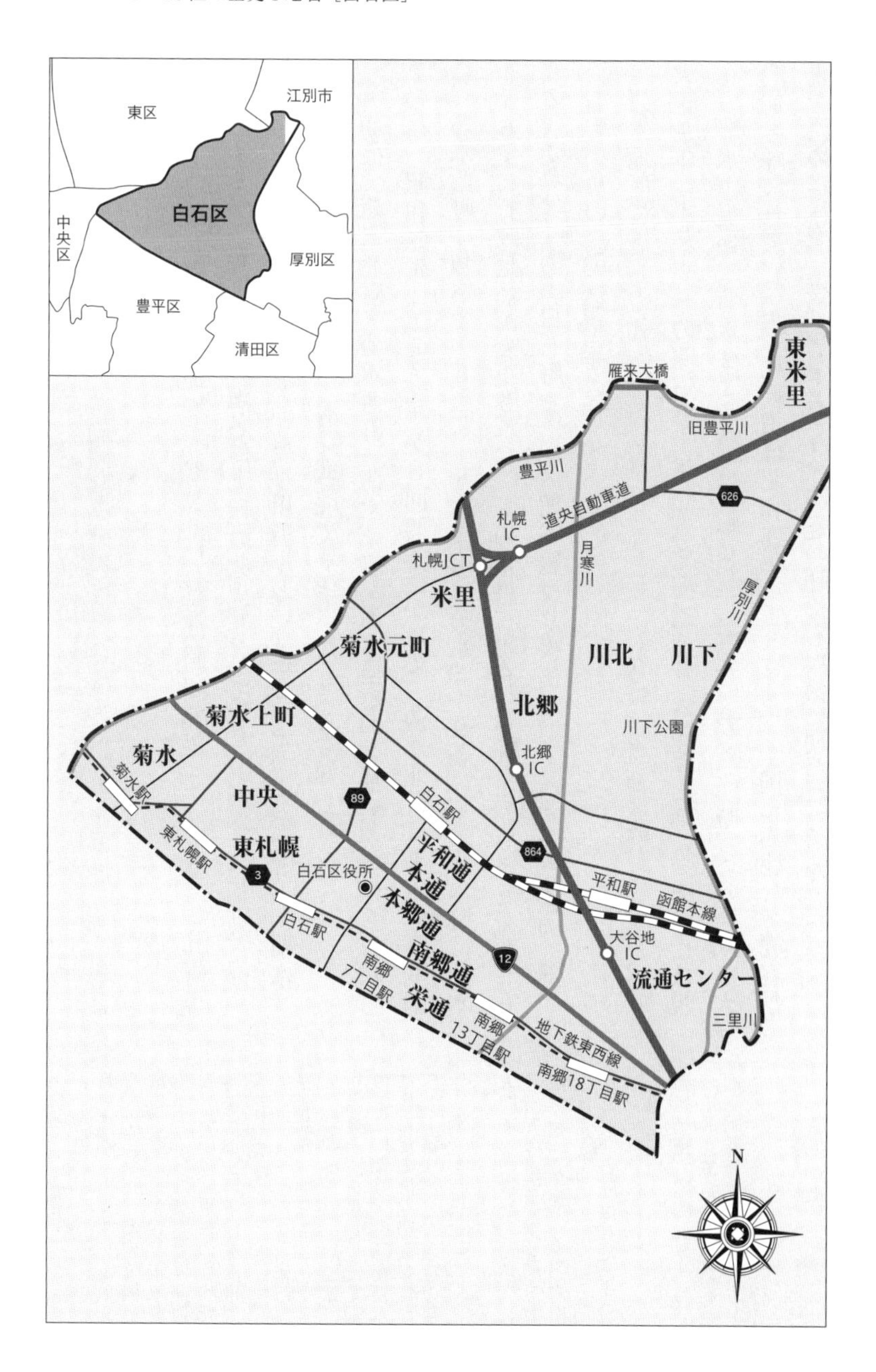
江別市
東区
白石区
中央区
厚別区
豊平区
清田区
東米里
雁来大橋
旧豊平川
豊平川
626
道央自動車道
札幌IC
札幌JCT
月寒川
米里
厚別川
菊水元町
川北
川下
北郷
菊水上町
川下公園
菊水
北郷IC
菊水駅
中央
89
白石駅
東札幌駅
東札幌
平和通
864
3
白石区役所
本通
平和駅
函館本線
本郷通
白石駅
大谷地IC
12
南郷通
南郷7丁目駅
流通センター
栄通
南郷13丁目駅
三里川
地下鉄東西線
南郷18丁目駅
N

行政地名

菊水（きくすい）

元は上白石（かみしろいし）と呼ばれた地域である。白石村は昭和25年（1950）に札幌市と合併するが、合併当初の地名は上白石が用いられていた。同29年に地域にゆかりのある菊亭脩季（きくていゆきすえ）侯爵の菊と、豊平川沿岸ということで水の字を取り、「菊水」と命名された。また一時期、有島武郎（ありしまたけお）が住んでいたことでも知られる。

当初は、菊水北町・菊水西町・菊水東町・菊水南町の各地名が付けられた。その後、昭和48年（1973）から同49年にかけて、菊水北町は菊水6～9条に、菊水西町は菊水1～6条に、菊水東町は菊水6～9条に、菊水南町は菊水1～6条に行政地名が変更された。その結果、現在は菊水1～9条までが存在する。これは、旧上白石町一区の函館本線より東側、旧上白石町二区の一部、白石町中央の一部に相当する。

菊水地区にはかつて札幌遊郭（白石遊郭とも）があった。当初は薄野（すすきの）にあったが、大正7年（1918）の開道五十年記念北海道博覧会開催を期に、翌年には現在の菊水中央通、菊水2～5条に移転した。遊郭のあった当時、この通りは大門通（だいもんどおり）と呼ばれていたが、札幌市は昭和28年（1953）、全国に先駆けて売春禁止を決めたため、遊郭がなくなり大門通の呼称も次第に使われなくなった。

上白石　72頁参照。

菊亭脩季　1857～1905年。華族、貴族院侯爵議員。明治11～19年まで開拓使および農商務省に勤務。その後、現在の菊水元町に土地払い下げを受け、農場を経営した。

有島武郎　1878～1923年。小説家、評論家。札幌農学校を経て、白樺派の創立に参画。有島が菊水に住んだのは、明治43年からの1年ほどで、現在の菊水1条1丁目に当たる。

大門通　国道36号から同12号までの道路を指す。遊郭が移転した際、その大門（遊郭の入り口の門）が立ったことから呼ばれたとされる。

売春禁止　昭和28年4月13日に改正施行された「札幌市風紀取締条例」による。

菊水上町（きくすいかみまち）**・菊水元町**（きくすいもとまち）

昭和29年（1954）、旧上白石町一区の函館本線より西側と国道12号の間、白石町中央の一部を「菊水上町」（1〜4条）、函館本線より東側を「菊水元町」（1〜10条）とした。現在の上町は、明治4年（1871）の入植時の基点となった白石一番に相当し、通りを挟んで左一番と右一番があり、左一番は白石跨線橋のやや西北、現在の菊水上町1条4丁目に当たる。元町は、菊亭侯爵の邸宅が現在の元町1条1丁目にあったことにちなむ。後に北郷や米里の一部を編入した。

菊水6条1丁目付近の街並み
（昭和49年撮影、札幌市公文書館蔵）

東札幌（ひがしさっぽろ）

元は**横町**（よこちょう）通の東西にまたがる地域で、昭和14年（1939）頃には、横町振興会と新横町町内会に分かれていたという。その後、町内会の統合と地名の変更が提唱され、**旧国鉄千歳線東札幌駅**や東札幌郵便局があったことから、昭和33年に行政地名「東札幌」が定められた。現在は東札幌1〜6条の各1〜6丁目が存在する。

横町　71頁参照。

旧国鉄千歳線東札幌駅　昭和48年、千歳線の複線化に伴い、苗穂―北広島間のルートが、現在の新札幌経由に変更された。このため、旧線の月寒―北広島間と苗穂―東札幌間は廃止され、月寒―東札幌間は函館本線に編入、貨物線となった。東札幌駅は、大正15年開業。昭和48年貨物駅化、昭和61年廃止。

中央（ちゅうおう）

旧仙台藩の白石からの移住者が、白石村に入植した最初の地域が、現在の中央および本通・東札幌・菊水（入植当時は上白石）のそれぞれ一部に当たる。その中で最も早い時期に入植したのが、この中央と横町である。現在は中央1条（1～7丁目）・2条（1～7丁目）・3条（1～6丁目）が存在する。中央と称されるようになった具体的年代は明らかでないが、白石町時代の昭和25年（1950）に行政地名として定められた。

旧東札幌駅裏手の東札幌4条1丁目付近で発生した洪水被害
（昭和37年撮影、札幌市公文書館蔵）

栄通（さかえどおり）

かつて南郷地区に含まれていた区域の内、旧国鉄千歳線と豊平区月寒に挟まれた細長いエリアがこの地区である。豊平区と白石区の境界に位置する通りは、古くは界通（さかいどおり）（また村界通とも）と呼ばれていた。昭和38年（1963）に土地区画整理事業*1が一段落した際、地域の発展を願って、「さかい」の読みに〝栄〟の字を当てて、「栄通」の行政地名が定められた。1～21丁目まで存在する。町名は栄通であるが、通り（道路）の名称としての〝栄通〟は存在しない。なお、界

*1 「札幌都市計画白石南南郷土地区画整理事業」。昭和36年9月26日認可、同38年10月24日換地処分。

通は後に、月寒地区の東北に位置することから「東北（とうほく）通」と名づけられた。

南郷通（なんごうどおり）

南郷地区は、明治15年（1882）に岩井澤七兵衛が入植したのが始まりとされる。その後、明治16年に小舞角助が入植し、翌年以降から入植者が増え始め、同20年には28戸を数えるまでになった。南郷という地名の由来は不明であるが、本通を境に北を北郷・南を南郷にしたと推測される。かつては「南郷」の行政地名であったが、これが「南郷通」に改称されたのは、昭和33年（1958）から始まった土地区画整理事業*2による。昭和37年にまず南郷通6丁目北～12丁目北と同6丁目南～13丁目南が町名変更された。現在の行政地名である南郷通は、北は1～20丁目（ただし13丁目を欠く）、南は1～21丁目までが存在する。

なお、地区の中心を貫く通りの名

菊水6条3丁目付近の南郷通に架かる菊水歩道橋
（昭和52年撮影、札幌市公文書館蔵）

*2 「札幌都市計画白石本郷土地区画整理事業」。昭和33年5月16日認可、同37年5月29日換地処分。

札幌初の買い物遊歩道となった本郷ショッピングモール
〈本郷通9丁目〉（昭和54年撮影、札幌市公文書館蔵）

称としての南郷通[*3]も、前述の土地区画整理事業により造成が始まったものである。昭和49年、菊水歩道橋（円形歩道橋）から厚別区もみじ台まで（一部区間を除く）が最初に開通した。

本郷通（ほんごうどおり）

かつては南郷の一部で、農家が点在するのどかな地区であった。昭和30～31年（1955～1956）頃から区画整理が始まり、同31年5月には本通と南郷通の中間に、東西約2・4キロメートル、幅15メートルの道路が作られた。現在は、南北ともに1～13丁目まで存在する。

地主らが低廉な価格で土地を提供し、閑静で住みよい住宅地にしたいとの考えから誕生した。地区名は高田富與市長（当時）による命名で、本通と南郷通から一字ずつ取り、昭和31年に本郷通の行政地名が定められた。その後、札幌市初の試みとして、昭和52年から4年計画で買い物遊歩道が設置された。「白石に第2の**狸小路**（たぬきこうじ）を作ろう」というのが、当時の合言葉であったとも言われる。

＊3　通りとしての「南郷通」の基点は白石区になく、中央区の国道12号（北1条雁来通）、水穂大橋へ向かう交差点にある。ここから南北双方に向かい、北側は中央区内の北3条通に突き当たって終点に。南側は、水穂大橋を越えて白石区に入り、菊水5条と6条の間を抜けて、円形歩道橋のある六叉路の交差点から、厚別区の平和通との交差点までを道道3号札幌夕張線の重複区間として進む。札幌夕張線と分かれて厚別区内を進み、もみじ台通に突き当たって終点となる。このように、中央・白石・厚別の3区に渡って連続し、しかも基点が中央区という点にこの通りの意外性がある。

狸小路　27頁参照。

平和通（へいわどおり）

JR函館本線と国道12号に挟まれた地域で、かつては本通の一部であった。昭和36年（1961）から3ヶ年計画で行われた土地区画整理事業*4によって、函館本線と国道12号の中間に新たな道路が設けられた際、地域住民の平和を願って平和通と命名された。南北ともに1〜17丁目まで存在する。

本通（ほんどおり）

明治4年（1871）の開拓当時に開削された、現在の白石跨線橋（菊水上町〜白石中央間）付近から**月寒川**までの道路は、白石村の中心となる通りであった。その後、延長・拡幅され、現在は道内主要道路の一つである国道12号の一部となっている。明治35年、白石村に**北海道二級町村制**が施行されたあと、沿線の白石神社から**望月寒川**までを本通区とし、そこから上白石までを中央区とした時期もあった。現在は南北ともに1〜21丁目まで存在する。

流通センター（りゅうつうせんたー）

かつて白石町**大谷地**と呼ばれた地域の一部が、平成元年（1989）に本通（19〜21丁目北）と「流通センター」（1〜7丁目）の行政地名に改

大谷地流通センターと称した頃の流通センター1丁目の風景
（昭和54年撮影、札幌市公文書館蔵）

*4 「札幌都市計画白石神社西土地区画整理事業」。昭和36年9月26日認可、同年10月24日換地処分。

月寒川　388頁参照。

北海道二級町村制　245頁参照。

望月寒川　388頁参照。

大谷地　81頁参照。

札幌郡白石村にあった明治期創業の鈴木煉瓦製造場
（明治30年代撮影か、北大附属図書館蔵）

称された。明治18年（1885）頃から入植が始まり、同21年に入植した**吉田善太郎**が同24年に用水路を開削したことで大きく発展した。その名は、**吉田用水**や南郷通20丁目南にある**吉田山**公園、本通19丁目南にある吉田山2号公園に残る。流通センターは当初「大谷地流通業務団地」の名称で、昭和42年（1967）から造成が始まった。なお、大谷地と呼ばれた地域の多くは、現在、隣接する厚別区に位置する。

北郷（きたごう）

北郷地区は、白石本村（入植当時の中央・横町・本通・上白石）に次いで早くから開かれた地で、明治12年（1879）に最初の入植が始まった。明治15年には、れんがに適した粘土が見つかり、白石でれんが製造が始まる嚆矢となった。特に、明治17年創業の**鈴木煉瓦製造場**の製品は「白石れんが」の名で知られ、同21年完成の北海道庁旧本庁舎（現在の赤れんが庁舎）やサッポロビールの工場などにも

吉田善太郎　1861〜1916年。清田から月寒川に至る水田用水路を造成した開拓功労者。独立心ある小作農に土地を譲り、多くの自作農を輩出したほか、大凶作時には救済事業を起こして農民を救った。

吉田用水　106頁参照。

吉田山　吉田善太郎が所有した土地の名にちなむ。軍用地寄付のお礼として歩兵連隊長が、当時、地形図作製を担う陸軍参謀本部に上申し、5万分の1地形図に吉田山の名が記載された。その後、住宅地化が進み、地形図から消えたという。

鈴木煉瓦製造場　明治17年、現在の平和通6丁目あたりで創業。良質な粘土を生かし、北海道における本格的なれんが製造業の先駆けとなった。

使われた。一帯は当初、うっそうたる森林であったが、それらの樹木をれんが製造の燃料として伐採したことで、自然に開墾が早まったという。

明治15年、**官営幌内鉄道**が幌内炭鉱（現在の三笠市）まで延伸した際、白石村内に停車場は設けられなかった。*5 しかし、明治36年になって白石駅が設置され、大正7年（1918）には**定山渓鉄道**との分岐点にもなった。「北郷」と称されるようになった年代は明らかでないが、白石町時代の昭和25年（1950）に行政地名として定められた。昭和39年、北郷3条12丁目に**北都団地**が造成されると、住宅地として発展を遂げた。

白石フラグステーション〈幌内鉄道白石簡易停車場〉
（明治15年撮影、出典：『北海道鉄道百年史 上巻』）

川北（かわきた）

川下地区と北郷地区の間に位置することから、昭和42年（1967）に白石町「川北」の行政地名が定められ、同47年、川北に改称された。現在は川北1～5条のほか、条丁目のない川北が存在する。

川下（かわしも）

明治16年（1883）頃、川下地区から厚

官営幌内鉄道　開拓使運営による官営鉄道。明治13年、手宮―札幌間で開業し、同22年に民営化された。開業当時の客車・貨車などには、PORONAI RAILWAYと書かれていた。

＊5　白石村内には、開通した明治15年にフラグステーション（簡易停車場、312頁参照）が設けられたものの、同23年に廃止された。

定山渓鉄道　115頁参照。

北都団地　昭和21年、旧函館本線北側の農家が北斗農事組合を結成し、以来、大谷地の北東に位置していたことからこの地域を北都と呼称するようになった。288頁参照。

長野県からの移住者が創建した信濃神社
（明治34年撮影、出典：『厚別開基百年史』）

別区にかけての一帯に長野県出身者が入植したため、当時は「信州開墾地」や「信濃開墾地」と呼ばれた。明治35年施行の北海道二級町村制により白石村が二級町村となった際、厚別川下流域に位置することからその一部に字厚別川下（あざあつべつかわしも）の行政地名が定められた。

開墾当初は、厚別川の川岸が唯一の道であったが、明治38年に北郷へ通じる道路ができ、大正2年（1913）には**雁来**（かりき）へ通じる道路ができた。現在、川下1～5条には住宅街が広がり、また条丁目のない川下地区には、屋内運動施設「リラックスプラザ」を併設する川下公園がある。

米里（よねさと）

明治23年（1890）に入植、開発が始まった地区で、米里の地名は初期入植者の本城春蔵と藤森徳太が、「米の実る里に」という願いから命名し*6、同26年に役場へ届け出たという。明治27年、**逆川**（さかさがわ）に米里水門と灌漑用水路が設けられたことで、低湿地帯だったこの地区は稲作地として発展を遂げた。なお、米里・

雁来　52頁参照。

***6**　地名の由来は『さっぽろ文庫1　札幌地名考』（昭和52年）より。なお、『白石村誌』（大正10年、昭和15年）に由来の記述はない。

逆川　月寒川と望月寒川が合流した地点から、豊平川に注ぐまでの間を指す。増水で豊平川の水が逆流することから、この名で呼ばれるようになったと考えられる。この逆水で、米里は長い間、水害に悩まされた。

東米里地区には**道央自動車道**が通っており、米里2〜3条には道央自動車道の札幌ジャンクション（JCT）と札幌インターチェンジ（IC）がある。

東米里（ひがしよねさと）

この地域は諸河川が集中することから氾濫が多く、長らく開墾が進まなかった。昭和17年（1942）の**農地開発営団**による事業や、終戦直前の緊急開拓者の入植などにより開拓が進められた。**泥炭地**（でいたんち）の上に河川の氾濫も多く、入植当時から残る世帯は少ないが、排水や客土により土質改良がなされた。現在、一帯は宅地化が目覚ましい。東米里の行政地名は、白石町時代の昭和25年に定められた。

そのほかの地名

横町（よこちょう）

現在の東札幌の一部。明治4年（1871）冬、白石村中央に最初の入植者が小屋がけしたが、翌年春の融雪期に洪水となって一部の小屋に浸水した。そのため、一部の入植者が開拓使に願い出て、豊平寄りに再移住した場所が横町（横丁とも書かれた）である。**本通**に対して横に向く位置にあったことから、この地名で

道央自動車道　310頁参照。

農地開発営団　食糧増産のため昭和16年に設立された農林省（現農林水産省）所管の経営財団。

泥炭地　枯死した湿地植物などが、分解や炭化されることで黒褐色化した泥炭が、厚く堆積した湿地。

本通　67頁参照。

市民会館で挙行された札幌市と白石村の合併式典
（昭和25年撮影、札幌市公文書館蔵）

呼ばれるようになり、後に行政地名となった。この時、豊平川東岸沿いに再移住した人々もおり、そちらは**上白石**（現菊水）と呼ばれたが、昭和29年（1954）に旧上白石町を走る定山渓鉄道より南側が横町に編入された。横町通は現在、**米里行啓通**（ぎょうけい）の一部となっている。その後、昭和33年に「東札幌」に改称された。

上白石（かみしろいし）

現在の菊水地区の一部。明治5年（1872）、白石村中央最初期の入植者が水害を受け、その一部が豊平川東岸沿いに再移住したことから、その翌年に上白石村となり、一時的に白石村から分離された。しかし、明治35年に白石村と合併し、白石村大字上白石村となった。さらに明治43年、現在の菊水1条1丁目から同9条2丁目に当たる地区が**札幌区**に編入され、再び白石村から分離された。

上白石　62頁参照。

米里行啓通　認定道路名は「2号用水線」となる。行啓通については26頁参照。

札幌区　明治32年、北海道区制の施行に伴い、地方自治体として発足。大正11年の市制施行まで存続した。187頁参照。

［参考文献］

福井昇編著『本郷町内会　開町二十周年史』（本郷町内会、1975年）
日本国有鉄道北海道総局編『北海道鉄道百年史　上巻』（日本国有鉄道北海道総局、1976年）
武田美直『白石の開拓と横町通』（新時代政経懇話会、1977年）
札幌市白石区総務部総務課編『白石ものがたり』（札幌市白石区、1978年）
札幌市白石区老人クラブ連合会編『白石歴史ものがたり』（札幌市白石区老人クラブ連合会編集委員会、1978年）
厚別開基百年記念事業協賛会編集部編『厚別開基百年史』（厚別開基百年記念事業協賛会、1982年）
札幌市建築局区画整理部管理課編『さっぽろの区画整理』（札幌市建築局区画整理部、1983年）
川下開基百年記念事業実行委員会編『川下百年誌』（東川下記念会館、1984年）
北海道建築士会編『北海道の開拓と建築』上巻（北海道建築士会、1987年）
松下亘「札幌地域のレンガ史」（新札幌市史編集室編『札幌の歴史』15号、札幌市教育委員会文化資料室、1988年）
札幌白石の歴史を語る会編集委員会編『歩いてみる白石―歴史ウォッチング―　菊水地区』（札幌白石の歴史を語る会、1994年）
札幌白石の歴史を語る会編集委員会編『歩いてみる白石―歴史ウォッチング―　東白石・白石東地区』（札幌白石の歴史を語る会、1995年）
札幌白石の歴史を語る会編集委員会編『歩いてみる白石―歴史ウォッチング―　北白石・北東白石地区』（札幌白石の歴史を語る会、1996年）
札幌市白石区役所地域振興課編『白石歴しるべ 改訂版』（札幌市白石区役所地域振興課、2005年）
札幌市白石区役所編『札幌市白石区ガイド』（札幌市白石区役所、2012年）

since 1989

厚別区（あつべつく）

多数の住宅団地を擁する札幌の副都心

DATA

面積＝24・38平方キロメートル（市総面積の2・2％）
人口＝12万5404人（市総人口の6・4％）
世帯数＝6万6415世帯
性比（女性＝100）＝84・4
平均年齢＝50・7歳
＊2022年4月1日現在

◉歴史と概況

平成元年（1989）11月、白石区から分離して誕生。札幌市の東縁にあり、江別市や北広島市に隣接する。区の中央部を国道12号やJR函館本線、千歳線が走る。

JR厚別駅周辺は、明治16年（1883）以降に長野県民が入植し、同27年の厚別駅開業で集落が形成されたことから、行政機関の出張所や農協、学校などが集まり地域の中心地となっていく。厚別北・東、もみじ台（東・西・南・北）、厚別町小野幌・下野幌など、野津幌川以東の地域はかつて江別村（市）であったが、大正2年（1913）の境界変更で白石村となった。

昭和30年代以降、札幌市への急激な人口集中により、農業中心の厚別地区も都市化の影響を受けた。昭和35年（1960）頃から交通網が整備されて通勤・通学圏となり、ひばりが丘団地（5000人）、下野幌の青葉町団地（1万2000人）、もみじ台団地（3万2000人）と、相次いでマンモス団地が誕生。農村だった厚別地区の農家戸数も、昭和45年に全戸数の9％にまで激減した。その後、4次の札幌市長期総合計画により、多核心都市への転換と都市機能の分散計画が実施され、厚別副都心開発基本計画が実現していった。

昭和48年、副都心中央に国鉄千歳線新札幌駅が開設され、駅周辺にショッピングセンターやオフィス街、公共施設が次々に建設された。昭和49年からは、東部地域開発も進められ人口が急増。昭和57年には、地下鉄東西線が副都心まで延長され、白石区の人口が激増した結果、厚別区が誕生した。〈執筆担当　榎本洋介〉

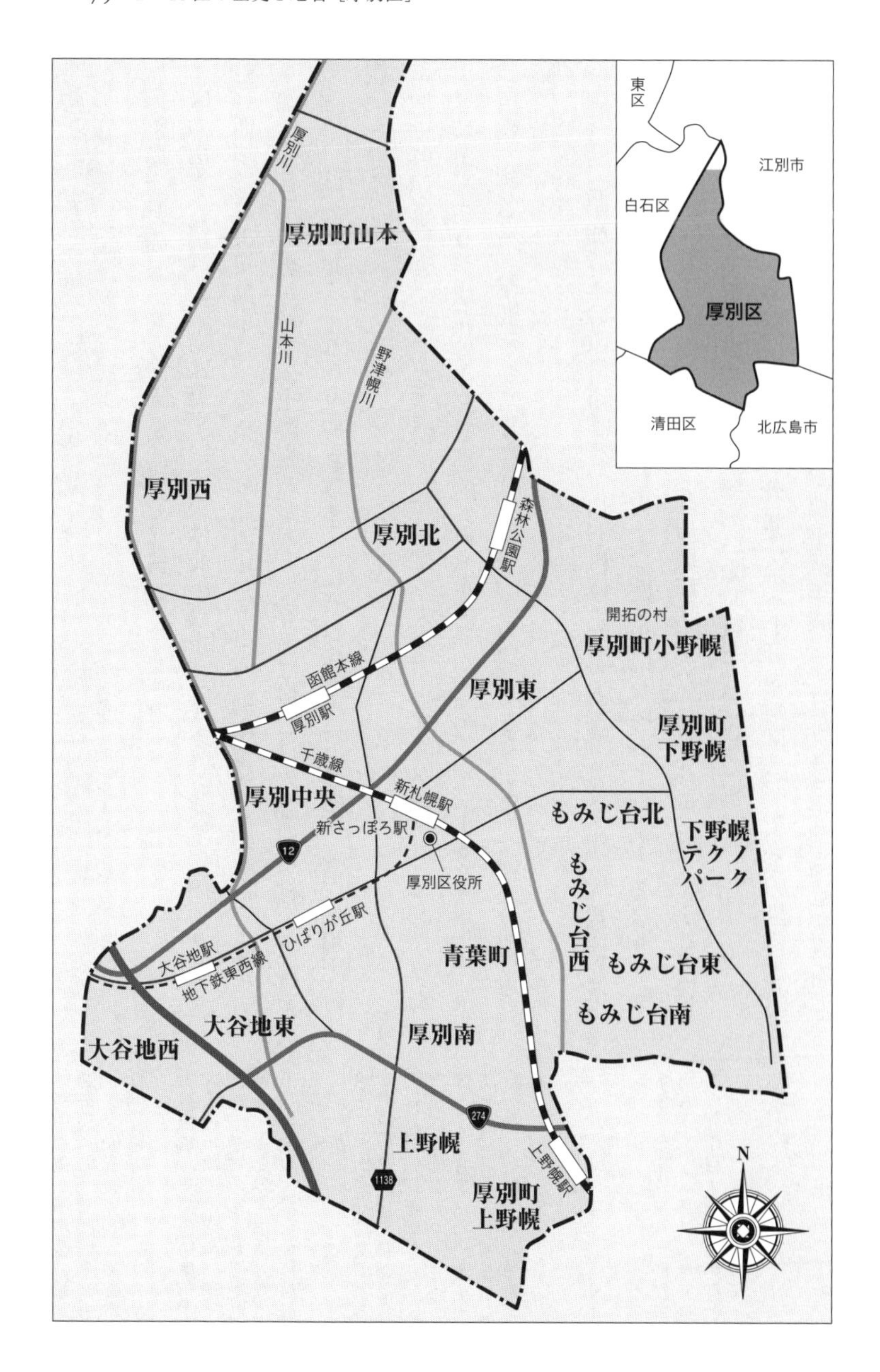
東区
江別市
白石区
厚別区
清田区
北広島市
厚別川
厚別町山本
山本川
野津幌川
厚別西
厚別北
森林公園駅
開拓の村
厚別町小野幌
函館本線
厚別駅
厚別東
厚別町
下野幌
千歳線
厚別中央
新札幌駅
新さっぽろ駅
もみじ台北
下野幌
テクノ
パーク
厚別区役所
もみじ台西
ひばりが丘駅
青葉町
大谷地駅
地下鉄東西線
もみじ台東
もみじ台南
大谷地東
厚別南
大谷地西
274
上野幌
上野幌駅
1138
厚別町
上野幌
N

行政地名

厚別町上野幌（あつべつちょうかみのっぽろ）・**上野幌**（かみのっぽろ）

区の南部に位置し、南は豊平区、東は北広島市に接する。北境に国道274号、西境に道央自動車道が南東から北西に走り、**厚別中央通**も縦断するほか、東端をJR千歳線が通り、**上野幌駅**がある。もとは白石村大字白石村上野幌であった。*1昭和25年（1950）、札幌市と白石村の合併で札幌市「厚別町上野幌」となる。

「厚別」の地名は、「ハシュシペッ」や「ハシ・ペッ」とアイヌ語で呼ばれた厚別川*2に由来する。現在のJR厚別駅（函館本線）が明治27年（1894）に開業した際、駅名に「厚別」と当てたことから「あつべつ」となったようだ（『北海道の地名』）。

さらに、昭和47年の政令市移行で白石区厚別町上野幌となるが、大規模な宅地開発が始まったことから、昭和62年に大部分が白石区「上野幌」となり、厚別町上野幌はJR上野幌駅周辺の一部地域に狭まった。そして平成元年の分区により、厚別区厚別町上野幌および厚別区上野幌となっている。*3

北西の大谷地との境から厚別中央通に至る上野幌地区は、かつての畑作地帯が、現在は住宅地に生まれ変わり、豊平区**平岡**にかけて今も宅地造成が進行し

厚別中央通　厚別区の厚別通を起点に、清田区平岡の羊ケ丘通を終点とする都市計画道路。

上野幌駅　千歳線に属し、大正15年開業。昭和48年、国鉄千歳線のルート変更に伴い、現在の厚別南公園にあった駅を、現在地に移転した。

＊1　山田秀三は次のように書いている。『北海道駅名の起源昭和29年版から『ヌポロペッ即ちヌプ・オル・オ・ペッ（野中の川）から出たものである』と書かれた方を採りたい」（『北海道の地名』）。

＊2　216頁（厚別川の項）参照。

＊3　昭和57年、一部が厚別南1〜7丁目・青葉町1〜16丁目・豊平区平岡となっている。

平岡　106頁参照。

ている。また厚別町上野幌地区は、JR上野幌駅の西側に山林、南側に住宅地があるほか、南西側には清田区にまたがる緑豊かな「東部緑地」が広がる。

厚別町小野幌（あつべつちょうこのっぽろ）

区の北東部に位置し、かつては広大な地域だったが、都市化の進展で現在は東西2ヶ所に分断された。東側は、**野幌森林公園**の**北海道百年記念塔**周辺と**北海道博物館**（旧北海道開拓記念館）、**北海道開拓の村**の一部敷地で、西側は、北を江別市、東を厚別北地区、西を野津幌川に囲まれた狭い一郭で、中央を**小野津幌川**が北西流し**野津幌川**に合流する。もとは白石村大字白石村小野幌であった。

この地域には、明治22年（1889）に開拓者が入ったとされ、[*4] 後に水稲栽培の広がりで農業用水が不足したことから、昭和2年（1927）に白石第一**土功組合**を設立してため池を建設。翌年には、今も野幌森林公園内にある「**瑞穂池**（みずほいけ）」が完成した。名称は、実り豊かな収穫を願ったものという（『あつべつ区再考』）。

開拓当初は江別村の一部だったが、大正2年（1913）に白石村大字白石村に編入され、昭和25年、札幌市と白石村が合併し

野幌森林公園　正式名は、道立自然公園野幌森林公園。札幌市・江別市・北広島市にまたがる野幌丘陵に、平地林が広がる。

旧国鉄厚別駅
（大正10年撮影、出典：『厚別開基百年史』）

て札幌市「厚別町小野幌」となった。昭和47年の政令市移行で白石区厚別町小野幌となり、平成元年（1989）の分区で厚別区厚別町小野幌となった。宅地開発が進んだことで、住宅地化した部分が次々と周辺の地区に吸収され、現在の区域が残った。*5

厚別町下野幌（あつべつちょうしものっぽろ）

区の東部に位置し、かつては野幌国有林沿いの農業地帯であった。もとは白石村大字白石村下野幌で、昭和25年（1950）の札幌市と白石村の合併で札幌市「厚別町下野幌」となった。昭和47年の政令市移行で白石区厚別町下野幌となり、平成元年（1989）の分区で厚別区厚別町下野幌となっている。昭和26年、広島村字西の里の一部、同52年に厚別町小野幌の一部を編入した。

前項の小野幌同様、住宅地が別の地区に吸収された結果、現在は北側が北海道開拓の村の一部敷地から北星学園大学附属高等学校（旧北星学園新札幌高校）敷地まで、間に下野幌テクノパーク地区を挟み、南側には農地がわずかに残るのみである。*6森林公園内に源を発する小野津幌川が、西の厚別東との境を北西に流れ、下野幌1号線（通称もみじ台通）が小野津幌川と並行して走る。南西のもみじ台団地に接する高台には、北星学園大学附属高等学校がある。

北海道百年記念塔　野幌森林公園内に建つ、高さ100メートルの塔。北海道開道百年を記念して建てられたもので、昭和45年に竣工。

北海道博物館　昭和46年開館の北海道開拓記念館に道立アイヌ民族文化研究センターを統合し、平成27年に開館した総合博物館。

北海道開拓の村　昭和58年開村。移築、再現された開拓期の建造物が、敷地内に立ち並ぶ野外博物館。

小野津幌川・野津幌川　各385頁参照。

＊4　富山や徳島からの入植者が多く、昭和初期までは、越中山や阿波開墾地などの地名が残っていたという（『あつべつ区再考』）。

土功組合　主に水田開発を目的に設立された組合。

瑞穂池　瑞穂の池とも。385頁参照。

下野幌テクノパーク（しものっぽろてくのぱーく）

もとは厚別区下野幌で、研究開発型の産業団地の誕生に伴い、平成3年（1991）に行政地名「下野幌テクノパーク」が成立した。札幌市が、エレクトロニクスセンター構想により情報通信関連企業を誘致し、次代の主力産業育成を目的に「札幌テクノパーク」として整備。昭和60年（1985）より造成を始め、翌同61年に第1テクノパーク（1丁目）、同63年には第2テクノパーク（2丁目）の分譲を開始した。現在はIT企業など30社以上が立地する[*7]ほか、澄丘神社がある。

第2下野幌テクノパークのシンボル広場
（平成21年撮影、札幌市公文書館蔵）

厚別西（あつべつにし）

区の中央部に位置し、JR函館本線の北側に広がる。東は野津幌川、西は**厚別川**に挟まれ、中央部を北13条北郷通が東西に横断し、北部を厚別通が東西に走る。もとは白石村大字白石村厚別西区で、昭和25年（1950）の札幌市と白石村の合併で札幌市厚別町西区となる。さらに昭和45年、札幌市「厚別西」に改称され、同47年の政令市移行で白石区厚別西、平成元年（198

＊5 昭和45年、厚別町西区の一部を編入。昭和52年、厚別町下野幌と境界変更し、一部が同57年に厚別中央2～5条、同58年に厚別東2～5条、平成元年に厚別北1～4条、同2年に厚別東3～5条となり、小野幌から分離された。

＊6 昭和44年に青葉町1～8丁目、同46年にもみじ台西1～7丁目・もみじ台北1～7丁目、同52年に厚別町小野幌、同57年に青葉町1～16丁目・厚別中央1～3条・厚別南1～7丁目、同58年に厚別東1～4条、同60年に厚別東1～2条となり、小野幌から分離された。

＊7 札幌市エレクトロニクスセンター公式ホームページ「札幌テクノパーク」。299頁参照。

厚別川 384頁参照。

9）の分区で厚別区厚別西となった。そもそもは信州開墾地として開拓が始まり、当初は厚別西部と称したが、昭和7年の**区設置規定**により厚別西区となった。[*8]厚別西は南から北に1～5条が並び、大半が住宅地となっている。

厚別町山本（あつべつちょうやまもと）

区の北部に位置し、もとは白石村大字白石村山本であった。東境は一部野津幌川を境に、飛び地となった厚別町小野幌と接し、東境の北部は野津幌川を境に江別市と接し、西境を厚別川が北流し、北境を道道東雁来江別線が走る。また、中央部には南北に山本線と**山本川**（**山本排水**）が貫流する。

この地区は明治41年（1908）、小樽で海運業などを営む山本久右衛門が、厚別原野と呼ばれる泥炭の低湿地だったこの一帯の払い下げを受け、翌年に山本農場を開設して開拓が始まった。その後、昭和7年（1932）の区設置規定により、厚別西部から分離して本田区となるが、翌年には開拓の祖となった山本家の姓をとり「山本区」に改称され、地名の由来となった（『あつべつ区再考』）。

昭和25年、札幌市と白石村の合併で札幌市「厚別町山本」に改称され、同47年の政令市移行で白石区厚別町山本となった。平成元年（1989）の分区で、厚別区厚別町山本となっている。[*9]地区内には農地のほか、市の**山本処理場**や山本排水処理施設、厚別水再生プラザなど大型処理施設が点在する。

区設置規定　一級町村制の施行に伴い、行政区域が部から区に変更された。

＊8　昭和45年に野津幌川以東が厚別町小野幌、野津幌川以西が厚別西1～4条となった。

山本川（山本排水）　明治期に開拓者が開削した排水溝に始まる。河畔は山本川緑地として整備されている。

＊9　南部の一部で宅地化が進み、昭和45年に厚別西2～4条となり、同57年には厚別西4～5条となった。

山本処理場　札幌市の一般廃棄物処理施設で、埋め立て処理場となっている。

＊10　谷地は、主に東日本で沢や湿原などの湿地帯を指す言葉。かつて大きな湿地帯が形成されていたことから「大谷地」の呼称が生まれたと思われる。

大谷地西（おおやちにし）・**大谷地東**（おおやちひがし）

区の西部に位置し、もとは白石村大字白石村大谷地であった。西から南は、東北通とこれに交差する厚別滝野公園通で豊平区に接し、西から北は、厚別川を挟んで白石区と接し、北から東は、平和通で厚別南と接する。中央をほぼ南北に道央自動車道が縦貫し、これを境に東側が大谷地東1〜7丁目、西側が大谷地西1〜6丁目に分かれる。昭和25年（1950）、札幌市と白石村の合併で札幌市白石町大谷地となり、同47年の政令市移行で白石区大谷地となる。

かつては月寒川と厚別川に挟まれた低湿地帯全体が「大谷地」と呼ばれたが、[*10]宅地化の進行で昭和42年から「白石区北郷・南郷通・栄通・本通・平和通、豊平区平岡」などに分離され、地域を狭めた。昭和63年には「大谷地西・東」が成立。平成元年（1989）の分区で、厚別区大谷地西・東となる。

北部を横断する南郷通地下には地下鉄東西線が通り、地区内に開設された**大谷地駅**地上部にバスターミナルがあるほか、駅付近に北星学園大学もある。

大谷地駅　昭和57年、地下鉄東西線白石駅―新さっぽろ駅間の延伸・開業に伴い開設された。

山本川緑地のヤチダモ並木〈山本新栄橋より〉（平成21年撮影、札幌市公文書館蔵）

青葉町（あおばちょう）

区の中心部に位置し、もとは札幌市厚別町下野幌の一部。昭和30年（1955）代後半に大規模住宅団地の建設が始まり、先に完成したひばりが丘団地が春にちなむ名称のため、この地区では夏にちなみ「青葉町」（団地名は青葉団地、青葉町団地とも）と命名（『あつべつ区再考』）、同44年に青葉町1～8丁目が成立した。昭和47年の政令市移行で白石区青葉町となり、厚別地区の宅地化が進んだため、同57年に青葉町9～16丁目となった。*11

北境を南郷通が走り、東境を厚別川支流の野津幌川が北流し、西と南は市道厚別青葉通が走る。また、中央部はほぼ南北にJR千歳線が縦断する。南郷通に沿って西から東へ1～4丁目が、その南に5～10丁目が、千歳線を挟んで東側に11～12丁目・14～16丁目が、西側に13丁目が南北に並ぶ。昭和39年から同43年にかけて、市は大規模な市営住宅団地を造成。昭和43年開校の下野幌小学校は、同56年、青葉小学校に改称した。

青葉団地（昭和40年頃撮影、札幌市公文書館蔵）

*11　昭和57年には、白石区厚別町下野幌・厚別町旭町の各一部を編入した。

厚別北（あつべつきた）

区の北東部に位置し、もとは札幌市厚別町小野幌の一部。昭和47年（1972）の政令市移行で札幌市白石区厚別町小野幌となり、同59年に小野幌から分離して白石区「厚別北」が成立した。北東は江別市に接し、西境を野津幌川が北流、南の境をJR函館本線が通り、中央部を小野津幌川が北西流して野津幌川に合流。厚別通（一部、道道大麻東雁来線と重複）が北東から南西に走る。南東から北西へ厚別北1〜4条がある。JR**森林公園駅**から野津幌川までの北西側には、昭和50年代後半から大規模な住宅団地が造成、分譲された。

厚別中央（あつべつちゅうおう）

区の中央部に位置し、昭和57年（1982）、当時の札幌市白石区旭町から分離して厚別中央となった。東境を野津幌川、西境を三里川が北流し、北境をJR函館本線が通り、南境を南郷通が走る。区の中核地であるJR厚別駅南側に位置し、南東から北西へ1〜5条が並ぶ。北西から南東にかけては、JR函館線と分岐したJR千歳線が通り、中心部に**新札幌駅**があるほか、南西から北東へ国道12号が走る。明治期からの農村地帯だったが、戦時中の昭和19年（1944）に、現在、商業施設や青少年科学館の建つ一帯に弾薬基地「厚別弾薬庫」が設置された。戦後も自衛隊に引き継がれ存続したが、住宅地の開発が進んだことから昭和44年に移転した（『あつべつ区再考』）。現在は、南郷通の地下を市営地下鉄東西

新札幌駅での初列車出発式
（昭和48年撮影、札幌市公文書館蔵）

森林公園駅　函館本線に属し、新興住宅地の誕生に伴い、開発業者らが建設費を負担して昭和59年に開業。

新札幌駅　千歳線に属し、昭和48年の千歳線新線付け替えに伴い開業。札幌駅・新千歳空港駅・手稲駅に次いで、道内で4番目に利用者数の多い駅である（令和元年度実績）。

線が通り、**新さっぽろ駅**がJR新札幌駅と接続。JR・地下鉄両駅の周辺には、バスターミナル、**サンピアザ**、厚別区役所などが集まる。*12

厚別東（あつべつひがし）

区の北東端に位置し、JR厚別駅東方に形成される条丁目地域。北は江別市に接する。北西境をJR函館本線、北西部を国道12号が走り、南西境を野津幌川、中央部を同川支流小野津幌川が北西流する。昭和58年（1983）、厚別町小野幌と厚別町下野幌の宅地化が進んでいた地域を「厚別東」1〜5条として成立。昭和60年、平成8年（1996）、同14年に、小野幌川東部のJR森林公園駅周辺などを、江別市との市境手前まで編入して厚別東としている。

厚別南（あつべつみなみ）

区の南部に位置し、北境には南郷通が走り、北東は青葉町に隣接する。西から南の境を国道274号が、7丁目の南東境をJR千歳線がそれぞれ走るほか、南郷通の地下部分には市営地下鉄東西線が通る。昭和57年（1982）、厚別町下野幌と厚別町上野幌の一部を分離し「厚別南」1〜7丁目として成立。平成元年（1989）の分区の際に、厚別区厚別南1〜7丁目となった。地区の大半は住宅地である。

新さっぽろ駅　昭和57年、地下鉄東西線白石駅―新さっぽろ駅間の延伸・開業に伴い開設された。

サンピアザ　昭和52年開業のショッピングセンター。

＊12　札幌市が平成25・26年度にかけて策定した「新さっぽろ駅周辺地区まちづくり計画」に基づき、地下鉄新さっぽろ駅周辺の厚別中央地区で再開発が進む。2023年度には、地下鉄駅北側に大型商業施設や宿泊施設、医療機関が開業するほか、南エリアには複数の教育機関が新設・移転する予定（札幌市公式HP「新さっぽろ駅周辺地区のまちづくり」、大和ハウス工業公式HP「新さっぽろG・I街区開発」より。各2022年8月参照）。

＊13　地区は、もみじ台本通、もみじ台東1号線、もみじ台東3丁目1号線によって4分割され、もみじ台東1〜7丁目・もみじ台

もみじ台北（もみじだいきた）・**同西**（にし）・**同東**（ひがし）・**同南**（みなみ）

区の南東部に位置し、もとは札幌市厚別町下野幌であった。昭和43年（1968）に大規模住宅団地が着工し、先に完成したひばりが丘団地が春、青葉団地が夏に由来することから、昭和46年、秋にちなみ「もみじ台」（団地名はもみじ台団地）が成立した（『あつべつ区再考』）。北は南郷通、東はもみじ台通、南は厚別青葉通の南側にある北広島市との境界、西は野津幌川に囲まれた地域である。

昭和25年、札幌市と白石村の合併で札幌市厚別町下野幌となり、同47年の政令市移行で白石区もみじ台、さらに同51年には「もみじ台東・西・南・北」となった。平成元年（1988）には白石区から分離し、厚別区を冠称する。*13

西1～7丁目・もみじ台南1～7丁目・もみじ台北1～7丁目がある。

そのほかの地名

厚別町旭町（あつべつちょうあさひまち）

区中央部に位置し、もとは白石村大字白石村旭町だったが、昭和25年（1950）の札幌市と白石村の合併で札幌市「厚別町旭町」となる。「旭町」の地名は、国道12号沿いにあった松の大木が「朝日松」と呼ばれたことにちなむという（『白石発展百年史』）。昭和47年、札幌市が政令指定都市（以下政令市）となり、区制の施行で白石区厚別町旭町となった。平成元年（1989）には厚別区の分

建設中のもみじ台団地
（昭和45年撮影、札幌市公文書館蔵）

区で厚別区厚別町旭町となっており、現在の厚別中央から厚別南や青葉町・大谷地東を含む地域であった。昭和33年、ひばりが丘団地の造成に着工し、同41年完成。工業地域と住宅地域から成る。区の中央部に位置したことから、厚別副都心計画の進展で公共・商業施設の整備が順次進められ、人口の集中が見られるようになる。そのため、昭和57年に厚別南1〜7丁目、青葉町1〜16丁目、厚別中央1〜4条、同63年に大谷地東1・4・7丁目、平成元年に**流通センター**4〜7丁目と段階的に編入され、「厚別町旭町」の行政地名は消失した。

厚別町東町（あつべつちょうひがしまち）

区中央部に位置し、範囲は白石区の流通センター辺りを底辺に、厚別駅の東辺りを頂点とする三角形の地域である。もとは白石村大字白石村厚別東区であった。明治期に信州開墾地として開かれた土地の一部で、当初は厚別東部と称したが、昭和7年（1932）の区設置規定により厚別東区となった。昭和25年、札幌市と白石村の合併で札幌市厚別町東区、同47年の政令市移行で白石区「厚別町東町」となった。昭和57年に一部が厚別中央2〜5条となり、平成元年（1989）には流通センター3・4・7丁目、**川下**（かわしも）1条9丁目となったことから、残る地域も厚別中央の条丁目地域などに編入され、厚別町東町は消失した。

流通センター　67頁参照。
川下　69頁参照。

［参考文献］

白石発展百年史編集委員会編『白石発展百年史』（札幌市白石開基百年記念事業協賛会、１９７０年）

厚別開基百年記念事業協賛会編集部編『厚別開基百年史』（厚別開基百年記念事業協賛会、１９８２年）

札幌市教育委員会編『新札幌市史』第一～七巻（札幌市、１９８６～２００５年）

札幌市厚別区市民部総務課編『あつべつ区再考　自然・ひと・歴史』（札幌市厚別区役所、１９９４年）

『住居表示旧新対照表』白石区厚別町下野幌（１９８２年1月25日）／白石区厚別西地区（１９８２年7月19日）／白石区厚別東町等〔厚別中央〕地区（１９８２年）／白石区厚別町下野幌・小野幌〔厚別東〕地区（１９８３年）／白石区厚別町小野幌〔厚別北〕地区（１９８４年）／白石区厚別町下野幌・小野幌〔厚別東〕地区（１９８５年）／白石区青葉町〔11～15丁目〕地区（１９８５年）

『地番調書・旧新対照表』白石区大谷地及び厚別町上野幌のそれぞれの一部（１９８２年2月１日）／白石区川下・白石区厚別山本・白石区厚別西4条2丁目～同5丁目の一部（１９８２年５月31日）／白石区厚別町東町・旭町・下野幌・小野幌の一部（１９８２年）／白石区厚別町下野幌・小野幌の一部（１９８３年）／白石区厚別町下野幌・小野幌の一部地域（１９８４年）

『地番調書・旧新対照表　付：重複地番変更調書』白石区厚別町旭町・厚別町上野幌・厚別町下野幌のそれぞれ一部（１９８１年10月24日）

『重複地番変更調書旧新対照表』白石区厚別上野幌・下野幌の一部（１９８２年）

『地番調書・旧新対照表』白石区厚別町下野幌・小野幌の一部（１９８５年）

＊札幌市公式ホームページ「住居表示実施地区―厚別区」（２０１８年）

＊札幌市公式ホームページ「廃止町名一覧」（２０１８年）

since 1972

豊平区（とよひらく）

豊平・月寒・平岸の各村から発展

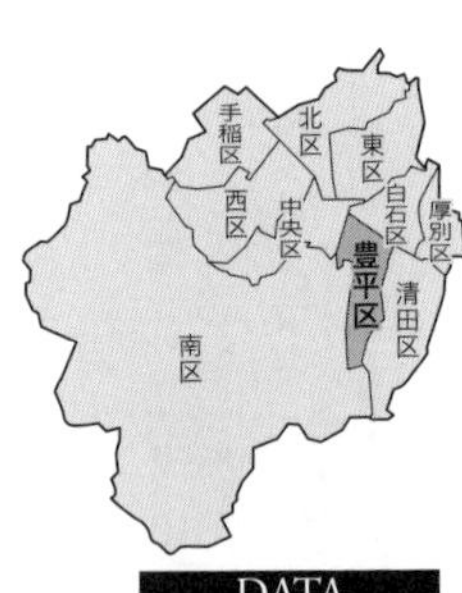

DATA

面積＝46・23平方キロメートル（市総面積の4・1％）
人口＝22万5051人（市総人口の11・5％）
世帯数＝13万1865世帯
性比（女性＝100）＝86・0
平均年齢＝47・1歳
＊2022年4月1日現在

●歴史と概況

札幌市の南東部に位置し、北境は東北通を境に白石区、西境は豊平川を隔てて中央区、南西境は丘陵部で南区、東境は羊ケ丘を介して清田区と接する。農地が多かった区内も、戦後は住宅地が増え、平成6年（1994）に地下鉄東豊線豊水すすきの―福住駅間が延伸開業したことで、宅地化が進んだ。一方、南部には、羊ケ丘や西岡公園など自然豊かな丘陵地が残る。

幕末、勇払から銭函までを結ぶ千歳越新道（サッポロ越新道）が通った際、豊平川右岸に通行屋をおいて志村鉄一に任せた。明治期に入ると移民が入植して開拓に当たり、明治5年（1872）、平岸村と月寒村が成立し、同7年には豊平村が誕生した。平岸村はリンゴ栽培が盛んになり、月寒村は農村地帯ながら陸軍の連隊が置かれて軍都の性格を持ち、豊平村は札幌の玄関口として商工業が栄えた。明治35年には、豊平村・平岸村・月寒村に北海道二級町村制が適用され、新たに豊平村となった。さらに、明治40年には一級町村制が適用され、同41年に豊平町となる。

その後、札幌区（市）の人口増加により、周辺町村にまで住宅地が広がったことから、明治43年当時の豊平条丁目、旭町、水車町を札幌市に編入。なおも住宅街の拡大は続き、昭和36年（1961）に紆余曲折を経て札幌市と合併した。昭和47年の政令指定都市移行で、旧豊平町の国道36号両側一帯を豊平区とした。その後も人口の増加はやまず、平成9年（1997）に区の東部を清田区として分離した。

〈執筆担当　榎本洋介〉

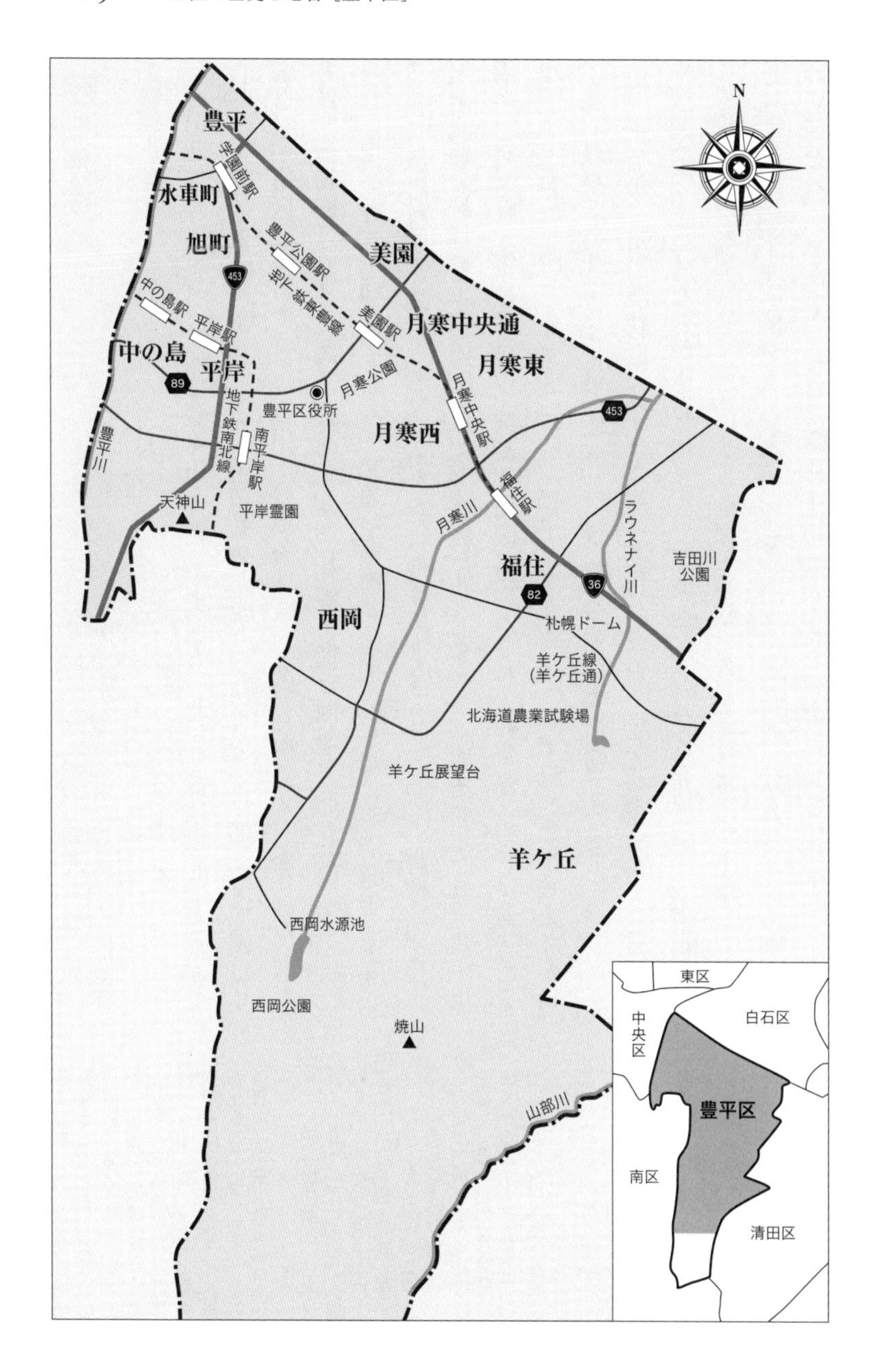
N
豊平
学園前駅
水車町
旭町
豊平公園駅
地下鉄東豊線
美園
453
中の島駅
平岸駅
美園駅
月寒中央通
中の島
平岸
月寒東
89
月寒公園
月寒中央駅
豊平区役所
453
地下鉄南北線
南平岸駅
月寒西
豊平川
福住駅
天神山
平岸霊園
月寒川
ラウネナイ川
吉田川公園
福住
36
82
西岡
札幌ドーム
羊ケ丘線
(羊ケ丘通)
北海道農業試験場
羊ケ丘展望台
羊ケ丘
西岡水源池
西岡公園
焼山
山部川
東区
中央区
白石区
豊平区
南区
清田区

行政地名

豊平（とよひら）

区の北部に位置し、北西は豊平川を境に中央区と、北から東は東北通を挟んで白石区と接する。南東から北西へ**国道36号**が走り、西部で平岸通をなす国道453号が南区と連絡する。「豊平」の地名は、アイヌ語に由来するとされる。*1もとは明治初期に成立した**豊平村**の一部で、札幌市街と函館を結ぶ札幌本道（主に現在の国道36号）が通ることから、交通の**要衝**（ようしょう）として発展した。明治40年（1907）に一級町村制が施行され、同41年には豊平町となった。かつての町域は、豊平川上流域の簾舞や定山渓はおろか源流部にまでおよんだ。明治43年には、豊平川沿いの豊平町大字豊平村の一部が札幌区に編入され、札幌区（市）字豊平町となった。大正14年（1925）には、豊平1～5条1～13丁目、豊平6条2～13丁目、豊平7条3～13丁目が成立し、後に多少の区域の変更がなされた。

大正7年に定山渓鉄道（以下、定鉄。昭和44年廃止）が開通すると、食品製造や製鋼業、木工所などが次々に創業し、工業地区としても発展した。大正9年に隣接する菊水地区にすすきのから遊郭が移転すると、歓楽街が出現し、同13年に旧豊平橋が完成すると、国道沿いに馬具屋や運送屋、飲食店が立ち並び、商店街を形成していく。さらに昭和4年（1929）、市電が定鉄豊平駅（現在の

国道36号　明治6年開通の札幌本道の札幌—室蘭間に始まり、同16年に国道三等、同18年に国道42号となった。昭和28年に国道36号となった際、千歳—札幌間が道内初のアスファルト舗装化され、「弾丸道路」と呼ばれた。由来は諸説あり。

＊1　豊平の由来は、アイヌ語〈トゥイエ・ピラ〉で「崩れた崖」の意という。永田方正は『北海道蝦夷語地名解』で、〈パンケ　トエ　ピラ〉を「下の潰崖」、〈ペンケ　トエ　ピラ〉を「上の潰崖」と記した。日本語の表現では、松浦武四郎が『西蝦夷日誌』で「トイヒラ」、『後方羊蹄日誌』で「トヨヒラ」「樋平」と記している。「トヨヒラ」の読みは、「豊平」の文字を当てたことから出たものであろう。

豊平村　明治7年、札幌本道沿いに移民が入植して成立。明治35年、月寒村、平岸村とともに北海道二級町村制が施行され、新たに豊平村となった。

豊平4条9丁目付近）まで延長されたことで、*2町内の市街地化に拍車がかかった。その後も、平岸地区など市街地に近い地域では住宅地の拡大が目覚ましく、昭和36年に豊平町が札幌市と合併する頃には、人口6万人以上を擁する都市となっていた。

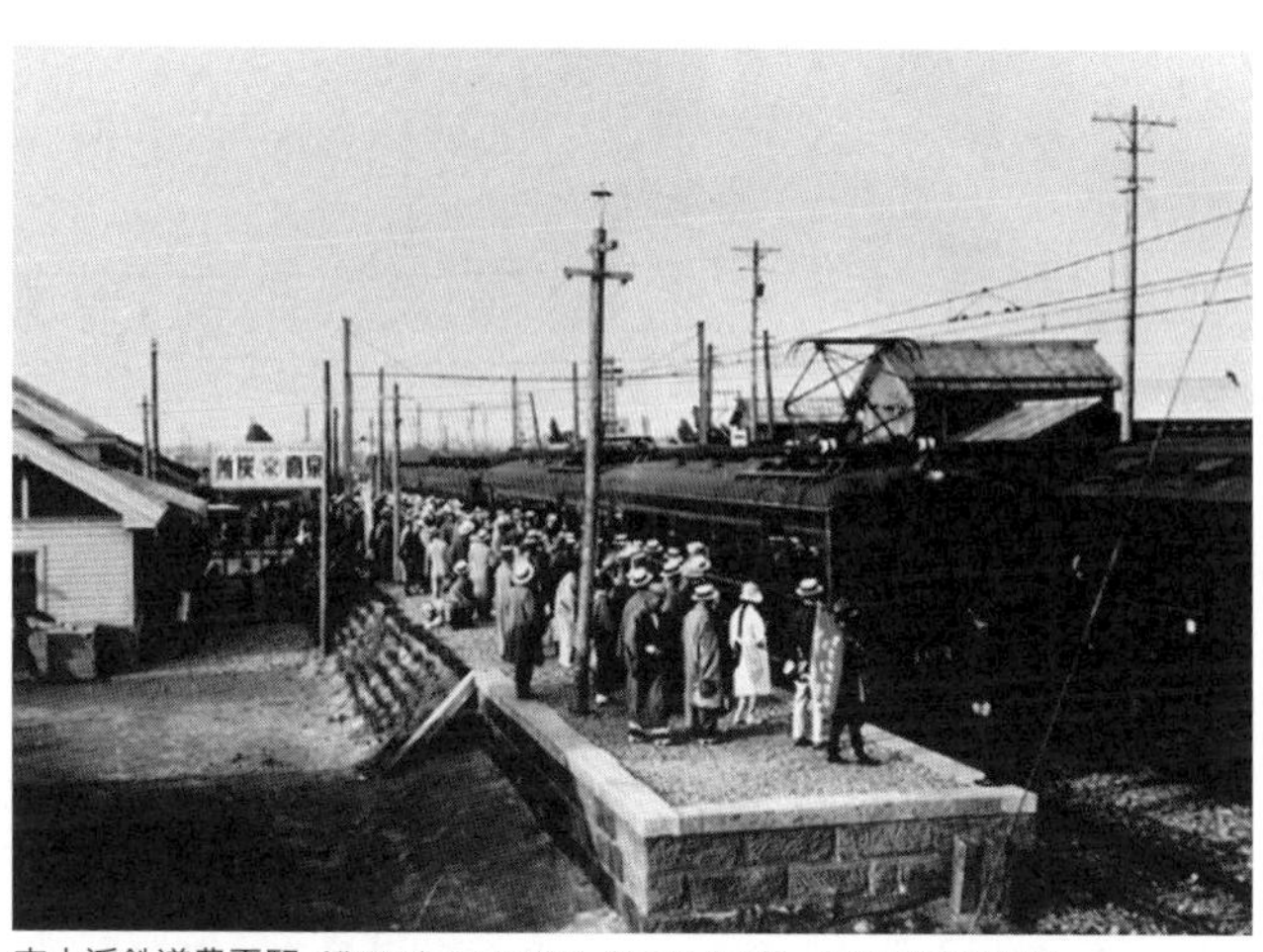

定山渓鉄道豊平駅〈豊平4条9丁目付近〉（昭和6年撮影、札幌市公文書館蔵）

旭町（あさひまち）

区の北西部に位置し、北境はおおむね豊平旭町1号線、東境が国道453号、西境が水車通東1号線、南境は平岸線となる。もとは豊平6～10条の一部であったが、昭和25年（1950）に旭町1～11丁目が成立した。同54年、住居表示再編成のため、1～7丁目となっている。

もとはこの地域にリンゴ園が多かったことから、リンゴの品種

要衝　商業や交通の点で重要な場所。

＊2　市電豊平線は、すすきのから豊平橋を渡り、現在の国道36号を通って豊平地区と接続していた。昭和46年に路線廃止。

2代目の鉄橋として大正13年に完成した豊平橋開通式の賑わいを伝える絵はがき（大正13年撮影、札幌市公文書館蔵）

「旭（あさひ）」にちなむという。札幌市の人口急増により、リンゴ園は昭和30年代になると住宅街に変わった。地区内には昭和25年、北海学園北海短期大学が開校し、同27年には北海学園大学となる。現在もこの地区の多くを、大学や高校など北海学園の諸施設が占める。平成6年（1994）、地下鉄東豊線学園前駅が開業（駅の位置は豊平6条6丁目）し、北海学園大学敷地内に地下鉄への出入り口が設けられている。

水車町（すいしゃちょう）

区の北西部に位置し、西は豊平川を境に中央区、東は市道水車通1号線を境に豊平6条・旭町に接する。もとは豊平町河岸*3 1～9丁目と豊平8～10条の一部であった。この地区には明治期、精米・製粉を行う水車小屋が多かった*4ことから昭和25年（1950）、「水車町」1～13丁目に変更して成立した。昭和54年には、住居表示再編成のため1～8丁目となっている。昭和38年に南大橋、同46年には南7条大橋が架設され、市

旭　カナダ原産の品種で、日本では明治23年、札幌農学校が導入したとされる。寒地に適することから、かつて北海道で多く栽培されたが、現在は道内の一部でのみ栽培される。

＊3　旧称「河岸」の地名は、貧困層の住む地域を指したことから、現在の地名に改称されたという。

＊4　豊平川の枝川（水車川）を動力源に水車を回したが、昭和初期に電動化され、水車は姿を消した。また水車川も、昭和48年に埋め立てられ、後に遊歩道となっている（『豊平区の歴史』）。

街とのアクセスが非常によくなったことから、同45年頃まで多く見られた果樹園は姿を消し、一帯は住宅地となった。

中の島（なかのしま）

区の北西部に位置し、西境に豊平川、北から東の境には**精進川**（しょうじんがわ）が流れる、豊平川と精進川に囲まれた低地帯。もとは豊平村大字平岸村字中ノ島で、昭和36年（1961）の札幌市との合併で札幌市「中の島」となった。*5かつて豊平川の中島であったことから付いた地名で、明治期は「中河原」、大正期には「中島」と呼ばれ、昭和初期から現在の名称になったという。

場所柄、土壌は石や砂利が多く、農耕に向かなかった。さらに、豊平川の増水でしばしば地区一帯が洪水の被害を受けたが、昭和5年に豊平川の堤防が完成したことで、ようやく水害の心配がなくなったという。この頃には、**幌平橋**（ほろひらばし）が架けられ、平岸本村とを結ぶ道路も開通し、交通の便がよくなったことから料理屋などが開業した。大正期から昭和初期にかけては養鶏も盛んになるが、戦後の宅地化で姿を消した。

工事中の幌平橋（昭和28年撮影、札幌市公文書館蔵）

精進川　392頁参照。

＊5　昭和44年には一部が中の島1～2条1～11丁目となり、さらに同51年には一部が中の島1条12～14丁目、中の島2条12丁目となる。

幌平橋　318頁参照。

西岡（にしおか）

区の南部に位置し、西は**望月寒川**で、南は山稜部で南区と接する。東境は**月寒川**、北境は白石藻岩通が走る。南部を水源とする月寒川と望月寒川が、この地区を挟んで北流する。もと豊平町大字月寒村の一部で、明治22年（1889）頃に開拓が始まり、当時は「**焼山**」と呼ばれた。その後、明治42年に「西山」に改称、昭和19年（1944）には「西岡」が成立した。同36年には札幌市との合併で札幌市西岡となった。*6地区名は、月寒の西に位置する丘陵地であることにちなむ。

西岡のリンゴ園での袋掛け作業
（昭和35年撮影、札幌市公文書館蔵）

この地区は火山灰地のため、開拓当初は苦労も多かったが、*7昭和30年代までに水田や畑地、リンゴ園の広がる農村地帯となった。その後、昭和37年に西岡団地の造成が始まり、以降も大規模団地の造成が続いた結果、北端部は住宅地となっている。その南側には**西岡水源池**があるほか、地区の大半は今も森林に覆われ、豊かな自然が残る。また、澄川との境界には、「油沢」の地名があった。これは、地面に石油が染み出ていたことに由来し、明治期から試掘されていたといわ

望月寒川　388頁参照。

月寒川　388頁参照。

焼山　351頁参照。

***6**　昭和48年、南区澄川と境界変更。その後、一部が分離され、昭和49年に南区澄川、同52年に西岡1〜5条、同53年に月寒西2〜5条・西岡1〜5条、同54年に平岸7条・福住1〜2条・西岡5条が成立した。

***7**　明治30年代後半になると、ビールの原料となるホップの栽培に成功。大正期にはジャガイモの栽培も盛んになり、「焼山芋」の名で知られた。

西岡水源池　明治期、月寒にあった陸軍連隊に飲料水を供給するために造られた月寒水道の貯水池だった。昭和46年に貯水池としての役割を終え、恵まれた自然環境を生かして西岡公園に生まれ変わっている。

れ、その後も何度か試掘が行われたが、商業化には至らなかった。

平岸（ひらぎし）

区の北西部に位置し、北西境は豊平川、南は南区に接し、西境を精進川が、南東境を望月寒川が北流する。中央部をほぼ南北に国道453号（平岸通）が縦断し、中央部で主要道道札幌環状線（環状通）、南部で道道西野白石線（白石藻岩通）と交差する。この地区の開拓は、明治4年（1871）に岩手県から伊達将一郎の家臣らが入植したことに始まる。当初は麻の栽培が盛んだったため、「麻畑」と呼ばれたが、翌明治5年には「平岸村」に改称した。平岸の地名は、アイヌ語に由来するとされる（212頁参照）。明治35年、北海道二級町村制が施行され、豊平村大字平岸村となり、同40年の一級町村制施行で、翌同41年に豊平町大字平岸村となった。昭和36年（1961）には札幌市と豊平町の合併で札幌市「平岸」となり、同47年に豊平区平岸となった。*8

明治6年、農業用水の確保などを目的に、村を挙げて「平岸掘割（用水路）」を開削。*9翌明治7年、開拓使が配布したリンゴの苗木から、この地区でのリンゴ栽培が始まった。明治17年頃から次々にリンゴ園が誕生し、昭和11年頃には海外に輸出されるまでになった。しかし、戦後は宅地化が進展し、昭和33年に道内初の公団住宅「**木の花団地**（このはなだんち）」の建設が地区内で始まるなどしたことから、リンゴ

*8　昭和47年に一部を南区へ編入するとともに、一部が平岸2～6条となり、同48年に平岸1～2条が成立。昭和49年以降も宅地化の進行により、平岸1～7条が拡張されていく。

*9　精進川から取水し、天神山山麓を経由して、平岸街道（現在の平岸通）の中央を流して、豊平川に合流した。全長約5キロメートルの用水路を、約40日で開削したといわれる。昭和36年、平岸通拡幅のため埋め立てられた。

木の花団地　昭和30年より区画整理を始め、同33年から同36年にかけて45棟の大規模団地が建設された。「木の花」の呼称は、かつてリンゴ園だった場所に団地が建てられたことから、リンゴの花にちなんで「木に咲く花」の意で名づけられた。

園は姿を消した。さらに、昭和46年には地下鉄南北線の平岸駅と霊園前駅（現南平岸駅）が開設されたことで、現在は一面の住宅地となった。

美園（みその）

区の北東部に位置し、北東境は東北通で白石区に接し、南東境を望月寒川が北東流し、西は平岸と接する。国道36号が南東から北西へ通り、中央部で主要道道札幌環状線と交差する。

もとは豊平町大字豊平村で、明治6年（1873）に石川県からの移民が入植して開墾が始まり、当時は「望月寒川沿い」と呼ばれた。明治43年に豊平村の一部が札幌区に編入された際、この地区だけは編入されなかったため、「残村」と呼ばれた時期もあったという。「美園」の地名は、昭和19年（1944）に成立した。[*10]この地区では、明治11年から水稲栽培に着手し、後に米作りに成功。昭和初期になると花卉（かき）栽培を手掛ける農家が増え、花畑が目立ったことから、「美園」の名がついたとされる。戦後は引揚者住宅が建てられ、各種工場が進出したことで人口が急増し、宅地化が進展。平成6年（1994）には、地下鉄東豊線美園駅が地区内に開設された。

冬の日の木の花団地
（昭和36年撮影、札幌市公文書館蔵）

*10 当初は豊平町議会で「御園」に字名が変更されたが、すぐに「美園」に修正されたという。戦後、宅地化の進行により、昭和38年に一部が美園1～6条、同40年には1～6条と7～12条が成立。さらに、昭和46年に8～11条となり、残部は同50年に平岸6条となった。

福住（ふくずみ）

区の東端部一帯に位置し、北から西の境はおおむね月寒川、東の境は国道36号、南境はおおむね主要道道西野真駒内清田線となる。もとは豊平町大字月寒村字福住で、昭和36年（1961）に札幌市と合併して札幌市福住となった。*11 明治4年（1871）、月寒村に岩手県人40戸余りが入植。そのうち6戸が地区内に入ったことから、「六軒村」と呼ばれた。また、開拓当初はススキの密生する湿原が広がり、「茅野(かやの)」の名もあったという。その後、「月寒西通(つきさっぷにしどおり)」に改められ、昭和19年に「福住」の字名となった。名称は、地区内にある浄土真宗本願寺派福住寺(ふくじゅうじ)にちなむという。昭和36年頃から大規模団地の造成が進み、同50年頃には大半が住宅地となり、平成6年（1994）に地下鉄東豊線福住駅が地区内に開設された。

月寒（つきさむ）・**月寒西・同東**（つきさむにし・ひがし）・**月寒中央通**（つきさむちゅうおうどおり）

区の北東部に位置し、北から東にかけての境は東北通、北から西にかけての境は望月寒川、南の境は一般道道西野白石線と国道36号、南東境は**吉田川**となる。もとは豊平町大字月寒村で、明治4年（1871）、広川信義開拓大主典が盛岡県岩手郡で募集した農民たちが、当時「千歳道」と呼ばれた現在の国道36号沿いに入植し、その一帯を月寒村とした。「ツキサップ」の地名は、アイヌ語に由来するとされる（220頁参照）。*12

＊11　住宅地化の進行により昭和53年、一部が福住1～3条になり、残部も同54年に同条が拡張して吸収された。

吉田川　106・383頁参照。

＊12　「月寒」の読みは、「ツキサップ」（開拓使編『北海道志　巻一』明治17年）とされ、住民もそう呼んでいたが、陸軍の命令で「つきさむ」に改められたという。その後、昭和19年（1944）に豊平町の字名改正で「ツキサム」の読みとなった。

明治35年、北海道二級町村制が施行され、豊平村大字月寒村となり、同40年の一級町村制施行で、翌同41年に豊平町大字月寒村となった。明治43年、現在の豊平条丁目地区が札幌区に編入され、豊平町役場は大字月寒村に移転した。昭和19年（1944）、大字月寒村を廃して字月寒・八紘・北野・羊ケ丘・清田・真栄・平岡・里塚・有明となった。字八紘は、同22年に字東月寒となり、同36年の合併で札幌市東月寒となって消失した。字月寒は昭和36年、札幌市と合併して札幌市「月寒」となった。昭和38年には、東月寒の一部から月寒東1〜2条が成立して以降、月寒東の拡張が続き、同55年までに東月寒は消失した。また昭和38年、月寒の一部から月寒中央通1〜2丁目が成立し、同44年に月寒西1〜3条が成立して以降、月寒中央通と月寒西の拡張が続き、「月寒」の地名は消失した。

明治29年、札幌に徴兵令が適用されたことから、月寒村に陸軍**第七師団**（だいしちしだん）が置かれた。明治30年代に師団は旭川へ移転するが、月寒には独立歩兵大隊（後の歩兵第二十五連隊）が残されたため、大正期には軍を相手にする商店が増え、商店街が形成された。[*13] 戦後、旧陸軍の宿舎は樺太からの引揚者の仮住まいとなるが、昭和24年からは連隊跡地に引揚者住宅や公営住宅が多数建設され、同30年代には宅地開発が各所で進んだ。平成6年（1994）には、地区内に地下鉄東豊線月寒中央駅が開設されている。

月寒にあった第七師団歩兵第二十五連隊
（大正期撮影、出典：『札幌開始五十年記念写真帖』）

第七師団　北海道の防衛と開拓を兼ね、屯田兵を母体に編成された師団。

＊13　その後、日中戦争が始まると陸軍関係の施設が次々と地区内に整備され、昭和20年の敗戦まで大きな範囲を占めた。

羊ケ丘（ひつじがおか）

区南東部に位置し、北東境は国道36号、北西境は主要道道西野真駒内清田線が走り、南境は**山部川**（やまべがわ）が北東流し、西境は月寒川が北流する。西部は月寒川右岸の河岸段丘地帯、北部から東部にかけては丘陵地帯、南部は山林地帯になっている。

開拓初期は**焼山**（西岡）の一部で、その後、豊平町大字月寒村の一部となった。明治39年（1906）に農商務省月寒種牛場（同41年、月寒種畜牧場に改称し、後に畜産試験場北海道支場となる）が開設され、大正8年（1919）には**月寒種羊場**（つきさっぷしゅようじょう）も設置されたことから、これにちなみ昭和19年（1944）の字名改正で豊平町字「羊ケ丘（ヒツジオカ）」となった。昭和36年には、札幌市との合併で札幌市羊ケ丘となった。現在、地区内は北海道農業研究センターなどの施設*14で占められ、全域が羊ケ丘風致地区に指定されている。

農業研究センターの敷地内には、昭和34年に札幌市内を一望する「さっぽろ羊ケ丘展望台」が開設され、多くの観光客が訪れる名所となった。また、地区北東端には**札幌ドーム**があり、プロスポーツチームの本拠地となっている。

月寒種畜牧場入口（大正3年撮影、北大附属図書館蔵）

山部川　390頁参照。

焼山　94頁参照。

月寒種羊場　299頁参照。

＊14　正式名称は、国立研究開発法人農業・食品産業技術総合研究機構北海道農業研究センター。このほか、国立研究開発法人森林研究・整備機構森林総合研究所北海道支所などの施設が置かれる。

札幌ドーム　平成13年に完成したドーム型の屋根を備えたスタジアム。特殊な構造により、サッカー用と野球用のグラウンドを併用できるほか、各種イベントにも利用されている。

そのほかの地名

八紘（はっこう）

農業発展のために働く若人を育てることを目的に、昭和8年（1933）、豊平町大字月寒村に設立された「殖民学校八紘学院」にちなんで、昭和19年に豊平町の行政地名として成立。昭和22年、字東月寒に改称され消失した。同校は約120ヘクタールの農場を有し、戦後、数度の改称を経て、昭和51年に現在の校名「八紘学園　北海道農業専門学校」となり、現在も農業後継者の育成を行っている。

アンパン道路（あんぱんどうろ）

明治の末頃、平岸村から月寒に直接通じる道がなかったことから、豊平町は新しい道路の開削を決定する。*15 しかし、そのルートは起伏が激しく、水田の埋め立ても必要な難工事だったため、地域住民の協力を得ながら、月寒の歩兵第二十五連隊の助力も得て工事が進められた。この工事に従事した兵士には毎日、あんぱん5個を配給して士気を高めようとしたことから、「アンパン道路」の名で呼ばれるようになったという。

*15　現在のルートでは、平岸小学校付近から白石藻岩通を東に向かい、羊ケ丘通との交差点付近で左斜めに曲がり、月寒公園沿いを通って国道36号までとなる。

八紘学園牛舎（昭和52年撮影、札幌市公文書館蔵）

［参考文献］

札幌市役所編『札幌開始五十年記念写真帖』（札幌市、1919年）

札幌市教育委員会編『新札幌市史』第一～七巻（札幌市、1986～2005年）

豊平市役所市民部総務企画課広聴係『豊平区の歴史』（豊平区、2002年）

『住居表示旧新対照表』豊平区平岸地区〔環状通以南の一部〕（1976年）／豊平区平岸地区〔環状通以北〕（1976年）／豊平区月寒地区〔その3〕（1978年）／豊平区平岸地区（1979年）／豊平区旭町・水車町地区（1979年）／豊平区中の島地区（1979年）／豊平区旭町・水車町地区（1979年）／豊平区美園地区（1979年）／豊平区北野（1981年12月7日）／豊平区福住地区（1982年）／豊平区西岡地区（1982年）／豊平区清田地区（1982年）／豊平区福住地区（1983年）／豊平区西岡地区（1983年）／豊平区豊平地区（1984年）

『地番調書・旧新対照表』豊平区水車町・旭町（1978年）／豊平区・北野の全部・清田・真栄・平岡・羊ケ丘の一部（厚別川以西）〈その1〉（1981年）／豊平区・北野の全部・清田・真栄・平岡・羊ケ丘の一部（厚別川以東）〈その2〉（1981年）／豊平区平岸（1981年6月15日）／豊平区平岸7条14丁目（1981年7月20日）／豊平区清田・真栄の一部〈その1〉（1982年）／豊平区清田・真栄の一部〈その2〉（1982年）／豊平区西岡3条10丁目等（1983年）／豊平区豊平地区〈その1〉（1984年）／豊平区豊平地区〈その2〉（1984年）／豊平区清田・真栄・平岡の一部（1986年）／豊平区平岡の一部（1986年）／豊平区清田の一部地域（1986年）

since 1997

清田区（きよたく）

自然環境に恵まれ、近年は宅地化が進む

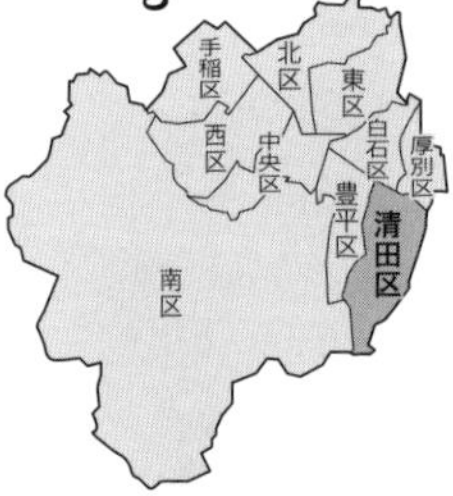

DATA

面積＝59・87平方キロメートル（市総面積の5・3％）
人口＝11万1660人（市総人口の5・7％）
世帯数＝5万3608世帯
性比（女性＝100）＝90・4
平均年齢＝49・1歳
＊2022年4月1日現在

◉歴史と概況

都市化の波により、当時市内で最も人口の多い区となった豊平区から、平成9年（1997）に分区して誕生。現在、区内は10地区から成るが、その中で清田、里塚、有明、北野、平岡、真栄の名称は、昭和19年（1944）の字名改正によって定められた。

大字月寒村に属したこの地域は、国道36号（旧称室蘭街道）沿いに集落が点在し、厚別川沿いの低地に水田、その周辺の丘陵地に畑、南部には広大な山林が広がっていた。昭和30年代後半から清田・北野地区の宅地化が本格的に始まり、平岡・里塚・真栄地区へと拡大したが、有明地区には市街化調整区域に指定された広大な市有林があり、宅地化は進まなかった。

その後、昭和46年の国道36号切替工事や羊ケ丘通の開通で、交通アクセスが向上し、同49年に札幌市が札幌東部地域開発計画を策定したことから、里塚・平岡地区の農地、山林、牧場などで、土地開発業者による計画的かつ大規模な宅地造成が行われた。

さらに、その後開業した地下鉄東西線の南郷18丁目駅（白石区）と大谷地駅（厚別区）、同東豊線の福住駅（豊平区）を起点にバス路線網が区内に拡大。これにより宅地化が加速した。その結果、平成4～5年に里塚地区南部が美しが丘、清田区誕生と同時期に里塚地区北東部が里塚緑ケ丘、里塚地区北部と平岡地区東部を合わせて平岡公園東、平岡・里塚両地区にまたがる一部が平岡公園となり、新たな地区名が付いたエリアでは、さらなる宅地化が進む。

〈執筆担当　濱本武司〉

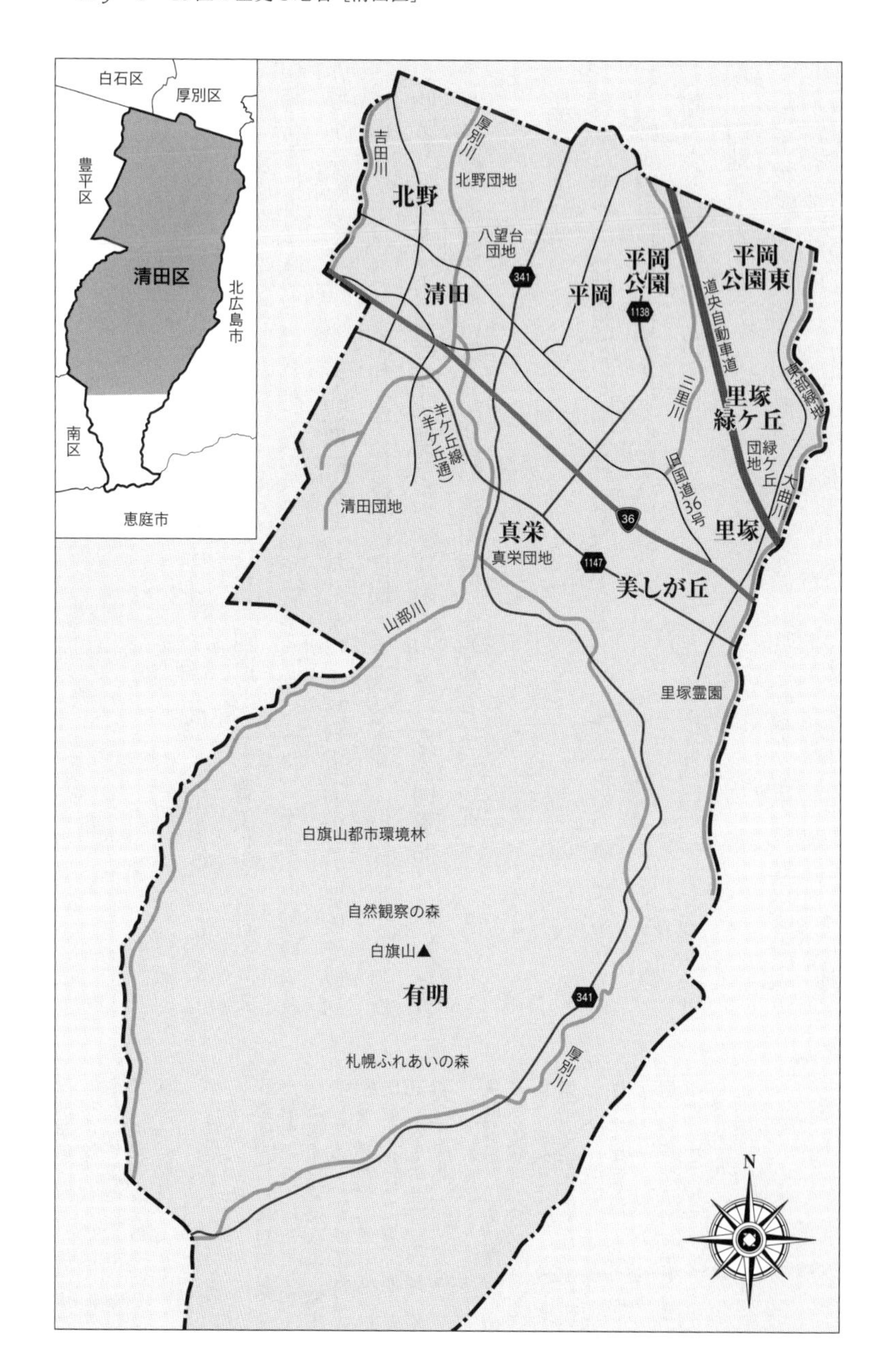
白石区
厚別区
豊平区
清田区
北広島市
南区
恵庭市
吉田川
厚別川
北野
北野団地
八望台団地
341
清田
平岡
平岡公園
1138
平岡公園東
道央自動車道
三里川
里塚緑ケ丘
緑ケ丘団地
東部緑地
大曲川
羊ケ丘線（羊ケ丘通）
清田団地
旧国道36号
36
里塚
真栄
真栄団地
1147
美しが丘
山部川
里塚霊園
白旗山都市環境林
自然観察の森
白旗山▲
有明
341
札幌ふれあいの森
厚別川
N

行政地名

清田（きよた）

この地区は、かつて厚別・**厚別本通**などと呼ばれたが、昭和19年（1944）の**字名改正**により、名称を新たに清田とした。国道沿いで一番美しく清らかな水田地帯という意味でつけられている。この地区を南北に流れる厚別川に架けられた厚別橋の近くには、かつて**駅逓所**があった。また、**長岡重治**がこの地域で最初に水稲栽培を試みた。昭和30年代後半には民間企業による「清田団地」の造成が始まり、現在は南側の丘陵地にまで宅地が広がっている。国道36号沿いにはさまざま商業施設や病院などが並び、清田区の中心地となっている。

里塚（さとづか）

幕末に**サッポロ越新道**が開削された際、1**里**ごとに塚（一里塚、標柱）が立てられ、**創成橋**を起点として3里の地点に当たることから、その後、この地を三里塚と呼ぶようになった。昭和19年（1944）の字名改正で、「三」をとって「里塚」の地名となった。

かつて炭焼きから始まった農業地帯だったが、特に昭和40年の札幌市営里塚霊園の造成をきっかけに、急速に宅地が広がっていった。なお三里塚という旧地名

厚別本通　昭和19年の豊平町字名改正資料には、旧字名として掲載されていないが、地元ではこの地域を厚別本通と呼称していた。

字名改正　409頁参照。

駅逓所　江戸幕府や松前藩が蝦夷地に設けた宿駅制度に始まる。明治以降、開拓使や北海道庁が開拓推進のため、交通の不便な地域に駅舎を設けて、宿泊・運送・通信の便を図った。昭和22年廃止。

長岡重治　この地域で初めて水稲栽培を行い、また学校や神社を立てるなど、厚別の開拓に力を注いだ。

サッポロ越新道　30頁参照。

里　尺貫法における長さの単位。一里は約3.927キロメートル。

は、三里塚小学校、三里塚神社、**三里川**の名称に残っており、河川名「三里川」の由来は、橋の近くに三里塚と書かれた里程標が立てられたことにちなむ。

有明（ありあけ）

明治23年（1890）に**篠路屯田**兵村の公有地として開拓されたことから、この地域は「公有地」と呼ばれた。昭和19年（1944）の字名改正で、公有地の「有」に明朗闊達の「明」を添えて「有明」の名称となった。清田区は都市化に伴い急激な住宅化が進んだが、有明は**市街化調整区域**となっており、今も農地が広く残る。また、広大な市有林を有するこの地域では、自然豊かな環境が「白旗山都市環境林」「有明の滝都市環境林」として有効活用されている。

造成中の清田団地（昭和44年撮影、札幌市公文書館蔵）

北野（きたの）

かつては厚別北通などと呼ばれたが、昭和19年（1944）の字名改正で、「北野」に改称された。厚別の中心地から北に広がる原野という意味である。この地域は以前、水田を中心と

一里塚　旅行者の目印として大きな街道の路肩に一里ごとに設置した塚（土盛り）。江戸時代、全国に整備された。

創成橋　30頁参照。

三里川　厚別川の支流。かつて河畔は、水田の広がる谷間の沢地だった。宅地造成の際にそこを埋め立てたが、平成30年9月の北海道胆振東部地震で液状化現象などが発生したことから、大きな被害が出た。384ページ参照。

篠路屯田　41頁参照。

市街化調整区域　都市計画法により、原則として建築物を建築または増改築できない区域。

清田１条１丁目の厚別川沿いに立つ吉田用水記念碑（平成30年撮影）

した農業地帯であった。その水田化に大きな役割を果たしたのが、明治中頃に造られた**吉田用水**である。その水田も、昭和30年代後半から進展した宅地化により、今では見られなくなった。昭和38年に「八望台団地」、同45年には「北野団地」の造成が始まるなど宅地開発に拍車がかかり、かつての水田地帯の大半が住宅地と化した。

平岡（ひらおか）

この地区は、かつて厚別本通（通称・坂の上）などと呼ばれたが、昭和19年（1944）の字名改正により「平岡」とした。この地区が台地上にあったことから、平らな丘（岡）という意味でつけられた名称である。かつては畑地とリンゴ畑が広がるのどかな農村地帯だったが、現在は大規模なマンションも多く見られる住宅地となり、さまざまな商業施設が立ち並ぶ。厚別平岡線（道道）の整備、北野通（市道）の開通などによって交通の便も良くなった。**道道真駒内御料札幌線**沿いには、清田区役所が設置されている。

吉田用水　入植者の吉田善太郎らが開削した、厚別川からこの地域を通って月寒川に至る用水路。この用水の一部は吉田川と呼ばれ、豊平区との境界にもなっている。

道道真駒内御料札幌線　南区と厚別区を結ぶ一般道道。正式名は「道道３４１号真駒内御料札幌線」、通称・厚別滝野公園通と呼ばれる。道路名の「御料」とは、この道路が皇室の御料地に繋がっていたことによる。１１６頁参照。

真栄（しんえい）

かつて厚別南通などと呼ばれたこの地区は、厚別川両岸沿いに水田と畑、また丘陵地は山林に覆われた農村地帯であった。昭和19年（1944）の字名改正により、「真栄」の名称となった。この土地がますます栄えるようにという、地域住民の願いが込められている。昭和40年頃から宅地化が始まり、同46年の真栄団地の大規模造成、その後の丘陵地でのゴルフ場造成、さらに平成2年（1990）には**札幌ハイテクヒル真栄**もつくられた。なお、この地区の北西部に流れる**山部川**は厚別川の支流で、河川名はアイヌ語の「ヤムペ」（冷たい川）にちなむとされる。

美しが丘（うつくしがおか）

昭和59年（1984）から「羊ケ丘通ニュータウン」などの造成が始まったことにより、里塚地区の南部に整然と区画整理された住宅地が誕生した。そこに新たな地区名をつけることになり、札幌市は「南里塚」の案を提示する。しかし、住民の理解を得られず、町名検討委員会を設置して議論を重ねた結果、「美しが丘」の名称が選定されたようである。

里塚緑ケ丘（さとづかみどりがおか）

平成9年（1997）、里塚地区北東部を里塚緑ケ丘と改称した。町内会は

札幌ハイテクヒル真栄　情報処理関係の企業に特化して分譲した工業団地。300頁参照。

山部川　390頁参照。

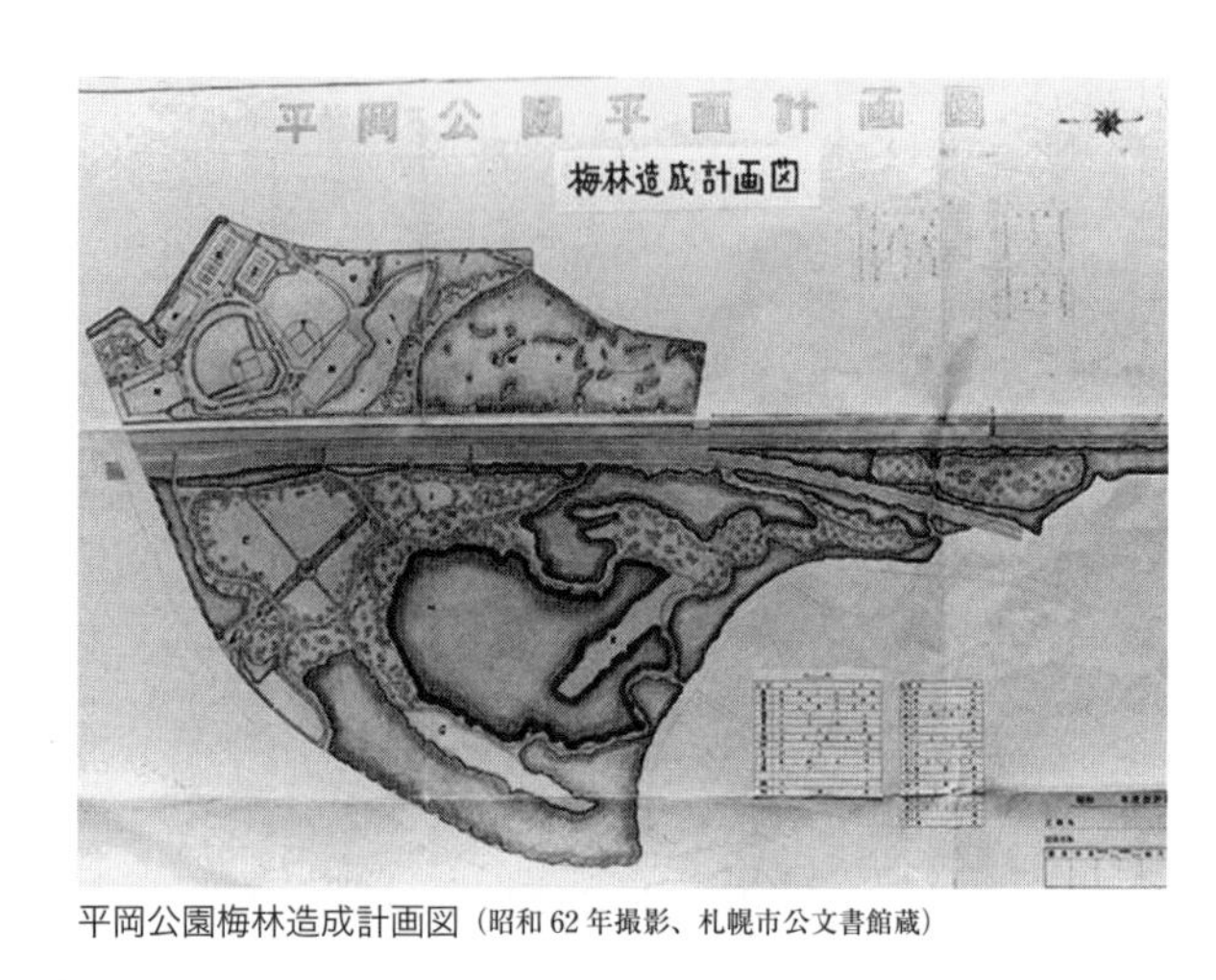

平岡公園梅林造成計画図（昭和62年撮影、札幌市公文書館蔵）

市と連携をとって住民にアンケート調査を実施し、地区名を決めている。地区の南部は、昭和40年（1965）代から宅地化が徐々に進んでいたが、本格的な開発が始まったのは、同56年の大型団地「緑ケ丘団地」の造成であった。最近では地区の北部も、大手の民間企業によって計画的に宅地化が進められている。

平岡公園（ひらおかこうえん）

平岡・里塚両地区にまたがる平岡公園は平成9年（1997）、公園名が行政地名となった。平岡公園は昭和57年（1982）より造成が始まった総合公園で、ほぼ中央を**道央自動車道**が南北に縦断している。その西側には、ウメの名所で知られる梅林、湿地などがあり、東側には野球場、テニスコートなどの運動施設が整備されている。

道央自動車道　310頁参照。

平岡公園東（ひらおかこうえんひがし）

平成9年（1997）に、里塚地区の北部と平岡地区の東部を合わせて、行政地名「平岡公園東」と名づけられた地区が誕生した。名称は平岡公園の東側に位置することにちなむ。地区の東側を流れる**大曲川**（おおまがりがわ）沿いには、東部緑地がある。ここにはかつて、酪農を営む牧場が広がっていたが、現在は**丸紅の大型団地**の分譲により緑豊かな計画的住宅街となっている。

大曲川　385頁（野津幌川の項）参照。

丸紅の大型団地　この地区には「平岡公園ベニータウン・ライブヒルズ」、「ライブヒルズ・ウエストコート」、「ライブヒルズ・こもれびの街」の3つの団地がある。

＊1　河川名の由来については、216頁参照。

そのほかの地名

厚別川（あつべつがわ）

空沼岳の東側中腹を源とし、南区―清田区を貫流し、厚別区と白石区の境を流れて豊平川に合流する。河川法上の正式名は厚別（あつべつ）川だが、清田区の住民は厚別（あしりべつ）川、厚別区の住民は厚別（あつべつ）川と呼ぶ。河川名の由来は諸説あるが、かつては荒れ川で、洪水のたびに流路が新しくなったことを表すアイヌ語「アシリ・ペッ」（新しい川）説（『アイヌ語地名リスト』）が有力と思われる。＊1

現在の清田、北野、真栄、平岡地区に当たる地域では、かつて河川名の「あしりべつ」をそのまま地名として使ったことから、今も「あしりべつ」

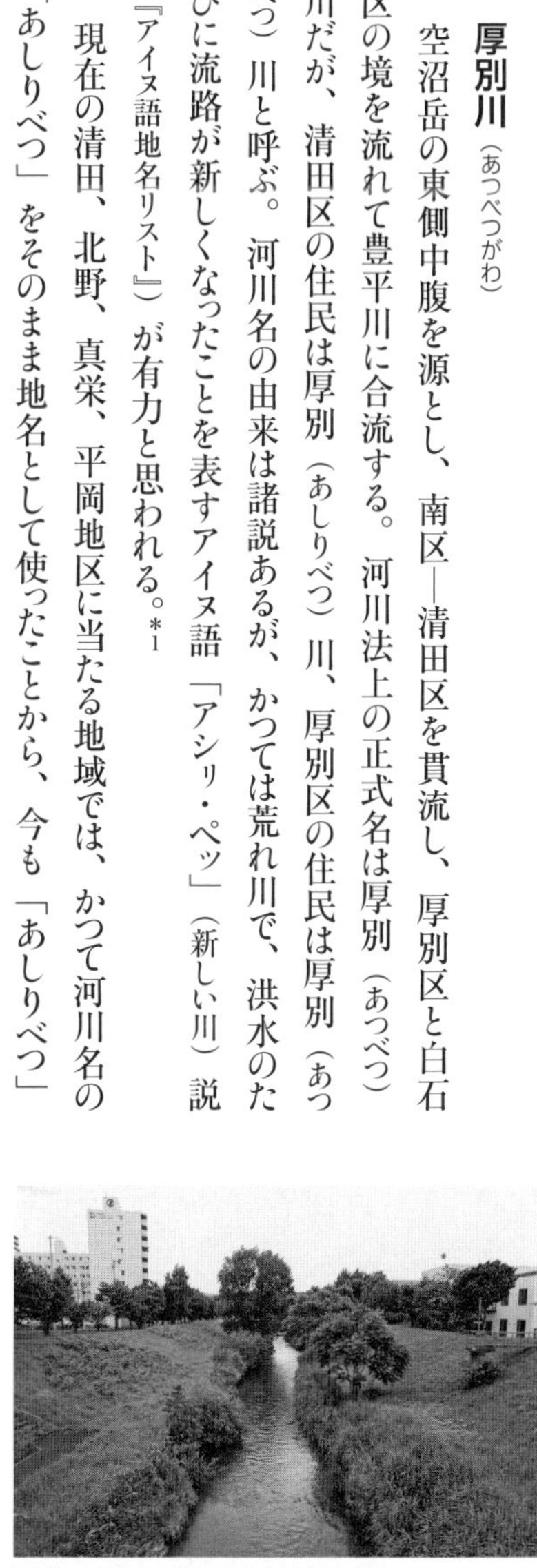

国道36号から厚別川上流側を望む
（平成30年撮影）

左の旧国道36号〈市道〉と右の国道36号が接する清田1条1丁目付近（平成30年撮影、筆者撮影）

の地名を使う人がいる。なお、「あしりべつ」の名称は厚別神社、あしりべつ郷土館、厚別橋、あしりべつ病院などに残る。

旧国道36号（旧道）

清田地区には、厚別川に直交してほぼ平行に二つの主要道路が通っている。一つは曲がりくねった旧国道36号、もう一つは直線道路の**国道36号**である。昭和49年（1974）に国道36号の北野と里塚の間を直線で結ぶ道路に切り替えたもので、地域住民は旧国道（現在は市道）を「旧道」、現在の国道を「新道」と呼んでいる。平成2年（1990）には、国道のバイパス的役割を期待された羊ケ丘通が開通し、現在は3本の主要道路が平行に走っている。

白旗山（しらはたやま）

有明地区にある標高321・5mの山で、「札幌ふれあいの森」や「自然観察

国道36号　90頁参照。

の森」として市民に親しまれる。**白旗山**の名称は、屯田兵が測量の際にこの山に白旗を立てたことに由来する。カラ松林に覆われたこの山の麓は、昭和47年（1972）に開催された**札幌オリンピック冬季大会**のスキー距離競技のコースとして使用された。現在も、国際スキー連盟公認の距離競技の会場（発着場）があり、夏季は天然芝のサッカー場としても活用されている。

白旗山　351頁参照。

札幌オリンピック冬季大会　16頁参照。

［参考文献］

豊平町史編纂会編『豊平町史　補遺』（札幌市、1967年）
清田地区開基百年記念事業実行委員会編『清田地区百年史』（清田地区開基百年記念事業実行委員会、1976年）
山田秀三『アイヌ語地名を歩く』（北海道新聞社、1986年）
札幌市豊平区市民部総務課編『とよひら物語――古老をたずねて』（札幌市、1992年）
平岡地区町内会連合会編『創立10周年記念誌　10年のあゆみ』（平岡地区町内会連合会、2003年）
清田区10周年事業実行委員会編『札幌市清田区10周年記念誌　明日への贈り物』（清田区10周年事業実行委員会、2007年）
加来博著、里塚・美しが丘地区町内会連合会編『里塚・美しが丘地区町内会連合会　創立10周年記念誌　みどりの里』（里塚・美しが丘地区町内会連合会、2007年）
里塚みどりが丘町内会創立30周年記念誌編集委員会『創立30周年記念誌　みどりが丘』（里塚みどりが丘町内会創立30周年記念誌編集委員会、2014年）
了寛紀明『札幌本道と厚別地域の歴史～古文書を辿っての「清田発掘」～』（私家版、2018年）

since 1972

南区（みなみく）

開拓の歴史を秘める広大な区

DATA

面積＝657・48平方キロメートル（市総面積の58・6％）
人口＝13万5024人（市総人口の6・9％）
世帯数＝7万3249世帯
性比（女性＝100）＝86・8
平均年齢＝51・8歳
＊2022年4月1日現在

◉歴史と概況

市の南西部に位置し、昭和47年（1972）の政令指定都市施行により設置された。面積は市内10区の中で最も広く、市域の約60%を占める。区の名称は当初、藻南区や真駒内区などの案もあったが、すでに「南消防署、南保健所が設けられている」や「札幌市の南に位置している」などの理由から南区となった。

区の南部、西部には山林が広がり、大部分が支笏洞爺国立公園に含まれる山岳地帯には、札幌岳や空沼岳など標高1000メートルを超える山々がそびえる。また、山岳地帯を水源に区の中央部を東へと流れ、石山付近で北に転流する豊平川沿いの地域と比較的平坦な北東部に、主な市街地が形成されている。

開拓の歴史は、慶応2年（1866）、修験僧の美泉定山が現在の定山渓に湯治場を設けたことが端緒とされる。後に官営浴場の湯守に任命された定山は、本格的な温泉経営を始め、定山渓温泉の開祖となった。

札幌本府建設の際には、区内に豊富にある木材や石材などの資源が利用され、硬石山の札幌硬石、石山の札幌軟石を運搬する目的で、山鼻から石山までの直線馬車道（現在の国道230号、通称・石山通）も設けられた。

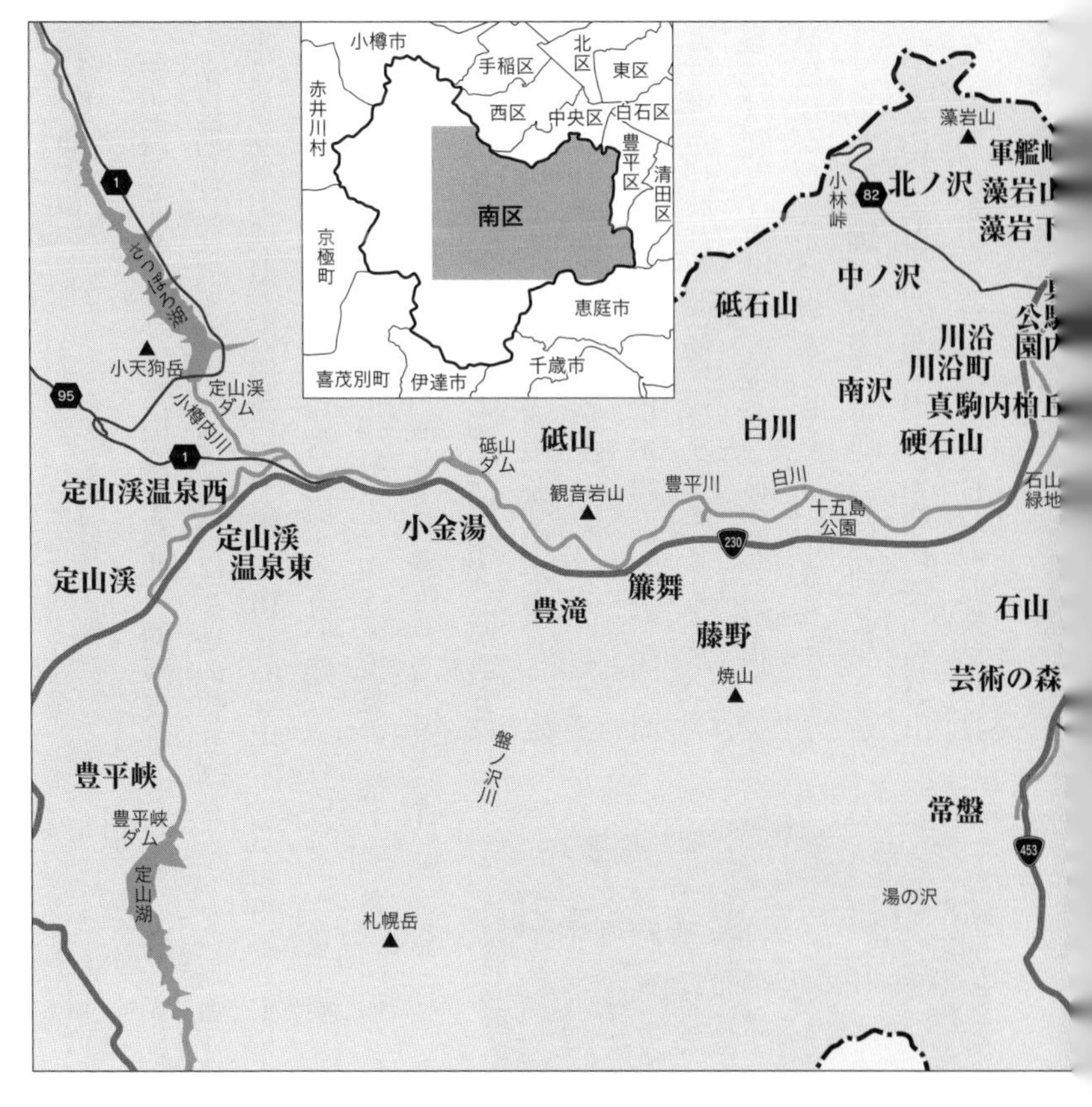

その後、住民も利用できる馬車鉄道が開通し、札幌中心部や定山渓への交通アクセスが向上し、沿線一帯が開けていく。大正7年（1918）には、白石と定山渓を結ぶ定山渓鉄道が開通（昭和44年廃止）し、さらなる発展を遂げた。

昭和47年開催の第11回札幌オリンピック冬季大会に合わせて、主会場となった真駒内地区に競技施設や選手村が建設された。さらに、会場へのアクセス手段として、前年の昭和46年には地下鉄南北線の北24条—真駒内間（同53年、北24条—麻生駅間延伸開業）が開通し、利便性が増した。

人口こそ他区に比べ少ないが、開拓初期からの歴史を持つ地域も多く、新旧の顔を併せ持つ。

〈執筆担当　佐藤真名〉

行政地名

定山渓（じょうざんけい）・**定山渓温泉西・同東**（じょうざんけいおんせんにし・ひがし）

南区西部に位置する山林地帯で、区全域の約6割を占める。地名は豊平川上流にある定山渓温泉の開祖、**美泉定山**の名に由来。昭和19年（1944）、豊平町の字名改正で大字平岸村が廃止された際に、行政地名「定山渓」が定められたが、それ以前は大字平岸村字定山渓・簾舞の一部であった。昭和47年、定山渓の一部が豊平川を境に「定山渓温泉西」「定山渓温泉東」となっている。

地区内には、**豊平峡ダム**や**定山渓ダム**があるほか、**白井川**上流にはかつて**豊羽鉱山**があった。定山渓温泉の歴史は古く、安政4年（1857）に松浦武四郎がこの地に温泉が湧くことを伝え聞き、翌年に訪れた記録が残る（『後方羊蹄日誌』）。慶応2年（1866）、温泉を確認した僧侶・美泉定山が仮屋を設けたとされ、明治3年（1870）着工の**本願寺街道**（道路）が開通したことから、定山は浴場開発と援助を開拓使に願い出る。翌同4年、豊平川沿いに官設の温泉場が設

定山渓鉄道定山渓駅前にあった休憩所
（大正11年撮影、札幌市公文書館蔵）

美泉定山　1805〜1877年。岡山県出身の真言宗修行僧。明治4年に美泉姓を号した。

豊平峡ダム　昭和47年に完成した、道内最大のアーチ式コンクリートダム。

定山渓ダム　札幌第2の水がめとして平成元年完成。

白井川　397頁参照。

豊羽鉱山　明治期に採鉱が始まる。大正3年に豊羽鉱山となり、同4年から操業を開始。銀、鉛などを産出した。名称は豊平町の「豊」と鉱山の買収に尽力した丹羽定吉の「羽」を合わせたもの。平成18年閉山。

本願寺街道（道路）　国道230号の前身。309頁参照。

東久世通禧　1834〜1912年。明治期の政治家。明治2年、開拓長官に就任。その後、明治新政府の外交にあたった。

置され、開拓使は定山に湯守を命じた。後に本願寺街道の道路検分で、**東久世通禧**（ひがしくぜみちとみ）開拓長官が温泉を訪れた時に、定山の功績をたたえてこの地を定山渓と名づけた。大正7年（1918）には**定山渓鉄道**が開通。アクセスが容易になったことから温泉街は発展し、道内有数の温泉郷となった。

簾舞（みすまい）

地名はアイヌ語に由来し、*1後に漢字を当て現在の名称となった。明治初期は石山西部から定山渓に至る広い地域を指し、昭和19年（1944）の字名改正で、行政地名「簾舞」（ミスマヒ）が定められた。それ以前は、大字平岸村字簾舞の一部であった。明治4年（1871）の本願寺道路開通に伴い、その翌年、開拓使はその要所である簾舞に**通行屋**（宿泊・休憩所）を設け、屋守（やもり）に黒岩清五郎を任命した（明治6年の札幌本道完成で通行者が減り、同17年に簾舞通行屋は廃止となった）。*2明治21年、簾舞川流域から現在の小金湯にかけて**札幌農学校第四農場**（後の北海道大学第四農場）が開設され、欧米の

花岡神社前より簾舞市街地を望む
（昭和10年撮影、北大附属図書館蔵）

定山渓鉄道　大正7年開業の市の中心部と定山渓温泉を結んだ私鉄。行楽客や木材、豊羽鉱山の鉱石などを輸送した。昭和44年廃止。

＊1　211頁参照。

通行屋　開拓使が設置した、旅行者や荷物を運ぶ人馬のための宿泊・休憩所。

＊2　後に定山渓への新道開削の際、現在地に移築された。黒岩家四代の住宅で、豊平町役場官吏の出張所などにも利用され、地域の発展に寄与した。市の指定有形文化財で、旧黒岩家住宅として一般公開される。

札幌農学校第四農場　農学校農芸伝習科の生徒開墾用地として開設。同校同窓会の経営を経て明治28年、再び農学校の経営に戻り、附属第四農場に改称された（『北大百年史　部局史』）。

農法を試みた。また砥山全域と豊平川右岸は、明治期から昭和20年まで**帝室林野管理局**所管の**御料地**であった。大正期にリンゴや除虫菊、昭和初期にイチゴの栽培が始まり、戦後は蔬菜の栽培に着手。養豚や養鶏も行われ、近郊農業の中心地となった。昭和30年代以降は、分譲団地が建設され宅地化も進んだ。

砥山（とやま）

簾舞の対岸、豊平川左岸から**砥石山**北麓の山中までにつけられた行政地名である。名称は、付近の山から水成岩の砥石を採取したことに由来する。昭和19年（1944）の字名改正で、行政地名「砥山」が定まり、**観音岩山**（通称・八剣山）を境に上砥山、下砥山に区分された。それ以前は、旧豊平町大字平岸村字砥石山の一部であったが、札幌市の行政地名「砥石山」と紛らわしいため、「砥山」に改めたとの指摘もある。一帯は帝室林野管理局所管の御料地に当たり、明治23年（1890）、同局の駐在所が置かれ山林管理と木材の払い下げを行った。明治33年から小作人による開墾が始まり、大正14年（1925）に御料地が払い下げられて民有地となった。現在は果樹園中心の農業地帯となっている。

豊滝（とよたき）

国道230号沿いの豊平川右岸に位置し、明治20年（1887）頃より、札

帝室林野管理局　明治期から昭和戦前期、皇室財産である御料林の管理経営を行った宮内省の外局。明治18年に「御料局」設置、同41年「帝室林野管理局」、大正13年「帝室林野局」に改称、昭和22年廃止。

御料地　明治33年に小作人を入れて開墾が始められ、通称「御料農場」と呼ばれた。

砥石山　123・354頁参照。

観音岩山　354頁参照。

幌農学校第四農場や御料地の小作地として開墾が始まる。昭和19年（１９４４）の字名改正で、「豊滝」の行政地名が定められた。それ以前は、旧豊平町大字平岸村の一部で、字鱒ノ沢・鱒沢・一ノ沢・簾舞・盤ノ沢を含む地域であった。地名の由来は滝が多いためとされるが、豊平町の豊と滝の沢の滝にちなむともいわれる。

小金湯（こがねゆ）

定山渓温泉の5キロメートルほど東側に位置し、明治20年（１８８７）頃に半農半宿の湯治場が設けられ、次第に温泉地として整備が進んだ。周辺は札幌農学校第四農場の小作地で、熊本出身者により開拓されたことから、熊本開墾とも呼ばれた。昭和19年（１９４４）の字名改正で「豊滝」三区となるが、豊平町と札幌市が合併した翌同37年、「小金湯」の行政地名に改称された。それ以前は、旧豊平町大字平岸村字一ノ沢であった。小金湯の地名は、湯元が硫黄のため黄金色に見えたからという説のほか、砂金が取れたから、付近の黄金沢川底の**黄銅鉱**が黄金色に見えたからなど諸説ある。現在も温泉宿が2軒ある小金湯温泉郷には、昭和47年、北海道記念保護樹木に指定された、推定樹齢７００年のカツラの老木「小金湯桂不動」が立つ。

黄銅鉱　黄金色の鉱物で、銅の最も重要な鉱石。

小金湯温泉の桂の大木（昭和52年撮影、札幌市公文書館蔵）

石山2条3丁目付近の定山渓鉄道と国道230号
（昭和44年撮影、札幌市公文書館蔵）

石山（いしやま）・石山東（いしやまひがし）

石山地区を流れる**穴の川**（旧穴の沢川）流域一帯は、かつて**穴の沢**と呼称されたが、昭和19年（1944）の字名改正で、「石山」の行政地名が定められた。それ以前は、旧豊平町大字平岸村の一部で、字土場、真駒内、真駒内川沿、穴ノ沢、穴ノ川尻、石山、簾舞、穴ノ川沿、簾前、穴ノ川口、ミソマップ、ミスマイを含む地域であった。同54年には、一部が「石山東」などに改称されている。地名の由来は明治初期、この地区で軟石を発見したことにちなむ。往古はアイヌ語〈ウコツシンネイ（山と山が接近する土地の意）〉の名があったという。*3 石山は軟石（**札幌軟石**）の産地として知られ、定山渓鉄道の駅名にも「石切山駅」*4 が採用された。

明治9年、石材運搬を目的に、山鼻から真駒内を経て石山へ抜ける直線馬車道（現在の石山通）を設置。明治42年に馬車鉄道が敷かれ、旅客輸送が始まっ

穴の川　393頁参照。

穴の沢　「語源は明確でないが、昔ここを通る人が『ウコッ・シリネイ』と呼んだところから、山峡を伝ってでる川であり、穴の沢と呼ばれるようになったと思われる」（『札幌地名考』）。

＊3　『角川日本地名大辞典1北海道　上』。

札幌軟石　明治8年から本格的な採掘が始まった、軟らかい凝灰岩の石材。倉庫や民家の内外壁などのほか、旧札幌控訴院（現札幌市資料館）の外壁や豊平館の煙突などにも用いられた。平成30年には、北海道遺産に登録されている。

＊4　現存する駅舎は、大正7年の定山渓鉄道開業時に建てられた唯一のもの。基礎部分は札幌軟石で、現在、商店街の事務所や地域の集会施設に利用されている。

た。昭和14年には豊羽（とよは）鉱山の選鉱所ができて、数百人の関係者が移住。後に輸送の合理化などを目的に選鉱所が鉱山に移転し、[*5]宅地化が進んだ。戦後も、建築基準法の制定やコンクリートの普及、宅地化の進展などで次第に採掘場は減少し、石山地区での採掘は昭和53年に停止された。現在は常盤地区で採石が続けられている。また、軟石採掘場の跡は「**石山緑地**」となっている。

硬石山（かたいしやま）

豊平川北岸にある**硬石山**一帯につけられた行政地名で、**札幌硬石（こうせき）**と呼ばれる石材が採掘されることに由来する。昭和16年（1941）の字名改正で、「硬石山（カタイシヤマ）」の行政地名が定められた。それ以前は旧円山町字八垂別字白川の一部であった。明治5年（1872）、札幌本府の建設に必要な建築用石材の調査を行った際、硬石が発見されたことで採石が始められた。札幌硬石は豊平館や道庁旧本庁舎の土台石、ビール会社や鉄道局などの礎石に使われたほか、昭和18年建設の千歳飛行場滑走路にも使用された。現在も、コンクリート骨材や道路舗装用の砕石として、山容を変えながら採石が続けられている。

藻岩山（もいわやま）

南区北部にある**藻岩山**一帯に付けられた行政地名で、名称はアイヌ語に由来す

＊5　昭和44年、採鉱所である豊羽に選鉱所を新たに設置し、石山の選鉱所は廃止された。

石山緑地　札幌市の都市公園。展望テラスやテニスコートのある北ブロックと、軟石採掘跡の岩肌が露出した景観が特徴の南ブロックからなる。彫刻家集団が設計・施工した南ブロックは、芸術性が高い。

硬石山　353頁参照。

札幌硬石　マグマが固まってできた石英安山岩で、札幌軟石に対して札幌硬石と呼ばれる。建築物の礎石に使われる重要な石材だった。353頁参照。

藻岩山　352頁参照。

る。*6市内各所から望めるシンボル的存在で、山頂にはロープウェイとリフトで登れるほか、観光自動車道路も通じる。藻岩山から硬石山にかけての広大な地域は、かつて**八垂別**(はったるべつ)と呼ばれ（「はったりべつ」の呼称も並存）、旧四号の沢・五号の沢・八号の沢・石山本通などを含んだ。昭和16年（1941）の字名改正で、「藻岩山(モイハヤマ)」のほか川沿町・北ノ沢・中ノ沢・南沢・砥石山・白川・硬石山の行政地名が定められた。行政地名の藻岩山は、旧円山町字円山・山鼻・八垂別を含む地域であった。

開通から間もない頃の藻岩山観光自動車道路
（昭和34年撮影、札幌市公文書館蔵）

旧称の八垂別はアイヌ語にちなむとされ、明治5年（1872）、開拓使が札幌の地名を和名に改めた際、「発足別」「発垂別」の字を当てたことに由来する。さらに、計8つの川や沢ごとに一号の沢から八号の沢の地名が付されたことから、後に「八垂別」の字が当てられた。明治39年、山鼻村と円山村が合併して藻岩村が成立した際に、旧藻岩村大字山鼻村字八垂別となった。八垂別は山鼻屯田兵の**追給地**(ついきゅうち)として開墾が始まり、屯田兵制度廃止後は一般の入植者も移住。その後、**蔬菜**(そさい)や**花卉**(かき)の栽培地となるが、昭和40年代に宅地化が進んだ。

*6　222頁参照。

八垂別　地名の由来について、山田秀三は次のように推察している。「昔豊平川にパンケ・ハッタル（川下の・淵）、ペンケ・ハッタル（川上の・淵）が並んでいて、そのおのおのの処に、小流が注いでいて、この名が出たらしい。八垂別という地名はその二つの川の名から出たものと思われる」（『札幌のアイヌ地名を尋ねて』）。

追給地　支給地の開墾を終えた屯田兵に、追加で与えられた土地。

蔬菜　食用の草本植物の総称で、山菜やきのこなども含む。

花卉　草花やサボテン、盆栽など観賞用に栽培される植物。

北ノ沢（きたのさわ）

藻岩山南斜面の**観光自動車道**入り口周辺から、**北の沢川**を間に挟み**小林峠**に向かう道道82号（西野真駒内清田線）沿いの地域。昭和16年（1941）の字名改正で、行政地名「北ノ沢（キタサハ）」が定められた。それ以前は、旧円山町字八垂別の一部で、四号の沢と呼称されていた。旧称である四号の沢、五号の沢（現中ノ沢）、八号の沢（現南沢）は、それぞれ八垂別（前項参照）の北・中央・南に位置することから、北ノ沢の名となった。明治9年、山鼻屯田兵村の追給地、琴似・新琴似**屯田兵村の公有地**として開かれたことから、多量の木材が切り出され、馬や豚の放牧地もあったという。その後は一般の入植者が増え、大正期～昭和期にかけて蔬菜やイチゴの栽培が盛んになった。昭和44年から団地の造成が始まり、宅地化が進んだ。

中ノ沢（なかのさわ）

北ノ沢の南隣、**中の沢川**沿いの地域。昭和16年（1941）の字名改正で、行政地名「中ノ沢（ナカサハ）」が定められた。それ以前は旧円山町字八垂別の一部で、五号の沢と呼称された。八垂別の中央に位置するため、中ノ沢の名がつけられた。明治期に屯田兵の追給地や公有地に当てられ、後に一般移民が入植。田畑を耕作する傍ら、造材人として働き副収入を得た。大正期後半には蔬菜や花卉、除虫菊の主産地となり、昭和30～50年代まではブドウやホップの栽培が盛んになる

観光自動車道　正式名称は藻岩山観光自動車道。北海道大博覧会の開催に合わせて昭和33年に開通した有料道路で、陸上自衛隊が施工に当たった。かつては藻岩山山頂に至ったが、現在は環境保護のため中腹駐車場までに短縮されている。

北の沢川　393頁参照。

小林峠　道道82号の南区と中央区の境にある峠。かつて急峻な踏み分け道しかなかったこの峠を、通学で利用した小林新夫が期成会を結成し、難工事を経て昭和40年に開通させた。その尽力を讃え「こばやし峠」と命名された（『南区30周年記念誌　南区開拓夜話』）。なお、国土地理院地図では「小林峠」の表記となっている。

屯田兵村の公有地　屯田兵村の公有財産として政府から給付された土地。

中の沢川　393頁参照。

など、近郊農業地帯として発展した。平成期に入り南沢地区との連絡道路が開通したことから、急速に宅地化が進んだ。砥石山登山口から歩いて1分ほどの中の沢川上流部には、高さ約6メートルの八垂別の滝がある。

南沢（みなみさわ）

南側の中ノ沢と北側の硬石山に挟まれた、**南の沢川**沿いの地域。旧称八垂別地区の中で最も平坦な部分が多い。昭和16年（1941）の字名改正で、行政地名「南沢（ミナミサハ）」が定められた。それ以前は旧円山町字八垂別の一部で、八号の沢と呼称されたが、八垂別の南に位置することから現在の名となった。

もとは琴似・新琴似屯田兵村の公有地で、一般移民によって開墾が進められ、大正後期からリンゴ栽培が盛んになり、大正12年（1923）に**自助園（じじょえん）牧場**が開設されると、乳牛中心の酪農が行われた。昭和15年には自助園牧場向いの北斜面に、**曽田香料**が南ノ沢農場を開き、香料の原料としてラベンダーの栽培を開始。精油を取るための蒸留工場も建設され、昭和17年には日本初となるラベンダーオイルの抽出に成功した。しかし、昭和40年代後半に入ると安価な輸入香料が台頭するなど市況が大きく変化し、昭和55年に農場は解散している。*7

昭和42年に東海大学札幌教養部（現東海大学札幌キャンパス）が開設、道路なども整備されたことで宅地化が進み、南の沢川北岸に住宅街が形成された。

南の沢川 393頁参照。

自助園牧場 バターを製造し、「自助園バター」のブランド名で札幌のデパートで売り出し、「チョコレート・ストロベリー、レモンノ三色三味ノ紙包アイスクリーム」（『さっぽろ藻岩郷土史 八垂別』）を製造し、列車で小樽や函館、旭川まで運んで販売した。これは日本初のアイスクリームの卸売り販売ともいわれる。牧場は昭和16年まで存続した。

曽田香料 大正4年創業の総合香料メーカー。芳香剤や食品用香料、ガス着臭剤など幅広く手掛ける。

＊7 南沢地区町内会連合会・南沢まちづくり委員会建立「ラベンダー発祥の地」碑より。平成14年、札幌南沢神社境内に設置された。

川沿（かわぞえ）・**川沿町**（かわぞえちょう）

北は**軍艦岬**（ぐんかんみさき）南側の藻岩山観光自動車道入り口周辺、南は**藻南公園**（もなみ）を含む硬石山までの、国道230号（通称・石山通）沿いに広がる地域。川沿地区の中心部は、石山通沿いにあることから、かつて石山本通（いしやまほんどおり）とも呼ばれた。昭和16年（1941）の字名改正で、「川沿町（カハゾヒチヤウ）」の行政地名が定められた。地名は豊平川沿いに位置することに由来する。それ以前は、藻岩村大字山鼻村字八垂別の一部であった。水稲や蔬菜、リンゴ栽培が盛んな農業地帯だったが、昭和30年代から団地の造成が進み、同47年の札幌オリンピック冬季大会開催を機に一気に宅地化した。そのため昭和50年、地区のほとんどを「川沿」の行政地名に改称し、条丁目が設定された。現在、川沿町の地名は、南沢との境にある小高い山の部分にのみ残る。藻南公園に挟まれた豊平川の一部は、かつて**花魁淵**（おいらん）と呼ばれた。

砥石山（といしやま）

砥石山は中央区**盤渓**との境界に位置し、その東山麓の山中に行政地名が付されている。昭和16年（1941）、札幌市の字名改正で「砥石山（トイシヤマ）」の行政地名が定められた。それ以前は、旧円山町字八垂別の一部であった。地名は砥山（とやま）（116頁参照）と同じく、砥石山から砥石が採取されたことに由来する。

軍艦岬　134頁参照。

藻南公園　豊平川両岸に広がる、昭和24年開園の札幌市の総合公園（告示は昭和32年）。名称は市民からの公募で命名された。園内には野球場やテニスコート、遊歩道などを備える。

花魁淵　明治10年頃、人生を悲観した花魁（おいらん、上級遊女のこと）が身を投げたという伝承にちなむといわれるが、その由来は諸説ある。かつての豊平川は激流が渦巻き、多くの入水自殺者や水難事故による犠牲者が出ていた。401頁参照。

砥石山　354頁参照。

盤渓　19頁参照。

藻岩下（もいわした）

藻岩山北東山麓にある**札幌藻岩山スキー場**から国道230号手前までの地域で、地名は山麓に位置することに由来する。昭和16年（1941）の字名改正で、「藻岩下（モイハシタ）」の行政地名が定められた。それ以前は、旧円山町字山鼻の一部で、山鼻より豊平川の上流に位置することから上山鼻と呼ばれた。明治4年（1871）、東本願寺の僧侶による山鼻―八垂別（藻岩山南麓）間の新道開削により、この地が開かれたとされる。明治9年に山鼻から石山までの直線馬車道ができると、現在の藻岩橋付近に真駒内と連絡する上山鼻渡船場が設けられ、石材の運搬に利用された。*8 明治13年に岩手県からの入植者により本格的な開拓が始まるが、豊平川の度重なる氾濫で開墾は進まなかった。昭和11年には**藻岩発電所**が完成。敗戦後は、真駒内のキャンプ・クロフォード（125頁参照）建設に伴い、この地区に工事関係者の宿舎や事務所が建てられ、工事終了後も住み続けたことから地域の人口が急増した。その後も宅地化が進み、国道沿いには商業地が発展した。南32条から同35条までの西11丁目通（現国道230号）は、明治14年の明治天皇行幸にちなみ、御幸通（みゆきどおり）と呼ばれた。

真駒内（まこまない）・**真駒内上町**（まこまないかみまち）・**同緑町**（みどりまち）・**同曙町**（あけぼのまち）・**同幸町**（さいわいまち）・**同泉町**（いずみまち）・**同南町**（みなみまち）・**同本町**

札幌藻岩山スキー場　昭和35年に市民スキー場として営業を開始。現在はりんゆう観光が運営する。札幌の中心街からもっとも近いスキー場。

***8**　その後、馬車鉄道の開通で石材運搬の利用は減少し、もっぱら住民の足として利用された。昭和9年に鉄筋コンクリートの藻岩橋が完成したことから、渡船場は廃止された。

藻岩発電所　北海道電力の水力発電所。市の中心部に近い住宅地の中にある発電所は、極めて珍しい。簾舞の藻岩ダムから導水するための地下導水路工事には、強制連行されたタコ部屋・信用部屋などの労働者（日本人・朝鮮人）が従事し、多くの犠牲者が出た。所在地は南区南33条西11丁目。

真駒内川　392頁参照。

（ほんちょう）・**同柏丘**（かしわおか）・**同東町**（ひがしまち）・**真駒内公園**（まこまないこうえん）

地名はアイヌ語に由来する**真駒内川**にちなむ。*9明治2年（1869）には石狩国札幌郡に属し、同4年に平岸村の一部となったと思われ、同5年頃には「真古茂野」「間古間内」とも表記された。昭和19年（1944）の字名改正で、行政地名「真駒内」が定められたが、それ以前は旧豊平町大字平岸村の一部で、字真駒内・石山・精進川沿を含む地域であった。この地の開拓は、エドウィン・ダン（301頁参照）の指導で明治9年に開設された**真駒内牧牛場**に始まる。その功績を顕彰する目的で昭和39年、真駒内中央公園（現エドウィン・ダン記念公園）にダンの像と**記念館**が設置された。明治9年、軟石の運搬路として山鼻—真駒内—石山間に馬車道が開通し、交通の要衝となったことから軟石採掘人の請負飯場や休憩所兼雑貨店ができた。昭和21年、米軍に接収された種畜場跡に**キャンプ・クロフォード**が建設され、重要な軍事基地となった。

昭和30年に基地の北半分が返還され、陸上自衛隊真駒内駐屯地を設置。昭和34年に返還された南半分には、当時全国2位の規模となる

進駐軍の住居地だった真駒内アメリカ村
（昭和24年頃撮影、札幌市公文書館蔵）

＊9　「マコマナイ　マク・オマ・ナイ（山の方・にある・川）／事実この川だけが特別に長く、中央山塊の山の懐から出ているのである」（『札幌のアイヌ地名を尋ねて』）。

真駒内牧牛場　明治9年、エドウィン・ダンの指導で開設し、酪農と欧米農法を実践。牛、馬、綿羊などの改良普及と農業実習を通して、本道の畜産と農業の発展に寄与。明治19年「真駒内種畜場」、同26年「北海道庁種畜場」に改称、昭和17年、道綿羊場と道農事試験場の合併により「北海道農業試験場畜産部」に改称。

記念館　エドウィン・ダン記念館。明治13年築の種畜場事務所を、昭和39年に現在地へ移築した。

キャンプ・クロフォード　明治初期に小樽—幌内間の鉄道建設に貢献した米国人ジョセフ・クロフォードの名にちなんで命名された。

真駒内団地〈泉町4丁目付近〉の横を走る定山渓鉄道
（昭和43年頃撮影、札幌市公文書館蔵）

道営の真駒内団地が造成され、同41年に完成した。しかし、敷地の多くが同じ住所だったことから、新たに町名設定を行うことになり、団地開発事務所が当時の豊平町長に素案を提示、町が修正を加えて決定した。行政地名はいずれも「真駒内」を冠するため、多くの町名が1文字かつ当用漢字とする条件で選定された。*10 昭和36年に**上町**（種畜場時代から上町と呼ばれた）と**緑町**（町の中央を川が流れ、緑豊かなことから）、同40年に**曙町**（種畜場事務所などが置かれた真駒内発祥の地であることから）、同41年に**幸町**（かつて中町と呼ばれたが、官庁街となる計画があったことから改称されたという）と**泉町**（種畜場の放牛場があった頃、ここに泉が湧いていたことによる）と**南町**（以前から南町と呼称された）、同48年に**本町**（種畜場の玄関口に当たり、かつては下町と呼ばれた）、同54年に**柏丘**（後述）、同58年に**東町**（澄川と接する真駒内東端に位置する）、同60年に**真駒内公園**の行政地名が定められた。なお、真駒内団地西側の丘陵地に位置する柏丘は、札幌オリンピック冬季大会開催

*10 『真駒内団地史』。

の際にプレスセンターなどが建設され、同時に分譲住宅団地として開発された。かつてブドウ園（種畜場がブドウを栽培）と呼ばれたが、戦後、柏の木が多いことから柏ケ丘の地名となり、町名設定の際に柏丘に改称した。

昭和41年、札幌オリンピック冬季大会の主会場がこの地区に決まったことから、**旧真駒内ゴルフ場**の敷地内に道立**真駒内公園屋外競技場**や**真駒内屋内競技場**が建設された。さらに真駒内緑町には選手村が設けられ、大会後は五輪団地となったほか、道路や上下水道の整備が進み、昭和46年には札幌市営地下鉄南北線も開通、終点の真駒内駅が設置された。競技場周辺は大会後、オリンピック記念公園として整備され、昭和50年に**道立真駒内公園**として開園した。昭和47年の区制施行に伴い、この地区には南区役所・消防署・保健所などの公共施設が多数設置され、南区行政の中枢を担うようになっている。

常盤（ときわ）

真駒内川沿いの真駒内と石山に挟まれた地区で、**国道453号**に沿って南北に広がる。大正期～昭和初期、真駒内川上流から流送した木材の集積地であったことから、戦前まで土場（どば）の集落名で呼ばれた。昭和19年（1944）の字名改正で、常磐木（常緑樹）の森林が多いことから行政地名「常盤（トキワ）」が定められた。それ以前は、旧豊平町大字平岸村の一部で、字真駒内・真駒内川沿・簾舞を含む

真駒内ゴルフ場　キャンプ・クロフォード付属の専用ゴルフ場。米軍撤収後は道営の真駒内ゴルフ場となり、昭和39年に廃止。跡地が真駒内公園となった。

真駒内公園屋外競技場　旧称は真駒内スピードスケート競技場。冬季五輪の開会式、スピードスケート競技の会場となった。

真駒内屋内競技場　旧称は真駒内屋内スケート競技場。冬季五輪のフィギュアスケート、アイスホッケー、閉会式の会場となった。

道立真駒内公園　園内に真駒内川が流れる、自然豊かな公園。元は真駒内種畜場であった。85ヘクタールの広大な敷地内には、約1万本以上の樹木が植えられ、約5万本の自然木が残る。

国道453号　旧道道札幌支笏湖線。第11回札幌オリンピック冬季大会の開催にあわせて整備された。

昭和 46 年開校の札幌市滝野自然学園
（昭和 45 年撮影、札幌市公文書館蔵）

地域であった。かつて、**望豊台**（ぼうほうだい）と呼ばれた真駒内と石山を隔てる小高い峠には、道路が定山渓鉄道の上を跨ぐ石山陸橋（いしやまりっきょう）があったことから、今もバス停名などに石山陸橋の通称が残る。明治34年、石川県からの入植者によって開拓が始まり、稲作や酪農、リンゴ栽培などが行われた。明治末期にはこの地でも軟石採掘が始まり、今も市内唯一の採掘場が残る。昭和43年に道道札幌支笏湖線（現国道453号）が開通し、以後は住宅地として発展している。

滝野（たきの）

区の南東部に位置する広大な林野で、**鱒見の沢川**を境に清田区**有明**と接する。昭和19年（1944）、豊平町の字名改正で、地区内の**アシリベツの滝**や**鱒見の滝**などにちなみ、行政地名「瀧野（タキノ）」が定められた。旧豊平町大字月寒村の一部で、字厚別川上・滝ノ上・滝ノ下・西山・器械場、厚別、厚別器械場を含む地域であった。明治12年（1879）、開拓使はこの地を本府建設のための木材供給地とし、アシリベツの滝付近に水車式動力の製材機械を備えた**厚別山水車器械所**（あしりべつやますいしゃきかいしょ）を建設。木材の生産を行ったことから、*11昭和初期までは器械場と呼称された。

望豊台　明治9年、石山から真駒内経由で札幌本府に軟石を運ぶ馬車道が開通。中でもこの峠越えは急勾配で、馬は急坂で汗を流し、峠の頂上で真駒内方面へ向かう馬車などと交代した。峠からは藻岩の山並みや、豊平川を一望できたことから、望豊台と呼ばれた（『南区開拓夜話』）。

鱒見の沢川　391頁参照。

有明　105頁参照。

アシリベツの滝　400頁参照。

鱒見の滝　400頁参照。

厚別山水車器械所　開拓使の製材工場。厚別川の水力を使い、滝野で伐採した原木を製材した。木材は豊平館ほか、多くの洋風木造建築に使用された。300頁参照。

明治33年に始まった開拓は大きく発展せず、戦後も周辺が米軍演習場に接収されるなどして過疎化が進む。昭和46年に廃校利用の札幌市滝野自然学園が開校し、同58年には北海道初の国営公園、国営滝野すずらん丘陵公園が開園。敷地内にオートキャンプ場や炊事遠足広場などを擁し、レクリエーションの場となっている。

芸術の森（げいじゅつのもり）

石山地区と常盤地区に囲まれた、真駒内川沿いの丘陵地に広がる緑豊かな地域。平成2年（1990）、石山・常盤地区から芸術の森地区を分離し、新たに行政地名「芸術の森」が定められた。地域内には**札幌芸術の森**、**札幌市立大学芸術の森キャンパス**、**札幌アートヴィレッジ**がある。中核施設の札幌芸術の森は、北方の新しい芸術・文化の創造を目的とした複合芸術文化施設で、昭和52年（1977）に札幌青年会議所が提唱した「さっぽろアートパーク構想」に端を発する。昭和59年より造成工事が始まり、同61年の一部オープンを経て、平成11年に全面開園。一年を通してアートイベントが開催されている。

藤野（ふじの）

東の石山地区、西の簾舞地区に挟まれた国道230号沿いの地域。昭和19年（1944）、豊平町の字名改正により、**藤の沢**地区と**野々沢**地区を統合した

＊11　エゾマツやトドマツなどが切り出され、造材夫・製材夫・馬方などで活況を呈した。木材の運搬に適した冬場は、数百人の労働者が押し寄せたが、本府の建設がひと段落すると、無人の地となった。

札幌芸術の森　敷地内に国内外の彫刻作品を常設展示する野外美術館、企画展を開催する札幌芸術の森美術館や工芸館などを備える。

札幌市立大学芸術の森キャンパス　札幌市立高等専門学校を前身に、平成18年開校。札幌市立大学の開学に伴い、高専としては平成21年に閉校した。

札幌アートヴィレッジ　芸術と情報技術を融合させたハイテク産業の振興を目的に造成された産業団地。

炊事遠足に利用されてきた十五島公園
（昭和 31 年撮影、札幌市公文書館蔵）

際、両者の頭文字を取って「藤野（フヂノ）」の行政地名を定めた。それ以前は豊平町大字平岸村の一部で、字簾舞・簾前・ミソマイ・簾舞ヲカバルシ川上流・藤ノ沢・オカバルシ川沿・ミスマイ・野々沢・野々川・簾舞野々沢・オカバルシ川上を含む地域であった。明治初期、「⑮（まるじゅうご）」の屋号を持つ**村山家**が、**オカバルシ川**流域で船材用の木材を切り出すため、伐木に⑮の極印（ごくいん）（盗難防止のために品物に押す印）をつけたことから、マルジュウゴの沢と呼ばれるようになり、転じて「丸重吾ノ沢」となったという（昭和4年の字名改正で「丸重吾ノ沢」は「藤ノ沢」に改称）。この地は山鼻兵村の追給地・公有地、篠路兵村の公有地で、屯田兵の通い作によって開墾が進められた。明治16年（1883）以降は入植者も移住し、造材や製炭が行われ、水田や牧場も開かれた。大正期〜昭和初期には、藤の沢・野々沢両地区が札幌の果樹・野菜供給地として発展。昭和29年には**十五島**公園が開園し、炊事遠足などで賑わうようになった。昭和30年代以降は、国道の舗装化により宅地化が進んだ。

藤の沢　定山渓鉄道の駅を設置する際、線路用地を寄付した加藤岩吉と小沢清之助から一字を取り「藤ノ沢駅」と命名。これにちなみ、集落名も藤の沢となった。

野々沢　藤野川、野々沢川、東・西野々沢川各流域を含む一帯を指した古い地名。

村山家　石狩場所請負人で豪商の阿部屋村山伝兵衛のこと。幕末期〜大正2年頃まで、この地で伐採を行った。屋号は、舟を15隻持てるまでになりたいとの願望からつけたという（写真は当時の極印）。

オカバルシ川　394頁参照。

十五島　この地区を流れる豊平川には、岩が島のようにあったため十五島と呼ばれた。大正初期までは、岩伝いに牛を運んだという。その後、木材流送の邪魔になると岩は取り除かれた。

白川（しらかわ）

簾舞地区対岸の豊平川北岸から、北部の林野を含む地域。昭和16年（1941）、の字名改正で、「白川(シラカハ)」の行政地名が定められた。それ以前は、旧円山町字白川（古くは藻岩村大字山鼻村）の一部で、豊平町に属した藤野や簾舞とはその沿革を異にする。地名は豊平川支流の**白川(しらがわ)**に由来し、一説には豊平川にそそぐ白川の水が、砥石山の水成岩を溶かして白く濁ったことにちなむとされる。かつては「シロイカワ」と呼ばれたが、いつからか「シライカワ」となり、現在は行政上、「シラカワ」の読みとなっている。この地は篠路屯田の共有地で、明治31年（1898）に屯田兵の小村亀十郎が開墾を委託され、翌年には札幌へ通じる白川道路を開削したことに始まる。山地が北風を防ぐことから気候が温暖で、作物が早く実り、品質も優良であることから、札幌向けの蔬菜や果樹の栽培が盛んとなり、現在に至る。気候の良さから、昭和18年には**傷痍(しょうい)軍人北海道第二療養所**が設置されたほか、同46年には**白川浄水場(しらいかわ)**、同51年には廃校利用の野外教育施設・札幌市白川野外教室（同62年、札幌市北方自然教育園に改称）が開設された。

澄川（すみかわ）

北は**天神山(てんじんやま)**の麓、東は**望月寒川(もつきさむがわ)**で豊平区に接し、南は**駒岡(こまおか)**地区の山林地帯、西は**精進川(しょうじんがわ)**を挟んで真駒内地区へと連なる地域。昭和19年（1944）の字名改

白川　394頁参照。

傷痍軍人北海道第二療養所　戦後は国立病院として結核患者の治療などを行った。昭和49年、国立療養所札幌南病院に改称。平成22年、国立病院機構北海道医療センターに統合、閉鎖された。

白川浄水場　昭和46年完成、通水。度重なる拡張や整備を重ね、現在は市内給水量の約8割をまかなうほか、市内他浄水場へのバックアップ機能も備える。

天神山　350頁参照。
望月寒川　388頁参照。
駒岡　132頁参照。
精進川　392頁参照。

正で、精進川の澄んだ流れにちなみ、行政地名「澄川（スミカハ）」が定められた。それ以前は旧豊平町大字平岸村の一部で、字精進川・真駒内・東裏・平岸・山ノ上・望月寒・清水川坂ノ上・焼山精進川沿を含む地域であった。この地を流れる川の名にちなみ、かつては精進川の地名であった。開拓当初は森林（官林）だったことから明治5、6年（1872、3）頃、精進川沿い（現地下鉄南北線自衛隊前駅付近）に製材所が設置され、本府建設のため木材を切り出した。その後、民間に払い下げられ、福岡県から筑前移民が入植したことで開拓が始まる。明治29年、茨木与八郎が澄川地区平野部の大部分を占める農地を所有し、茨木農場としてリンゴ栽培を行う。*12その農地などは昭和22年、農地解放により小作人に分割された。昭和30年代以降は宅地化が進行し、農地は減少。昭和46年、翌年開催の札幌オリンピック冬季大会に向けて、定山渓鉄道の廃線跡を利用して地下鉄南北線が開業した。地区内に澄川駅と**自衛隊前駅**が設置されたことから人口が急増し、澄川駅周辺は商業地となり賑わいを見せている。

*12　昭和8年、定山渓鉄道が新しい駅を設ける際、鉄道用地を寄付した茨木与八郎の名字に北を冠して北茨木駅とした。その後、地名を澄川に改称した際、駅名も澄川駅に改めた。

自衛隊前駅　平岸通を挟んで、西側が陸上自衛隊真駒内駐屯地に面する。周囲には集合住宅や住宅が多いものの、バス路線との連絡がないため、地下鉄全駅の中でも利用者の少ない駅のひとつである。また、駅ホームの南半分は、精進川を跨ぐ。

そのほかの地名

駒岡（こまおか）

西岡地区と真駒内地区の境界の丘陵地を流れる精進川沿いの地域。大半が真駒内地区に位置するが、北側の一部は澄川地区に入る。かつては北海道庁真駒内種畜場の放牧地であったが、戦後に米軍の演習用地として接収。その後、緊急開拓地としての認可を得て、昭和22年（1947）より満州などからの引き揚げ者や戦災者からなる開拓団が入植を開始したことから、当時は真駒内開拓団の地名で呼ばれた。昭和24年、真駒内・西岡両地区の稜線道付近で小学校の建設が始まり、校名を真駒内の「駒」と西岡の「岡」のそれぞれ一字を取って駒岡小学校とした。*13ここからこの地域を駒岡と呼称するようになり、昭和39年には駒岡小学校周辺に駒岡団地が造成され、宅地化が進んだ。しかし地区の大半は今なお山林で、エリア内にはゴルフ場が点在する。

湯の沢（ゆのさわ）

真駒内川上流部の旧真駒内御料地に位置し、かつては豊平町大字平岸村湯の沢であった。昭和19年（1944）の字名改正の際、常盤地区に編入されて行政地名はなくなった。明治35年（1902）、徳島県からの入植者によって開拓が始まり、この地に湯脈があるとの言い伝えから「湯の沢」の名がついたという。かつては稲作が盛んで、マスやヤマメも獲れる豊かな農村だったが、現在は過疎化が進む。**空沼岳**（そらぬまだけ）の万計沢（ばんけいさわ）コース登山口があることでも知られる。なお、国土地理院地図では、湯ノ沢

***13**　昭和25年の朝鮮戦争の勃発による米軍の実弾演習強化のため、駒岡小学校は現在の精進川流域へ移転した。

真駒内川　392頁参照。

空沼岳　363頁参照。

通称名の発祥となった駒岡小学校
（昭和52年撮影、札幌市公文書館蔵）

建設中の豊平峡ダム（昭和46年撮影、札幌市公文書館蔵）

の表記となっている。

軍艦岬（ぐんかんみさき）

南区と中央区の境にあり、藻岩山東尾根の稜線が豊平川に向かって急に切れ、**柱状節理**が発達した**安山岩**が露出して崖となった部分を指す。この安山岩は、太古に火山だった藻岩山を作った最初の溶岩であるという。*14

札幌の中心部方向から見ると、山全体が巨大な軍艦に見え、東側の崖の形が明治期の軍艦の舳先に似ていたことから、この名で呼ばれるようになったのだろう。

豊平峡（ほうへいきょう）

豊平川上流に位置する渓谷で、その峡谷美からかつては北妙義（群馬県妙義山）や北耶馬渓（大分県耶馬渓）など、全国でも有数の景勝地にちなんだ名で呼ばれた。現在の名称は、大正15年（1926）に漢詩人の**国分青崖**が命名したものである。その後、昭和47年（1972）に洪水調節と水道用水供給および発電を目的に豊平峡ダムが建設され、峡谷は水没した。しかし、景観をできるだけ残すため

柱状節理　マグマが冷えて固まる際に収縮することで岩体にできる柱状の割れ目。

安山岩　347頁（脚注「溶岩」）参照。

＊14　『札幌の自然を歩く　道央地域の地質あんない［第3版］』。

国分青崖　1857～1944年。漢詩人。宮城県出身。新聞記者を経て、大東文化学院教授を務めた。

に渓谷の最上流部に設けられたことから、現在も紅葉の名勝地として人気が高い。

水松沢（おんこのさわ）

経営が代わり、豊羽鉱山となって操業を始めた大正初期、**小天狗岳**西山麓の**白井川**（しらいがわ）沿いに乾式精錬所が建設された。その近くに神木と言われたオンコ（水松）の巨木があったことから、水松沢と呼ばれるようになったという。**元山**（もとやま）―水松沢間に高架索道、水松沢―定山渓間には馬鉄の軌道がそれぞれ敷設され、この地が鉱石運搬の中継地点となった。事務所や発電所・分析所といった業務施設のほか、住宅や学校、集会所や商店などが軒を並べ、元山よりも賑やかな街が形成されていた時期もあった。大正10年（1921）の不況による休山や、昭和19年（1944）の水没事故による休山で、一時的に荒廃したが、後に出鉱が再開されると再び賑わいを見せたという。昭和31年より本山（もとやま）道路の改良工事が始まり、本山―水松沢間の自動車道路が完成したことで、鉱石の輸送がトラック輸送に変わり、中継地としての役割を終えた。

［参考文献］
河野常吉編『北海道道路誌』（北海道、1925年）
小林廣『定山と定山渓』（尚古堂書店、1939年）
豊平町史編さん委員会編『豊平町史』（豊平町、1959年）

小天狗岳　356頁参照。

白井川　397頁参照。

元山　豊羽鉱山の事業所と採鉱所が置かれた鉱山町であることから、元山と呼ばれた。昭和31年、採鉱場としての「モトヤマ」の重要性を再認識し、「元」と「本」の字義を明らかにした上で、字名を本山と改称したが、その後も両方の名称が併用された。

外田数実編『郷土　小金湯』（小金湯町内会、1965年）
北海道総務部文書課編『開拓につくした人びと1　えぞ地の開拓』（北海道、1965年）
山田秀三『札幌のアイヌ地名を尋ねて』（楡書房、1965年）
佐藤貢『佐藤善七と自助』（デーリィマン社、1967年）
札幌市史編さん委員会編『札幌百年の人びと』（札幌市、1968年）
南の沢小学校『みなみのさわ 郷土学習資料』（1996年）
豊羽鉱業所労働組合編『しあわせを求めて　風雪を越え20年』（豊羽鉱山労働組合、1971年）
上田保編『郷土史　藻岩下』（札幌市藻岩下分区連合会100周年出版記念会、1972年）
NHK北海道本部編『北海道地名誌』（北海教育評論社、1975年）
石山開基百年記念実行委員会編『郷土誌　さっぽろ石山百年の歩み』（石山開基百年記念実行委員会、1975年）
澄川開基百年記念事業実行委員会編『郷土誌　すみかわ』（澄川開基百年記念事業実行委員会、1976年）
郷土史真駒内編集委員会編『郷土史真駒内』（郷土史真駒内編集委員会、1977年）
北海道大学編著『北大百年史　部局史』（ぎょうせい、1980年）
豊羽鉱山社史編集委員会編『豊羽鉱山30年史』（豊羽鉱山、1981年）
札幌市南区役所総務部総務課編『南区のあゆみ』（札幌市、1982年）
川淵初江編『さっぽろ藻岩郷土史　八垂別』（藻岩開基110年記念事業協賛会、1982年）
簾舞連合町内会編『郷土誌みすまい』（簾舞開基110年記念事業協賛会、1984年）
国立療養所札幌南病院編『創立40周年記念誌』（1983年）
藤野地区開基百年記念事業協賛会記念誌編集部編『風雪百年　藤野地区開基百年記念誌』（藤野地区開基百年記念事業協賛会、1984年）
合田一道『私解　定山坊の生涯』（太陽、1986年）
加藤好男『南区の歴史と地名』（札幌市豊滝小学校、1987年）

北海道道路史調査会編『北海道道路史　路線史編』（北海道道路史調査会、１９９０年）
札幌市教育委員会編『新札幌市史』第3巻通史3（札幌市、１９９４年）
南の沢郷土誌編集委員『拓土に生きる　南の沢開拓１００年の歴史をふりかえる』（南沢農業実行組合、１９９６年）
北海道総務部編『重要文化財北海道庁旧本庁舎復原改修工事報告書』（北海道、１９７０年）
札幌市教育委員会編『新札幌市史』第4巻通史4（札幌市、１９９７年）
みなみ区ふるさと小百科編集委員会編『みなみ区ふるさと小百科』（南区役所市民部総務課、１９９７年）
常盤開基百年記念誌編集委員会編『常盤開基百年記念誌「常盤二百年への出発」』（常盤開基百年記念事業実行委員会、２００２年）
札幌市芸術文化財団編『札幌芸術の森――15周年記念誌』（札幌市芸術文化財団、２００２年）
庄司宣譽文、和田終太郎絵『南区開拓夜話』（札幌市南区市民部総務企画課、２００２年）
小坂晋吾『豊平峡やまびこの里　定山渓七区入植１００年記念郷土史』（私家版、２００３年）
定山渓連合町内会事務局編『定山渓温泉のあゆみ』（定山渓連合町内会事務局、２００５年）
宮坂省吾・田中実・岡孝雄・岡村聡・中川充編著『札幌の自然を歩く　道央地域の地質あんない［第3版］』（北海道大学出版会、２０１１年）
高橋英樹編『わが街の文化遺産札幌軟石　北海道大学総合博物館企画展示「わが街の文化遺産札幌軟石 歩いた！探した！見つけた！」展図録』（北海道大学総合博物館、２０１１年）
真駒内街路灯組合編『真駒内団地史　街路灯と地域の歩み』（真駒内街路灯組合、２０１６年）
札幌市（市民文化局地域振興部）編『札幌市の区勢　平成29年度版』（札幌市市民文化局地域振興部区制課、２０１７年）
榎本洋介ほか「論考3〈札幌の建物～カルチャーナイト２０１８の展示を通して～〉」（札幌市公文書館編『札幌市公文書館年報』第6号、２０１８年）
「オイラン淵の新名称」（北海道新聞、１９４８年9月14日）

since 1972

西区（にしく）

北海道初の屯田兵が開拓を牽引

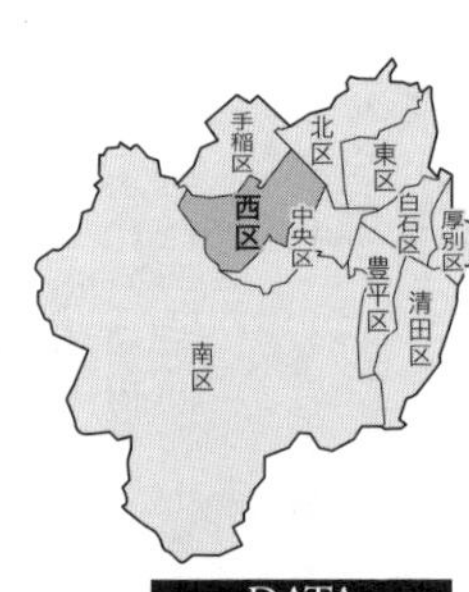

DATA

面積＝75・10平方キロメートル（市総面積の6・7％）
人口＝21万8334人（市総人口の11・1％）
世帯数＝11万8998世帯
性比（女性＝100）＝85・6
平均年齢＝48・1歳
＊2022年4月1日現在

◉歴史と概況

旧琴似町域と旧手稲町域からなる西区は、昭和47年（1972）、札幌市が政令指定都市になった際の区制施行により誕生した。区名は市の西部に位置することに由来する。人口の著しい増加に伴い、平成元年（1989）に北部を手稲区として分区し、現在に至る。

自然豊かな地域で、区の南西部一帯は手稲山を主峰として五天山、三角山などが連なる。また、区の中心部には、新川の支流である琴似発寒川が流れる。

その歴史は古く、在住と呼ばれる幕臣らが、安政年間に琴似地区や発寒地区へ入地。その後、明治8年（1875）に北海道初の屯田兵が琴似地区に入植し、以後も周辺地に屯田兵村が設けられ、開拓が進んだ。

明治39年には北海道二級町村制を、琴似村・発寒村・篠路村の一部（旧屯田兵村）に施行して、新たに琴似村が成立。昭和17年に町制を施行して琴似町となった後、同30年、札幌市と合併した。

戦後の人口増加で、琴似町東部や琴似駅周辺が宅地化し、昭和27年に大規模な区画整理が行われた。昭和38年には、新産業都市を目指す札幌市が、発寒木工・鉄工両団

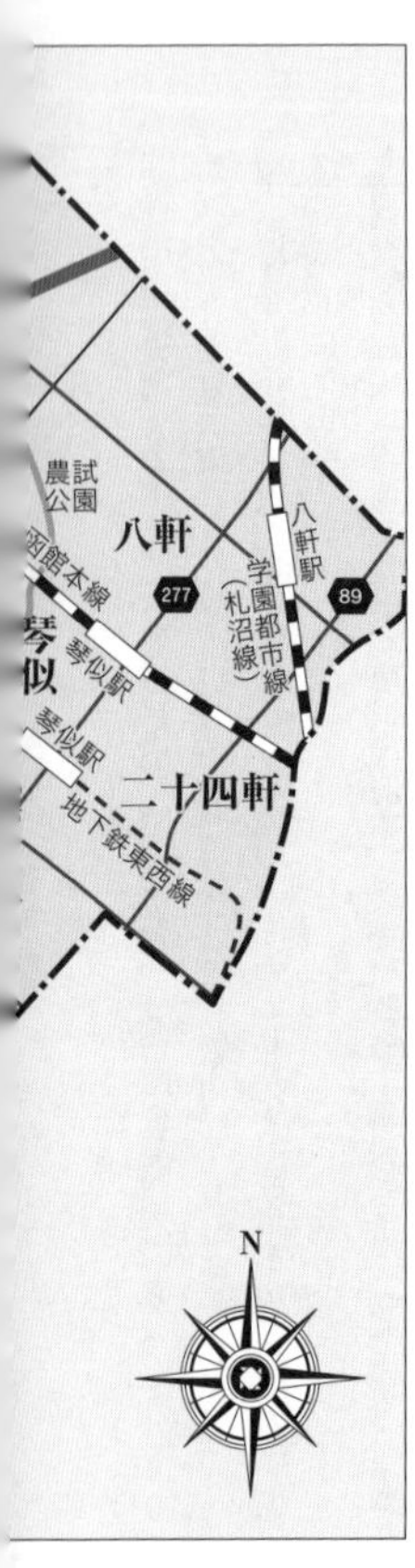

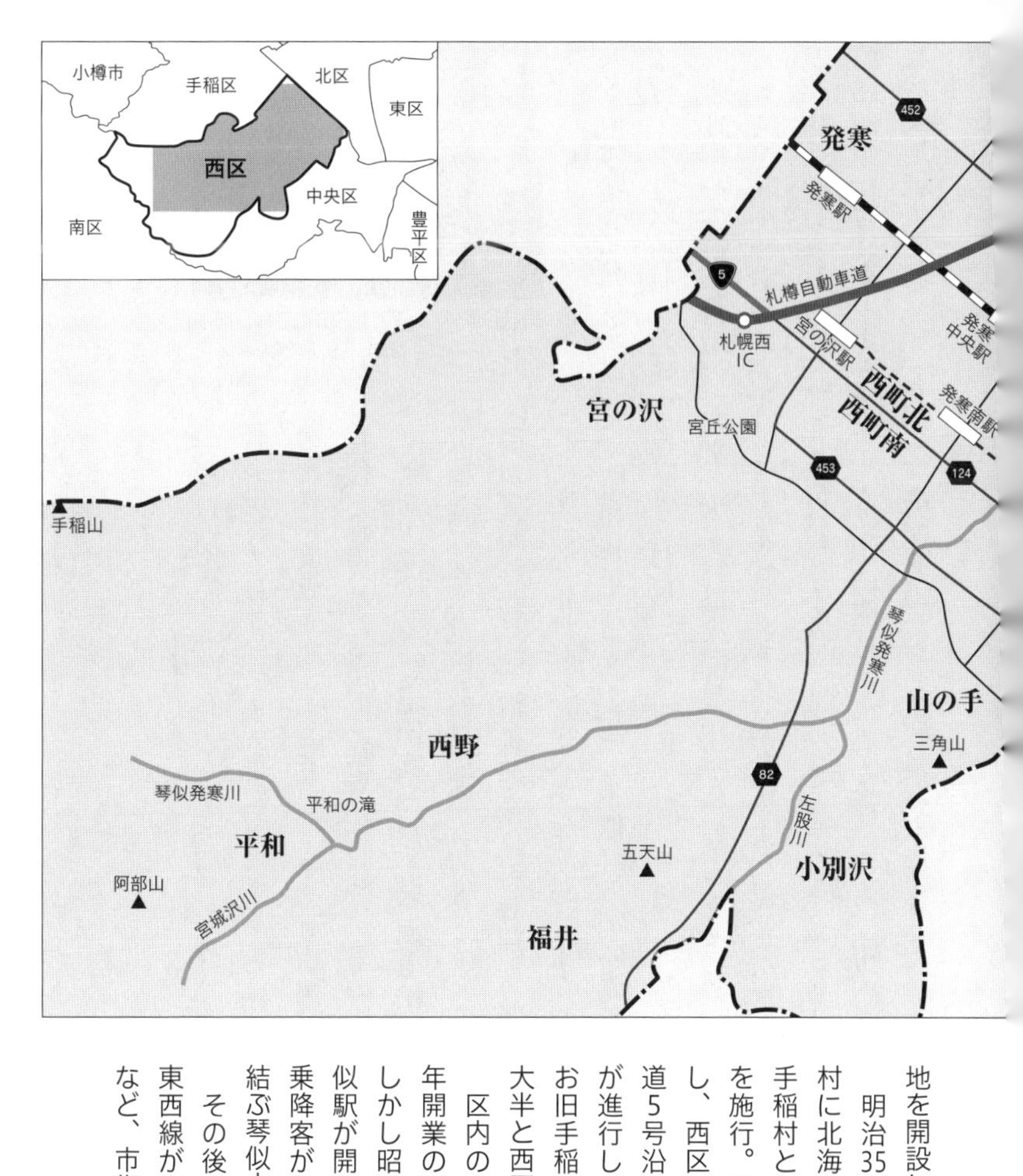

地を開設し、工業地化も図られた。

明治35年、上・下手稲村と山口村に北海道二級町村制を施行して手稲村となり、昭和26年には町制を施行。昭和42年、札幌市と合併し、西区の一部となった。後に国道5号沿いや手稲駅周辺の宅地化が進行し、手稲区に分区された。なお旧手稲町域は、現在の手稲区の大半と西区の一部に相当する。

区内の中心地は、長らく明治15年開業の函館本線琴似駅だった。しかし昭和51年に地下鉄東西線琴似駅が開業し、バス路線の拡充で乗降客が急増したことで、両駅を結ぶ琴似本通の副都心化が進んだ。

その後も、平成11年には地下鉄東西線が宮の沢まで延伸開業するなど、市街地の拡大が続く。

〈執筆担当　池田茜〉

行政地名

発寒（はっさむ）

現在の発寒6条7丁目あたりから南を望む（昭和27年撮影、札幌市公文書館蔵）

江戸期より「はつしやぶ」「ハツシヤフ」などの地名が現れており、アイヌ語に由来するとされる。*1 この地には安政4年（1857）、早くも山岡精二郎ら**在住**（ざいじゅう）と呼ばれた幕臣と従者が移住。*2 その後、明治9年（1876）に**屯田兵**（とんでんへい）32戸が**琴似屯田**に続いて入植し、発寒屯田兵村が開かれたことで発寒村の基礎が築かれた。明治維新後は石狩国札幌郡に属し、明治39年に琴似村大字発寒村字東発寒・西発寒・南発寒・北発寒となった。昭和18年（1943）、琴似町の字名改正で旧発寒村から行政地名「発寒（ハッサム）」に改称された。

畑作中心の農業地域だったが、大正以降は酪農が盛んになる。その後、昭和に入ると函館本線沿線に大規模な工場が設置されるが、広大な農業用地が住宅・産業用に注目され、昭和35年以降は中央発寒・南発寒から住宅地が拡大した。昭和30年代には市の主導で木工・鉄工両団地の造成も進められ、市内でも主要な産業地域に変貌したことから、労働者のための集合住宅が増加した。

*1　224頁参照。

在住　旗本・御家人に蝦夷の土地や手当金などを支給し、蝦夷地開拓を推進させ、同時に北方警備に備えることを目的に幕府が始めた制度。230頁参照。

*2　移住の際、山岡が郷里の京都伏見神社から分社し、社殿を建てて稲荷神社と称したという。明治36年、発寒神社に改称。神社前の道は地区の主要道路となり、沿道の商店街を中心に市街地が広がった。

屯田兵　北海道の開拓と警備を目的に、明治政府が設置した土着兵。明治7年から同37年まで続き、北海道開拓の礎となった。

琴似屯田　旧仙台藩亘理（現宮城県亘理町ほか）・旧斗南藩（旧会津藩、現青森県むつ市ほか）などから240戸が入植。琴似兵村に建設された各兵屋の裏手には、発寒川から引いた用水溝が開削された。

八軒（はちけん）

開拓使が近隣の農民や出稼ぎを集めて作った**辛未一ノ村**（しんびいちのむら／かのとひつじ）が、明治4年（1871）に移転・分散した際、全50戸のうち8戸がこの地に移住したことに由来する。昭和18年（1943）の琴似町の字名改正で、現在の行政地名「八軒（ハチケン）」が定められた。それ以前は、大字琴似村字八軒東・八軒西・八軒北・農試・工試の一部であった。一帯は農地として開墾される一方、牧畜が盛んになっていく。

大正12年（1923）には琴似駅の八軒側に**北海道工業試験場**が設置され、2年後には隣に**北海道農事試験場**が開場したことで、各施設の職員が移り住み、人口が増加した。札幌市との合併後、宅地化が進展。昭和41年に農業試験場が移転し、跡地にはマンモス団地や農試公園などが設置された。昭和63年には、**学園都市線**（札沼線）の八軒駅が開設され、通勤通学に利用されている。

二十四軒（にじゅうよんけん）

明治4年（1871）に辛未一ノ村から24戸が移転したことに由来する。昭和18年（1943）、琴似町の字名改正で行政地名「二十四軒（ケン）」が定められたが、それ以前は大字琴似村字二十四軒南・東であった。明治3、4年頃、山の手から二十四軒にかけては、まだ一面の原始林であったという。昭和初期に製薬工場や香料工場（昭和12年開設の曽田香料札幌工場が、同14年より付属農園でラベンダーを栽

辛未一ノ村　23頁参照。

北海道工業試験場　現・地方独立行政法人北海道立総合研究機構産業技術研究本部工業試験場の前身。農商務省から認可を受けて設立され、昭和24年に北海道立工業試験場となり、同52年に北区へ移転。

北海道農事試験場　現・国立研究開発法人農業・食品産業技術総合研究機構北海道農業研究センター、及び北海道立総合研究機構農業研究本部中央農業試験場の前身。明治34年に国費で設立、昭和17年に北海道農業試験場となる。昭和25年に国立と道立に分離され、同41年、国立は豊平区羊ケ丘、道立は長沼町へ移転。昭和50年、跡地の一部が農試公園となった。

学園都市線　34頁参照。

琴似発寒川に架かる山の手橋とその奥が三角山の尾根（昭和52年撮影、札幌市公文書館蔵）

培した。これが道内での栽培の嚆矢（こうし）となったという）*3が開設されると、その従業員を中心に住宅が増え、昭和30年代には国道5号沿いに工場や会社、市営バス営業所などが建てられた。昭和34年、琴似川（現在、市場隣接部分は暗渠化）対岸に札幌市中央卸売市場が開設されると、冷蔵倉庫や水産加工場などが建ち並んだ。昭和51年には地下鉄東西線（琴似―白石間）が開業し、同時に二十四軒駅が設置されたことから利便性が向上。近年は工場や倉庫の跡地に、次々とマンションが建っている。

西野（にしの）

越後（新潟）出身の森三吉ら5戸が、明治4年（1871）、**ベツカウシ〈オペッカウシ〉**（現在の西野地区**琴似発寒川**付近）に入植したことに始まる。昭和17年（1942）、手稲村の字名改正で「西野（ニシノ）」の行政地名となるが、それ以前は大字**上手稲村**字西野の一部であった。同42年の札幌市との合併時に「手稲西野」となり、平成元年（1989）、手稲区との分区で再び「西野」となった。地名の由来は不詳。明治18年には、広島県人の前鼻村七らが移住したことを契機に

＊3 北海道新聞2017年6月7日朝刊。

ベツカウシ（オペッカウシ） 山田秀三は『札幌のアイヌ地名を尋ねて』で以下の仮説を述べている。「三角山から北に伸びた尾根の先は確かに山崎の地形である。そしてそのオ（山の尻）は、発寒川にくっついて長い高崖をつくっている（中略）。正にオ・ペッ・カ・ウシ・イ（尻を・川・の上・につけている・もの）の地形であった」※上掲写真参照

琴似発寒川 402頁参照。

上手稲村 明治6、7年頃、手稲村が二つに分かれた時、片倉家旧臣の地を上手稲村とした。昭和17年に字西野などとなった。

＊4 市の東部に隣接する北広島市も、広島県人によって明治16年から開拓移住が始まり、ここから西野に再移住した者もいた。

開墾が本格化し、以後移住者が増えていく。そのため、この付近は「広島開墾」と呼ばれた。[*4]さらに、明治30年代に西野用水路が開削されたことで稲作が進み、明治末期には「西野米」で知られる米どころとなった。その後、昭和20年代半ばからは野菜農家が徐々に増えるが、宅地開発により田畑は姿を消した。

宮の沢（みやのさわ）

地区内には、札幌新道の起点と**札樽自動車道**（さっそん）の札幌西インターチェンジが置かれ、札幌市街への西の玄関口となっている。かつては上手稲、中の川（なかのかわ）、追分（おいわけ）などの通称で呼ばれた。昭和17年（1942）の手稲村の字名改正で、従来の地名を採用して「宮ノ澤」（ミヤサハ）の行政地名に定められたが、それ以前は大字上手稲村字上手稲西部の一部であった。昭和42年の札幌市との合併時に「手稲宮の沢」となり、平成元年（1989）、手稲区との分区で再び「宮の沢」となった。

明治5年（1872）、**三木勉**らが白石から上手稲に転住。その際、中の川の沢地の一角に、小祠（後の上手稲神社）をまつったことに由来する地名という。[*5]昭和42年の手稲町と札幌市の合併以降、大規模な団地や分譲地が造成され、人口が急増。平成11年の地下鉄東西線延伸で宮の沢駅が誕生し、宅地化がさらに進んでいる。

札樽自動車道　155・310頁参照。

三木勉　1838〜1895年。旧仙台藩白石城主片倉家の士族で、手稲開拓の功労者。入植地の設営にあたるとともに、移住者の子弟教育を重視し、私塾「時習館」を明治5年に設立。進歩的な教育で評判となった。

***5**　「宮の沢」の地名は、明治33年設立の北海道造林合資会社の所有地に建立された小祠に由来するとの説もある。

時習館記念碑〈西区西町南19丁目、中の川公園〉
（平成30年撮影）

林間に並ぶ琴似屯田兵舎（明治7年撮影、北大附属図書館蔵）

琴似（ことに）

地名はアイヌ語由来とされ、[*6]幕末の在住による開墾で琴似村が成立した。明治8年（1875）には**屯田兵制度**により、屯田兵とその家族198戸・965人が**琴似兵村**に移住し、翌年に8戸、さらに隣接する発寒にも32戸の合わせて165人が入植した。これが北海道における初の屯田兵で、道の両側に兵屋が並ぶ兵村の中央道路が、**琴似本通**の前身となった。明治39年には北海道二級町村制の施行により、琴似村大字琴似村字川添東・西、二十四軒西・北の字名が定められた。

明治37年に屯田兵条例が廃止された後は、果樹園が散在する農村地帯であったが、昭和10年代になると琴似駅周辺に工場の進出が相次いだ。昭和18年（1943）の琴似町字名改正の際、琴似町の中

＊6　208頁参照。
屯田兵制度　260頁参照。
琴似兵村　262頁参照。
琴似本通　150頁参照。

央部に位置することから行政地名「琴似（コトニ）」が定められた。札幌市との合併後はベッドタウン化が進み、通勤・通学者が急増。昭和51年の地下鉄東西線開業で琴似駅が開設され、同63年の函館本線高架化で商店街のビル化が進んだことで、街並みは一気に都市化した。

福井（ふくい）

福井県人によって開拓されたことに由来する。明治19年（1886）、福井県から2名が入植し、同30年まで移住が続いた。昭和17年（1942）、手稲村の字名改正で「福井（フクイ）」の行政地名が定められたが、それ以前は大字上手稲村字左股（ひだりまた）の一部だった。昭和42年の札幌市との合併時に「手稲福井」となり、同56年、「福井」となった。

入植初期は、炭焼きや木材の運搬、養蚕（ようさん）などで生計を立てていたが、明治33年に**源八の沢**（げんぱちさわ）（源八沢）から水を引いたことで本格的な米作りが始まる。しかし水量は充分でなく、後に**左股川**から導水した用水路の完成によって稲作が軌道に乗り、大正期には「**西野左股米**」の名で知られる

旧国鉄琴似駅横を通る琴似本通の踏切風景
（昭和44年撮影、札幌市公文書館蔵）

源八の沢　造材業を営んだ琴似屯田兵出身の東山源八郎の名にちなむ。

左股川　403頁参照。

西野左股　琴似発寒川沿いに国道5号から西野に連絡する通称・西野道路（手稲左股通、道道西野真駒内清田線）は、途中二股に分かれ、平和方面の道を右股線、福井方面の道を左股線と呼ぶことにちなむ。二股に分かれることから、一帯には西野二股の呼称もある。

採石場だった南側斜面が階段状の崖になった五天山
（平成２年撮影、札幌市公文書館蔵）

ようになった。昭和20年代半ばからは、野菜の栽培が盛んになり、一方では**五天山**(ごてんざん)で砕石事業が始まり、五天山温泉が存在したこともあった。昭和45〜50年には分譲地が次々と造成され、田畑は住宅地へと変貌した。

小別沢（こべつざわ）

山の手から山ひとつ越えた、奥深い山間の地区。地名はアイヌ語由来との仮説もあるが、*7詳細は不明で、明治になって現在の漢字が当てられた。もとは**盤渓**(ばんけい)地区（琴似町字盤渓）の一部であったが、昭和47年（1972）の区制施行で現在の行政地名が定められた。明治中期には小別沢、盤之沢(ばんのさわ)、中(なか)之沢(のさわ)などの小集落に分かれ、開墾が進む。明治43年（1910）には、一帯が火の海となる山火事が発生するが、焼け跡の多くが農耕地へ姿を変えていった。かつては、札幌中心部まで山道を2時間以上かけて歩く必要があったことから、昭和初期に地元民の手で**小別沢トンネル**が掘られた。しかし、道幅が狭く老朽化も進んだため、平成15年（2003）に新しいトンネルが開通した。現在も小松菜を主

五天山　367頁参照。山の名は、昭和10年、夢で大国主大神からお告げを受けた井上弥一郎が、村人らと山頂に祠を設け、仏典から引用したものという。

＊7　山田秀三は『札幌のアイヌ地名を尋ねて』で以下の仮説を述べている。『「小別沢」は日本語らしく無い。北海道の方々の土地にク・オ・ペッ或はク・オ・ナイといわれる地名がある。『仕掛弓・そこにある・川』の意で、動物を獲る為の仕掛弓（あまっぽ）の置いてある川の事である。それからこの『小別』という名が出たのだろうか』。

盤渓　19頁参照。

小別沢トンネル　発破をかけながら、ノミなど人力で掘った、全長100メートルほどの素掘りトンネルであった。別称の「冷水トンネル」は、トンネルから滴り落ちる冷水(ひやみず)から命名されたといわれる。

とする農耕地帯で、一部には市民農園も設けられている。

山の手（やまのて）

山の手の名称は、国道5号以南に開けた丘陵地帯であることに由来する。昭和18年（1943）、琴似町の字名改正で「山ノ手（ヤマテ）」の行政地名が定められたが、それ以前は大字琴似村字東・西山ノ手の一部であった。昭和30年に琴似町・札幌村・篠路村と札幌市が合併した際、「山の手」の表記となっている。

旧小別沢トンネルの内部
（昭和55年撮影、札幌市公文書館蔵）

琴似発寒川と琴似川に挟まれ、水利に恵まれたこの地区の付近では、早くも安政5年（1858）に**早山清太郎**（そうやま）が水田作りに成功した。

明治8年（1875）、琴似地区に屯田兵村が開かれると、まだ大半が原始林と荒地だったこの地域に、屯田兵の射撃訓練場が置かれた。

屯田兵条例の廃止後は、ここにとどまり開墾した人々に土地が払い下げられ、

早山清太郎　安政5年、本町十二軒（現在の宮の森）の琴似川の水を引いて水田を作り、その後、篠路でも米作を試み、「石狩水田の祖」とされる。34・231頁参照。

早くから農村地帯として開けた。その後、野菜中心の畑地と果樹園が増え、宅地化の進展で山鼻や豊平などのリンゴ園が減少すると、山の手地区が果樹の主要供給地となっていく。大正6年（1917）には、約2000本のリンゴの木が栽培されていたという。しかし、昭和40～50年代に進められた区画整理事業*8により、大規模な住宅街に生まれ変わっている。

西町北（にしまちきた）・西町南（にしまちみなみ）

北側が発寒、南側は西野に挟まれた地区で、面積は1.1平方キロメートルしかない。明治5年（1872）、宮城県白石あたりから旧仙台藩の陪臣たちが入植したことに始まる。後に商店街が形成され、農家の買い出しや馬追いなどに利用され賑わうようになったという。

昭和17年（1942）、手稲村の字名改正で「東（ヒガシ）」の行政地名が定められたが、それ以前は大字上手稲村字東部の一部だった。昭和42年の札幌市との合併時に「手稲東（ていねひがし）」となり、のちに旧国道5号（北5条手稲通）の北東側が手稲東○北○丁目、南西側は手稲東○南○丁目のように区分けされた。平成元年（1989）、西区の一部が手稲区に分区される際、住民アンケートを行った結果に基

北5条手稲通沿いの旧手稲東商店街〈現在の西町北7丁目あたり〉（昭和52年撮影、札幌市公文書館蔵）

*8 札幌圏都市計画西郊地区宮の森山の手北土地区画整理事業（昭和43～53年度施行）、同南土地区画整理事業（昭和44～52年度施行）。

づき、手稲東の北が「西町北」、同じく南が「西町南」に改称された。*9

平和（へいわ）

手稲山南斜面の谷合から流れ出る琴似発寒川の、本流に沿った細長い地域。明治期に入植が始まり、平和第一、第二、第三の集落が形成された。昭和17年（1942）、手稲村の字名改正が行われた際、地域の平穏な発展を願って「平和（へいわ）」の行政地名が定められたものと思われる。それ以前は、大字上手稲村字右股（みぎまた）の一部だった。昭和42年の札幌市との合併時に「手稲平和」となり、同56年に「平和」となった。

明治17年（1884）に山口県、同19年に福井県からの移民が平和第一に入植し、開墾が始められた。山間地のため造田には多大な労力を必要としたが、大正末期から昭和初期にかけて地区全域が水田となった。昭和40年頃からは、農地が分譲住宅地に転用されるようになり、今ではベッドタウンが広がる。名所・**平和の滝**は昭和26年、地区名にちなんで命名された。

西区の名所・平和の滝
（平成12年撮影、札幌市公文書館蔵）

＊9　この地区は、手稲村時代に村の東端に位置した。しかし、西区に編入されたことで、手稲区に近い西側に位置することとなった。

手稲山　365頁参照。

平和の滝　406頁参照。

そのほかの地名

琴似本通（ことにほんどおり）

北5条手稲通（旧国道5号、路線名称は道道宮の沢北一条線）、地下鉄東西線の琴似駅とバスターミナル、JR琴似駅を南北に結ぶ、約1・2キロメートルの道路。琴似栄町通のJR琴似駅から北5条手稲通の区間は、琴似停車場線の路線名となる。琴似兵村の中央道路として開削され、兵村廃止後も地域の主要道路となったことから、本通の名がついた。鉄道線から地下鉄までの本通北側は、スーパーや小売店、飲食店、雑居ビルがひしめきあう。一方、地下鉄から北5条手稲通までの本通南側は、兵村時代の地割を今に残し、西区役所や西区民センター、**琴似神社**などがある。

地下鉄琴似駅付近から北方向に琴似本通を臨む
（昭和52年撮影、札幌市公文書館蔵）

広島通（ひろしまどおり）

西野地区を南北に縦断する地区の主要道路の一つで、現在の都市計画道路名は「西野通」である。かつての通称名「広島道路」は、広島県人の手で開拓された西野地区が、「広島開

琴似神社　琴似兵村に入植した亘理出身の屯田兵が武早神社と号して創建。その後、山の手に社殿を建立し、琴似神社と改称。大正4年には現在地へ移転した。境内社である報徳神社には、琴似屯田兵240柱がまつられている。

墾」と呼ばれたことに由来する。市道名には、今も「広島線」の呼称が残る。

［参考文献］

札幌市史編集委員会編『琴似町史』（札幌市、１９５６年）
山田秀三『札幌のアイヌ地名を尋ねて』（楡書房、１９６５年）
蓑輪早三郎編『手稲町誌　上・下』（札幌市、１９６８年）
札幌市立二十四軒小学校編『郷土誌　二十四軒』（札幌市立二十四軒小学校、１９７８年）
札幌市立福井野小学校郷土誌編集委員会編『郷土誌　福井野に生きる』（札幌市立福井野小学校父母と先生の会、１９８３年）
札幌市西野第二小学校十周年記念資料委員会編『郷土誌　にしのだいに』（札幌市西野第二小学校十周年記念事業実行委員会、１９８５年）
札幌市西区八軒連合町内会二十周年記念事業実行委員会編『郷土史　八軒のあゆみ』（札幌市西区八軒連合町内会、１９８６年）
今野讓「再び『宮の沢』地名の起源について」、『続　あしたの宮の沢のために　宮の沢町内会創立三十周年記念　宮の沢町内会三十年史　完結編』（宮の沢町内会、１９９８年）
札幌市西区役所編『新西区のおいたち　区制施行20周年記念』（札幌市西区役所、１９９３年）
札幌市西区市民部総務企画課広聴係編『西区まちナビ　西区エリア別ガイド・まちづくり情報』（２００９、同上）
札幌市西区市民部総務企画課編「西区ガイド　くらし情報マップ」（札幌市西区市民部総務企画課、２０１１年）
『西区まちナビ』（札幌市西区役所市民部総務企画課広聴係、２０１６年）
札幌市西区役所市民部総務企画課広聴係編『歴史の街　西区』（札幌市西区役所市民部総務企画課広聴係、２０１７年）
沖田絋昭『北海道造林合資会社物語　手稲に咲いた明治の大輪』（私家版、２０１９年）

since 1989

手稲区（ていねく）

西区から分区した山麓の住宅地

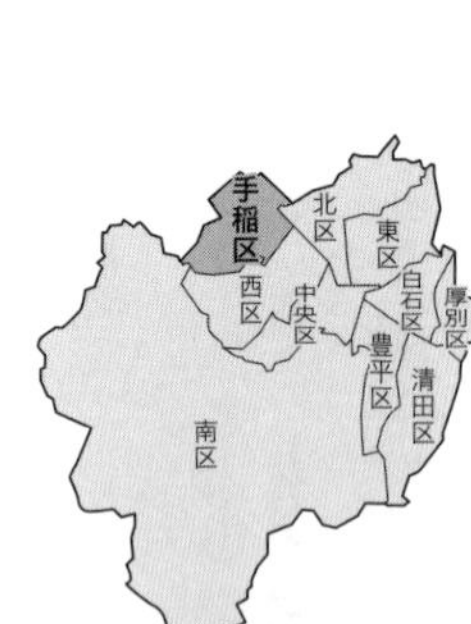

DATA

面積＝56・77平方キロメートル（市総面積の5・1％）
人口＝14万1690人（市総人口の7・2％）
世帯数＝7万1035世帯
性比（女性＝100）＝89・0
平均年齢＝49・2歳
＊2022年4月1日現在

●歴史と概況

平成元年（1989）、西区から分区して誕生。手稲山（標高1023m）山麓に位置し、北西を小樽市、北東部を石狩市・北区、南西を南区、南東を西区と接する。

市街地には三樽別川、軽川、中の川が流れるほか、新川や山口運河などの人工河川、乙女の滝や星置の滝などの見どころもある。また、南西部の手稲山は区のシンボルでもあり、北斜面には昭和47年（1972）開催の札幌オリンピック冬季大会で競技会場となったスキー場が設けられ、ウィンターシーズンには国内外から多くのスキーヤーが訪れる。

アイヌ語「テイネ・イ（濡れているところ）」が手稲の語源といわれるように、山麓には多くの川が流下し、その北部はかつて湿地帯であった。一帯のほとんどは泥炭地であったことから、開拓には多大な労苦を要した。一方で、小樽と札幌を結ぶ交通の要衝に位置したことから、明治13年（1880）に早くも軽川駅（現手稲駅）が開設され、大正期には石狩と軽川を結ぶ馬鉄も開通。物流の集散地の役割を果たすとともに、宿場町としてもさかえた。

現在の手稲区は、旧上手稲村・下手稲村・山口村・発寒村の一部

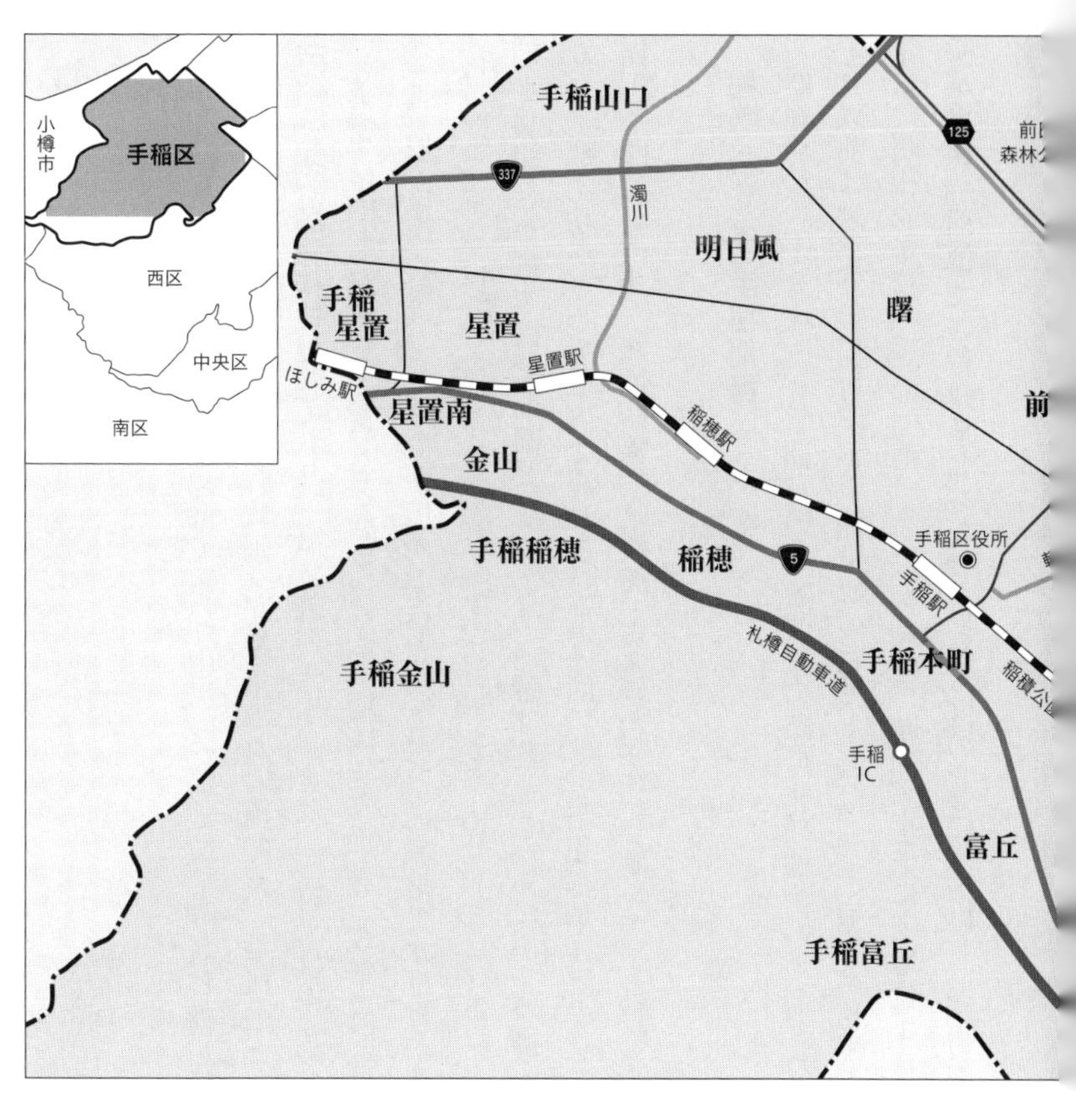

から成り立つ。明治3年頃に発寒村が成立し、そこから同5年に手稲村が分離・成立。続いて明治6年、手稲村が上手稲村となり、下手稲村に分離・成立する。

さらに明治15年、下手稲村から山口村が分村し、同35年には上手稲村・下手稲村・山口村に北海道二級町村制が施行され、手稲村（昭和26年町制施行）となった。昭和26年に手稲町となった後、同42年に札幌市と合併している。

手稲町では昭和34年頃から、工場誘致条例を制定し、企業誘致を行っていた。札幌市との合併後も札幌手稲工業団地の造成を進め、昭和49年に完成。札幌の発展に伴い、市営団地や新興住宅地の増加が続き、札幌のベッドタウンとしての役割も担っている。

〈執筆担当　小黒七葉／補筆　榎本洋介〉

行政地名

曙（あけぼの）

昭和58年（1983）、手稲稲穂と手稲山口の一部地域で町名整備が行われ、「曙」の地名が定められた。行政地名に採用される前から、地区名として町内会や会館の名称に使われており、命名者の久木宇吉は、「将来ほのぼのと明けていくように」との願いを込めたと話す。*1この地は、大正5、6年になってもわずかな農家がある程度で、原野が広がっていた。これは泥炭地で水はけが悪く、雨が降ると一面水浸しになる土壌のためである。しかし大正14年（1925）、下手稲**土功**（どこう）**組合**が排水溝を開削したことで、一帯は農地となった。この排水路は今も、手稲土功川として区内を流れる。地区内には、昭和49年に完成した札幌手稲工業団地があり、鉄道沿線に金属加工や機械製作など多くの工場が立ち並ぶ。

稲穂（いなほ）**・手稲稲穂**（ていねいなほ）

昭和17年（1942）、手稲村の字名改正の際に「稲穂（イナホ）」の地名となったが、それ以前は大字下手稲村字下手稲星置の一部であった。*2手稲町が札幌市に合併された昭和42年に「手稲稲穂」と改称され、同59年までに宅地化されていた場所が再び「稲穂」の行政地名となっている。区の北西に位置し、国道5号を境

曙地区に広がる札幌手稲工業団地
（昭和52年撮影、札幌市公文書館蔵）

*1 『手稲の今昔 手稲開基110年誌』。

土功組合 78頁参照。

*2 420頁（表4 札幌郡手稲村新旧字名一覧）参照。

に丘陵地と平地に分かれる。『手稲町誌』によれば、明治初期の移住者は青森県からの人々であった。一帯は泥炭湿地の不毛地だったが、この地区に造田可能な土地があったことから、苦心の末に水田耕作に成功。先人の労苦をしのび、稲作の豊饒を願って「稲穂」の地名となった。*3

金山（かなやま）・**手稲金山**（ていねかなやま）

昭和17年（1942）、手稲村の字名改正の際に「金山（キンザン）」の地名が定められたが、それ以前は大字下手稲村字下手稲星置・手稲鉱山の一部地域であった。*4手稲町が札幌市に合併された昭和42年に「手稲金山」と改称され、平成3年（1991）までに宅地化されていた場所（地域はおおむね、**札樽自動車道**（さっそん）近辺を境にした北東側）が再び「金山」の行政地名となっている。大正期、山火事で金山一帯が焼け野原となった際、広瀬庄三郎が鉱山開発を試みたのを端緒として、昭和10年には三菱鉱業による本格操業が始まった。昭和20年の敗戦まで規模を拡大しながら金銀を産出。最盛期の従業員は約2000人にも上り、鉱山地域に町が形成された。この頃から、鉱山周辺は「きんざん」と呼ばれ始めるが、地元では「かなやま」とも呼ばれ、長らく区別されなかった。戦後は規模を縮小し、経営者が代わりながら操業を続けたが、昭和46年に完全閉山した。

東洋一と謳われた手稲鉱山の選鉱場を紹介する絵はがき
（茂内義雄蔵）

＊3　＊2に同じ。

＊4　＊2に同じ。

札樽自動車道　310頁参照。

地区名の由来となった明治末期の前田農場。手前右は函館本線の線路（北大附属図書館蔵）

富丘（とみおか）・**手稲富丘**（ていねとみおか）

手稲山北東部の丘陵地で、昭和17年（1942）、手稲村の字名改正の際、小さな丘にあることと富裕な農村を建設したい理想から、「富丘（トミヲカ）」の地名が定められた。*5 それ以前は大字下手稲村字三樽別（さんたろべつ）と呼ばれ、*6 現在も**三樽別川**（さんたるべつがわ）や道路名にその名を残す。手稲町が札幌市と合併した昭和42年に「手稲富丘」と改称され、同56年までに宅地化されていた場所（地域はおおむね、札樽自動車道を境にした北東側）が再び「富丘」の行政地名となっている。**軽川街道**（がるがわかいどう）（現在の二十四軒手稲通に相当）には明治4年（1871）、開拓使が**通行屋**を置いたことから、札幌―小樽間を結ぶ中継地として栄えた。昭和30年代までは大半が農地だったが、同40年代以降に団地や宅地が開発され、住宅街に変貌した。

前田（まえだ）・**手稲前田**（ていねまえだ）

「前田」の地名は、明治27年（1894）にこの地で初となる農場を創設した、旧加賀藩（現石川県ほか）主・**前田利為**（まえだとしなり）にちなむ。かつては地区の3分の2ほどが、前田農場の所有地だった。昭和17年（1942）、手稲村の字名改正で行政地

＊5　＊2に同じ。

＊6　＊2に同じ。

三樽別川　405頁参照。

軽川街道　「千歳越新道」として安政6年に開削され、一般には「軽川街道」の名で親しまれた。昭和15年に富丘と稲穂を結ぶ直線の新道ができるまで国道5号だったことから、かつては旧国道とも呼ばれていた。

通行屋　115頁参照。

前田利為　1885〜1942年。旧加賀藩主前田本家の第16代当主。陸軍大学校卒業、参謀本部に入る。太平洋戦争中、ボルネオ守備軍司令官の時に、飛行機事故で死亡した。

名「前田（マヘダ）」が成立するが、それ以前は大字下手稲村字新川の一部であった。*7手稲町が札幌市と合併した昭和42年に「手稲前田」となり、同57年までに宅地化されていた場所（地域はおおむね、新川を境にした北東側）が再び「前田」となっている。この地域は大半が湿地帯で農耕に適さなかったため、明治末期から大正期に多くの牧場が開かれ酪農地帯となり、その後、宅地開発が進んで住宅地となっていく。また、石狩市から前田地区にかけての古い砂丘上には、**手稲遺跡**がある。現在は砂丘の大半が住宅地となり、遺跡は一部に痕跡を留めるだけとなった。

軽川（がるがわ）**・手稲本町**（ていねほんちょう）

昭和17年（1942）、手稲村の字名改正の際、従来からの地名「軽川（ガルガハ）」が採用された。*8市街の中心を貫流する軽川の名に由来し、渇水期になると水が枯れたことから、「涸（か）れ川」が転じて「がるがわ」となった。*9その後、手稲町が札幌市と合併した昭和42年「手稲本町」と改称された。明治13年（1880）には**官営幌内（ほろない）鉄道**が開通し、**軽川停車場**（後の手稲駅）が開設された。明治17年には普通駅となり、交通の**要衝（ようしょう）**として栄えていく。さらに、大正11年（1922）には**軽石（がるいし）軌道**が開業し、札幌や小樽・石狩と連絡する主要駅として賑わいを見せた。その後も駅を中心に市街地が発達し、村役場もこの地に移転。現在も交通の要衝として、区の顔の役割を果たしている。

＊7　＊2に同じ。

手稲遺跡　昭和29年に大規模な発掘調査が行われ、縄文時代中期～後期中葉の遺物が100点以上出土した。

＊8　＊2に同じ。

＊9『増補　大日本地名辞書　北海道・樺太・琉球・台湾〈第8巻〉』。

官営幌内鉄道　311頁参照。

軽川停車場　明治13年にフラグステーション（簡易停車場、312頁参照）として開設され、同17年、軽川駅に昇格。昭和27年には手稲駅に改称された。

要衝　91頁参照。

軽石軌道　地元有志が大正11年に開業した馬鉄。軽川と石狩の花畔（ばんなぐろ）の間を結び、乗客や貨物を運んだ。昭和10年営業休止、同15年廃止。

星置（ほしおき）・**手稲星置**（ていねほしおき）・**星置南**（ほしおきみなみ）

「ほしおき」の語源はアイヌ語と考えられるが、諸説ある。*10明治17年（1884）、広島県から開拓民が移住し、同29年頃に稲作が始められた。大正～昭和10年（1935）代前半は、大根の産地で知られた。昭和40年代から大規模な宅地造成が始まり、現在はベッドタウンとなっている。昭和17年、手稲村の字名改正により、旧大字山口村字山口星置が「星置（ホシオキ）」が定められ、*11手稲町が札幌市と合併した同42年、「手稲星置」に改称された。その後、昭和62年までに宅地化されていた場所（地域はおおむね、星置川を境にした南西側）が再び「星置」の行政地名となり、平成2年（1990）には、手稲星置の一部を「星置南」に改称した。小樽市との境界を流れる**星置川**上流には、**星置の滝**があるほか、水と親しめるよう川辺が整備された**山口運河**は、区民憩いの場となっている。

新発寒（しんはっさむ）

古くは琴似村大字発寒村字東発寒・西発寒・南発寒・北発寒と称した**発寒**は、昭和18年（1943）、琴似村の字名改正により「発寒（ハッサム）」となった。その後、平成元年（1989）の分区時、発寒地区を西区と手稲区で分割することになり、手稲区に属した部分が、「新発寒」の行政地名に改称された。

＊10　213頁参照。
＊11　＊2に同じ。
星置川　406頁参照。
星置の滝　406頁参照。
山口運河　明治期、水上交通のために掘削された運河。406頁（手稲山口川）参照。
発寒　140頁参照。

明日風（あすかぜ）

山口地区と曙地区の一部が土地区画整理事業*12によって開発され、平成19年（2007）10月1日に「明日風」の行政地名となった。札幌市で最も新しい行政地名となる。その由来は、この地区で開発された住宅地「明日風のまちニュータウン」に倣い、「明日に向かって飛躍するまち、明日風のまちをつくりたい」*13との願いによる。若い世代が暮らす新興住宅地である一方、地区内には「手稲明日風工業団地」があり、産業集積地ともなっている。

手稲山口（ていねやまぐち）

「山口」の地名は明治14年（1881）、山口県玖珂（くが）郡の旧岩国藩士族らがこの地に入植したことに由来する。翌年、下手稲村から分離独立し、山口村となった。明治35年の3村合併後は手稲村大字山口村となり、昭和17年（1942）の字名改正で、旧大字山口村字山口が手稲村字山口となった。*14手稲町が札幌市と合併した昭和42年には、「手稲山口」の行政地名に改称された。小樽市大浜海岸に接し、砂地が多いことから大正期よりスイカ栽培が始まり、「山口すいか」（現サッポロスイカ）を産する。しかし、昭和55年の冷害で大きな被害を受けたことを契機にカボチャの栽培に着手し、現在はカボチャの産地で知られる。*15

＊12　「札幌圏都市計画事業札幌市手稲山口土地区画整理事業」（平成15年3月25日認可、同20年12月5日換地処分）、及び「札幌市手稲曙西土地区画整理事業」（平成17年4月14日認可、同22年5月14日換地処分）。

＊13　『手稲区ガイド』。

＊14　＊2に同じ。

＊15　ブランド「大浜みやこ」が全国に誇る名産品に成長。名称は、みやこかぼちゃの系統であることと、大浜海水浴場にちなむ（JAさっぽろ公式Webサイト「大浜みやこ物語」）。

西宮の沢（にしみやのさわ）

宮の沢は古くからある地名で、昭和17年（1942）、手稲村の字名改正により旧大字上手稲村字西部が「宮ノ澤（ミヤサハ）」となった。*16平成元年（1989）の分区で、西区の宮の沢・**追分（おいわけ）**両町内会の一部区域が手稲区に編入され、現在の西宮の沢地区となった。新しい地区名を、追分と宮の沢のどちらにするか住民投票を行った結果、宮の沢に決定し、西区に行政地名・宮の沢があることから、「西」を冠して行政地名とした。旧国道5号（道道124号宮の沢北一条線）沿いを中心に工場や会社が建ち並ぶが、土地区画整理事業*17により宅地化も進む。

そのほかの地名

稲積（いなづみ）

琴似村西発寒にあった農場名で、現在は**前田**一部地域の通称。稲積農場は小樽の稲積豊治郎が、明治36年（1903）に元琴似屯田兵村公有地429町余を買い取り、同41年から開墾に着手。*18大正期の地図には、中の川東部に稲積農場の名が見える。昭和8年（1933）頃には495町余、小作人17人の農場となった。*19しかし不在地主のため、敗戦後の農地改革で廃場したようだ。*20その後の変遷を地図で見ると、一部が勤労者団地となり、下手稲通の整備や土地区画整理事

宮の沢　143頁参照。

＊16　＊2に同じ。

追分　手稲町が札幌市に合併された昭和42年まで、西区宮の沢及び手稲区西宮の沢の一部地域で使われた集落の名称。

＊17　「札幌圏都市計画事業西宮の沢土地区画整理事業」（平成4年10月2日認可、同21年1月5日換地処分）。

＊18　北海道農友会『北海道農場調査』（大正2年）。

＊19　北海道庁産業部『農場調査〈北海道小作事情　其四〉』（昭和8年）。

＊20　『郷土史ていね』（124号）より。

業[*21]によって宅地化が進んだ。その名は公園や駅、学校、橋の名などに残る。（榎本）

曲長通（かねちょうどおり）

手稲町最初の町道の一つ。曲長通と通称される道路は、起点の国道5号（稲穂4条7丁目）から終点の国道337号交点（手稲山口）までの約2・5キロメートルを指す。この地には、明治中期から昭和12年（1937）頃まで本間長助農場があり、本間が経営した酒造業の屋号「長（かねちょう）」にちなんで付けられた。現在も稲穂地区と山口地区を繋ぐ、重要な道路の一つである。

手稲山口バッタ塚（ていねやまぐちばったづか）

明治13年（1880）に十勝地方で発生したイナゴによる農作物の食害は、その後、日高・胆振から石狩地方へ広がり、同16年にも札幌村や篠路村で農作物が被害を受けた。[*22]その駆除のために卵などを土中に埋める対策が行われ、[*23]札幌郡内でも十数か所の駆除地域を示す絵図が残る。その跡地が手稲山口バッタ塚である。[*24]同17年4月に下手稲村住民が出した駆除願書には、下手稲村から銭函村までの鉄道線以北に広がる原野4カ所を駆除地とする図が添えられていた。また願主不明だが、バッタ塚と現在の山口緑地、西部スラッジセンターを含む5万坪余を駆除地とする図面も残る。[*25]明治17年頃の山口村におけるイナゴの駆除地域

＊21　「札幌圏都市計画事業札幌市ていね稲積土地区画整理事業」（昭和49年8月20日認可、同57年10月31日、及び同59年8月27日換地処分）。

＊22　『札幌県治類典』道文8055。

＊23　イナゴの卵駆除を請け負う際の願書雛形には、「平面六尺幅の地へその左右から三尺ずつの土を深さ五寸掘り取り六尺の上に積み上げ、さらに左右三尺の場所から深さ五寸の土を掘り積み上げて踏み固め、地底からの高さは二尺とする」と駆除法を例示している（『札幌県治類典』道文8635より）。

＊24　東西にのびる小砂丘に見える凹凸が、南北にのびた畝状の埋め立て地であろう。

＊25　『札幌県治類典』道文8635。

は、その後の地図を見ると田や水田の記号となっている。多くが農地になっていったと思われる。当時の駆除地跡のごく一部が、バッタ塚として残されたようだ。(榎本)

トド山(とどやま)

手稲山口地区北部にある砂丘台地で、大字山口字椴山(とどやま)の旧字名があった。地名は、かつてトドマツが繁茂していたことにちなむという。明治18年(1885)には3000坪の墓地が開設され、今も市営山口墓地として存続する。

手稲山口バッタ塚(平成19年撮影)

〔参考文献〕

大谷勝雄編『手稲町誌』(手稲町役場、1951年)
吉田東伍『増補 大日本地名辞書 北海道・樺太・琉球・台湾〈第8巻〉』(冨山房、1976年)
札幌市西区役所編『わが街西区のおいたち』(札幌市西区役所、1977年)
『山口開基百年史』(手稲山口開基百年記念実行委員会、1979年)
山本茂『富丘今昔物語』(手稲富丘連合町内会、1979年)
山本茂編『手稲の今昔 手稲開基110年誌』(手稲連合町内会連絡協議会、1981年)
『あしたの宮の沢のために 宮の沢町内会創立三十周年記念 宮の沢町内会三十年史 続』(札幌市西区宮の沢町内会、1993年)
手稲区総務企画課広聴係編『手稲区ガイド』(手稲区総務企画課広聴係、1993~2012年)
手稲の語り部編集委員会編『手稲でみつけた手稲のはなし 札幌市手稲区区制10周年記念』(札幌市手稲区役所市民部総務課、2000年)

Ⅱ 多様な地名の成立と変化

歴史学のエキスパートたちが
多様な視点からアプローチした
バラエティ豊かな地名の世界

❖序論——

地名「札幌」の歴史

北海道史研究協議会
関 秀志

I 近世の地名「サッポロ」と「サッポロ川」

「札幌」という地名が、行政地名として公的に定められたのは、今から約150年前の明治初期のことである。ここでは、札幌という地名の起源と考えられる近世（前近代）の〈さつほろ〉〈しやつほろ〉〈サツホロ〉〈サツポロ〉などのアイヌ語地名と、そこから派生した多様な地名の歴史的な経緯を振り返ってみたい。

なお、アイヌ語地名の特色・変化等については、本書Ⅱ部第1章「先住民族アイヌの暮らしと地名」、第11章「昭和戦前期に施行された字名改正事業と地名の変化」を参照されたい。

1 アイヌ語地名「サッポロ」の成立

アイヌ語地名「さつほろ」の登場

「札幌」の原形となった地名は、先住民族アイヌによって名づけられたものだが、いつ頃それが誕生したかは、まだ明らかになっていない。しかし、寛文9年

シャクシャインの戦い 日高地方のアイヌ民族の首長シャクシャインが、松前氏の収奪に抗し、他地域のアイヌ民族を多数糾合して蜂起。のちの和議の席上、奸計によりシャクシャインが殺害されたことから、アイヌ民族側の敗北に終わった。

＊1 『津軽一統志 巻第十之下』所収津軽藩士牧只右衛門・秋元六右衛門の調査報告、寛文10年（『新北海道史 第七巻史料一』（北海道、1969年））

＊2 則田安右衛門「寛文拾年狄蜂起集書」寛文10年（高倉新一郎編『日本庶民生活史料集成 第4巻』（三一書房、1969年））

発寒 224頁参照。

（1669）に**シャクシャインの戦い**が発生した際、蝦夷地の状況を調査した津軽藩士の報告書*1・2が最初の記録となった。

　これらの記録によれば、石狩河口から1里（約4キロメートル）ほど遡ると、「はつしやふ」（20軒ほどのアイヌ集落、「**発寒**（はっさむ）」の原形）、さらに2里ほど上流に「さつほろ」と称する14、15軒ほどのアイヌ集落（コタン）があった。

　このように札幌に関する最初の記録では、平仮名で「さつほろ」と地名が表記されていた。これは、石狩河口から3里（約12キロメートル）ほど上流左岸にあったアイヌ集落の名称であり、この集落の近くに流れ出る川の名称でもあったのである。

最古の「サツホロ川」流域地図

　サツホロ川の流域が詳しく描かれた最初の地図は、宝暦2年（1752）から明和6年（1769）まで、松前藩より**イシカリ山**の伐木（ばつぼく）を請け負った、飛騨国（現岐阜県）出身の材木商、**飛騨屋**（ひだや）**（武川）久兵衛**（きゅうべえ）が残した『飛騨屋久兵衛石狩山伐木図（仮称）』*3である。

　本図には、「イシヤリ川」（恵庭（えにわ）市・漁川（いざりがわ））上流の伐木現場と、木材を積み出した石狩河口を結ぶ、交通・流送ルート、即ち、石狩川下流域とその支流が詳しく記されているのが特徴である。

　石狩川①の最初の支流が「ハツサブ川②」（発寒川）、その上流に「サツホロ川

イシカリ山　飛騨屋が木材を伐り出した、石狩川流域（石狩場所）の山林。

飛騨屋（武川）久兵衛　江戸期の材木商、蝦夷地の場所請負人。初代が松前藩から蝦夷檜（エゾマツ）伐採の許可を得、江戸・大坂へ積み出して巨利を得た。さらに、松前藩への貸し金の肩代わりとして、請負場所を拡大した。

＊3　岐阜県歴史資料館寄託（県指定文化財、武川久兵衛家文書）。原図とその模写と思われる図の2種類があり、後者の標題は「享保十三戊申年ヨリ宝暦己卯年マデ唐桧山一手請負伐出之場所」（裏書は「徳元院様御代ニ至唐桧伐出山之図」）である（『北海道史　第一』（北海道庁、1918年）、『新札幌市史　第一巻通史一』（札幌市、1989年））。中野克良「飛騨屋石狩山、勇張山伐木図等の成立年代とその背景」（『北海道史研究協議会会報』第97号、2015年）

※Ⅱ部12章参照

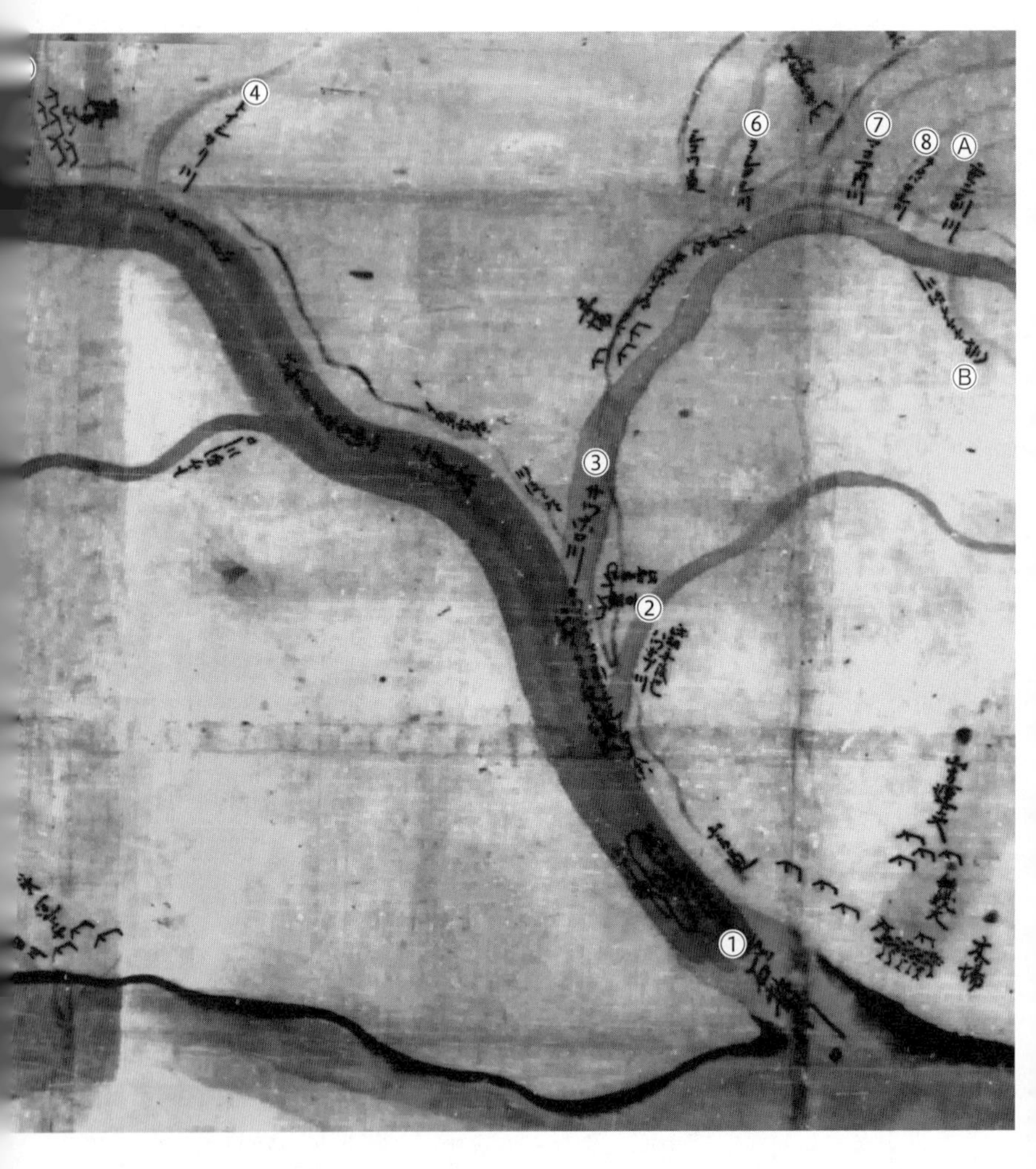

サッポロ川流域の状況を示す最初の地図
（『飛騨屋久兵衛石狩山伐木図』〔部分〕、岐阜県歴史資料館寄託「武川久兵衛家文書」）

①石狩川
②ハツサブ川（発寒川）
③サツホロ川（札幌川・豊平川）
④トイシカリ川（対雁川）
⑤伊別川（江別川・千歳川）
⑥ヲシヨシ川（精進川）
⑦マコマ内川（真駒内川）
⑧ヲカバロシ川（ポンオカバルシ川）
Ⓐニセン別川
Ⓑヘニヤチライ別川

③」が大きく描かれ、川口には「イカタ（筏）繋場所」があった。その位置は現在の札幌市北区**篠路**町篠路・東**茨戸**付近であろう。「ハツサブ川」口付近から「サツホロ川」筋を遡り、伐木現場に通ずる「米セホイ道」（米背負い道）が分岐する。

「サツホロ川」を渡り、石狩川左岸の「川流シ道」（流送夫の道）、「イカタ乗道」（筏乗道）を遡ると、後に「サツホロ川」の川口となる「トイシカリ川④」（江別市・**対雁川**）、さらにその上流に「伊別川⑤」（江別川、現千歳川）がある。

さて、「サツホロ川」を遡ると、右岸に「舟場」が見え、その上の支流が右岸の「ヲシヨシ川⑥」（**精進川**）である。この川口の下流（豊平付近）で、「米セホイ道」から2本の道が分かれる。一つはこの川筋を通って「イシヤリ川」と「シコツ川」（千歳川）を横切り、「シコツ海」（太平洋）岸に通ずる「シコツ道」、もう一つは「サツホロ川」の本流、さらに支流の「テンク山川」を遡り、「テンク山」（天狗岳、現**喜茂別岳**か）の南を越えて**内浦湾**に通ずる「アブ田道」（虻田道）である。

当時すでに、現在の札幌市街から中山峠を越えて洞爺湖町に通ずるルートと、千歳を経て苫小牧市に通ずるルートが存在していたのである。「ヲシヨシ川」より上流には、「マコマ内川⑦」（右岸、**真駒内川**）、「ヲカバロシ川⑧」（同、藤野・ポンオカバルシ川）、「モサツホロ別川」（左岸）などが描かれている。*4

本図には、川の名称として初めて「サツホロ川」と、その上流の「モサツホロ別

篠路 34頁参照。

茨戸 42頁参照。

対雁川 380頁参照。

精進川 392頁参照。

喜茂別岳 362頁参照。

内浦湾 渡島半島の東側、太平洋に面した湾。噴火湾とも。

真駒内川 392頁参照。

オカバルシ川 394頁参照。

***4** 巻末付録「地図に見る札幌の地名」参照。

川」の表記が見られる。同時に、川のアイヌ語〈ペッ〉に漢字の「別」を用いていることもわかる。

本図に描かれた川や地名の位置などは、必ずしも正確とはいえず、記載されていない河川も少なくないが、当時の河川と交通路の全体像を知る上で、きわめて重要な地図といえる（Ⅱ部第12章参照）。

2　記録に見える多様な地名表記と語源

「札幌」の原形となった地名の種類

近世の記録や地図には、「札幌」の原形となった地名がさまざまな表記で残されている。これらの地名を、文字（用字）の種類で分類すると、ひらがな（平仮名）、カタカナ（片仮名）、万葉・変体仮名、漢字の4種となる。

近世の記録では、促音（そくおん）（つまる音）の「つ」「ッ」は、清音の「つ」「ツ」と書くのが一般的だった。さらに、アイヌ語には本来清濁の区別がなく、サ行音とシャ行音の区別もないので、[*5]〈ほろ〉〈ぽろ〉〈ぼろ〉（〈ホロ〉〈ポロ〉〈ボロ〉）の区別と、〈さつ〉〈しやつ〉（〈サッ〉〈シャツ〉）の区別もなかった。従って、アイヌ語地名の〈さっぽろ〉〈サッポロ〉も、〈さつほろ〉〈サツホロ〉と書かれることが多い。

このように一見、多様に見える表記も、基本的には同じ発音（呼び方）だったようである。

＊5　知里真志保『アイヌ語入門』125頁（楡書房、1956年）

＊6　北大附属図書館蔵、『続々群書類従　第九　地理部』（国書刊行会、1906年）

＊7　北大附属図書館蔵、『新撰北海道史　第二巻』（1937年）、後編第十三章

＊8　東大史料編纂所蔵『松前藩支配所持并家中扶持人名前帳』（『新札幌市史　第一巻通史一』第三編（1989年））

＊9　田草川傳次郎『西蝦夷地日記』（中山利國編（石原求竜堂、1944年））

＊10　北大附属図書館蔵、加藤肩吾（寿）「松前地図」

＊11　東大史料編纂所蔵、近藤重蔵『蝦夷草紙　別録』「第一　蝦夷地収納運上金帳」（『松前町史　史料編第三巻』1979年）

「さつほろ」「さつぽろ」「しやつほろ」「沙津保呂」

先に述べたように札幌に関する最初の記録は、寛文10年(1670)の2種の記録に、それぞれ「さつほろ」「さつぽろ」と書かれたのが初見である。さらに元禄13年(1700)、松前藩が幕府に提出した『松前嶋郷帳』[*6]と『元禄御国絵図(松前蝦夷図)』[*7]には、「しやつほろ」と記されている。また、同年の別の記録[*8]には、「沙津保呂鳥屋(とや)」(鳥屋については後述)が見える。

ただし、このようなひらがな表記は、文化4年(1807)の記録[*9]にある「下さつほろ」以後は、ほとんど見られなくなった。

「サツホロ」「サツポロ」「シヤツボロ」

カタカナ「サツホロ」の初出は、先に紹介した『飛驒屋久兵衛石狩山伐木図(仮称)』であり、寛政3年(1791)頃の地図[*10]からあとは、この「サツホロ」が一般的な表記となった。

「サツポロ」は天明6年(1786)頃の記録[*11]に「サツポロ場所」(場所については後述)と見えるのが最初で、その後、文化3年(1806)の記録[*12]や弘化3年(1846)の記録[*13]にも記されているが一般的ではない。また、「シヤツボロ」も享和元年(1801)の記録[*14]にのみ見える表記である。

*12 遠山金四郎・村垣左太夫『遠山村垣 西蝦夷日記』「犀川会資料」第十三号(高倉新一郎編『犀川會資料 全 北海道史資料集』(北海道出版企画センター、1982年))

*13 松浦武四郎記念館蔵、松浦弘『(再航)蝦夷日誌 巻之七』『再航蝦夷日誌 七』『再航蝦夷 七』、北大附属図書館蔵『再航蝦夷日誌 巻之参』(秋葉實翻刻・編『校訂蝦夷日誌 2編』(北海道出版企画センター、1999年)、吉田武三校註『三航蝦夷日誌 下巻』(吉川弘文館、1971年))

*14 北大附属図書館蔵、磯谷則吉『蝦夷道中記』(1801年)

漢字表記の「察縨」と「札縨」

近世には、漢字による表記は稀であったが、幕末期になると少ないながらも漢字が使われるようになる。その代表例が、蝦夷地調査により膨大な記録・地図等を残し、明治2年（1869）の「北海道」および「国郡」設定の提案者としても知られる**松浦武四郎**（竹四郎とも）が残した記録に見える、「察縨（サツホロ）」＊15・16と「札縨（サツポロ）」＊16である。そこには、「サツポロ」と振り仮名がつけられていることにも注目したい。その後、明治になって「縨」が「幌」に変わり、漢字の「札幌」が定着することになる。なお、漢字による表記としては、「作発路川」＊17や「幸洞（サツポロ）」＊18なども用いられた。

松浦武四郎の「蝦夷日誌」に見える〈察縨〉〔右〕と〈札縨〉〔左〕（内題『西蝦夷日誌巻之五編』＊16、松浦武四郎記念館蔵）

諸説ある札幌の語源

札幌の語源については、近世から現代まで長らく論じられてきたが、諸説あっていまだ確定されていない。アイヌ語地名研究の大家である山田秀三（やまだひでぞう）（195頁参照）は、その名著『札幌のアイヌ地名を尋ねて』＊19の中で、従来の説

松浦武四郎　196頁参照。

＊15　『東西蝦夷山川地理取調記行　後方羊蹄日誌』（内題「戊午後方羊蹄日誌」）安政6年著・文久元年刊カ（吉田武三編『松浦武四郎紀行集　下』（冨山房、1977年））

＊16　松浦武四郎記念館蔵『西蝦夷日誌　巻之五編』文久4年（明治4年刊、吉田常吉『蝦夷日誌　下』（時事通信社、1962年））

＊17　仙台市博物館・玉虫家資料、玉虫左太夫『入北記　巻七』安政4年（稲葉一郎解読『入北記　蝦夷地・樺太巡見日誌』（北海道出版企画センター、1992年））

＊18　吉田東伍『増補　大日本地名辭書　北海道・樺太・琉球・台湾』（初版・1909年、増補版（冨山房）・1970年）

＊19　楡書房、1965年（山田秀三著作集『アイヌ語地名の研究4』（草風館、1995年））

を紹介しながら自説を述べている。それを参考に簡単に触れてみよう。

①松浦武四郎の説

幕末期の蝦夷地調査の第一人者だった松浦は、安政4年（1857）の調査記録で〈サッホロ〉について、「地名干潟多き処（サッホロは干潟多き）と云儀也。サッは干る、ホロは多し」[20]と記し、「干潟多き処」と訳している。これが最初の説である。彼は翌年の記録でも「サッホロは此川の惣名（全体の呼び名、引用者注）」とした上で、「乾たる処多しと云儀のよし也」[21]と記した。語源は〈サッ・ポロ〉で、乾いたところ（干潟）が多い川としている。

さらに明治2年（1869）7月、北海道に郡を設定した際に彼が提出した案「札縨郡・察縨郡」の説明の中で、「サッホロはサッテクホロの義。サッテクは乾キタル事、ホロは多く、大キク等也。乾キ上リタル所（処）多キ義也。此川急流にして洪水の節も早く乾く故に号しと。譯（訳）に大乾たる義」[22]と述べ、〈サッテク・ホロ〉を語源としている。〈サッテク〉は「〝やせている〟が原義。川が夏になって水が枯れて細々と流れている状態」[23]を意味するので、その実質的な意味は〈サッ〉と変わらない（Ⅱ部第1章参照）。

なお松浦は、文久4年（1864）の著書で「サッホロはサッテホロの儀にて、多く乾くの儀、此川急にして干安き故也」[16]と述べているが、この〈サッテホロ〉

*20　函館市中央図書館蔵『丁巳第三巻　再篙石狩日誌　巻之一』、松浦武四郎記念館蔵『丁巳再篙石狩日誌　一参』『巳四』『再篙石狩日誌　巻之一』（高倉新一郎校訂・秋葉実解読『丁巳東西蝦夷山川地理取調日誌　上』（北海道出版企画センター、1982年））

*21　松浦武四郎記念館蔵、松浦竹四郎『戊午　作発呂留宇知之誌　巻下』『戊午東西蝦夷山川地理取調日誌　第二巻』（高倉新一郎校訂・秋葉実解読『戊午東西蝦夷山川地理取調日誌　上』（北海道出版企画センター、1985年））

*22　松浦武四郎記念館蔵『蝦夷地郡名之儀取調書』、北大附属図書館蔵『郡名之儀二付奉申上候條』（佐々木利和編『アイヌ語地名資料集成』（草風館、1988年））

*23　知里真志保『地名アイヌ語小辞典』（楡書房、1956年）

の表記は、前説〈サツテクホロ〉の〈ク〉を書き落とした可能性がある。いずれにせよ、この川が急流のため乾きやすく、干上るところが多いのが、地名（川の名）の由来としているのである。

②その後の諸説

明治から昭和期には、松浦とは異なる説が発表された。例えば林顕三（はやしけんぞう）は、「札幌ト云ハ元ト土人（アイノ）ノ言語ニシテ『サチッポポロ』ト云。『サチッポ』トハ干魚ト云義、『ポロ』トハ大成ト云義ナリ」と述べ、その由来について「豊平河等ニテ秋味ノ許多ニ取レタルヲ、土人ノ家毎ニ貯ヘ有ルサマヲ云ナリ。元サツポロト云ウ」[*24]と記し、「干魚（鮭）」説を唱えている。

また永田方正（ながたほうせい）は、「原名サッポロ（Sat poro）乾燥廣大ノ意。大陸ト譯ス。河海ノ跡乾燥シテ廣大ノ陸地トナリタルヲイフナリ」[*25]と記し、語原は〈サッポロ〉としながらも、「大陸」説を主張する。

以上の諸説は、松浦の説を含め、それぞれ相違はあるが、〈サッ（乾いている、水が枯れている）〉を原名の一部としている点では共通する。ところが、『北海道 駅名の起源』（昭和29年、11版）では、従来とは異なる次のような新説が唱えられている。同書の執筆には、著名なアイヌ語学者の知里真志保（ちりましほ）が加わっているので、彼の見解を反映したものであろう。

林顕三 1843〜1906年。加賀金沢藩士。明治6年、北海道・樺太を視察し、のち函館県や北海道庁に勤務した。

＊24 北大附属図書館蔵、林顕三『北海紀行』（冨山房、1874年）

永田方正 1838〜1911年。伊予国（現愛媛県）出身。開拓使を経て函館県御用掛となり、アイヌ語研究を始める。北海道庁に入り、道内のアイヌ語地名を調査して、『北海道蝦夷語地名解』を編さんした。

＊25 永田方正『北海道蝦夷語地名解』（北海道庁、1891年）

知里真志保 1909〜1961年。北海道出身。北大教授。アイヌ民族出身の言語学者。アイヌの言語や神話、信仰、風俗などを広く調べ、『分類アイヌ語辞典』をまとめた。194頁参照。

アイヌ語「サリ・ポロ・ペッ」（その葦原が広大な川）が「サチポロペッ」となり、下部が略されて「サチポロ」となり、さらに「サッ」（乾いている）に附会されて「サッポロ」になったもので、今の豊平川がそれであった。＊26

この「葦原説」は、サッポロ川の下流域に、アイヌ語で〈サル〉といわれる葦原が広がっていたことに着目し、〈サリポロ〉が〈サッポロ〉に転訛したと考えたのである。自然環境からすると、理解しやすい説ではある。

③山田秀三の説

山田秀三は以上の諸説を検討したうえで、松浦説が妥当と考え、次のように記す。

もう分からなくなった名ではあるが、地名一般の付け方から見て、平易に、サッ・ポロ・ペッ（sat-poro-pet、乾く・大きい・川）ぐらいに解するのが自然のような気がする。札幌川（豊平川）が峡谷を出て札幌扇状地（今の市街地）で急に広がり乱流し、乾期には乾いた広い砂利河原ができる姿を呼んだのではあるまいか。＊27

＊26　高倉新一郎・知里真志保・更科源蔵・河野広道『北海道駅名の起源』〈11版〉（日本国有鉄道札幌鉄道管理局、1954年）

＊27　山田秀三『北海道の地名』（北海道新聞社、1984年）

さらに、この「広い砂利河原」の場所について、「平岸の段丘の下から中島公園までの間」で、幕末には「パラ・ピウカ（広い・石川原）」と呼ばれていたあたりと、山田は想定している。*19

3　サッポロ川の変遷とサッポロ岳

流路が変化したサッポロ川

18世紀のサッポロ川（後の豊平川）は、現在の豊平橋付近から流れが北に向かい、**伏籠川**筋を通って**茨戸川**に入り、旧石狩川に注いでいた。しかし、19世紀初頭になって、その流れは大きく変化している。

文化3年（1806）に蝦夷地を調査した幕吏の記録*12によると、「津石狩川」（現江別市対雁）について、元は小川だったが、4、5年前（1801、2年頃）の豪雨によってサッポロ川の上流が決壊したため、ツイシカリ川に流れこんだ結果、川が深くなり、船の通行が自由になったという。

併合地点については、文化5年（1808）の地図*28で、「トイヒ」（トイヒラ、豊平）の下の「スマウシ」より少し下流となっている。その後、この併合地点から下流の旧サッポロ川を〈フシコ・サッポロ・ペッ（古い・元のサッポロ川）〉と呼び、新しい本流を、単に〈サッポロ・ペッ（サッポロ川）〉と呼ぶようになった。*29

伏籠川　375頁参照。

茨戸川　375頁参照。

＊28　北大附属図書館蔵『松前蝦夷地嶋図　一』文化5年〈文化13年、村山直之模写〉（『新札幌市史第六巻史料編一』村山家資料（1987年））

＊29　松浦竹四郎『丁（丙）辰按西扈従日誌　十』（松浦武四郎記念館蔵）の図には、「トイシカリフト」を「サッホロフト」とも記している。また、明治6年の飯嶋矩道・船越長善「札縨郡西部図」（北海道立図書館蔵）には、ツイシカリ川口に「サツホロヘツフト」（サッポロ川の川口）と記されている。

＊30　初出は前掲（＊13）、松浦弘『〔再航〕蝦夷日誌　巻之七』

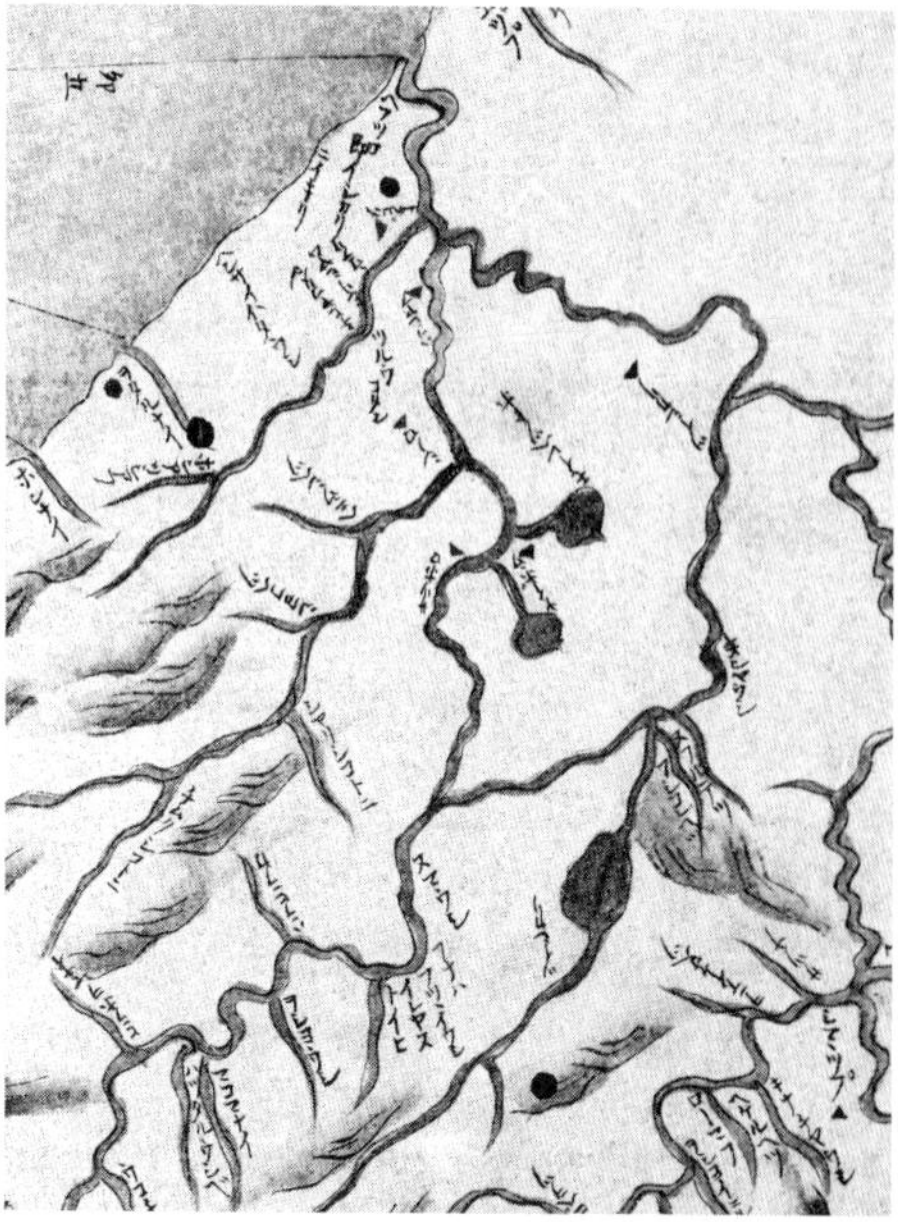

サッポロ川とツイシカリ川の接続〈図右中〉が描かれた地図（『松前蝦夷地嶋図』〔部分、文化５年〕、北大附属図書館蔵）

サッポロ川の部分名称

「サツホロ」がサッポロ川の総称だったことは先に触れたが、このほかに支流名を含め「サツホロ」の名がつくさまざまな部分名称があった。そこで、川口から上流に向けて順に見てみよう。

川口は〈サッポロ・プッ（サッポロ川の・入口）〉で、「サツホロブト」「下サツホロブト」「サツホロフト」などと書かれており、[20・21・30・31・32]この付近には古くからアイヌコタン（集落）があった。

サッポロ川がツイシカリ川に接続してからは、旧サッポロ川を「フシコサツホロ」川[31・33・34]と呼んだことは、既述のとおりである。

*31　北大附属図書館蔵、松浦竹四郎『竹四郎廻浦日記　十』安政3年〈内題『按西扈従　松浦竹四郎日誌　巻の十』〉（高倉新一郎解読『竹四郎廻浦日記　上』〔北海道出版企画センター、1978年〕、松浦武四郎記念館蔵『丁辰按西扈従日誌　十』）

*32　松浦武四郎記念館蔵、松浦竹四郎『戊午登加智留宇知之誌　巻之一』〈『戊午東西蝦夷山川地理取調日誌　第三巻』〉安政5年（『東部登加智留宇知之誌　壱』〔高倉新一郎校訂・秋葉実解読『戊午東西蝦夷山川地理取調日誌　上』〔北海道出版企画センター、1985年〕）

*33　初出は、伊能忠敬『大日本沿海輿地全図』中図、文政4年（間宮林蔵測量・清水靖夫ほか編『伊能図　東京国立博物館所蔵伊能中図原寸複製』〔武揚堂、2002年〕）

このほか、流域の各区域を示す地名もあった。フシコサッポロ川の下流域は「下サツホロ」「ハンケサツホロ」（パンケ・サッポロ、川下のサッポロ）、その上流域を「上サツホロ」とも呼んでいた。*9・13・20・32

「サツホロ」のつく支流名は上流域に多い。まず、「ユウナイ*21・32」（温泉の川、現在の定山渓温泉）の下の左岸に「エキショマサツホロ*15・21・32」（現小樽内川か）があり、定山渓の上の左岸に「モサツホロ別川」（モ・サッポロペッ、小さい・サッポロ川）がある。

さらに、上流の左岸に「ヲロウエンサツホロ*20・21・29・32」（オロ・ウエン・サッポロ、中が・悪い・サッポロ川）、その上の左岸に「ソウハラサツホロ*32」（ソー・パル・サッポロ、滝・口・のサッポロ川）があり、この二つの支流の水源が「天狗岳」*32と

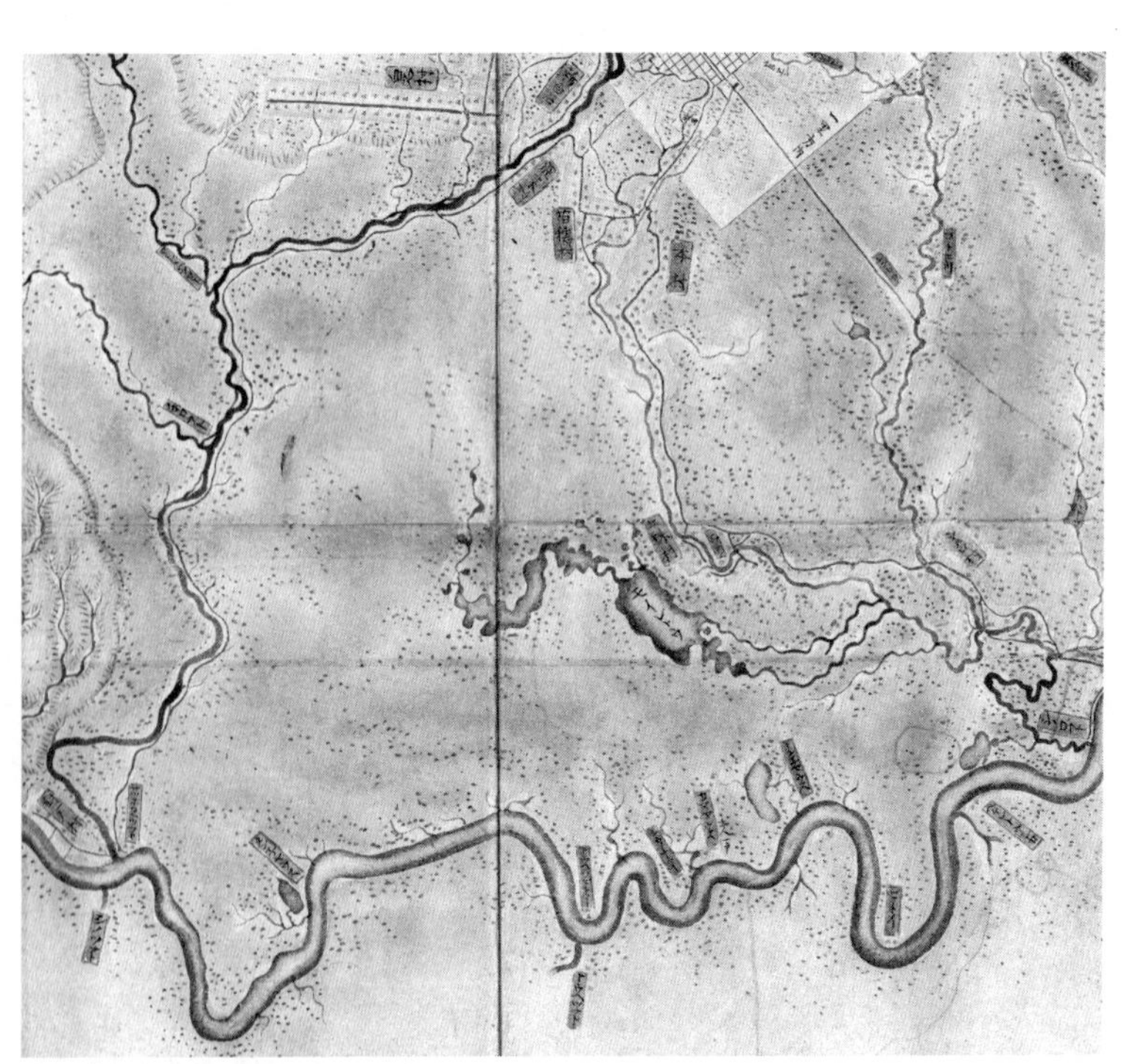

サッポロ川の川口〈図の左下の「サツホロヘツフト」と書かれた部分〉
（飯嶋矩道、船越長善作『札縨郡西部図』〔部分、明治６年〕、道立図書館蔵）

なっている。また、その上流の右岸に「ホリカウエンサツホロ[34]」（ホルカ・ウエン・サッポロ、逆戻りする・悪い・サッポロ川）があり、本流の水源近く（最上流）の川が「シノマンサツホロ[15・32]」（シノマン・サッポロ、本当に山奥に行っている・サッポロ川）である。

サッポロ川の水源であるサッポロ岳

サッポロ川の水源と考えられ、その目安とされたのが「サツホロ岳」[20・33]「サッポロ岳」[32]「察縨岳」[15]「サツホロノホリ」[34]である。その原形は〈サッポロ・ヌプリ（サッポロ川の山）〉で、現在の**札幌岳**（さっぽろだけ）の位置とは少しずれて、**漁岳**（いざりだけ）付近に描かれている。

4　サッポロ場所とコタン・御手作場

サッポロと呼ばれた請負場所

江戸時代には、現在の札幌市域を含む石狩川流域を「イシカリ（石狩）場所」と総称して13の区域に分け、一般には「イシカリ十三場所」と呼ばれていた。17～18世紀にかけて、各地に「商場（あきないば）」と呼ばれるアイヌ民族との交易場所が置かれ、また、各地に鷹（たか）の狩場（かりば）（鳥屋（とや））があり、その権利も彼らに与えられていた。

この鳥屋については、元禄13年（1700）の記録[35]に「石狩ノ沙津保呂鳥屋」が3ヶ所あり、享保12年（1727）の商場に関する記録[36]には、「しやつほろ」

＊34　道立図書館・北海道博物館等蔵、松浦竹四郎「東西蝦夷山川地理取調圖　五」安政6（高倉新一郎監修・校閲・解説『東西蝦夷山川地理取調図』〈復刻版〉〈IK企画、1983年〉、佐々木利和編『アイヌ語地名資料集成』〈草風館、1988年〉）※本書口絵参照

札幌岳　362頁参照。

漁岳　364頁参照。

＊35　東大史料編纂所蔵『松前藩支配所持弁家中扶持人名前帳』（『新札幌市史　第一巻通史一』第三編〈札幌市、1989年〉）

＊36　北大附属図書館蔵『松前西東在郷幷蝦夷地所附』（前掲『新札幌市史　第一巻通史一』）

場所とその**知行主**の名が見える。明和2年（1765）、同4年、商人の**村山伝兵衛**が、商場の知行主からその経営を請け負った際の契約書には、「しやつほろ夏商場所請負証文」*37と書かれている。

18世紀後半になり、場所での交易や漁業を商人が請け負うようになると、従来の商場所を請負場所、その商人を場所請負人と呼ぶようになった。請負人は、場所経営の中心地である石狩に運上屋を、主要な鮭の漁場には番屋を設け、これらの施設の付近にはアイヌ民族の集落（コタン）が形成された。

「サツポロ（さつほろ）」と呼ばれる請負場所は、18世紀末頃の記録では「上サツポロ」と「下サツポロ」の2場所に分かれている。

寛政年間初期（1790年頃）になると、下サツポロは石狩運上屋より約5里（約20キロメートル）の場所にあり、アイヌ戸口30軒・73人、上サツポロ場所は石狩運上屋より約6里で、アイヌ戸口15軒・50人、両場所とも請負人が阿部屋（村山）専八、産物は鱒と乾鮭であったことが記録されている。*38

西蝦夷地が幕府領となった文化4年には、「上サツポロ」はアイヌ総人数が187人、「下サツポロ」はアイヌ総人数が119人であった。*9その後、両場所を含めた石狩十三場所は、文政元年（1818）から安政4年（1857）までは村山伝兵衛がすべて請け負った。

両場所の区域は、「下サツポロ」場所が旧サッポロ川下流域で、川口付近の

知行主　幕府・藩主から土地の支配権を与えられた家臣。

村山伝兵衛　蝦夷地の場所請負人。初代伝兵衛は能登国（現石川県）出身。松前に渡り廻船業を営む。3代伝兵衛は商才にたけ、事業を拡張、盛時には数十ヶ所の請負場所、差配場所を請け負った。

＊37　北海道博物館蔵「村山家資料」（『新札幌市史　第六巻資料編一』（札幌市、1987年））

＊38　東大史料編纂所蔵『西蝦夷地分間』（表題「天明六年　近藤重蔵控」、寛政初期）

「サッポロ」に番屋が置かれていた。*13「上サッポロ」場所はその上流で、「ナイホウ」（苗穂）付近までだったと想定されるが、その後「上サッポロ」場所の区域が変化した可能性がある。

松浦の前掲『丁巳再篙石狩日誌　巻之二』（安政4年）の附図では、サッポロ川本流「トヱヒラ」（豊平）の上の「ヒコモナイ」（真駒内）のさらに上流右岸に「サッホロ」（本文では「上サッホロ」）があり、同じ松浦の前掲『西蝦夷日誌　五編』（文久4年）では、「トイピラ」（豊平）の対岸を「察縨（サッポロ）」（札幌）と記し、将来、この付近に蝦夷地経営の本拠となる「大府（たいふ）」を置くことを提言している。

ところが、松浦が安政6年頃に作成した記録*39を見ると、それまでと異なる点がある。「下サッホロ」は「ハツシヤフ」の上、「ナイホウ」の下、すなわち旧サッポロ川の下流域で従来と変わらないのだが、「上サッホロ」は「エヘツの上」、すなわちエベツ川（現千歳川）河口より上の石狩川流域にあり、現在の江別市・新篠津（しんしのつ）村・岩見沢市の一部と想定される。もし、これが事実とすれば、なぜ「上サッホロ」が、サッポロ川の流域から離れたこの地域に移動したのだろうか。興味深い謎である（Ⅱ部第1章参照）。

アイヌ集落「サッホロ」

サッポロ川の流域には、各地に先住民族アイヌの集落（コタン）があった。主な生

*39 松浦武四郎記念館蔵『東西蝦夷場所境取調書参』安政6年（秋葉実翻刻・編『松浦武四郎選集一』〔北海道出版企画センター、1996年〕）

業は鮭漁だったので、コタンの多くは、鮭が多く遡上する漁場の近くに形成された。その中の一つが、サッポロ川口（サッポロプツ）付近の「サッホロ」コタンである（サッポロ川流域のコタンについては、198頁参照）。

このコタンが初めて記録に現れるのは、既述のとおり寛文10年（1670）のことである。*3 享和元年（1801）には3、4戸*14で、弘化3年（1846）の松浦武四郎の記録には、サッポロ川筋には「夷人小屋多しと聞けり。此処（引用者注・サッホロ）にも酋長丼平夷人小屋凡六、七軒も有。前ニ而漁猟をする也」*13と記されている。また「サッホロ」コタンは、上サッポロにもあり、「ナイボウ」（苗穂）の少し上としている地図がある。*39

松浦の安政4年（1857）の調査記録によると、「サッホロ蝦夷」（下サッホロ場所のアイヌ）は1軒もなく、「上サッホロ」には2軒しか残っていなかったことから、場所請負制度のもとで悲惨な状況に陥っていたことがうかがえる。*20

このような状況の中で、幕末から旧サッポロ川流域に和人の開拓者が姿を見せるようになったのである。*40

幕府が設置したサッポロ御手作場

安政4年（1857）からは、箱館奉行による蝦夷地開拓政策の一環として、イシカリ場所の開墾事業が始まる。

場所の各地に成立した開拓集落の一つが、慶応2年（1866）、フシコサッポロ川上流左岸地域（現札幌市東区本町）に開設された「イシカリ**御手作場**」である。サッポロ場所に位置していたことから、「サツポロ御手作場」とも呼ばれている。

石狩開墾取扱掛に任命された**大友亀太郎**が、奉行の補助・保護を受けた農民を指揮して開墾事業を進め、大友堀と呼ばれる用水路や道路・橋梁などを建設した。*40この開墾場は「サッポロ村」とも通称され、明治初期に「札幌村」となり、*41明治初期の開拓使の保護移民による開拓政策の先駆となった（Ⅱ部第2章参照）。

Ⅱ　近代の行政地名「札幌」――その多様化と地理的拡大

1　「札幌」の誕生と「サッポロ」川の改称

「サツポロ」から、漢字表記「札幌」へ

明治維新の変革は、北海道および札幌の歴史に大きな転換をもたらした。と同時に、古くから続いてきた地名「サツポロ」にも大きな変化が生じた。第一は、カナ表記の「サツポロ」から漢字表記の「札幌」への変化、第二は「サツポロ」の起源となった「サツポロ川」から「豊平川」への改称である。

御手作場　幕府直営の農場・開墾場のこと。28・50頁参照。

大友亀太郎　1834〜1897年。相模国（現神奈川県）出身。二宮尊徳の門人で、幕府開墾世話方として箱館に移住。慶応2年、石狩原野の開墾に着手し、大友堀（現在の創成川の一部）の開削など、後の札幌市旧元町を拠点に開拓を進めた。28・48・231頁参照。

＊40　札幌市公文書館蔵「大友亀太郎文書」（『新札幌市史　第六巻史料編一』（札幌市、1987年）、前掲『新札幌市史　第一巻通史一』

＊41　明治2年8月15日付太政官布告（国立公文書館蔵『太政官公文録』、『開拓使日誌　明治二・第二号』）。ただし、内閣官報局『法令全書』（1887年）では、「札幌」となっている。

明治2年（1869）、箱館戦争が終結すると、明治政府は本格的な蝦夷地開拓に着手する。同年7月に開拓使を設置、さらに翌8月、蝦夷地を北海道と改称して11国86郡を置き、10月からは札幌本府の建設事業に取り掛かった（着工は11月）。こうして札幌は、蝦夷地の小集落から、北海道開拓行政の中心地へと大きな転換を遂げていく。

「サッポロ」から「札幌」という漢字表記への転換は、短期間ではあったが「札縨」の時期を経て実現した。

まず、明治2年8月制定の全道86郡（石狩国は9郡）の一つとして、「札縨郡」が決定した。[41]この郡名は既述のとおり、同年7月に蝦夷開拓御用掛（8月には開拓判官に改称）だった松浦武四郎が提出した2案「札縨郡（サツホロ）」「察縨郡」の一つであり、その範囲は「津石狩川口より上サツホロ、下サツホロ、樋平辺」[22]を想定していた（本書口絵・Ⅱ部第1章参照）。

この「札縨」はその後、数年間（明治5、6年頃まで）にわたって、郡名に限らず本府、市街地、村などの名称として使用された。しかし、制定された明治2年から早くも「札幌」の表記が使われ始め、[42]翌年には多く用い

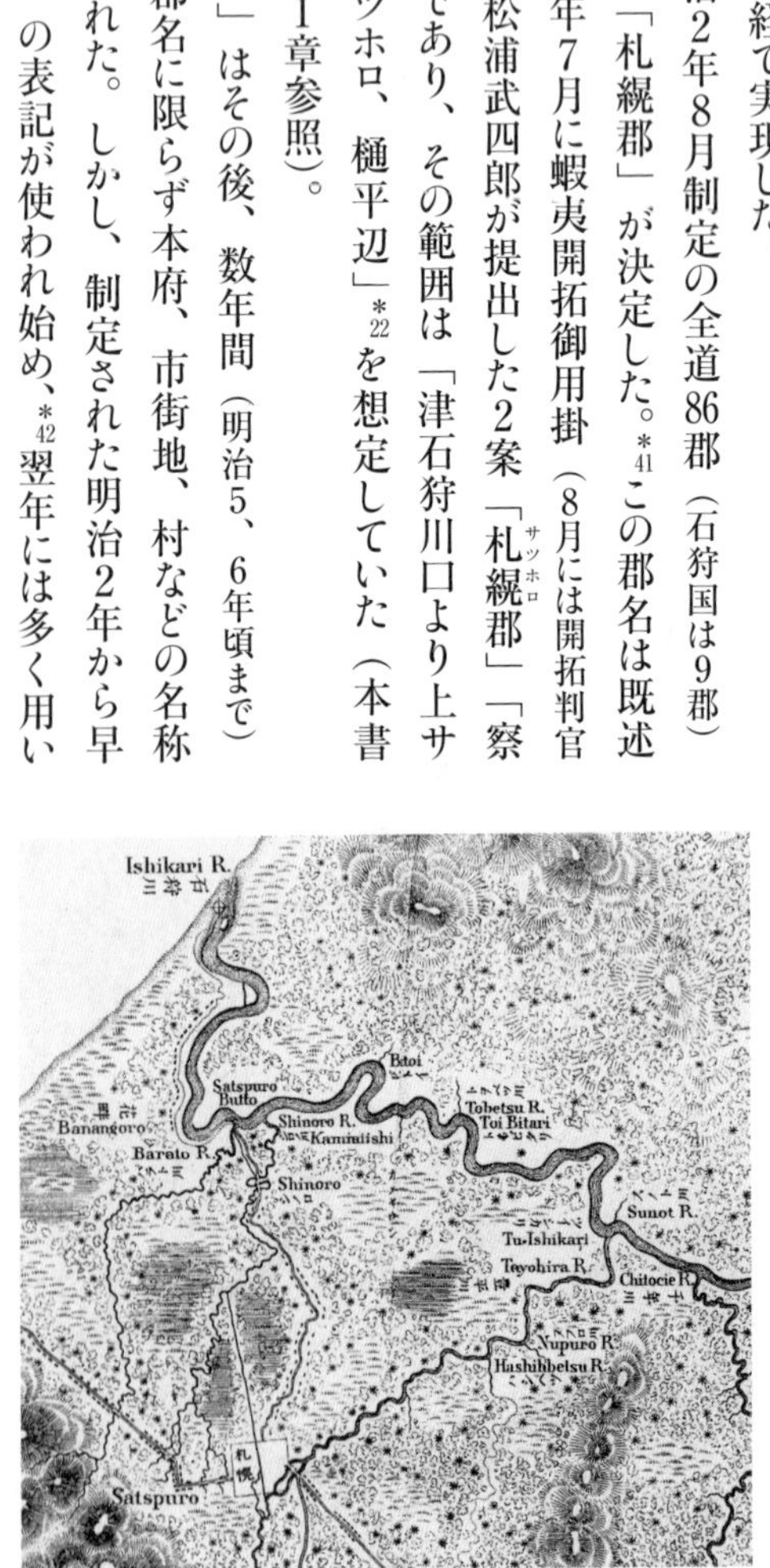

豊平川への改称を示す初期の地図（James R. Wasson「北海道石狩川図」〔部分、開拓使地理課、明治8年〕、北大附属図書館蔵）

られるようになっていく。しかし、表記変更の時期、理由等を定めた法令は確認できていない。

サッポロ川から豊平川の名称へ

サッポロ川に代わる新しい名称「豊平川」が、開拓使の公文書で使われ出すのは、明治3年（1870）頃のようである。[*43]明治4、5年頃には頻繁に用いられるようになり、開拓使の御雇アメリカ人たちの報告書等にも「Toyohira river」（豊平川）と書かれている。[*44]しかし、当時の公文書等では「札幌川」も併用されており、開拓使は混乱を避けるために明治10年、豊平橋より下流を通称の豊平川、上流を原名の札幌川とした。[*45]

その後、通称の「豊平川」が一般化し、上流と下流で名称が異なることが混乱を招いたためか、時期は不確定であるが豊平川に統一された。開拓使編『北海道志　巻之八』（明治18年）には「原名札幌川、源ヲ札幌郡札幌嶽ニ發シ、同郡對雁村ニ至リ石狩川ニ入ル」と記されている。

2　多様な行政地名「札幌」

近世（江戸期）の地名「サッポロ」は、川、山、アイヌ集落（コタン）、「場所」などの名称に限られていた。しかし、明治期を迎え、札幌が北海道開拓政策遂

*42　例えば同年12月、開拓判官島義勇の同松浦武四郎・開拓権判官岩村通俊宛書簡、「東久世開拓長官日録抄」（前掲『犀川會資料』1982年）

*43　例としては、明治3年10月12日付、箱館・権判官から札幌詰開墾懸宛文書（開拓使『小樽往復』1870～1871年、道立文書館蔵）が挙げられる。

*44　英文『開拓使顧問ホラシ・ケプロン報文』（1875年）

*45　「札幌川名称ノ義ニ付伺」（開拓使『取裁録』1877年、道立文書館蔵）、榎本洋介「豊平川と豊平橋の名前」（『文化資料室ニュース　13号』（札幌市文化資料室、2011年））

行の中心地となったことにより、「札幌」を付した多様な地名が誕生し、その地理的範囲が拡大することになった。ここでは、それらの地名の成立に重点を置いて見ることにしたい（Ⅱ部第2章参照）。

札幌・札幌本府・札幌市街の地名

既述のとおり、開発政策の拠点であり、北海道の首府となる「本府」の建設が急務となったことから、幕末以来、松浦武四郎が適地として推していた石狩国の札縨（札幌）に、本府を置くことを明治2年（1869）に決定。同年11月、建府工事が始まった。

「札幌本府」は、狭義では開拓使札幌本庁の構内および関連施設の配置区域を指すが、「札幌市街」と同意義で用いることが多く、一般的には「札幌本府」や「札幌市街」を、単に「札幌」と呼ぶことも多い。

明治4年に札幌開拓使庁が置かれると、札幌市街の整備は急速に進んだ。

市街地区画は、東西に伸びる広い緑地帯（後志通、後の大通）を基線として南北に分け、北を官庁街、南を商店・住宅街とし、南北に流れる創成川によって東西に分けた。明治5年には、東西、南北に走

明治12年の札幌市街〈大通付近〉（6枚続きの一部、北大附属図書館蔵）

る街路に北海道の国郡名をつけ、同14年にはそれを条、丁目に改称した。こうして、札幌の中心部は碁盤の目状に整然と区画されたことで、道幅の広い市街地が出来上がり、その後、北海道の市街地区画の先駆となったのである（Ⅱ部第2章参照）。

札幌には、アメリカ合衆国の技術・文化を取り入れた各種の官庁、官舎、学校、官営工場、農業試験場などが設けられ（本章〈4〉参照）、道路、橋梁、鉄道も整備されて、それまでの日本には見られない新しいタイプの近代的な市街が形成された。

しかし、その戸口をみると、明治3年の9戸・13人から、開拓使時代末期（同14年）には1136戸・3823人へと増加してはいるものの、未だ少なく、[*46] 10万人を超えたのは約半世紀後の大正9年（1920）になってからのことであった。[*47]

札幌市街の町名にあった札幌通

前項で触れたとおり、明治5年（1872）9月、北海道の国郡の名称が札幌市街の町名として設定された。「札幌通」もその一つである。この町名は、明治14年6月に「北三條」と改称し、現在に至っている。[*48] なお、「札幌通」と称する市街の町名は、明治6年、遠隔地の室蘭郡にも設定された。[*49]

＊46 大蔵省『開拓使事業報告　第弐編』勧農（1885年）
＊47 『新札幌市史　第八巻Ⅰ　統計編』（札幌市、2000年）
＊48 『開拓使事業報告　附録　布令類聚　上編』（1885年）
＊49 『開拓使事業報告　第壱編』地理（1885年）

本村・札幌元村、札幌新村、札幌村

札幌本府（札幌市街）がその機能を果たすためには、食料供給地となる周辺農村の成立が必要だった。開拓使は本府建設と並行して、明治3年（1870）から同4年にかけて東北・北陸地方から保護移民を入植させ、旧仙台藩からの士族移住や、屯田兵の移住がそれに続いた（Ⅱ部第3章参照）。こうして成立した村落の一つが、札幌村である。本村の開拓は、既述のとおり幕末のサッポロ御手作場（サッポロ村）に始まり、明治2年に「本村」（元村・札幌元村）となった。さらに2年後の明治4年には、前年に開拓使が募集した柏崎県（現在の新潟県の一部）移民が入植した隣接地（札幌新村・庚午四ノ村）と合併して、札幌村となった。＊50

明治11年の札幌村〈現東区〉開拓の様子
（上島正「札幌村開拓絵巻」〔一部、明治32年、北海道博物館蔵〕）

札縨郡から札幌郡へ

「札縨郡」の成立は明治2年（1869）8月で、その後、「札幌郡」となって「縨」から「幌」へ漢字表記が変更され

＊50 開拓使「民事局布達留」北大附属図書館蔵（『新札幌市史 第八巻Ⅱ年表・索引編』2008年）。ただし、前掲＊46『開拓使事業報告 第弐編』勧農では、札幌村成立は明治3年5月となっている。

たことは、既述のとおりである。その位置は、東が空知郡、南が胆振国千歳・有珠2郡、西が同国虻田郡及び後志国小樽郡、北が石狩郡であった。

その後、明治12年、前年に制定された「郡区町村編制法」により、北海道でも郡区町村が編成され、同13年に札幌区役所が開庁して札幌市街を含め札幌郡全域を管轄した。しかし、明治17年、札幌郡は札幌区役所の管轄外となり、新設された札幌外五郡役所の管轄下に置かれた。

開拓使時代末期、明治15年2月現在で、札幌市街（札幌区）の大通、南1条〜7条、北1条〜6条と、札幌郡下の「円山、琴似、上手稲、下手稲、発寒、山鼻、豊平、上白石、白石、平岸、月寒、札幌、雁来、苗穂、丘珠、篠路、対雁、江別」の18村だった。*49

札幌区から札幌郡へ

既述のとおり、明治13年（1880）から、札幌区役所が札幌市街を含む札幌郡全域を管轄したが、同17年、札幌市街のみが札幌区として区役所の管下に置かれた。その後、隣接諸村との部分的な境界変更は行われたが、区域の大きな拡大はなかった。明治32年には、「北海道区制」が施行され、自治体としての札幌区が発足し、大正11年（1922）まで区制時代が続いた。

この間に札幌区の現住戸口は、明治17年の3260戸・1万2854人から、大正11年の2万2915戸・12万7044人へと増加した。*47

札幌市が誕生、区制の実施へ

大正11年（1922）8月、札幌区に市制が施行され、昭和47年（1972）4月には政令指定都市となり、中央・東・西・南・北・白石・豊平の7区を設置した。さらに平成元年（1989）には、白石区から厚別区、西区から手稲区が、同9年には豊平区から清田区がそれぞれ分離し、現在に至る。この間における札幌市の発展過程については、本書のI部およびII部第2章を参照されたい。

3　広がる「札幌」

広域地名としての「サツホロ」「札幌」については、すでに近世のサッポロ場所、明治2年（1869）設定の札縨郡（札幌郡）の項で触れたが、その後、区域がさらに拡大したことがあった。それが、札幌県と札幌支庁である。

三県時代の札幌県

明治15年（1882）に開拓使が廃止された後、同19年に北海道庁が設置されるまでの約4年間、北海道には札幌・函館・根室の3県が置かれた。札幌県の管轄区域は、開拓使札幌本庁の区域を踏襲し、石狩国・日高国・十勝国・天塩国の全郡、後志国北部の9郡（小樽・高島・忍路・余市・古平・美国・積丹・古宇・岩内）、胆振国東部の7郡（虻田・有珠・室蘭・幌別・白老・勇払・千歳）、北見国西部の4郡（枝幸・宗谷・礼文・利尻）の広大な地域におよんだ。

札幌県の明治16年1月の人口は、9万7531人であった。＊51

支庁制度下の札幌支庁

明治30年（1897）、北海道庁の官制改正により、従来の郡役所・区役所が廃止され、札幌ほか18支庁が置かれた。当初、札幌支庁は、札幌区および札幌・千歳・石狩・厚田・浜益の5郡を管轄したが、既述のとおり、明治32年、札幌に「北海道区制」が施行されたため、札幌区が除外された。

大正11年（1922）、札幌支庁は石狩支庁に改称されている。札幌支庁管内の大正9年の人口は、11万3644人で、札幌区の人口を超えていた（国勢調査）。

4　多様な「札幌」

北海道の首都としての札幌が誕生し、発展する過程で、「札幌」を付した多様な施設・機関等（広義の地名）が多く設置された。その主なものを、開拓使時代～道庁時代初期（明治3～24年頃）に成立したものに限定して挙げると、次のとおりである（なお、括弧内の「明」は明治、数字は開設等の年代を示す）。＊52

＊51　札幌県『明治十六年　札幌県統計書』（1885年）

＊52　前掲『開拓使事業報告』第一～四編、同『北海道志』巻三・十・十三・十四・二十七、髙碕龍太郎『札幌繁栄図録　全』北島社（1887年）、木村昇太郎『札幌繁昌記』前野玉振堂・石塚書房（1891年）、前掲『新札幌市史　第二巻通史二』（1991年）

【官庁等】札幌本陣（明4）、開拓使札幌本庁舎（明6）、札幌邏卒屯所〔札幌警察署〕（明6）、札幌病院（明6）、札幌測候所（明11）、札幌監獄署（明13）、札幌区役所（明13）、札幌郡役所（明17）

【産　業】札幌官園〔育種場〕（明4）、札幌養蚕室（明4）、札幌器械所〔開拓使工業課工作場〕（明5）、札幌果樹園（明6）、札幌製粉所（明6）、札幌葡萄園（明8）、札幌製網所（明8）、札幌製糸所（明8）、札幌麦酒製造所〔札幌麦酒醸造場〕（明9）、札幌葡萄酒製造所（明9）、札幌紡織場（明10）、札幌競馬場（明11）、札幌味噌醤油製造場（明12）、札幌製糖株式会社製糖工場〔札幌麦酒会社麦芽製造所〕（明23）

【交通・通信】札幌郵便局（明5）、札幌本道（明6）、札幌停車場〔札幌駅〕（明13）

【教　育】札幌学校〔雨龍学校〕（明5）、札幌女学校（明8）、札幌農学校（明9）、札幌藻巖学校（明13）、札幌博物場（明15）、札幌県師範学校（明16）、札幌陳列場〔北海道物産陳列場〕（明24）

【宗　教】札幌管刹〔真宗東派本願寺札幌別院〕（明3）、札幌神社（明4）、札幌神社遥拝所（明11）、本願寺札幌別院（明11）、札幌基督教会〔札幌独立基督教会〕（明15）

これらの「札幌」を付した施設は、その後、廃止されたものもあるが、改称して現代まで継承されているものが少なくない。また、札幌の発展にともない、新たに開設された施設が多いことは、いうまでもない。

［主要参考文献］　＊部分的な引用等の史料・文献については脚注に掲げたので、全般的なものに限定する。

知里真志保『アイヌ語入門』（楡書房、1956年）
山田秀三『札幌のアイヌ地名を尋ねて』（楡書房、1965年）
渡辺光ほか編『日本地名大事典7　北海道』（朝倉書店、1968年）
NHK北海道本部編『北海道地名誌』（北海教育評論社、1975年）
札幌市教育委員会文化資料室編『さっぽろ文庫1　札幌地名考』（札幌市、1977年）
山田秀三『北海道の地名』（北海道新聞社、1984年）
「角川日本地名大辞典」編纂委員会『角川日本地名大辞典1　北海道地名大辞典　上・下巻』（角川書店、1987年）
札幌市教育委員会編『新札幌市史　第一巻通史一』（札幌市、1989年）
同『新札幌市史　第二巻通史二』（札幌市、1991年）
栃木義正『北海道　集落地名地理』（私家版、1992年）
秋月俊幸『日本北辺の探検と地図の歴史』（北海道大学図書刊行会、1999年）
本多貢『北海道　地名分類字典』（北海道新聞社、1999年）
北海道環境生活部アイヌ施策推進室編『アイヌ語地名リスト』（北海道環境生活部、2001年）
平凡社地方資料センター編『日本歴史地名大系第一巻　北海道の地名』（平凡社、2003年）
髙木崇世芝『近世日本の北方図研究』（北海道出版企画センター、2011年）

Chapter.....01

先住民族アイヌの暮らしと地名

北海道大学　客員教授　佐々木利和
北海道大学　教授　谷本晃久
国立アイヌ民族博物館設立準備室　永野正宏

❖序論――アイヌ語地名の概要

佐々木利和

はじめに

日本の古地名において、アイヌ語で読める可能性のあるものが、どのように表記され、また解釈されてきたかを、最初に簡単に見ておきたい。

金田一京助によると、**斉明天皇紀**に見える地名・都岐沙羅のような言葉には、アイヌ語のto-kisar（沼―耳）を当てることが可能であるし、また『**倭名抄**』にある地名・理訓許段はrikun-kotan（高―村）と読むことができる。さらに徳丹という地名は、to kotan（沼村）、tu kotan（廃村、旧村）、tu kotan（二つ村）、tu kotan（山の根の村）などと読むことができるという。

金田一はこれらの地名を、「今日のアイヌ語で解くことの可能であるかどうかを考へ」るために、疑いのないものについてのみ見た、とする。同氏は「今日の北海

金田一京助　1882～1971年。言語学者。アイヌ語・日本語を専攻した。アイヌ文化に関する仕事も多く、東北のアイヌ語地名研究のパイオニアとしても著名である。

斉明天皇紀　『日本書紀』（720年成立）のうち、斉明天皇（655～661年）の事跡を記した巻第二十六をいう。阿倍比羅夫の渡島征夷記事を含むことで知られる。

道アイヌの語彙で、幾千年前の遠い内地の地名を解いて居るのであっては、たとへその解釈が偶々あたっても、まぐれあたり、それはたゞ思付にすぎない」（「北奥地名考」）ともいう。

　地名解釈の難しさと、アイヌ語学の限界について語る先達のこの言は重い。

アイヌ語地名の特色

アイヌ語地名というのは、アイヌ語でつけられている地名のことである。北海道内の地名の大部分がアイヌ語地名に由来しているほか、北東北地方にもアイヌ語に由来する地名が残されている。また樺太や千島には、日本領時代にアイヌ語に由来する地名が多く残されていたが、ロシア領となった今、アイヌ語に由来する地名はどのくらい残されているだろうか。

　アイヌ語地名の特色は基本的に、生活に根ざした地形地名といえるが、同型のもの、類型のものも少なくない。そのためアイヌ語地名は、いくつかに分類して考えることができる。

①地形地名

イ　地形に関わる地名　　ロ　植生に関わる地名

②人文地名

倭名抄　平安時代中期の辞書である『和名類聚抄』の略称。承平年間（931〜938年）の成立で、国・郡・郷の名称を網羅していることでも知られる。

イ　生業に関わる地名　　ロ　宗教に関わる地名
ハ　交通に関わる地名　　ニ　伝説に関わる地名

と大雑把に括ってみたが、もちろんこれだけでアイヌ語地名を理解できるわけではない。その背景にあるアイヌ文化を知ることが、最も早い理解につながる。

例えば地形に関わる地名の場合、「川」に関して**知里真志保**は、「古い時代のアイヌは、川を人間同様の生物と考えていた」「川は海から陸へ上って、村のそばを通って、山の奥へ入りこんで行く生物」と指摘している。

「生物だからそれは肉体をもち、例えば水源は〈ペッ・キタィ　pet-kitay　川の頭〉とよび、川の中流を〈ペッ・ラントㇺ　pet-rantom　川の胸〉とよび（中略）川口を〈オ　o　陰部〉とよぶのである」という。

川は生物だから「生殖行為もいとなむ。それでふたつの川が合流しているのを〈ウ゚とマム・ペッ　u-tumam-pet　お互いを・抱いている川〉とか〈オウコッナィ　o-ukot-nay　陰部を・おたがい・につけている・川〉とかいうし」、「死にもする。それで古川を〈らィ・ペッ　ray-pet　死んだ・川〉というのである」（『アイヌ語入門』）。

アイヌ語地名の「改竄」

アイヌ語地名は、アイヌ文化でこの大地が覆われていた時代のたまものである。

知里真志保　172頁参照。言語学者。金田一京助に師事し、アイヌ語を専攻した。アイヌ語地名に関する仕事も多く、『地名アイヌ語小辞典』『アイヌ語入門―とくに地名研究者のために―』などがある。

アイヌの人びとが、その生活のなかで大地に刻んだ記録である。その記録をシャモ（和人）は、わずかの時間のうちに大きく改竄してきた。

このことについて**山田秀三**は、「（アイヌ語、引用者注）地名は平仮名か片仮名で記録されて来た。アイヌ社会には文字がない。和人がその音を聞いて仮名書きする際に若干の訛りがあり勝ちだったのは止むをえない。幕末から明治にかけて、それらを二字か三字ぐらいの漢字で書くようになった。そうなると中々巧い字がない場合が多い。札幌のように上手に字を選べたものは別として、多くは若干似た音の字をあて」たのであると指摘する。

その結果、「室蘭は、最初はその字を当ててモロランと呼んでいたのだが、いつのまにかムロランとなってしまった。月寒（ツキサップchikisap）だって、寒が読みにくいので、『つきさむ』になったのはつい近年のこと」（『北海道の地名』）という状態になってしまったというのである。

地名を「二字か三字ぐらいの漢字」で表すというのは、佳字（同じ読みで字面の良い漢字を当てること）2文字で地名は記せという日本史でいう奈良時代からの慣行を、明治政府が踏襲したものである。しかし「二字か三字ぐらいの漢字」にアイヌ語地名が変えられたために、もとの地名の形を正確に復元するのが困難になってきた（Ⅱ部第11章参照）。

山田秀三　1899～1992年。実地調査と文献研究に基づくアイヌ語地名研究の第一人者として知られた。札幌市域のアイヌ語地名に関し、『札幌のアイヌ地名を尋ねて』〈楡書房、1965年〉を著した（写真は同書156頁より）

さらに、開発・開拓の名のもとに大きく自然や地形が変化したこともあり、地形地名が多いアイヌ語地名は、ますます理解しにくくなっている。将来への文化遺産として、アイヌ語地名をどのような形で伝承していくのか、という大きな課題を、わたくしたちは背負わされているのである。

松浦武四郎による国郡名の建言と解釈

ところで**松浦武四郎**は、明治2年（1869）の国名・郡名の建言（「**蝦夷地道名国名郡名之儀申上候書付**」）のなかで、石狩州に石狩郡、札縨郡などの設置を提唱している。まず石狩州（国）であるが、「海岸ハ当所限リにして四里八丁（中略）是当国都府之地たる事、現前之其地形ニ依て相知申候」として、その地名を解釈し「イシカリ訳而、隠塞之儀」とする。イは「イシャム」のことで「無為」という意味、シカリというのは「塞ぐ」という意味であると。つまりイシカリ川筋は、「屈曲して塞り」、先が見えないのでこういう地名になったとアイヌの人びとが言っている、と松浦は説明している。

郡名では、石狩郡は「海岸南ヲタルナイ、北アツタ領界として四里八丁。川筋八寒、当別、津石狩間此郡ニ附ス」とあり、その意味は国名とおなじである。札縨郡の範囲は「津石狩川口より上サツホロ、下サツホロ、樋平辺、揮テ此一郡ニ仕置候事」とある。

松浦武四郎　1818～1888年。経世家・著述家。蝦夷地踏査に基づく詳細な日誌・地図の作成で知られる。いずれも、アイヌ語地名研究に不可欠な基礎文献として重要である。

蝦夷地道名国名郡名之儀申上候書付　明治2年、松浦武四郎が徴士開拓判官として太政官に提出した文書。北海道の国郡名はほぼこれに基づくが、その地名解が記されている。

そして「サッホロはサツテクホロ」で、サツテクは「乾キタル事」、ホロは「多く、大キク」等で、「乾キ上リタル所多キ」を意味するのだという。その由来は「此川（サッホロ）急流にして洪水の節も早く乾く故」であるとし、サツテクホロを「大乾」と訳す。

武四郎によるこのアイヌ語地名解の妥当性については、かかる解釈もできる、という以上の評価はできない。このあたりの解釈については、前出の山田が詳細に述べられている。

とまれ『**後方羊蹄日誌**（しりべしにっし）』によれば安政6年（1859）、このサッホロ（樋平）川に沿って、武四郎は現在の札幌市内に向かったのである。

＊本稿は、佐々木「アイヌ語地名」（2003年）をベースに起稿したものである。

後方羊蹄日誌　松浦武四郎の著作。「戊午日誌」をもとに安政6年に出版された。喜茂別方面から豊平川上流に至り、現在の札幌市域を踏査した記録を含む。

❖特論　札幌市域のアイヌ社会と集落　明治初期を中心に

谷本晃久

はじめに

札幌市域のアイヌ社会については、加藤好男の労作『石狩アイヌ史資料集』（私家版、１９９１年）ならびに同『19世紀後半のサッポロ・イシカリのアイヌ民族』（サッポロ堂書店、２０１７年）をはじめ、藤村久和「札幌で話されていたアイヌ語の行方」（『札幌の歴史』４、１９８３年）など優れた仕事がすでにある。ここでは、こうした業績に導かれながら、表題について叙述を進めていきたい。

札幌のアイヌ語地名の舞台

札幌市域のアイヌ語地名を考えるには、市内を貫流する川筋をその暮らしの舞台とした、アイヌ社会のすがたを踏まえておく必要がある。市域の北端は**茨戸川**に接するが、この川は昭和６年（１９３１）以前は石狩川の本流であった。

この茨戸付近で、札幌市域を流れる川筋がおおきく三つに分岐する。西から**発寒川**、**琴似川**、**伏籠川**である。琴似川は、下流では篠路川とも記される。伏籠川は19世紀初頭以前、豊平川（＝札幌川）中流から接続した本流であったようだ。

市域のアイヌは、**茨戸太**、発寒川筋、琴似川筋、伏籠川筋・豊平川筋に、それ

茨戸川　３７５頁参照。
発寒川　３７８頁参照。
琴似川　３７３頁参照。
伏籠川　伏篭川・伏古川とも、３７５頁参照。
茨戸太　本章「札幌市域主要アイヌ語地名解」２１０（「茨戸」の項）参照。

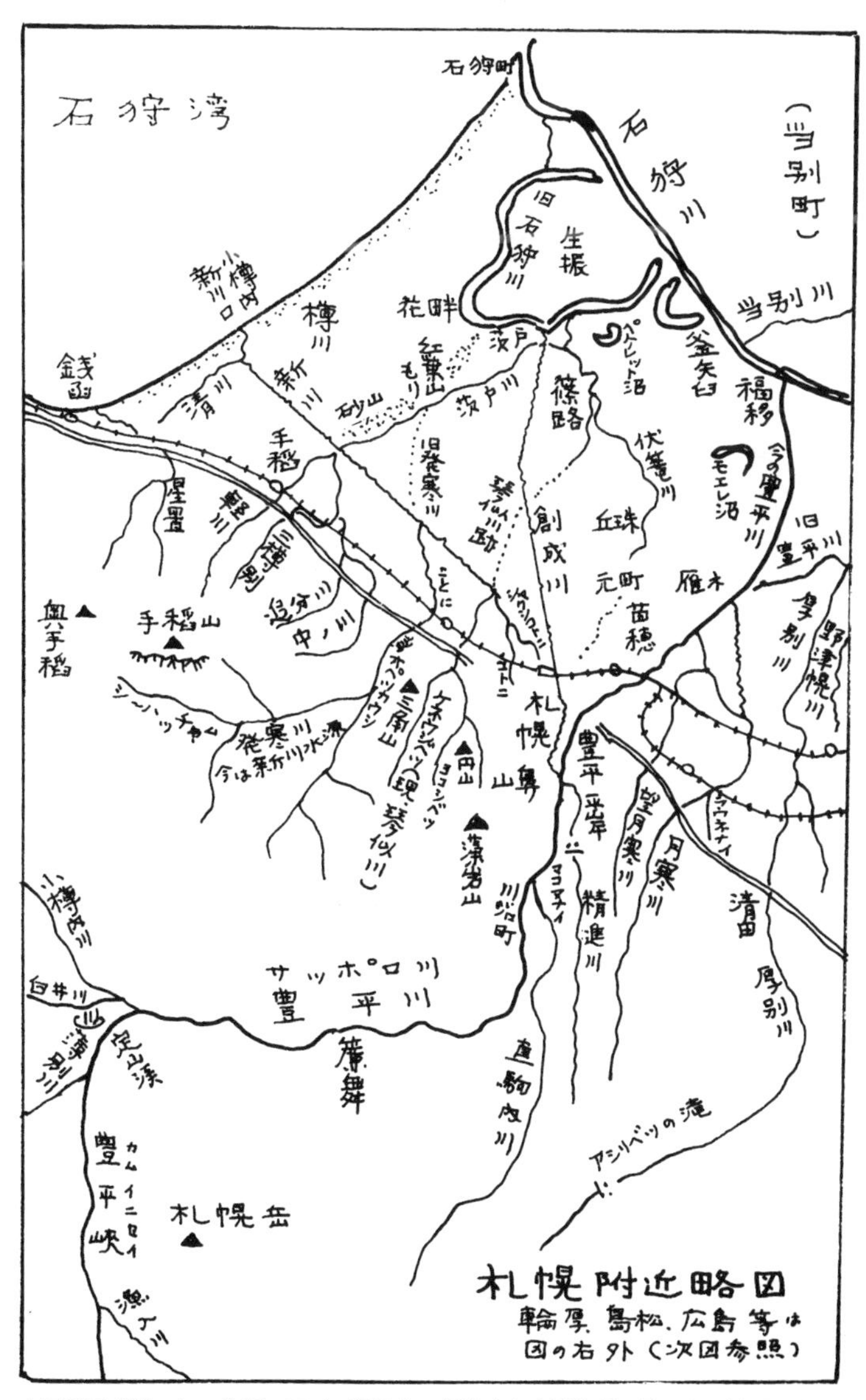

山田秀三が描いた、札幌のアイヌ語地名の根幹をなす川筋が一覧できる地図。なおＪＲ千歳線は、1973 年以前の旧線経路が示されている（山田秀三『北海道の地名』、16 頁所載「札幌附近略図」）

ぞれ社会をなし、近代初頭には、茨戸氏、発寒氏、琴似氏、**古川氏**といった、市内の地名を名にし負うアイヌの旧家が、それぞれの川筋を束ねていた。

明治2年（1869）の北海道国郡設置後、市域はいずれも石狩国札幌（縨）郡に含まれた。おおむね発寒川筋は発寒村、琴似川筋下流は篠路村、同上流は琴似村、伏籠川筋は札幌村となり、札幌本府は琴似川筋東縁の最上流域に設けられた。

それ以前は、西蝦夷地**イシカリ十三場所**のうちであり、発寒川筋はハッシャフ場所、琴似川筋はシノロ場所、伏籠川筋は下サッポロ場所、豊平川中流域は上サッポロ場所とされた。このほか、伏籠川上流の支流にナイホウ（苗穂）場所があった。

いずれも、江戸時代の**場所請負制度**の下で機能した地域区分であるが、「場所」の区分は往々にして、現地のアイヌ社会を前提になされる傾向が指摘されている。このことからも、川筋に立脚した社会が、札幌市域に息づいていた状況を反映しての地域区分と見ておきたい。

なお、幕末の安政3年（1856）の記録によると、札幌市域の各場所をいわば本籍とするアイヌ人口は、ハッシャフ21人、シノロ38人、下サッポロ26人、ナイホウ13人、上サッポロ79人、計177人とされる（「石狩場所人別帳」）。この頃は、石狩河口の運上屋（元番屋）へ出稼ぎに下りている者も少なくなかった。とはいえ、札幌本府設置以前から、文字通り先住した「ファースト・札幌市民」といえ

古川氏　伏籠川＝フシコ・ペッ（古い・〔札幌＝豊平〕川）を意釈した氏。

イシカリ十三場所　江戸時代に石狩川ならびに夕張川流域に設定された13の本流・支流の総称。19世紀以降は、阿部屋村山家により一括して請け負われることが一般的となった。177頁参照。

場所請負制度　松前藩（幕領期は箱館〔松前〕奉行）が、日本市場との取引に関する特許を、「場所」を単位に商人へ認めた制度。当初はアイヌとの交易に関する特許だったが、19世紀以降は交易に集うアイヌを使役することも権益とみなされるようになった。

る人びとであり、アイヌ語地名の真の使い手たちでもある。

記録や遺跡に見える札幌市域の地名とアイヌ文化

札幌市域の地名が確認できる最も古い文献に、寛文9年（1669）に起こった**シャクシャインの戦い**後に記された津軽藩士の記録「寛文拾年狄蜂起集書」（1670年）がある。そこには、次のような記述がある。

一、おたる内　家四、五間計(軒ばかり)／よろたいん持分
一、石かり港より壱里登りはつしやふ　おとなよろたいん／家弐十間計
一、同上にさつぽろ　家十四、五間計／狄おとなちくにし

石狩河口の湊から1里ほど遡上すると「はつしやふ」という場所があり、そこには「よろたいん」という「**おとな**」がおり、「よろたいん」は「おたる内」をも持分としている。また、石狩の川上には「さつぽろ」という場所があり、そこには「ちくにし」という「おとな」がいる。そんな記述である。

同じ記録によると、「よろたいん」らは有名な**ハウカセ**という「**大将**」の統率下にあったようだ。少なくともこの時期には、札幌市域には川筋ごと（ここでは発寒と札幌が記される）に「おとな」に束ねられ、石狩川流域一帯の「大将」を戴く

シャクシャインの戦い　寛文9年に起こった、シャクシャイン率いるアイヌ勢と松前藩勢との交戦の名称。結果的に松前藩が勝利し、以後、アイヌに不利な交易が常態化した。164頁参照。

おとな　アイヌ首長の名称。「乙名」とも書かれる。アイヌ語では〈オッテナ：otte-na〉と呼ばれる。

ハウカセ　石狩川中流域に拠点を置き、流域一帯を束ねて、シャクシャインに匹敵する勢力を誇った、17世紀中葉のアイヌ首長。

大将　17～18世紀の和文記録にみえる、アイヌ首長を指す用語。

社会が形成されていたことは明らかだ。のちに機能することになるイシカリ十三場所は、やはりこうした社会を前提に成立したものとみてよいだろう。

札幌市内で発掘された遺跡からは、当時の様子を考えることができる。北海道大学構内を流れるサクシュコトニ川の「K39遺跡　附属図書館本館北東地点」からは、17世紀初頭頃とみられる木杭列が出土している（『北大構内の遺跡XIII』）。遡上するサケ・マスを捕獲するための**簗**（やな）施設であると考えられ、こうした交易物資ともなる水産資源を背景に、流域での暮らしが営まれたことが考えられる。

また、市内発寒のN19遺跡（西区発寒11条3丁目発寒神社境内、墳墓）からは、12～17世紀初頭とみられる古銭（宋銭・明銭）・マキリ・刀・漆椀・硝子玉（がらすだま）・笄（こうがい）（髪を整えるための道具）・耳金（みみかね）（金属製の耳飾り）などが出土している（「発寒村発掘の遺物について」）。さらに、**河野広道**（こうのひろみち）が記録した「札幌市南一条」から出土したとされる、鍬先（ベラウシトミカムイ）・刀が知られる（『河野広道ノート』考古篇5）。

これらは主に、和製品または日本（硝子玉はサハリン方面を含むか）からの**招来品**と考えられ、江戸時代の文献に確認されるアイヌ社会の**威信財**である。交易物資たるサケ・マスや毛皮の生産が、こうした威信財獲得の背景にあるのだろう。

市内には、発寒川流域に発寒**チャシ**跡（西区山の手7条8丁目付近）、豊平川流域に平岸天神山チャシ跡（豊平区平岸1条16丁目付近）がある。チャシはおおむね14～18世紀に築かれたアイヌの砦であり、社会の組織化や富の集積の象徴であろう。

簗　川の中に列状に杭や石などを置き、流れを堰き止めて魚などを捕獲する仕掛けのこと。

河野広道　1905～1963年。昆虫学者・考古学者。北海道を主なフィールドとし、道内各地で発掘を行ったことで知られる。アイヌ文化研究に関する仕事も少なくない。

招来品　交易などにより、遠隔地から入手した品物をいう。アイヌ社会にあっては、南の日本、北西のアムールランドとその後背の中国、ならびにカムチャツカ方面からもたらされた。

威信財　考古学や文化人類学の用語。社会的地位を象徴する高価な所有物をいう。富や剰余を背景に獲得された交易品が一般的。アイヌ社会では、和製品（漆器や鉄製品など）や中国製品（青玉など）がそうみなされた。

もちろん札幌市域には擦文時代以前の、アイヌ史上で土器を用いていた時代の遺跡も多数確認されている。札幌市域のアイヌ社会は、こうした物質文化やアイヌ語地名を伴いつつ、豊かに継続してきたことを知ることができる。

アイヌの伝承にみる札幌市域の集落と地名

札幌市域における集落の成り立ちに関して、興味深い昔話（ウパシクマ）がある。昭和10年（1935）5月に**高倉新一郎**（たかくらしんいちろう）が公表したウパシクマで、当時茨戸在住で発寒氏・茨戸氏の系譜をひくアイヌ民族であった、能登酉雄（1873〜1950年）からの聞き書きに含まれている。その内容を次に掲げる（読みやすいよう、一部表記を改めた）。

昔、石狩川に大洪水があった。沿岸のアイヌどもは驚いて丸木舟で逃れ、札幌の山を目がけて、札幌太を遡った。幾日もの後、彼らは大きな乾いた所に着き、そこに定住することになった。広野の真中の元村に一部落、発寒に一部落、今の**偕楽園**の所に一部落が出来たが、ここがサッポロであった。サッとは乾く、ポロとは大きいという意味で、大きな乾いた所という意味である。洪水が引いた後で、また甘い魚を慕って、その内のある者はまた川畔に帰った。それがバラトアイヌの最初である。（中略）

チャシ　アイヌ語で砦（とりで）、囲い、聖地などを意味し、川や海などをのぞむ丘陵や台地の上に、濠（堀）や土塁で築かれた。

高倉新一郎　1902〜1990年。農業経済学・北海道史を専門とした。主著に『アイヌ政策史』『北海道拓殖史』など。『新北海道史』や『新札幌市史』の編集長も務めた。

偕楽園　札幌市中心部、サクシュコトニ川最上流に置かれた公園施設。明治4年に設置され、園内には清華亭や鮭鱒孵化場などがあった。現在は、その一部が偕楽園緑地となっている（北区北6条西7丁目）。292頁参照。

バラトーとはポロトーで大きな沼の意味で、ポロトーの落口を指したのだ。ポロトーとはペケレトシカトーのことで、その意味はペケレは明るい、トシカは崖の下で水が渦まいているところだ。暗い川路がここまで来ると急に明るくなったからこういうのである。今の茨戸は本当はハサムプトで、ハサム川の落口である。

（「能登酉雄談話聞書」）

このウパシクマでは、石狩川本流から支流域へ移住して集落が成立したことが語られている。またその契機には、石狩川本流の洪水（氾濫）があったことが示される。成立した集落は元村（伏籠川筋）・発寒（発寒川筋）・偕楽園（かいらくえん）付近（琴似川筋）にあったことも語られており、茨戸の集落はさらにそこから戻ったものによって形成されたという。そしてサッポロの地名解が、洪水からの避難と関連して示されている。

豊平川の流路が19世紀初頭に大きく変更されたことは先に触れた。繰り返される氾濫の記憶は、この地域のアイヌ社会に深く刻まれていたものとみてよいだろう。他方、語られる集落は、川筋を単位として結ばれていることも注目される。ペケレトシカトー（現在のペケレット沼、北区篠路町）の地名解も、「川路」と絡めて説明されており、札幌市域のアイヌ社会は、ことほどさように川筋と密接に連関

ペケレット沼　ペケレット湖とも。北区篠路町篠路に所在する沼。現在は、ペケレット湖園として民間の所有地となっており、レストラン施設がある。378頁参照。

した暮らしを営んできたといえそうである。

おわりに――明治初頭、札幌市域におけるアイヌ集落の位置

このように、札幌市域で営みを続けてきた地付きのアイヌ社会は、明治15年（1882）頃までにその姿が確認できなくなる。市内に暮らしたアイヌの人々は、**石狩川支流でのサケ・マス漁禁止**など開拓政策を受け、本流の茨戸へ、ついで**旭川近文**（ちかぶみ）の「旧土人保護地」への移転を余儀なくされたのである。

加藤好男に、その直前の札幌市域における、アイヌ集落（コタン）の地理的布置の同定を試みた貴重な考証がある（『19世紀後半のサッポロ・イシカリのアイヌ民族』ほか）。それによると、発寒川筋のコタンは、発寒川河畔の西区琴似4条1丁目付近、琴似川筋のコタンはセロンベツ川河畔の北区北7～8条西9～10丁目付近、伏籠川筋のコタンは伏籠川河畔の東区北9条東9丁目付近ならびに創成川河畔の中央区北2条東1丁目付近で、それぞれ営まれていたとされる。

大都市札幌の条丁目表記の下から浮かび上がる、具体的なアイヌ社会の姿と、その転退の意義は、市民の教養として広く共有されるべき歴史である。

なお、明治15年に製図された「偕楽園図」（『北海道志』所収）に、園内サクシュコトニ川河畔の「土人家」が描かれており、琴似のコタンをここに比定する記述も散見される。しかしこの「土人家」は、明治12年7月に札幌を視察した香港総

石狩川支流でのサケ・マス漁禁止 明治11年12月、札幌郡内を対象に出された開拓使布達。漁業資源の保護が名目とされた。これにより、札幌市域のアイヌ社会は、居住地でのサケ・マス漁ができなくなった。

旭川近文 旭川市街西部の地区名。「旧土人保護地」が置かれた。そこには、上川地方のみならず、空知地方や札幌市域を含む石狩地方のアイヌの人々の移住もみられた。

督の要請に基づいて設置された復元家屋であり、**江別対雁の樺太アイヌ**がそれに従事したことを、筆者が開拓使文書により明らかにしている（「近代初頭における札幌本府膝下のアイヌ集落をめぐって」）。

この時期、札幌本府建設の労働力や官営牧場の牧士として、地付きのアイヌのみならず、市域近郊や石狩川筋、あるいは遠く余市・美国・沙流・虻田・釧路など、道内各地からアイヌの人びとが札幌へ雇い入れられた（『新札幌市史』第二巻通史二）。後に続く、道都に結ばれた新たな都市型の先住民コミュニティは、こうして形づくられていった。

以後、札幌におけるアイヌの人びとは、政治・社会・経済・文化的マイノリティとして、多方面で抑圧と苦しみを強いられながらも、その伝統をつないでこられた。今後は、地名に象徴される札幌のアイヌ文化を尊重し、道都の歴史を豊かに彩っていくための未来像を、ともに考える社会の実現が望まれている。

江別対雁の樺太アイヌ　樺太千島交換条約（1875年批准）にともない、1876年に移住させられた、おもに樺太南縁アニワ湾岸のアイヌの人々をいう。当初、宗谷地方への移住と説明されたが、政府の方針により移住地が変更。馴れない内陸の暮らしは困難を極めた。ポーツマス条約（1905年調印）に伴い、樺太が日本領となると、そのほとんどが帰郷した。

札幌市域主要アイヌ語地名解

ここでは、総論で示した分類に従って、主に山田秀三の仕事を参照しつつ、特色あるいくつかのアイヌ語地名を取り上げ、その解釈を示す。〈執筆担当＝佐々木利和・永野正宏・谷本晃久〉

1　地形地名

①地形に関わる地名

札幌（さっぽろ）

『**津軽一統志**』に「さつほろ」、また『**松前島郷帳**』（元禄13年〔1700〕）に「しやつほろ」と見えるなど、古くから知られた地名である。また、イシカリ十三場所中にも「上サツホロ」「下サツホロ」などとも見える。漢字表記では察縨、札縨、幸洞、幸縨などとも見える。

山田秀三によれば「稀にサチポロの音もきかれる。また以前はサトホロ、或はサトポロと呼ぶ人が多かった」（『札幌のアイヌ地名を尋ねて』）という。そして同氏によれば、アイヌ語で〈サッ・ポロ（乾いた・大きい或は、多い）〉で、ペッ（川）を下略したつもりでかく呼んだと推察されるという（本書Ⅱ部序論参照）。

山田はまた札幌の地形に関して、「札幌の自然の地下水位は南の方が低く、北

津軽一統志　津軽藩編纂の史書。巻第十が、シャクシャインの戦い後に、津軽藩が派遣した蝦夷地調査隊の記録となっている。17世紀中葉の蝦夷地やアイヌ社会の姿が、実地踏査に基づき記録された点が貴重とされる。『新北海道史　第七巻史料一』、『青森県史　資料編近世1』に翻刻がある。

松前島郷帳　元禄13年正月に、松前藩が幕府へ国絵図とともに提出した松前島の郷帳。17世紀の蝦夷地の地名が記されている点で貴重。『日本歴史地名大系1　北海道の地名』に翻刻がある。

の方が高い。従って南部には柏槲（引用者注＝カシワのこと）等が生え、北部には高水位を好むエルム（春楡（はるにれ））の林が多かった」と聞いたと記す。そして、「雪融けの頃になると、豊平川の水が溢れて今の市内を円山の辺迄横流し、池や小川を覆って湖沼のようになる事も多かった」（『札幌のアイヌ地名を尋ねて』）と伝えている。

琴似（ことに）

開拓による地名で、コトニ川に由来している。現在の琴似川はかつてケネウシベツといい、かつてコトニ川本流とみなされたのは、現在の**北海道知事公館**のメムから発した流れである（次頁付図参照）。山田秀三によればコトニは、〈コッネイ kot-ne-i（凹地・になっている・処）〉であるという。そして、「偕楽園跡や**植物園**に行かれるならば、今でも凹地コッを見られるであろう」（『札幌のアイヌ地名を尋ねて』）と記す。

サクシュコトニ

コトニ川筋の支流の一つ。山田秀三は〈サクシコトニ（浜の方・通る・コトニ川）〉と読む。また同氏は、「浜の方」とは「豊平川に近い方」の意であるという（『札幌のアイヌ地名を尋ねて』）。この川は北海道大学構内を流れているが、北大では「サ

北海道大学構内中央ローンに再現されたサクシュコトニ川。凹地〔kot〕を流れていることがわかる（撮影：谷本晃久）

北海道知事公館　27頁参照。

植物園　北海道大学植物園（中央区北3条西8丁目）のこと。園内は開拓以前の姿を比較的よく残しており、北大構内とともに札幌の江戸時代の景観を知ることが叶うことから〝エルムゾーン〟とも称される。

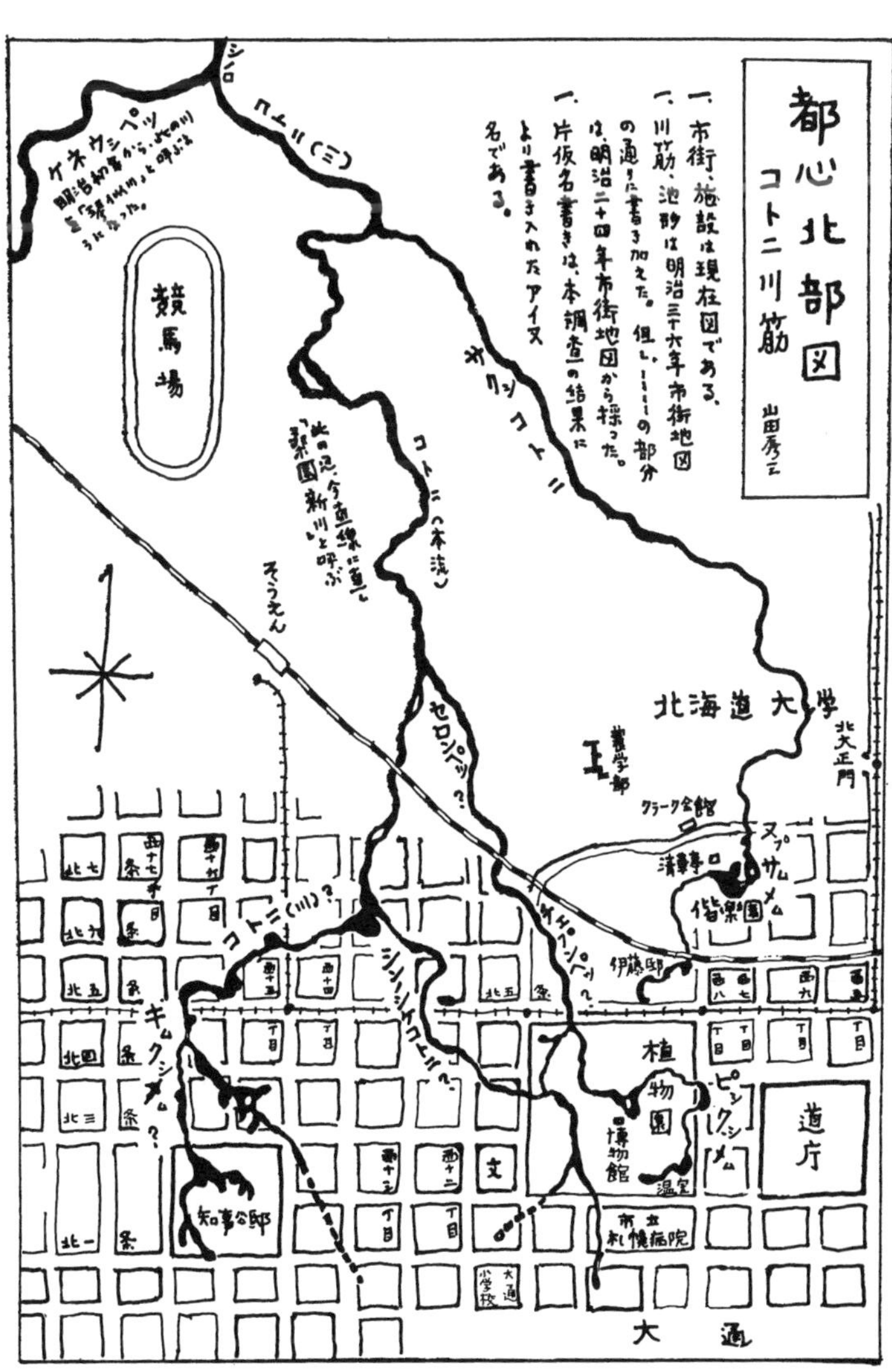

旧コトニ川本流の流域が示された、山田秀三の手による地図
（山田秀三『札幌のアイヌ地名を尋ねて』55頁所載「都心北部図　コトニ川筋」）

まある。

クシュコトニ」を川名表記に用いている。アイヌ語のシは、シュと聞き取ることがまま

手稲（ていね）

山田秀三は、アイヌ語〈テイネ・ニタッ teine-nitat（濡れている・低湿荒野）〉に由来するとし、そのなかでも、「特に濡れた湿地があったので**手稲**の名がついたものと考えられる」という（『札幌のアイヌ地名を尋ねて』）。

手稲山（ていねやま）

アイヌ語では、タンネウェンシリとされる。山田秀三によると〈tanne-wen-sir（長い・断崖絶壁）〉の意で、「wen-sirは逐語読みすれば悪い・山であるが地名では熟語で、断崖の意に使われる。落石があったりするからであろう」という。手稲山はまた、その西を「テイネ・ヌプリ」というとされ、山田は「その山塊が手稲の上の山だ」という意味でかく呼んだのだという（『北海道の地名』）。

茨戸（ばらと）

読み方の難しい地名の一つである。バラトは、**発寒川**川口の別名であるパラト・プトに由来する。パラト・プトは、**茨戸川**の口の意。山田秀三によれば「発寒川

手稲　152頁参照。
発寒川　378頁参照。
茨戸川　375頁参照。

の下流は石狩平野の大きな低湿地が砂丘にさえぎられている土地なので、大小の沼がいくつも」あり、その中の大きな沼が〈パラト para-to（広い・沼）〉とよばれ、その川口が〈パラト・プトゥ parato-putu（パラト川の・川口）〉であったという（『札幌のアイヌ地名を尋ねて』）。

澄川（すみかわ）・**精進川**（しょうじんがわ）

アイヌ語のオソウシに由来し、山田秀三によると、〈オソウシ o-so-ush-i（川尻に・滝が・ついている・もの）〉の意であるという。山田は、「その川尻の**幌平**（ほろひら）**橋**に行ったが滝はない。あの長崖を伝わって遡って行ったら、平岸の南端近くでやっと滝があった」（『北海道の地名』）と記し、その滝の部分が川尻〈o〉であったと判じる。

このオソウシが、オショシになり、**精進**（しょうじん）**川**になったとする氏は、魚の上らない川といわれたことから、この文字を当てたのだろうという。その川水が清澄だったので、後に**澄川**（すみかわ）となった。

簾舞（みすまい）

簾舞川に由来する地名。みすまい（簾舞）は、アイヌ語の〈ニセイオマプ nisei・oma・p（絶壁・ある・も

幌平橋　豊平川に架かる橋の名。付近に地下鉄南北線幌平橋駅がある。昭和2年、初代の橋が架けられた際、札幌市と豊平町を結ぶことから命名されたという。

精進川　392頁参照。

澄川　131頁参照。

簾舞　115頁参照。

山田秀三が撮影した、1965年頃の精進川の滝〈上〉（写真は山田秀三『札幌のアイヌ地名を尋ねて』131頁所載）。現在も精進河畔公園［豊平区平岸1条16丁目］を流れる〈下〉

の〕〉がミソマップと訛り、みすまいになったと山田秀三はいう。そして、「あの辺にそれほどの絶壁は見えないが、このニセイは豊平川の川崖のことであったろう」（『北海道の地名』）と推測した。

平岸（ひらぎし）

現在も豊平区の町名として残る地名だが、その語源はアイヌ語で〈ピラケシ（崖・端〔崖・の末端〕）〉とされる（『アイヌ語地名リスト』）。つまり**平岸**は、アイヌ語の音に漢字を当て字したものといえるだろう。では、元来どこを指す地名だったのか。**永田方正**（ながたほうせい）によると、「崖端『オソウシ』ノ近傍ニアリ明治四年五月平岸（ヒラキシ）村ヲ置ク」（『北海道蝦夷語地名解』）とある。

また山田秀三によれば、「この辺の現在の姿は、豊平川の東岸が『**中の島**』で、その東側がずっと崖続きになり、崖下を精進川の下流が流れている。少し古い地図を見ると、この地区では豊平川が東西の二流に分かれていて、今精進川下

図中、「ピラケシ」とある地形が平岸の語源となった
（山田秀三『山田秀三著作集　アイヌ語地名の研究』第1巻、24頁所載「札幌のオソウシ」）

平岸　95頁参照。

永田方正　172頁参照。主著『北海道蝦夷語地名解』は、当時の聞き書きが豊富に含まれている点で、アイヌ語地名研究の基礎文献としていまなお重要である。

中の島　93頁参照。

流となっている処は豊平川の東側の川であった（中の島という名はその東西の流れの中の島の意らしい）。アイヌ語地名一般の例からいうと、川沿いの長崖の始まる処（上流側）がピラパで、その終わる処がピラケシである。札幌の平岸もそこについた名が広がって地名となったのであろう。あの崖のほんとの末端は幌平橋に近い処である。そこから出た名か」（『北海道の地名』）という。長い引用となったが、現在はその崖の上、かつ東側一帯が平岸と呼ばれている。

さて、近代以前の平岸は、どのような様子だったのだろうか。かなり遡るが、平岸で発掘された遺跡について例を挙げると、昭和36年（1961）に発見された平岸**天神山**（てんじんやま）遺跡が挙げられる。縄文時代中期の遺跡で、土器は南北融合型式（余市式）のものを主体とするほか、石器も発掘されている（『豊平川』）。また、この遺跡はチャシ跡にあることが知られている。*1

星置（ほしおき）

札幌市手稲区の地名・**星置**は、アイヌ語で〈ペシポキ（崖の・その下）〉（『アイヌ語地名リスト』）が語源とされる。永田方正は、「瀑下（タキシタ）　一名「ホシポキ」ト云フ此瀑ハ日光裏見ノ滝ト同観ナリ」（『北海道蝦夷語地名解』）としている。山田秀三は、「小樽市東部の地名、川名。元来の**星置川**は、手稲山塊の北端**天狗山**から北東流して清川となり、**小樽内川**（おたるない）となっていて、そこが後志、石狩の境であった

天神山　350頁参照。

*1　チャシは付近地平から27メートルの高さにあり、自然の丘陵を人工的に整地して、西と北は平地に面し、東は窪みを隔てて次の丘に、南は相馬神社の丘に続く。主砦は平坦であるが、中央は僅かに高く、北は直線に削り、南方の空壕（からぼり、山城に多い、水のない堀）は東の丘との連絡を断つもので、主砦の突端より3メートル低い。チャシに向かう面は急傾斜になっていて、容易に登られないための工夫がなされ、東側からの攻撃を困難にしている（『平岸百拾年』）。

星置　158頁参照。
星置川　406頁参照。
天狗山　356頁参照。
小樽内川　397頁参照。

（中略）星置川の**星置の滝**を訪れる人も少なくない。永田は「ソー・ポク。滝下。一名ホシポキと云ぅ。」と書いた。ホシポキはどう解すべきか。滝の辺は崖になっているので、pesh-poki（崖の・その下）のような名でもあったろうか」（『北海道の地名』）という。また、幕末の星置について松浦武四郎は、「ホシホキ　此川ヲタルナイ境目なるが、新道の有る処は凡是より十丁も上なるよし。此処にて**獺**（かわうそ）一疋（匹）を取りたり」と記している（「戊午日誌」）。

オペッカウシ

語源や場所について、先達の指摘をみてみよう。永田方正は、「山崎ノ岸　又小山トモ云フ　円山ノ北方ナル小円丘ナリ、或ハ円山ト云フハ非ナリ、一名『ハチヤムエプイ』ト云フ」（『北海道蝦夷語地名解』）とする。山田秀三によれば、「語意はオ・ペッ・カ・ウシ「o-pet-ka-ushi-i　尻を・川の・上（岸）・につけている・もの」で、川岸が高い丘になって続いている所であるという（知里真志保『地名アイヌ語小辞典』）。北1条通を**北海道神宮の内鳥居**から右斜めに通り、**三角山**の裾を通って行くと発寒川の橋に出る。そこから川上を見ると、三角山の尻が大崖になって川に突き出している。そこが札幌のオペッカウシの名の発生地であろう」（『北海道の地名』）という。[*2]つまり、北一条宮の沢通と**琴似発寒川**の交わる山の手7条8丁目以南の丘陵地が「オペッカウシ」といえるだろう。

星置の滝　406頁参照。

獺　ニホンカワウソのこと。本州以南に生息した亜種と、北海道に生息した亜種がいた。毛皮を得るため、明治期以降に乱獲され、生息環境の悪化もあって減少。現在、両亜種とも、環境省によって絶滅種に指定されている。

北海道神宮の内鳥居　北一条宮の沢通りに接する第二鳥居を指すものと思われる。

三角山　367頁参照。

＊2　142頁参照。

琴似発寒川　402頁参照。

無意根山（むいねやま）

札幌市南区と後志管内京極町の境界に位置する山（『角川日本地名大辞典』1北海道上巻）。岩崖をまとった細長いテーブルのような山頂が、特徴的ともいえる（『札幌地名考』）。**無意根山**はアイヌ語で〈ムイネシリ（箕の・ようである・山）〉とされる（『アイヌ語地名リスト』）。永田方正は、「箕山　山形ニ名ク」（『北海道蝦夷語地名解』）とし、山田秀三は、「札幌市と後志支庁京極町にまたがる山。原名はムイ・ネ・シリ（mui-ne-shir 箕の・ようである・山）であった。アイヌ時代の脱穀用の箕（ムイ）はよく木で作ったが、半月形であった。その円い処を上にして立てたような形の山なので、その名がついたのであろう」（『北海道の地名』）という。松浦武四郎の日誌から、幕末の安政5年（1858）に見た無意根山の様子を引いておこう。「ムイ子ビと云、ヨイチの山つゞき。（右）左りの方は烏帽子の如き大岩山え雪降つゞき、一ツの大山をなし、其下は雲霧ふかくして底を見わかたざりしが」（「戊午日誌」）とあり、山間にある無意根山の様子が浮かび上がる。

②植生に関わる地名

琴似川（ことにがわ、旧称ケネウシベツ）

この川の語源や場所について先達の指摘をみてみると、永田方正は、「赤楊川」（『北海道蝦夷語地名解』）とした。山田秀三は、「現在公式に琴似川と呼ばれる川

無意根山　361頁参照。

赤楊　カバノキ科の落葉高木で、湿気のある山野に生える。ハリノキとも。

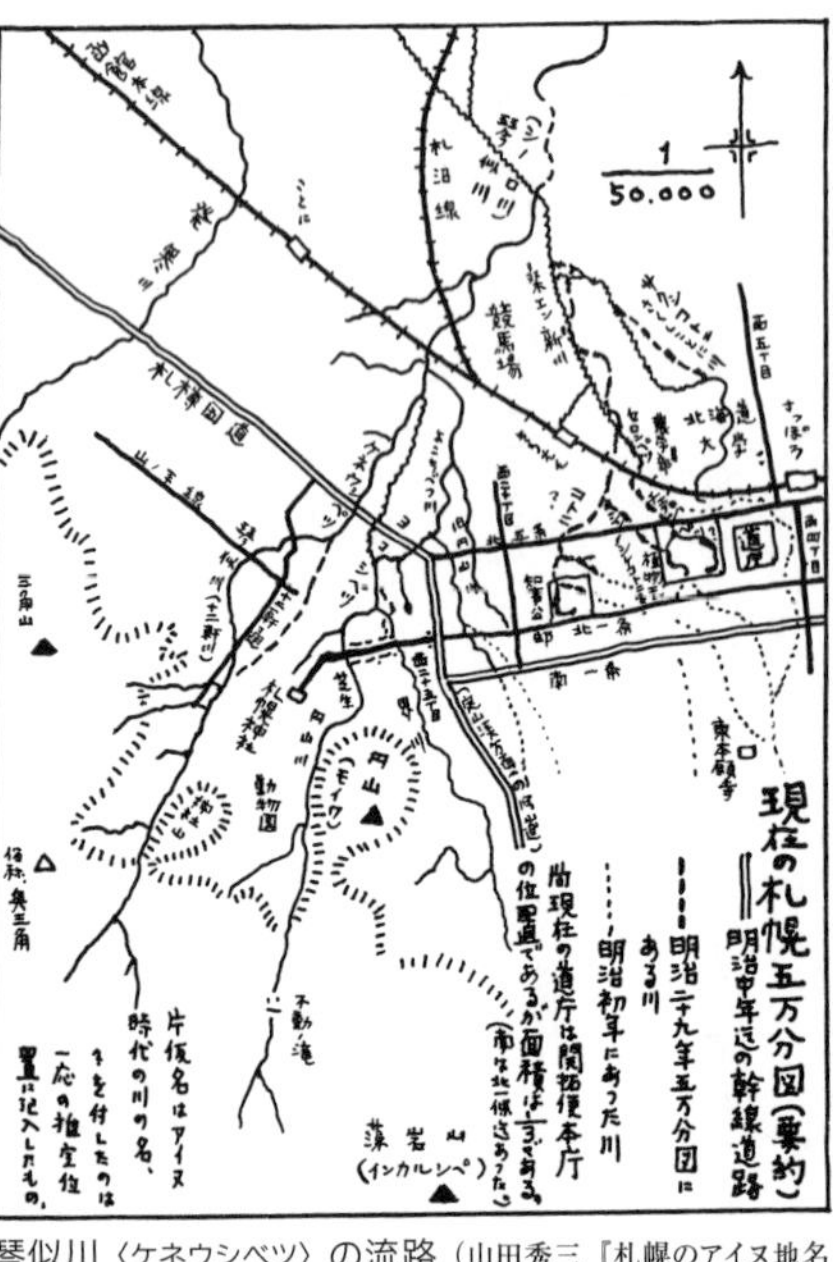

琴似川〈ケネウシベツ〉の流路（山田秀三『札幌のアイヌ地名を尋ねて』49頁所載「現在の札幌五万分図（要約）」）

は、**荒井山スキー場**の下を流れ、宮の森から**十二軒**（じゅうにけん）を通り、**競馬場**の北で昔のコトニ川と合流している川で、十二軒川ともいわれ、アイヌ時代にはケネウシペッ（kene-ush-pet はんの木が・群生する・川）と呼ばれた川である」（『北海道の地名』）とする。また、幕末のケネウシベツの様子を松浦武四郎は、「ホンケ子ウシベ　ホロケ子ウシベ　共に小川、赤楊原の中に有りたり。ケ子多きよりして此名有るなり」（「戊午日誌」）と記しており、語源どおりの様子だったことがわかる。

厚別川（あつべつがわ）

札幌市南区と恵庭市の境界にある**空沼岳**（そらぬまだけ）付近を水源として、札幌市内を流れ

荒井山スキー場　荒井山（中央区宮の森）にあり、平成12年まで営業していた市民スキー場。シャンツェ（ジャンプ台）は現在も機能している。荒井山の名称は、土地の所有者だった荒井保吉にちなむ。

十二軒　23頁参照。

競馬場　札幌競馬場（中央区北16条西16丁目）のこと。

空沼岳　363頁参照。

る河川（『角川日本地名大辞典』1北海道上巻）。語源はアイヌ語で〈ハシウシペッ、ハスシペッ（雑樹の川〈柴木・群生する・川〉）〉とされる（『アイヌ語地名リスト』）。永田方正は、「ポン　ハシ　ウシュ　ペッ」の項に、「雑樹ノ小川　又楚川トモ訳ス今人厚別（アツベツ）ト云フハ非ナリ」（『北海道蝦夷語地名解』）とする。山田秀三は、「**厚別川**（あつべつ）は支笏湖に近い辺から清田を通り、函館本線厚別駅の西を抜けて旧豊平川に入る長い川で、地名としては、厚別駅を中心とした土地である。（中略）この川の名はハシュシペッ（hash-ush-pet　柴木・群生する・川）、あるいは略してハシ・ペッ（hash-pet　雑樹・川）と呼ばれた」（『北海道の地名』）としている。

また、幕末の厚別川の様子を、松浦武四郎の日誌から読み解くと、「又ブト（チキシヤフブト・月寒川口）よりしばし下りて、ホアシユシベツブト、ポロアシユシベツブト等川口二ツ有。此ポロアシユシベツの方は川幅も相応有。**新道**越には此上を通るとかや」（「戊午日誌」）とあり、二つの厚別川と新道が交差している様子が想像できる。

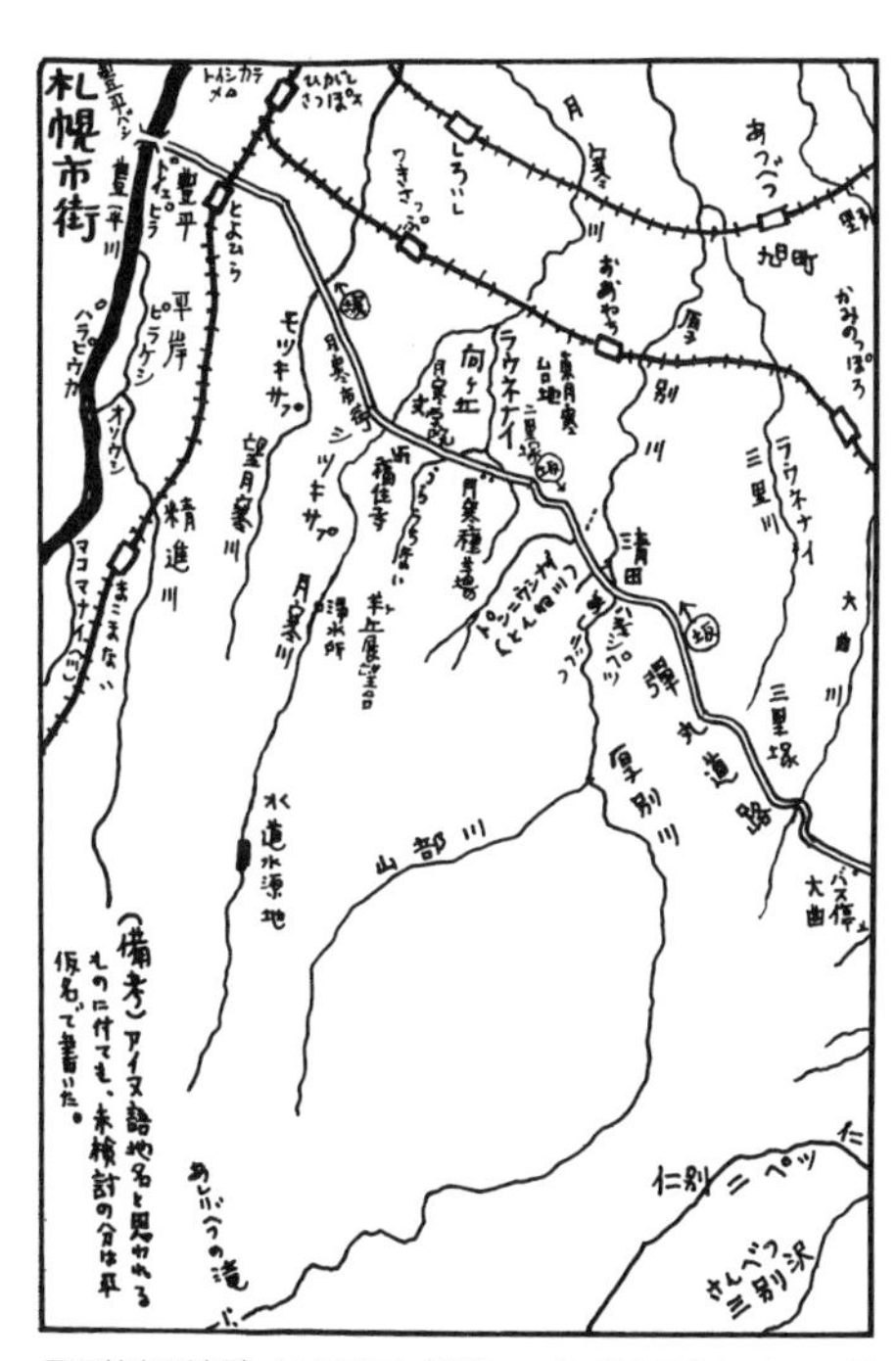

厚別川の流路（山田秀三『札幌のアイヌ地名を尋ねて』149頁所載「札幌東南郊略図」部分）

厚別川　389頁参照。

新道　幕末、箱館奉行所により整備された、銭函から千歳へ至る道路。札幌越新道、千歳越新道ともいう。現在の国道36号の原型といわれる。

山鼻村（やまはなむら、旧称ユクニクリ）

山鼻は、藻岩山麓及び豊平川中流域左岸の地域である（『角川日本地名大辞典』1北海道上巻）。永田方正は、「Yuk nikuri　ユク　ニクリ　鹿林　直訳鹿樹影ナリ、鹿群来リテ樹影ニ集ル故ニ名ク、明治七年山鼻村ヲ置ク」（『北海道蝦夷語地名解』）とした。山田秀三は、「今、札幌の『山鼻』といえば、**山鼻屯田**があった為(ため)に市街地南西部の称であるが、地名の起りは、**藻岩山**の東尾根が豊平川の方に突き出ている処、即ち今の上山鼻の辺の地形であったようだ」（『札幌のアイヌ地名を尋ねて』）とし、「yuk-nikur『鹿の（来る）・林』の意だったろうか」とする（『北海道の地名』）。

2　人文地名

①生業に関わる地名

円山川（まるやまがわ、旧称ヨクシヘツ）

琴似川（ケネウシベツ）の支流。現在の円山公園内を貫流する。明治29年（1896）製版5万分1地形図には「**養樹園ノ沢**」とあるが、明治6年製「札縨郡西部図」には「ヨクシヘツ」とある。山田秀三によれば、アイヌ語で〈ヨコウシ

山鼻　25頁参照。

山鼻屯田　263頁参照。

藻岩山　352頁参照。

養樹園　明治13年に開拓使によって設けられた樹木試験場・見本林のこと。円山養樹園ともよばれた。明治34年に旭川へ移転。

ペッ yoko-ush-pet（ねらう・いつもする・処）〉に由来するという（『北海道の地名』）。鹿やサケ・マスといった狩猟・漁猟の好猟場であったことが偲ばれる。江戸時代には琴似川筋のアイヌのイウォル（iwor 猟場）であったと捉えられ、ここで得られた獲物は自家消費用、または石狩河口の運上屋へ交易に出されたことだろう。

花畔（ばんなぐろ）

茨戸川（旧石狩川）河畔の地名。現在、石狩市立**花川小学校**や花畔神社のある一帯で、山田秀三はアイヌ語の〈パナウンクル pana-un-kur（**中川**・にいる・人）〉と解釈した（『北海道の地名』）。現在の花畔は茨戸川左岸（南岸）を指すが、明治以前の地図には、その対岸が下ハナンクロ、茨戸太対岸は上ハナンクロと記されている（『石狩町誌』上巻）。永田方正は、「Pana un guru ya sotke パナ ウン グル ヤ ソッケ 川下人（カハシモジン）の漁場 夕張土人斯ク名ケシト云、元来河北ニ於テ夕張土人ノ漁場ナリシガ、明治四年五月河南ノ地名トナシ花畔村ト称ス、今『バンナグロ』ト云フハ誤謬アリ」（『北海道蝦夷語地名解』）と記した。すなわち、下ハナンクロをパナウンクルヤソッケ元来の地と見ているらしい。ヤソッケについて山田は、「ヤは網であるがソッケの語が判らない」（『札幌のアイヌ地名を尋ねて』）としつつも、「網漁場のことらしい」（『北海道の地名』）との解釈を示している。

花川小学校　石狩市花畔1条1丁目に所在。明治28年、花畔小学校から改称。校史では明治6年設置の花畔教育所を起源と位置付けている。校舎の後背に河岸がある。

中川　ここでは、石狩川中流域（空知）を指す。石狩川筋のアイヌ集団のうち、上流域（上川）はペニウンクル、下流域（石狩）はパラトウンクルもしくはイシカルンクルと称したという。

現在の花畔河岸〈石狩市花畔1条1丁目付近〉。対岸が幕末の下ハナンクロ
（撮影：谷本晃久）

近藤重蔵（こんどうじゅうぞう）は文化4年（1807）、石狩河口に各地のアイヌが参集し「自分網器（罟カ）」で鮭漁が行われる慣行を報告した（「総蝦夷地要害之儀ニ付心得候趣申上候書付」）。また、幕末の松浦武四郎の記録では、この付近に「自分取引場」すなわちアイヌに権益のある地引網場が複数あることを確認できる（「丁巳日誌」）。石狩川中流域もしくは夕張川筋のアイヌが所有した地引網場が、地名の起源になっているようだ。このように花畔は、江戸時代の石狩川流域におけるアイヌの生業を彷彿とさせる地名である（厳密にいえば石狩市域に当たるが、隣接地名としてあえて取り上げた）。

月寒（つきさむ）

豊平区東部、**月寒川**流域の地名。現在は「つきさむ」と読むが、昭和19年（1944）以前は「つきさっぷ」と読んだ（『札幌地名考』）。山田秀三は永田方正の見解をふまえ、アイヌ語の〈チ・キサ・プ chi-kisa-p（我ら・〔発火のために〕こすった・処）〉と解釈し、また別解として「プ」を「もの」と解釈し、「我ら・〔発火のために〕こする・もの〔赤だも＝春楡、札幌でいうエルム〕（の生えている処）」（『北海道の地名』）と読んだ。赤だもは、アイヌ語でチ・キサ・ニ（chi-kisa-ni 我ら・〔発火のために〕こする・木）というからである。このようにチキサニは、発火に重宝する木としてアイヌ社会で用いられており、それを活かした暮らしが札幌市域で

近藤重蔵　1771～1829年。幕府御家人、のちに旗本。蝦夷地踏査や択捉島経営で知られる。蝦夷地経営の拠点として、札幌周辺ならびに旭川周辺を構想した点が慧眼と評される。

月寒川　383頁参照。

円山　20頁参照。

＊3　なお、明治6年製「札幌郡西部図」に〈マルヤ山（ママ）〉、同年刊行の「北海道石狩州札幌地形見取図」に〈円山〉と記されるケネウシベツ（琴似発寒川上流）左岸の山がある。地図エッセイストの堀淳一（1926～2017年）は、これを現在の三角山に比定している（『地図の中の札幌』）。

は日常的であったことを彷彿とさせる。

②宗教に関わる地名

円山（まるやま、旧称モイワ）

北海道神宮の南東に接する現在の**円山**は、明治6年（1873）製「札縨郡西部図」には「モイワ」とある（現在の藻岩山にあたる部分には「ヌカルシベ」と記されている）。山田秀三は〈モ・イワ mo-iwa（小さい・山）〉と解釈し、知里真志保の見解を踏まえつつ、「モイワは全道の諸処にある。何れも敬愛の心を感じさせるような、印象的な独立丘である。札幌の円山（モイワ）も、そんな心で、この原野の人等から眺められていた山であったろう」（『札幌のアイヌ地名を尋ねて』）と記した。永田方正は明治24年に、「此山（現在の藻岩山＝引用者注）ヲ『モイワ』ト呼ブハ甚シキ誤ナリ」（『北海道蝦夷語地名解』）とした。明治29年製版5万分1地形図では、モイワの名称は「円山」と記されている。よって、その間に地名の移動があったものと察せられるが、その理由や契機は必ずしもつまびらかではない。いずれにせよ、モイワは明治初頭まで、札幌市域におけるアイヌ社会の宗教や信仰を象徴してきた地名と見ることができ、それが現在の円山を指すことは、もっと広く知られるべきであろう。*3

山田秀三が描いた円山（山田秀三『札幌のアイヌ地名を尋ねて』162頁所載「札幌の mo iwa」）

③交通に関わる地名

藻岩山（もいわやま、旧称ヱカルシベ）

札幌市街の南部に聳える現在の藻岩山は、前項でも述べたとおり、明治6年（1873）製「札縨郡西部図」に「ヱカルシベ」とある（現在の円山は「モイワ」と記されている）。また、同年刊行の「北海道石狩州札幌地形見取図」には、「陰柯山」と記されている（現在の円山の場所には「最岩」とある）。山田秀三はこれを〈インカルシぺ inkar-ush-pe（眺める・いつもする・処）〉と解釈した（『北海道の地名』）。北海道内のinkar-ush地名としては「遠軽」が有名で、JR石北本線遠軽駅そばの**瞰望岩**がそれにあたる。山田は「アイヌ時代はそこから見張りをしたものらしい」と書いた。藻岩山頂からは、豊平川を挟んだ対岸に平岸天神山チャシ跡を望むことができ、藻岩・天神の双方から川筋の交通を扼する（重要な地点を支配下に置く）ことができるのは興味深い。札幌市域のアイヌ社会における、地理認識・交通認識を考える手掛かりともなり得る人文地名である。

茨戸のアイヌ民族である故・能登酉雄（203頁参照）によると、「エンガルシュぺ（今の藻岩山）」は「この附近切っての霊山」であり、自宅の**ヌササン**（幣柵）で**イ**

もいわ山ロープウェイのゴンドラから、豊平川や天神山チャシ跡方面を望む（撮影：谷本晃久）

瞰望岩 遠軽駅の南、遠軽町西町1丁目に位置する、地上から約78メートルの岩山。湧別アイヌと十勝アイヌの抗争の際、湧別アイヌが立てこもり、洪水によって十勝アイヌを斥けたとする伝承がある。

ヌササン　アイヌ語のnusa-san（幣柵）。祭壇をいう。一般的に、家屋の神窓の後背にあたる屋外に設けられる。

ナウ（木幣）を捧げる対象であったという。また、「この山が山鳴すると、大吹雪があるか、**疱瘡**が流行して来るか、何か悪い事があるので、山に猟に行って居る者は皆逃げ帰った。又疱瘡がコタンに流行し出すと逃げ込んだのもこの山だった」とする。さらに、「この山の中腹には時々カムイシュネと言って灯火が見える事があった」ともいう（「能登酉雄談話聞書」）。見張り場としてのみならず、霊性を帯びた山としても認識されていたようだ。

チツフトラシ

明治6年（1873）製「札縨郡西部図」に見える、発寒川支流の河川名。山田秀三はこれを〈チプトゥラシ chip-turashi（舟・遡る川）〉と解釈した（『北海道の地名』）。同図には流域に「土人七戸」とあり、山田はそこを現在のJR函館本線琴似駅付近に措定し、同駅周辺を「発寒のコタンの傍ら」とみた。つまり、発寒川支流域に位置する現在の琴似駅付近に、発寒コタンがあったわけである。

従ってここでいうチプは、発寒コタンに至る内水面交通ルートの存在を前提に解釈されるべきだろう。元禄5年（1692）6月の記録では、「はつしやふ」のアイヌが**松前藩主**への**御目見**に出向いたことが確認できる（「松前主水広時日記」）。発寒川筋を含む札幌市域のアイヌ社会は、川を往来する舟によって、石狩河口の運上屋や松前城下を始めとした外の世界と通じていたのである。

イナウ　アイヌ語のinaw。木幣・けずりかけをいう。ヌササンに供えられる場合もある。一般的にヤナギやミズキが用いられる。

疱瘡　天然痘のこと。かつて世界的に猛威をふるった発疹性のウイルス感染症。伝染力が極めて強く、予防法の発見以前は死亡率が高かった。

松前藩主　松前氏。渡島半島南端の松前に拠点を置いた和人領主。もと蠣崎氏といった。徳川将軍からアイヌとの交易独占権を認められ、大名として遇された。松前氏はそれを軸に、次第にアイヌ首長の上位者として振る舞うようになった。

御目見　アイヌ語のウイマム：uymam。ウイマムは当初松前城下で行われた対等な交易をいった。のちに交易は蝦夷地「場所」現地で行われ、ウイマムは松前城下で行われる服属儀礼として再編された。

烈々布（れつれっぷ）

烈々布の場所であるが、『札幌地名考』によると「大正五年（一九一六）版地形図には篠路烈々布、札幌烈々布、丘珠烈々布の名が見られるが、これらは現在の北区と東区にまたがる相互に隣接する一連の区域であった」としている。また、「行政的には正式な字名としてではなく、現在の栄町付近の総称として使用されていたようで、隣接する篠路村の一部もこの名称に含まれていた。現在は**烈々布神社**と、古老が使う烈々布街道（現丘珠空港線）などにこの名称が残っている」ともいう。語源についてははっきりせず、永田方正も山田秀三も烈々布については触れていない。しかし、藤村久和の説として、「烈々布の語源は、アイヌ語であることが確証されたと思う。道で寸断され、孤立している川の状態から、ル・エ・トイエ・プ（ru-e-tuye-p）、〝道がそこで（川を）切っているもの〟と音訳できるようだ」（『続・北区エピソード史』）との解釈を見出すことができる。

④伝説に関わる地名

発寒川（はっさむがわ）

手稲山を水源として、石狩川（**茨戸湖**(ばらとこ)）に注いでいた河川（４０３頁参照）。この語源は、アイヌ語で〈ハチャムペッ（桜鳥・川）〉とされる（『アイヌ語地名リスト』）。また、永田方正は、「桜鳥川　桜鳥多シ故ニ名ク松前氏ノ時『ハツサブ』ト訛リ

烈々布　45頁参照。

烈々布神社　東区北42条東10丁目に鎮座。祭神は天照大神ほか計9柱。創建は明治22年。

茨戸湖　茨戸川ともいう。旧石狩川本流。現在は本流と切り離され三日月湖となっていることから、茨戸湖の名称がある。

中の川　４０４頁参照。

縄文時代前期　一般的に、約６０００年前から５０００年前をいう。

知行主　１７８頁参照。

＊4　江戸期のハッシャプ場所の人口はどれくらいだったのだろうか。最も古い記録とされる天明6年（１７８６）の「西蝦夷地場所地名産物方程控」によれば、26人であった（『新札幌市史』第1巻通史1）。弘化3年（１８４６）の発寒の様子であるが、川幅は17～18間

石狩十三場所ノ一タリ今発寒村ト称ス」（『北海道蝦夷語地名解』）という。山田秀三は、「発寒川は札幌の西の山と手稲山の間を流れ下る川である。旧来ハツシヤフ、ハッサフ、ハチヤムなどいろいろ書かれた」（『北海道の地名』）とし、「桜鳥説はアイヌの伝承を書いたものらしい」とみなした。発寒川流域では、小規模ではあるものの扇状地を作り出しており、発寒川の支流**中の川**流域では、**縄文時代前期の遺跡**が6ヶ所程度確認されている（『新札幌市史』第1巻通史1）。

江戸時代の発寒川の様子をいくつか紹介する。「松前西東在郷并蝦夷地所附享保十二年」という史料に、アイヌの居所として「はつしやふ」という地名と、その**知行主**（松前藩士）である「酒井作之右衛門」の名前が記述されている。これは享保12年（1727）に、知行主の交易相手であるアイヌが「はつしやふ」に居たことを示している（『新札幌市史』第1巻通史1）。なお、近世期のハッシャブは、広義には発寒川流域一帯を指し、狭義には旧石狩川（現茨戸川）と発寒川の合流点を指した（『角川日本地名大辞典』1北海道上巻）。＊4

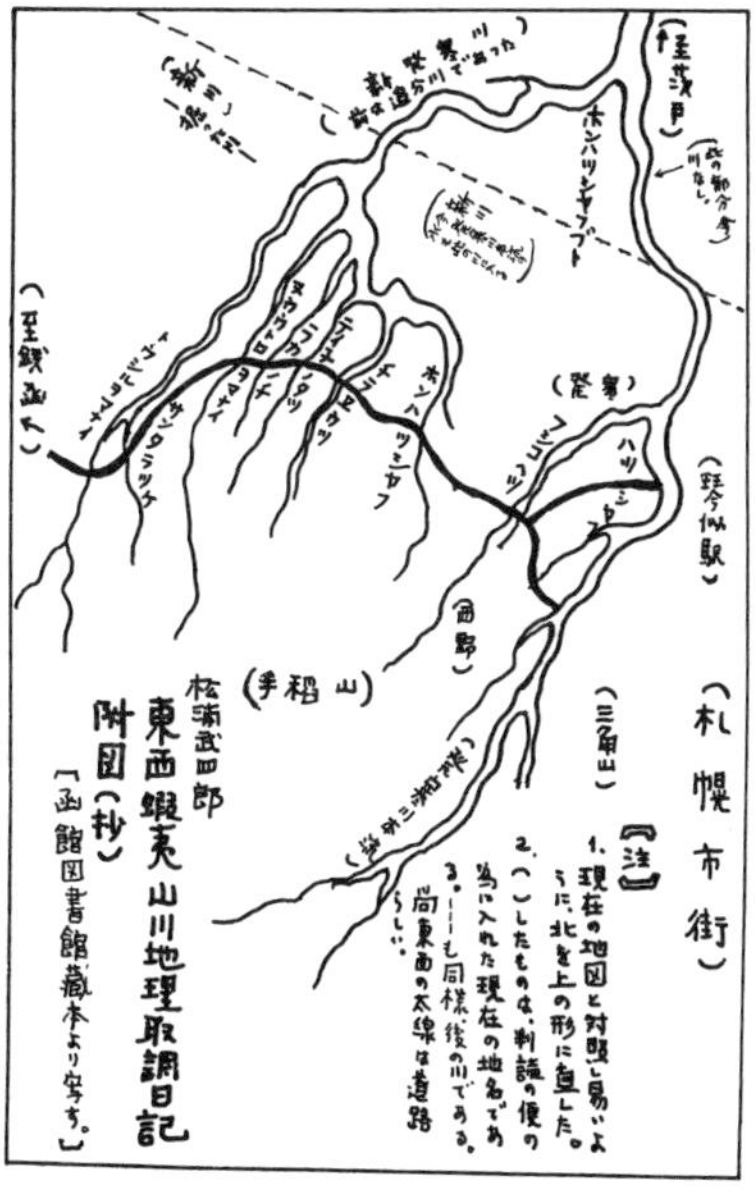

（約31〜33メートル）で、アイヌの首長は1人いて、アイヌの人たちの家は5、6軒あった。また、昔から漁猟が多かったとされる（『新札幌市史』第1巻通史1）。安政4年（1857）頃、川幅は「凡十間計」（約18メートル）で、四季を通じて丸木船で上れたという（「丁巳日誌」）。

幕末の発寒川の流路。現在のＪＲ琴似駅付近を本流が流れ、集落があった（山田秀三『札幌のアイヌ地名を尋ねて』69頁所載「松浦武四郎　東西蝦夷山川地理取調日記附図（抄）」）

明治4年に撮影された札幌郡篠路村の景。
手前は伏籠札幌川（北大附属図書館蔵）

丘珠（おかだま）

東区中北部、**伏籠**（ふしこ）**川**中流域の地名。**札幌飛行場**（**丘珠空港**）がある。永田方正は、「Okkai tam charapa　オクカイ タム チャラパ　男（オクカイ）ノ刀（タム）ヲ落シタル処　川名、明治四年丘珠村（オカタマ）ヲ置ク」（『北海道蝦夷語地名解』）と記した。山田秀三はこれについて、「男、刀迄は判るが、その下のチャラパcharpaは『撒く、撒き散らす』という事だそうで、何だか意味が続かない。何か特別の伝承でもあった地名であろう」（『札幌のアイヌ地名を尋ねて』）とし、「アイヌ語地名の中で、他に例のない珍しい地名である」（『北海道の地名』）と評している。タムは一般に長刀を指し、すなわちこれは輸入和製品を指すと見られることから、日本市場との交易を前提とした伝説が、札幌市域のアイヌ社会で語られていたと考えられる。

豊平峡（ほうへいきょう、旧称カモイニセイ）

豊平川上流、定山渓の奥にある渓谷。*5幕末の松浦武四郎の記録には、「カモイニセイ」とある。山田秀三はこれを〈カムイ・ニセイ kamui-nisei（神の・絶壁）〉

伏籠川　おもに東区を貫流する河川。伏古川とも書く。19世紀以前には豊平川（札幌川）の本流であったとされ、アイヌ語のフシコサッポロ：husko-satporo（古い・札幌（川））は、それを表していると考えられる。茨戸川（旧石狩川）に合流し、合流点はサッポロプトゥと呼ばれた。現在の道道273号花畔札幌線は、かつての伏籠川西岸の自然堤防上を通っており、開拓以前の流路や交通の姿をいまによく伝えている。

札幌飛行場（丘珠空港）　東区丘珠町にある空港。昭和17年に旧陸軍が設置。同29年に陸上自衛隊駐屯地となり、同34年からは民間定期便も運航。おもに道内便が発着するが、三沢空港（青森県）や富士山静岡空港と結ぶ便もある。

＊5　134頁参照。

豊平峡ダム付近の豊平川渓谷。両岸は断崖絶壁となっている（平成26年撮影）

と解いた（『北海道の地名』）。武四郎は「カモイニセイ」につき、サツホロのアイヌから「大なる岩壁の両方に峨々と聳え、其下に岩窟有るよし。是を以て号けるとかや」（「戊午日誌」）との情報を聞き取っており、後に「往古神が切開しと言る断崖絶壁」（『後方羊蹄日誌』）と記している。

〔参考文献〕

「津軽一統志」（１６７０年／『青森県史』資料編近世1、青森県、２００１年）
則田安右衛門「寛文拾年狄蜂起集書」（１６７０年／高倉新一郎編『日本庶民生活史料集成』第4巻、三一書房、１９６９年）
松前広時「松前主水広時日記」（１６９２年／『新北海道史』第7巻史料1、１９６９年）
近藤重蔵「総蝦夷地要害之儀ニ付心得候趣申上候書付」（１８０７年／国書刊行会編『近藤正斎全集』第1、図書刊行会、１９０５年）
松浦武四郎「丁巳日誌」（１８５７年／秋葉實編『丁巳東西蝦夷山川地理取調日誌』上、北海道出版企画センター、１９８２年）
松浦武四郎「戊午日誌」（１８５８年／秋葉實編『戊午東西蝦夷山川地理取調日誌』上、北海

道出版企画センター、１９８５年）
松浦武四郎『後方羊蹄日誌』（１８５９年／吉田武三編『松浦武四郎紀行集』下巻、冨山房、１９７７年）
松浦武四郎「蝦夷地道名国名郡名之儀申上候書付」（１８６９年／山田秀三監修・佐々木利和編『アイヌ語地名資料集成』草風館、１９８８年）
「偕楽園図」（１８８2年／開拓使編『北海道志』巻之二、大蔵省、１８８４年）
永田方正『北海道蝦夷語地名解』（１８９1年／草風館、１９８4年復刻版）
金田一京助「北奥地名考」（１９３2年／『金田一京助全集』第6巻、三省堂、１９９３年）
高倉新一郎「発寒村発掘の遺物について」、『蝦夷往来』第10号（北海道出版企画センター、１９７2年）
高倉新一郎「能登酉雄談話聞書」（『北海道社会事業』37、１９３５年）
知里真志保『アイヌ語入門』（１９５６年／北海道出版企画センター、１９８5年復刻版）
知里真志保『地名アイヌ語小辞典』（１９５６年／北海道出版企画センター、１９８４年復刻版）
山田秀三『札幌のアイヌ地名を尋ねて』（１９６５年／『山田秀三著作集　アイヌ語地名の研究』第4巻、草風館、１９８３年）
河野本道編『石狩町誌』上巻（石狩町、１９７2年）
更科源蔵監修・札幌市教育委員会文化資料室編『さっぽろ文庫1　札幌地名考』（札幌市、１９７７年）
札幌市教育委員会文化資料室編『さっぽろ文庫4　豊平川』（札幌市、１９７８年）
澤田誠一編『平岸百拾年』（平岸百拾年記念誌協賛会、１９８1年）
藤村久和「札幌で話されていたアイヌ語の行方」、『札幌の歴史』第4号（札幌市教育委員会、１９８３年）
宇田川洋編『河野広道ノート』考古篇5（北海道出版企画センター、１９８４年）
『角川日本地名大辞典』1北海道上巻（角川書店、１９８７年）

札幌市北区役所市民部総務課編『続・北区エピソード史』（札幌市北区役所市民部総務課、１９８７年）
札幌市教育委員会編『新札幌市史』第一巻通史一（札幌市、１９８９年）
札幌市教育委員会編『新札幌市史』第二巻通史二（札幌市、１９９１年）
山田秀三『北海道の地名』（１９８４年／『山田秀三著作集』別巻、草風館、２０００年）
加藤好男『石狩アイヌ史資料集』（私家版、１９９１年）
佐々木利和「東北地方に残るアイヌ語地名」、工藤雅樹・佐々木利和『古代の蝦夷』（河出書房新社、１９９２年）
佐々木利和「概説　アイヌ語地名」、『日本「歴史地名」総覧』（新人物往来社、１９９４年）
北海道環境生活部総務課アイヌ施策推進室編『アイヌ語地名リスト』（北海道環境生活部、２００１年）
小杉康編『北大構内の遺跡XIII』（北海道大学、２００３年）
佐々木利和「アイヌ語地名」（『日本歴史地名大系１　北海道の地名』平凡社、２００３年）
堀淳一『地図の中の札幌　街の歴史を読み解く』（亜璃西社、２０１２年）
加藤好男『19世紀後半のサッポロ・イシカリのアイヌ民族』（サッポロ堂書店、２０１７年）
谷本晃久「近代初頭における札幌本府膝下のアイヌ集落をめぐって：「琴似又市所有地」の地理的布置再考」（『北方人文研究』11、２０１８年）

Chapter……02

札幌市の発展に伴う行政地名の成立と変遷

榎本洋介

1 札幌建設開始の頃の町名

明治2年（1869）に**開拓使**が設置され、その年の11月から開拓を進め、北海道経営を行うための本拠地となる都市建設が、札幌で開始された。

その計画図として、『**石狩大府指図**（いしかりたいふさしず）』と『**石狩国本府指図**（いしかりのくにほんぷ）』（ともに明治2年頃成立）が残されている。現在の市域に関して言えば、『石狩大府指図』には「志野呂村」「開墾村」「琴二村」「発三村」「豊平村」が記載されている。豊平村以外は、すでに幕末から開墾されていた村の名前である。

幕末の蝦夷地を管轄した箱館奉行では、蝦夷地を東北諸藩へ分領するとともに、在住制により防備と開拓を進めようとした。在住制とは、幕府の500石以下の旗本、御家人および総領、次・三男、**厄介**（やっかい）、清水附（御三卿である清水家の家来）の者、陪臣、浪人を対象に、在住身分として蝦夷地内に土地を与え、その在住が農民を雇って開拓する制度である。

開拓使　明治2年、北海道や樺太の開拓のために創設された行政機関。同15年廃止。

石狩大府指図　石狩大府（札幌）を中心とした周辺地方の交通路、役宅の配置を示したもの。北大附属図書館蔵。

石狩国本府指図　初の札幌都市計画図。北大附属図書館蔵。

厄介　寄食したり居候したりする、一族の総領のいとこやおじ、おいなどのこと。

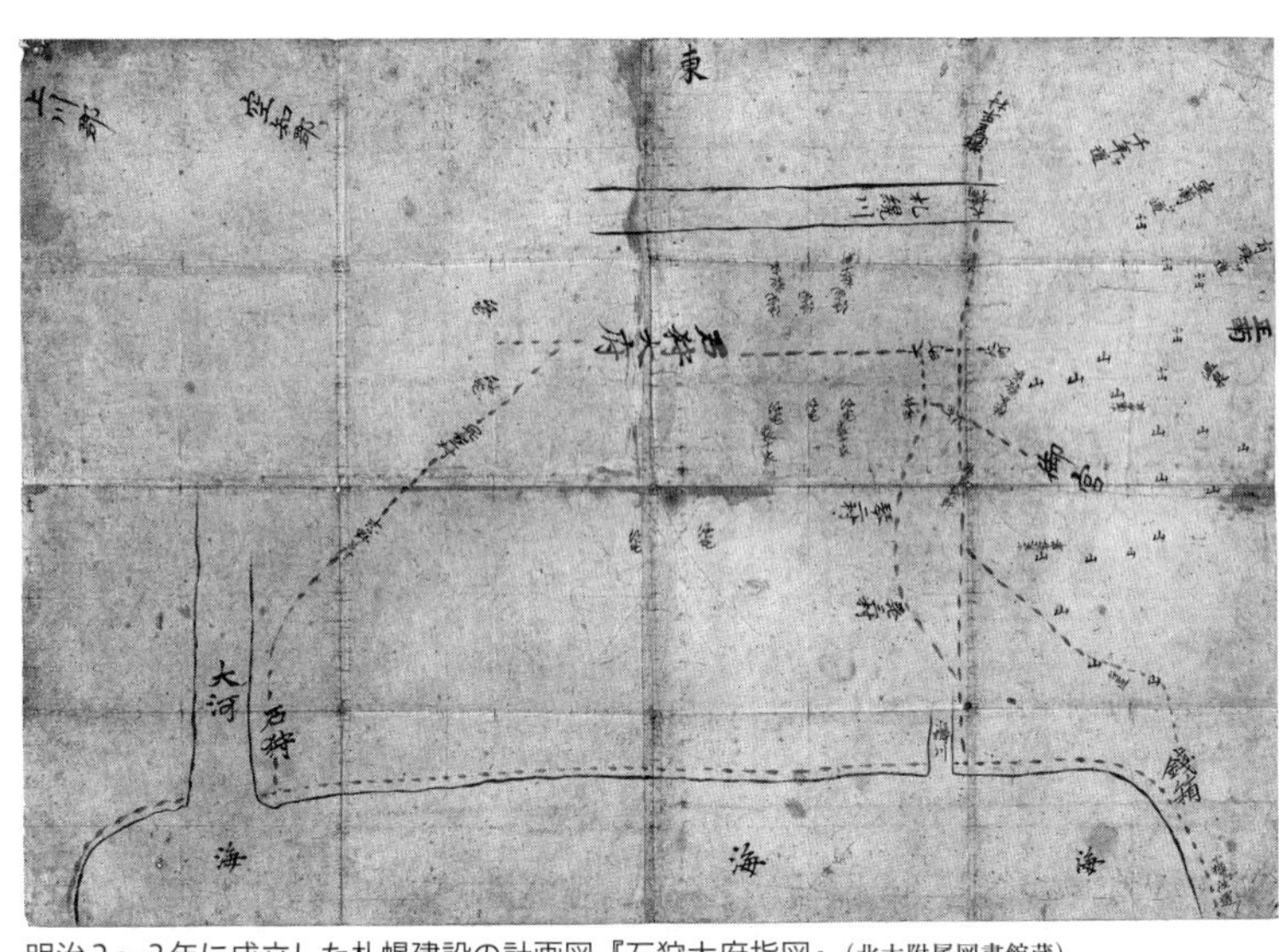

明治2〜3年に成立した札幌建設の計画図『石狩大府指図』（北大附属図書館蔵）

現在の札幌市域では、発寒・琴似・星置に入植し開墾に当たった。*1このほか、函館奉行石狩役所詰であった**荒井金助**が、**早山清太郎**の助言により開いた荒井村と、在住の中嶋彦左衛門が開いた中島村が合併して誕生した、篠路村があった。

さらに慶応2年（1866）には、箱館奉行の**大友亀太郎**が**御手作場**を開いたが、明治になって札幌村となった。『石狩大府指図』においては、「開墾村」と記されているのがそれである。

一方、**札幌本府**中心部の計画図である『石狩国本府

＊1　星置については、明治の初めになると居残っていた戸数が少なくなり、発寒村に含まれた。

荒井金助　1808〜1866年。東京都出身。幕吏。安政4年、石狩役所に調役並着任し、漁業産物の流通改革や水産資源の保護、在住の入植、教育などに成果を挙げた。また、土地開墾の手本として自費で約50人の農民を移し、後の篠路村の基礎となる荒井村を開いた。

早山清太郎　34・147頁参照。

大友亀太郎　28・48・181頁参照。

御手作場　180頁参照。

札幌本府　184頁参照。

指図』には、大通のような空閑地が置かれ、その南に「本町」と記載されている。空閑地を境として、北方には役人の家や諸役所を配置することを想定し、南の本町は庶民の町を想定していた。開拓使の公文書（『評議留』道立文書館蔵）には、明治3年に「本町」という町名が見え、同4年になって碁盤の目の町並みが作られてくると、現在の南3条東1丁目の湿地について「本町三丁目」という町名が使われている。

2　移民による集落の成立

開拓使の発足により、北海道へ**地域詰**の判官らが赴任すると、本州から移民を招来し、開拓が始まった。移民には、開拓使が役人を派遣して募集した移民と、仙台藩の陪臣らのように郷土での帰農を避けて**北地跋渉**（ほくちばっしょう）という意志のもと、集団で移住してきた移民がいる。

札幌では、**島義勇**（しまよしたけ）開拓判官が札幌に都市建設を開始すると同時に、当時の酒田県（現在の山形県の一部）や新潟県に小貫権大主典（ごんだいしゅてん）と平田少主典を派遣して、米を主とした物資調達と移民募集を行った。また、盛岡や涌谷（わくや）（宮城県中北部）あたりへは、松岡使掌を派遣してやはり米調達と移民募集を行った。

ところが、明治3年（1870）2月になって開拓使は、島判官の東京召還にあわせて移民募集の中止命令を出した。松岡が募集した移民たちは、すでに宮

地域詰　函館には東久世通禧長官・岩村通俊判官、樺太には岡本監輔判官、宗谷には竹田信順判官、根室には松本十郎判官がそれぞれ赴任し、周辺地域を管轄した。なお東京には、松浦武四郎判官が居残った。

北地跋渉　戊辰戦争の敗北により62万石が28万石に減封された仙台藩では、藩士や陪臣らは帰農せざるを得なかった。しかし、平民になることを嫌った亘理の伊達家は、兵と農を兼ねて開拓に当たるために北海道へ移住することを考え、太政官などへ訴えた。このような北海道への移住を、仙台藩では北地跋渉と言った。

島義勇　14頁参照。

古まで到着していたが、中止指令で一旦解散した。しかし、酒田と新潟ではすでに移民を船に乗せて出発していたため、中止できなかった。

それらの移民たちは、明治3年春に札幌へ到着したが、移民募集が中止されていたため、自ら入植地を選定しなければならなかった。また、家屋の準備もされておらず、当初は大きな小屋に雑居することになった。酒田からの移民が入植した地は、この年が庚午（かのえうま）の年に当たることから「**庚午一ノ村**」「**庚午二ノ村**」「**庚午三ノ村**」と呼ばれた。一方、新潟からの移民は、前出の大友亀太郎が開いた御手作場北隣に入植して「札幌新村」とし、一部は発寒に入植した。

次いで明治3年には札幌周辺で移民を募集し、集まった50戸を「**辛未一ノ村**」として、当時の札幌本町南端（現在の東本願寺札幌別院前から豊平橋までといわれる）に仮住まいさせた。この村からは、明治4年に入ると琴似村に12戸、8戸、24戸、後の山鼻村に6戸と分散して入植した。後に琴似に入植した3組は、それぞれ入植した軒数にちなんで十二軒、八軒、二十四軒と呼ばれるようになり、「八軒」と「二十四軒」は今も行政地名として残る。

明治4年には庚午一ノ村を苗穂村、庚午二ノ村を丘珠村、庚午三ノ村を円山村に改称。幕末に開かれた御手作場「開墾村」は札幌元村とし、さらに前年に入植した札幌新村とあわせて「札幌村」とした。

この年、広川大主典が東北地方の諸藩県を回って再度、移民を募集した。盛

庚午一ノ村 51頁参照。

庚午二ノ村・庚午三ノ村 各21頁参照。

辛未一ノ村 23・141頁参照。

開拓当初の苗穂村の様子
（明治4年撮影、北大附属図書館蔵）

岡県（現在の岩手県の一部）や仙台県（現在の宮城県の一部）などで応募者があり、同年春には千歳道（月寒村）や花畔、円山、対雁に入植した。同年6月には、宮城県から来た移民が対雁村に入植するが、本府から離れすぎていたため、一部が明治6年2月に雁来村へ再移住している。さらに明治4年11月、仙台藩の白石あたりに在住していた陪臣たちをモチキサツフに入植させ、白石村と名づけた。

白石村への入植は、最初の入植地が**望月寒川**流域の低湿地であったため、居住と農耕には不向きで、一部が豊平川右岸に移動して上白石村となった。明治5年には白石村の団体から、白石入植前に分かれた人々が発寒村へ入植し、その地を手稲村と命名した。また、篠路の十軒地区、麻畑地区（平岸村）には明治4年、白石村同様に故郷での帰農を避けた仙台藩の陪臣たちが移住した。

明治6年、当時札幌の主任官であった**松本十郎**の命令で、豊平村が開かれ、同7年にはハツタリヘツ（後の**八垂別**）へ向かう石切山道（石切所道）と呼ばれた石材運搬用の道路沿いに山鼻村が置かれた。

明治8年になると、前年からの募集に応じて集まった**屯田兵**が**発寒川**の東に入植し、琴似屯田兵村と呼ばれた。次いで明治9年には、琴似屯田兵村の発寒川を挟んだ西側に発寒兵村が入植した。この年には、さらに石山通（現国道230号）を開削し、その両側に現在の西8丁目通（東屯田通）と13丁目通（西屯田通）を切り開いて通り沿いに屯田兵を入植させ、山鼻屯田兵村と呼んだ。

松本十郎　1839〜1916年。山形県出身。明治期の官吏。明治2年、開拓判官となる。明治6年、大判官に任ぜられると、開拓使の行政改革や財政再建、殖産興業を進め、初期開拓行政の基礎を築いた。

八垂別　120頁参照。

望月寒川　388頁参照。

屯田兵　140・144・260頁参照。

発寒川　後の琴似発寒川。378・402頁参照。

明治6年成立の「札縨郡西部図」部分（飯嶋矩道・船越長善、北海道立図書館蔵）

3　本庁下への郡名通・番地の導入と大小区制

（1）郡名通および郡名通と番地

札幌本庁下では本府の諸役所や役人宅が、明治4年（1871）から同6年にかけて盛んに建築され、それに誘われる形で移住者も増加した。しかし、明治6年半ばの札幌本庁舎竣工によって大半の建築や工事が終わり、それに従事した大工・職人・人夫らが町を去ると大不況が訪れ、札幌からの出奔者が多くでた。

明治4年から、札幌本庁下の街並みは、碁盤の目のブロックに整備された。そこで、ブロックを区切る間の通りに、北海道の郡名を町名として付し、住所は、「渡島通山越西エ入ル北側」などと呼ぶことを定めた。

明治6年5月には、本府が拡大して町並みも広がったため、さらに11郡の通り名を増やした。白老通の西側のブロック間に位置する通りに勇払通、千歳通、岩内通と現在の西4丁目通の大通北側に小樽通を付した。＊2

しかし、明治7年になって、旧幕臣で開拓使に採用された大鳥圭介（おおとりけいすけ）が、留学先のアメリカ合衆国フィラデルフィア市で実見した、放射状の町並みと、通りと番地を組み合わせた住所表記を推奨してきた。放射状の地割りこそ取り入れられなかったが、それに倣ったのか、その頃から札幌における住所の表記方法が「〇〇通〇〇番地」に変わっている。

＊2　その他に古宇通、積丹通、美国通、古平通、余市通、忍路通、高島通が追加されたが、まだどの通りにどの郡名が付けられたのかは不明である。位置不明の7つの通りは、本庁敷地の南と北を南北に通る部分に付けられた可能性があるものの、それを示す資料は発見されていない。

大鳥圭介　1833～1911年。兵庫県出身の政治家。蘭学・兵学を学び、幕臣となる。戊辰戦争で榎本武揚らと五稜郭にたてこもったが降伏。のち明治政府に出仕し、日清戦争前後の外交工作を行った。

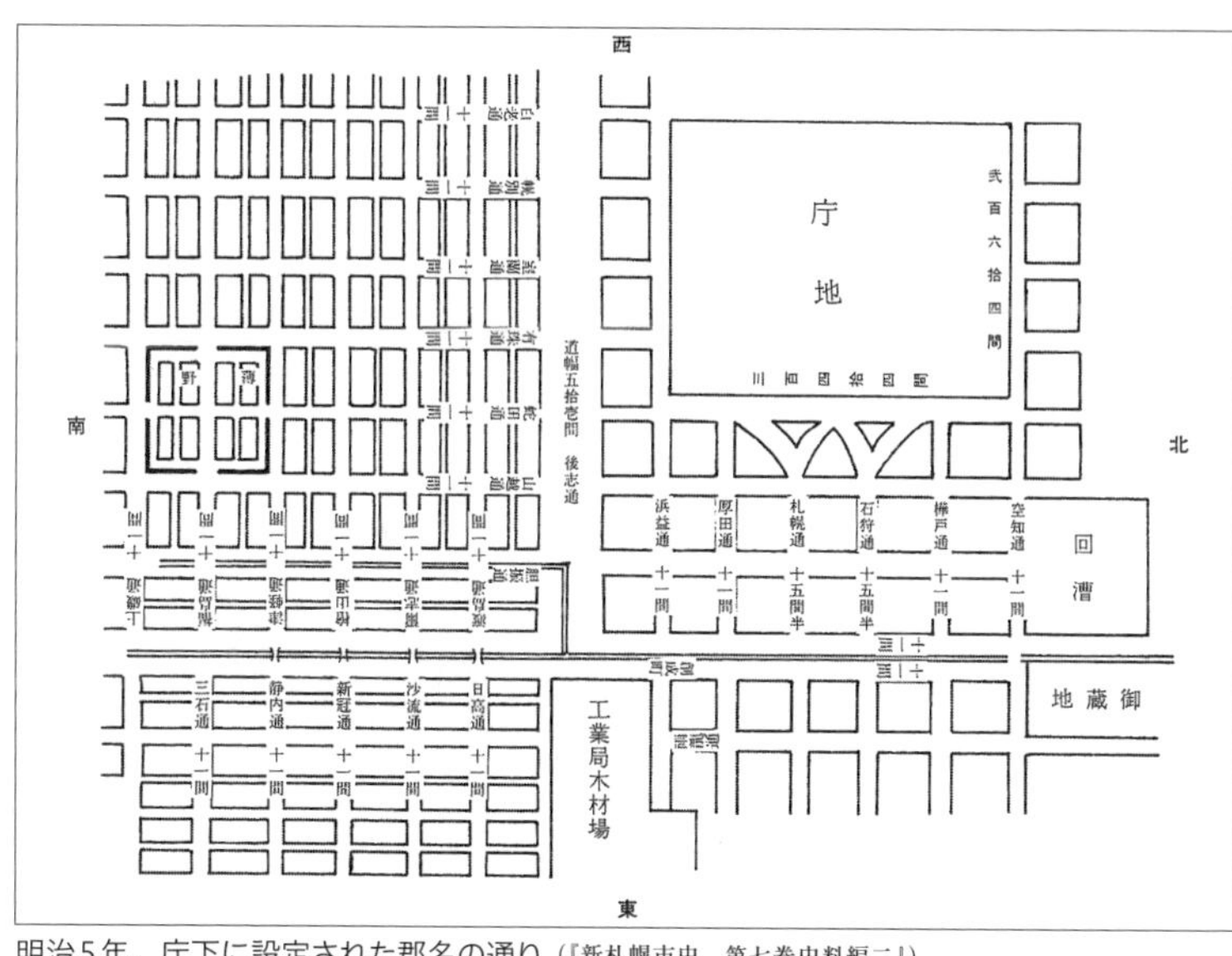

明治5年、庁下に設定された郡名の通り（『新札幌市史　第七巻史料編二』）

（2）大小区制の導入

この頃、政府は地方の町村統制を進めていた。その統制の一つが、**戸籍吏**であった**戸長**を、地方町村の官吏（役人）として掌握することであった。

明治5年（1872）4月、太政官布告117号で従来の町村役人を廃止し、戸長、副戸長と改称して、従来、町村役人が行っていた事務を取り扱わせることにした。次いで10月、大蔵省布達146号で戸籍区（1区当り1000

戸籍吏　戸籍についての事務を取り行う吏員。

戸長　明治5年、大区・小区制の導入により、数町村を組み合わせた小区の長として置かれた役人。庄屋や豪農から選ばれ、行政事務を扱った。

戸）を取りまとめるには戸長、副戸長だけでは差し支えるとして、1区に区長1人、小区に副区長を置くこととした。

区長を設置した目的は、「先前大庄屋大年寄ト唱候類自己ノ権柄ヲ以不正（ふせい）ノ儀モ有之（これある）趣、右ニ因襲シ事務壅蔽等ノ害相生シ候テハ難相成（あいなりがたき）ニ付」（法令全書）としている。この因襲とは、札幌においては「樽代肴料ナト、相唱旧節句或ハ此ノ地へ移住之節等戸長副以下へ贈リモノいたし候よし」、「町会所へ願書等差出候節取次の者等へ謝礼として金銀を遣候趣」（開拓使布達＊3）、さらに願書等の代書料をとることであったようだ。

このような町村役人らによる、旧来の慣行で町村を支配する方式を廃止し、国の末端役人としての役割を強調したのである。明治6年2月、札幌区長に井手正文、権区長に斎藤実昭が任命された。どちらも開拓使の役人であったのは、恐らく前出の理由によるものと思われる。

全国的な実情としては、戸長の設置とともに、数村を含めた大区、小区を設定し、事務上の簡素化を図った。しかし、札幌では明治7年2月になって、国内他地域との差異を理由に北海道大小区制が導入された。これにより、石狩国第一大区を札幌郡とし、最初は本庁下に一～三区を置き、周辺集落を四～五小区とした。しかし、すぐに人口増加による再編成の可能性があるとして、本庁下は一～三小区、周囲の集落を四～六小区とした。＊4

＊3　道立文書館蔵。

＊4　一小区は、北後志通、空知通、樺戸通、石狩通、札縨通、厚田通、浜益通、上川通、雨龍通、創成町、後志通以北。二小区は、南後志通、渡島通、爾志通、桧山通、津軽通、福島通、上磯通、胆振通、山越通、虻田通、有珠通、室蘭通、幌別通、白老通、千歳通、西創成町。三小区は、東創成町、日高通、沙流通、新冠通、静内通、三ツ石通、浦川通、様似通。四小区は、円山村、琴似村、上手稲村、発寒村、下手稲村。五小区は、平岸村、月寒村、豊平村、上白石村、白石村。六小区は、札幌村、苗穂村、雁来村、丘珠村、篠路村、対雁村となった。

しかし、これを適用して各国ごとに番号を付けると、札幌本庁の場合、同一番号の大小区が成立して混乱が生じるため、明治9年9月に改正された。これにより札幌郡は第一大区となり、市中を三小区、周辺の集落を三小区に区分した。*5

4　郡区町村編制法の施行と条丁目制の導入

(1) 郡区町村編制法の施行

明治11年（1878）、郡区町村編制法、府県会規則、地方税規則のいわゆる地方三新法が制定された。北海道では郡区町村編制法が適用され、郡区役所の編制が行われた。札幌郡の場合、本庁下や札幌市街などと呼ばれていた地域が札幌区となった結果、明治12年10月には従前の区戸長を廃止し、同13年2月、新たに札幌区長と札幌区役所管轄内の戸長を任命した。

これにより札幌区役所が、札幌区を含む札幌郡一円を管轄し、札幌郡内の集落も札幌区が管掌することになった。しかし、市街地の札幌区に対して、札幌郡域の村々は札幌区札幌村や札幌区苗穂村などと称する事になり、混乱を招いた。

その混乱を解消するために明治17年、「札幌区」は中心の市街地を指す名称とし、郡内の集落については「札幌郡」と称するように改めた。同時に、札幌区役所は市街地である札幌区のみを管轄することになり、新たに設けられた札幌郡役所が、周辺の集落を管轄することになった。

*5　第一大区一小区は、北後志通、浜益通、厚田通、札幌通、石狩通、樺戸通、空知通、西創成町自北後志通以北、東創成町同上、雨龍通。第一大区二小区は、南後志通、渡島通、爾志通、桧山通、津軽通、福島通、上磯通、胆振通、西創成通自南後志通以南。第一大区三小区は、東創成町自南後志通以南、浦河通、様似通、幌泉通。第一大区四小区は、円山村、琴似村、上手稲村、発寒村、下手稲村、山鼻村。第一大区五小区は、豊平村、上白石村、白石村、平岸村、月寒村。第一大区六小区は、札幌村、雁来村、苗穂村、丘珠村、篠路村、対雁村となった。（『新札幌市史』第二巻、第七巻）

また、札幌での町（市）会所の経費を賄うための、後の地方税に当たるものの徴収は、明治4年4月の達による永住戸役銭と家持ち出稼ぎ役銭を徴収したことにはじまる。その後、明治6年に札幌と函館で区入費徴収を決定し、同7年には開拓使管内区入費分賦概則が制定され、区入費の使用費目が定められた。[*6]

さらに、地方三新法の制定にともない地方の税制も整備され、明治13年2月には区入費を改正し、民費を徴収することが達せられた。これにより、徴収先を財産高によって区分し、戸数ごとに徴収することになった。

明治14年4月には、戸数割税規則が制定され、戸数割民費を戸数割税に改正した。加えて、貧富に応じて徴収を行い、賦課率は毎年郡区長が制定し、1年を2期に分けて徴収するという賦課規則も整備された。明治15年には、民費が協議費に改称されたほか、同16年には協議費を住民の代表である総代人が議決する方法などが定められ、未だ自治体としての体裁は整っていなかったものの、住民の意思を取り入れる体制が少しずつ作られていった。

以上の地方・町村体制の整備は、取りも直さず、札幌を含む北海道への移民が増え、人口が増加する中で、国家や地方政府が住民を個々に把握するための、行政的施策が必要になってきたことを意味した。他方で、住民のために公共的な社会資本を整備する施策も、必要となっていた。

*6 内訳は、役所維持の経費と吏員の人件費、道路掃除並びに便水所入費・用悪水路小修繕費など公共施設の維持費、消防入費、迷子棄児臨時手当入費・本籍不明者の溺死行き倒れ病気等手当入費などの社会福祉的経費であった。

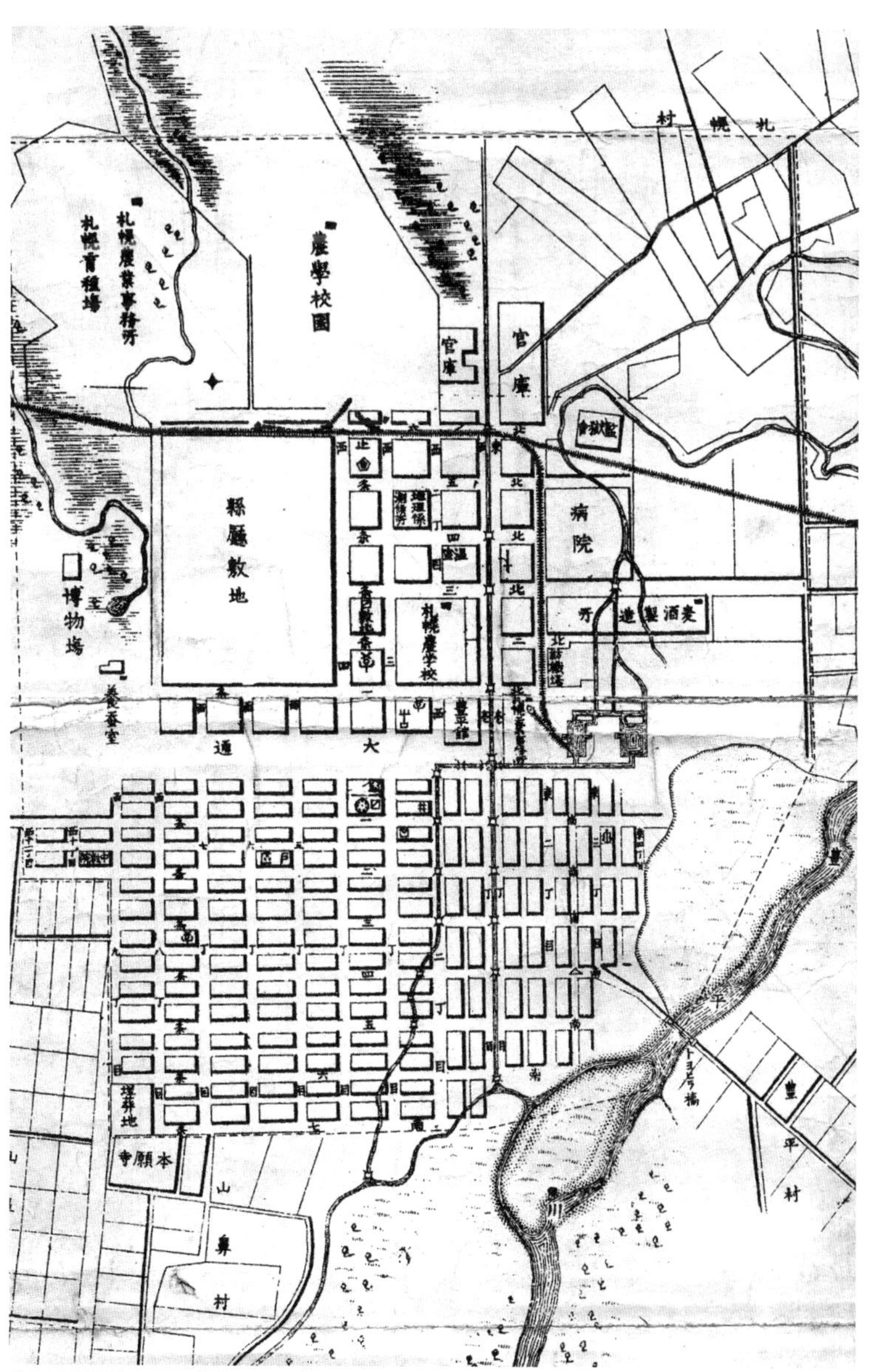

条丁目が設定された当時の地図『石狩国札幌市街之図』（部分、札幌市公文書館蔵）

（2）札幌区の条丁目設定

札幌区内の町名改正は明治13年（1880）から模索され、翌同14年には、郡名を付した通り名を廃止し、大通に加えて、南北に条を、東西に丁目を付すことになった。南は1条から7条まで、北は1条から6条まで、西は条によって異なるが、1丁目から11丁目まで、東も条によって異なるが、1丁目から4丁目ま

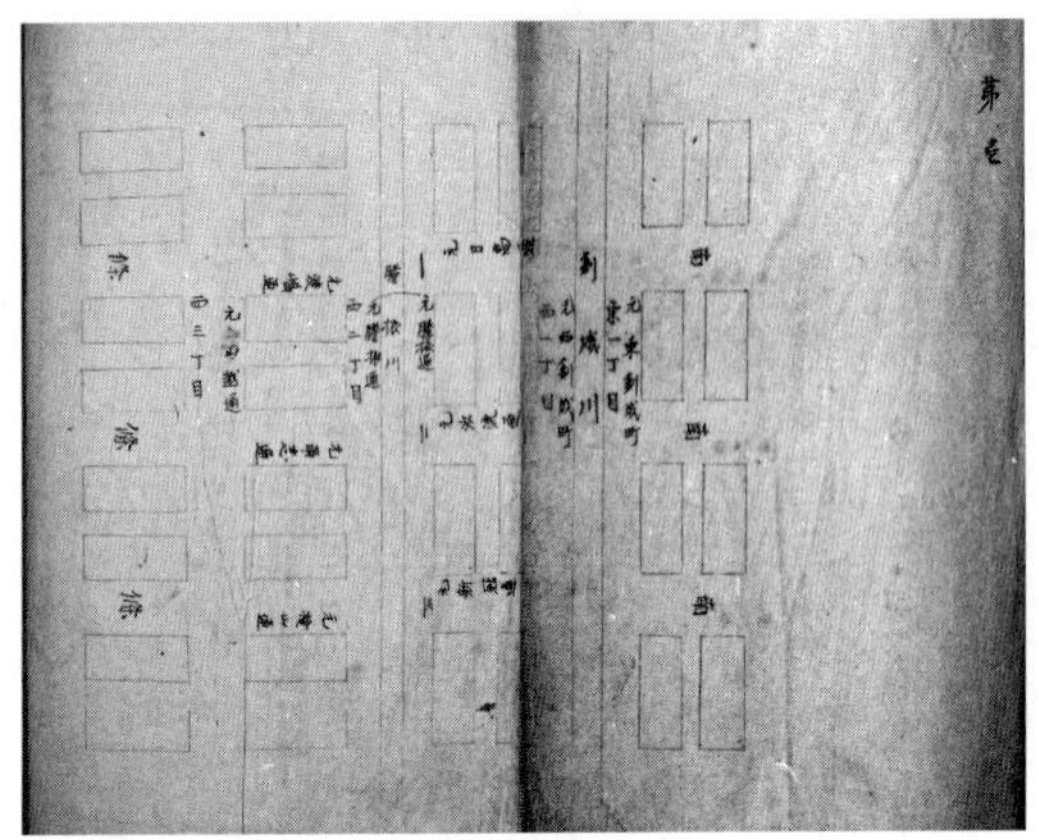

条丁目設定範囲の第１案（『取裁録』明治 14 年、道立文書館蔵）

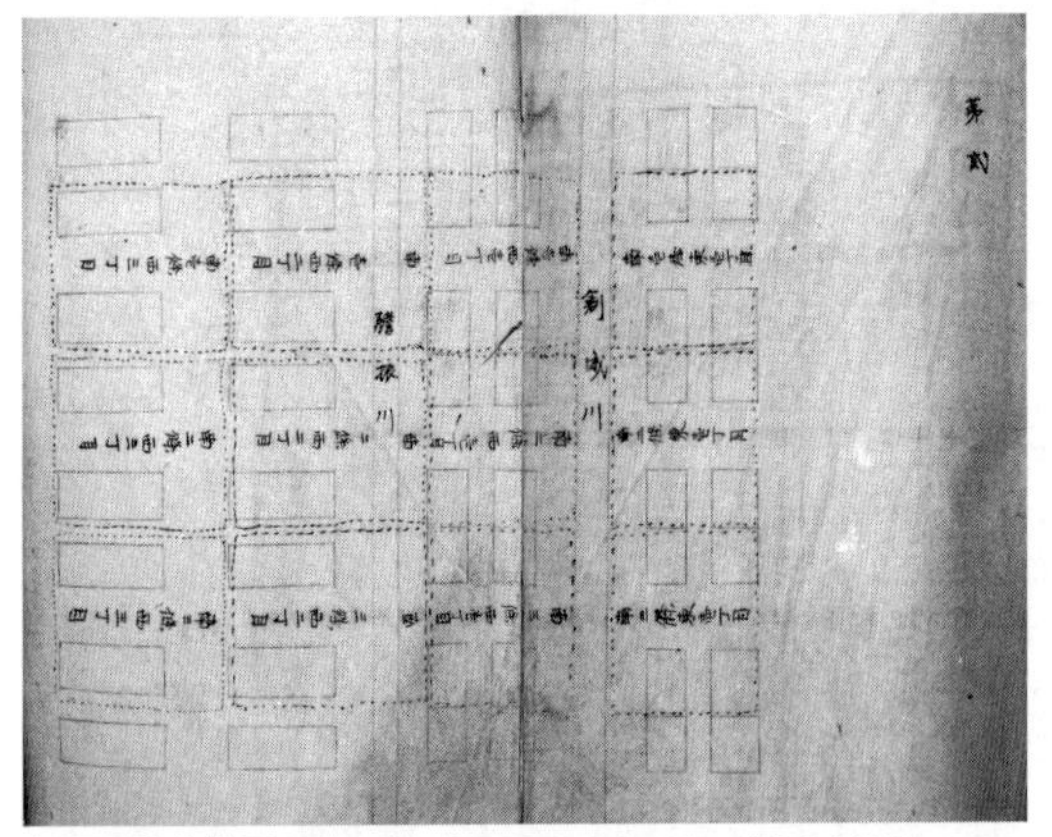

条丁目設定範囲の第２案（『取裁録』明治 14 年、道立文書館蔵）

で設定された。

条丁目決定に関する決裁文書によると、条丁目の呼び方をどのようにするかについての伺いが出されている。第1案は「竪（たて）通リハ東西ノ通リヲ云フ何条横通リハ南北ノ通リヲ云フ何丁目ト称」する案で、条も丁も通りの呼び名とした。第2案は「何条何丁目ト称」すというもので、条丁でその町名の区域を示すとした。この2案に、前頁のような図面が付けられた上で伺いが出された。それに対する指示は、第1案であった（『取裁録』道立文書館蔵）。*7

この条丁目による住所表記は、人口の増加によって市街地が外縁へ拡大するにつれ、その条数と丁数を拡大していった。さらに札幌では、昭和40年代後半から多核心的都市への移行を目的に市街地を周辺へ広げる政策をとったことから、昭和40〜50年代に郊外に作られた住宅地と連結するまで、条丁目は拡大していった。同時に、郊外で宅地化が進められた地域では、新琴似○条○丁目ないしは水車町○丁目といったように、条丁目に地域町名を冠称して使用されるようになった。

5　移民入植地の拡大と町名設定

明治10年（1877）に発生した**西南戦争**のため、政府が戦費調達を目的に紙幣を濫発したことからインフレーションが起きた。さらに、**大隈重信**（おおくましげのぶ）の後に大蔵卿となった松方正義による緊縮財政のもとで、今度はデフレーションが起こり、さら

*7　その後、この条丁の利用のされ方は明確でない。新聞記事などでの住所の示され方を見てみると、丁目を先に示す場合、丁目を町目と示す場合など、さまざまな事例が散見できる。ここには、第1案をとったことによる混乱が示されているように見える。

西南戦争　明治10年、西郷隆盛らを中心とする鹿児島士族が起こした内乱。征韓論に敗れて帰郷した西郷は私学校を結成。その生徒らが西郷を擁して挙兵するが、政府軍に鎮圧され、西郷ら指導者の多くが自刃した。西南の役とも。

大隈重信　1838〜1922年。佐賀県出身の政治家。立憲改進党を創立、総理として自由民権運動の一翼を担った。外相を務めた後、板垣退助とともに憲政党を結成し、最初の政党内閣を組織する。早稲田大学創立者としても知られる。

に政府の**秩禄処分**によって元士族たちが窮乏し、農村での貧富の隔差が大きくなったことで小作農民や貧農層の生活が窮迫した。

こうした社会不安に加え、明治12年に北海道送籍移住者渡航手続（移住民渡航順序）が制定され、渡航費免除などの政策をとったことから、北海道への移住者が増えてきた。さらに、明治19年の北海道土地払下規則、同30年の国有未開地処分法などに基づいて、広大な土地の貸し下げ・払い下げが可能となり、**華族**（かぞく）などが出資する大農場方式による開拓が進められるようになった。札幌でも、明治16年施行の移住士族取扱規則による移住、会社や大農場による移住、結社組織での移住、団体・集団組織での移住などが活発化し、移住者数が増えていった。

明治15年に福岡県士族を組織して作られた開墾社は、士族の授産や北方警備などを目的とした団体であったが、そのための資金を旧主の黒田氏や政府に頼むなど、計画はずさんであった。しかし募集に応じた人々が、篠路村東端の当別太へ移住したことで、この地は篠路村字上・中・下当別太となり、札幌市との合併後に**福移**（ふくい）の地名となった。

山口県東部玖珂（くが）郡にあった旧岩国藩士族らは、明治14年に移住民の総代が行った調査に基づき、同15年、下手稲村西端の、小樽内川（現在の新川）支流の**濁川**（にごりがわ）と**清川**（すみかわ）に挟まれた地域に入植した。ここは後に、山口村と称することになった。

明治13年に結成された報国社によって、福岡県から募集された人々が、同14年

秩禄処分　華士族への家禄を廃止し、家禄に合わせた金禄を支給したこと。

華族　皇族の下、士族の上に置かれた貴族階級。明治2年に旧公卿・大名の身分呼称とした。同17年の華族令により、公・侯・伯・子・男の爵位が制定され、世襲の社会的身分となった。昭和22年の日本国憲法施行により廃止。

福移　43頁参照。

濁川　405頁参照。

清川　406頁参照。

から月寒村厚別や三里塚（現在の里塚）あたりに入植した。明治14年には、北海道開進会社が徳島県で移民を募集し、下手稲村へ移住させた。しかし、社長の死や資金不足によって明治17年、札幌県から土地の返還命令が出されたため、会社は解散した。

明治14年に設立された興産社は、その翌年に徳島県で移民を募集し、篠路村本村の北東部に入植したことから、後に興産社が町名となった。翌明治15年に長野県人が作った開成社は、長野県の農民を集めて農場を作ろうとしたが振るわず、一時期、開成社に参加した上島正が、自ら長野県で農民を集めて白石村などへ入植した。その後、その中の河西由蔵が厚別に入植すると、同じ長野県出身者がその周辺に集まったことから、信濃開墾と呼ばれるようになった。

また明治20〜21年には、琴似村北部に屯田兵が入植して新琴似兵村を形成し、さらに同22年、その北側に篠路兵村が入植した。彼らの入植地は、散居制をとりながら、基線を軸にその南北に平行した数本の通りと、それらの通りと直交する数本の道路で区画された形態をとった。*8

6　北海道区制・一級町村制・二級町村制の施行

明治30年（1897）、北海道区制、北海道一級町村制、北海道二級町村制が公布された。しかし、明治32年に北海道区制を、同33年には北海道一級町村制

*8　新琴似屯田兵村の場合、琴似屯田兵村の中心軸を北方へそのまま伸ばし、基線をそれにほぼ直交する形で道路を作った。それと並行して南北にも道路を作り、さらにそれらの道路と直交する道路数本を作って、それらに囲まれた区画を数軒分に分割して割渡した。そして、基線を新琴似4番通とし、それと平行な路線を南から1〜3番通、北側に5〜6番通とした。それに直交する道路は、琴似から延ばした道路に近い方から順に第一横線、第二横線……第八横線とした。ほぼ同様な形で、篠路屯田兵村も区画され、屯田兵たちに割渡された。

を、そして同35年には北海道一級町村制を改正した。

明治32年10月1日、函館区、小樽区とともに札幌区に北海道区制が施行され、自治体となった。区長は、区制の施行以前から札幌支庁長と札幌区長を兼務していた加藤寛六郎が事務取扱となった。そのため、12月に選出されたばかりの区会に区長推薦の通知が出され、対馬嘉三郎、谷七太郎、森源三が選出された。*9そして翌明治33年1月13日、対馬嘉三郎に政府決定した（明治32年区会決議録）。*10

札幌区の区域は、北端が**創成川**と**琴似川**の合流点、西境は琴似川を遡り函館本線辺の東の支流をさらに北1条西20丁目あたりまで遡り、20丁目通を南下し、南3条通を東進して13丁目で南1条へ北進し、南1条通を東進して西11丁目で南進、南2条通りを東進し西8丁目通を南進して南6条通まで、南6条通を1丁東進、西7丁目通を南7条通まで1丁南進、南7条通を東進して西3丁目の**新川**の端を南進し、南8条あたりからは**鴨々川**（かもかもがわ）に沿って南進、水門を超えて現在の堤防の外側にあった豊平川から鴨々川が分流する地点まで南進する。そこから、豊平川の本流を東8丁目通との交点に当たるところまで下り東8丁目通を北進し、北12条から西進して創成川からは川に沿って北進して琴似川との合流点に至る。山鼻村との境界は複雑で文章では表現しきれないのだが、おそらく堤防が完成する以前の鴨々川や豊平川の河川敷の部分を含み、山鼻村に属しない部分を札幌区としたのであろう。

*9　当初、選出の方法について誤解があり、12月15日に第2候補以下を再選挙する事態となった。

*10　札幌市公文書館蔵。

創成川　28・371頁参照。

琴似川　373頁参照。

新川　当時、南8条の鴨々川から取水し、西5丁目の南7条から北5条までを流れていた。

鴨々川　372頁参照。

一方、諸村については、明治35年に北海道二級町村制が、上・下手稲村と山口村に施行されて手稲村に、豊平村・平岸村・月寒村に施行されて豊平村に、白石村と上白石村に施行されて白石村に、札幌村・苗穂村・丘珠村・雁来村に施行されて札幌村となった。続いて明治39年に琴似村・発寒村に施行されて琴似村に、円山村・山鼻村に施行されて藻岩村に、篠路村に施行されて篠路村になった。

その後、北海道一級町村制は、明治40年に豊平村、大正12年（1923）に琴似村と札幌村、昭和6年（1931）に藻岩村、同7年に白石村にそれぞれ施行された。また豊平村は、明治41年に豊平町となった。なお、各村の範囲については省略する。

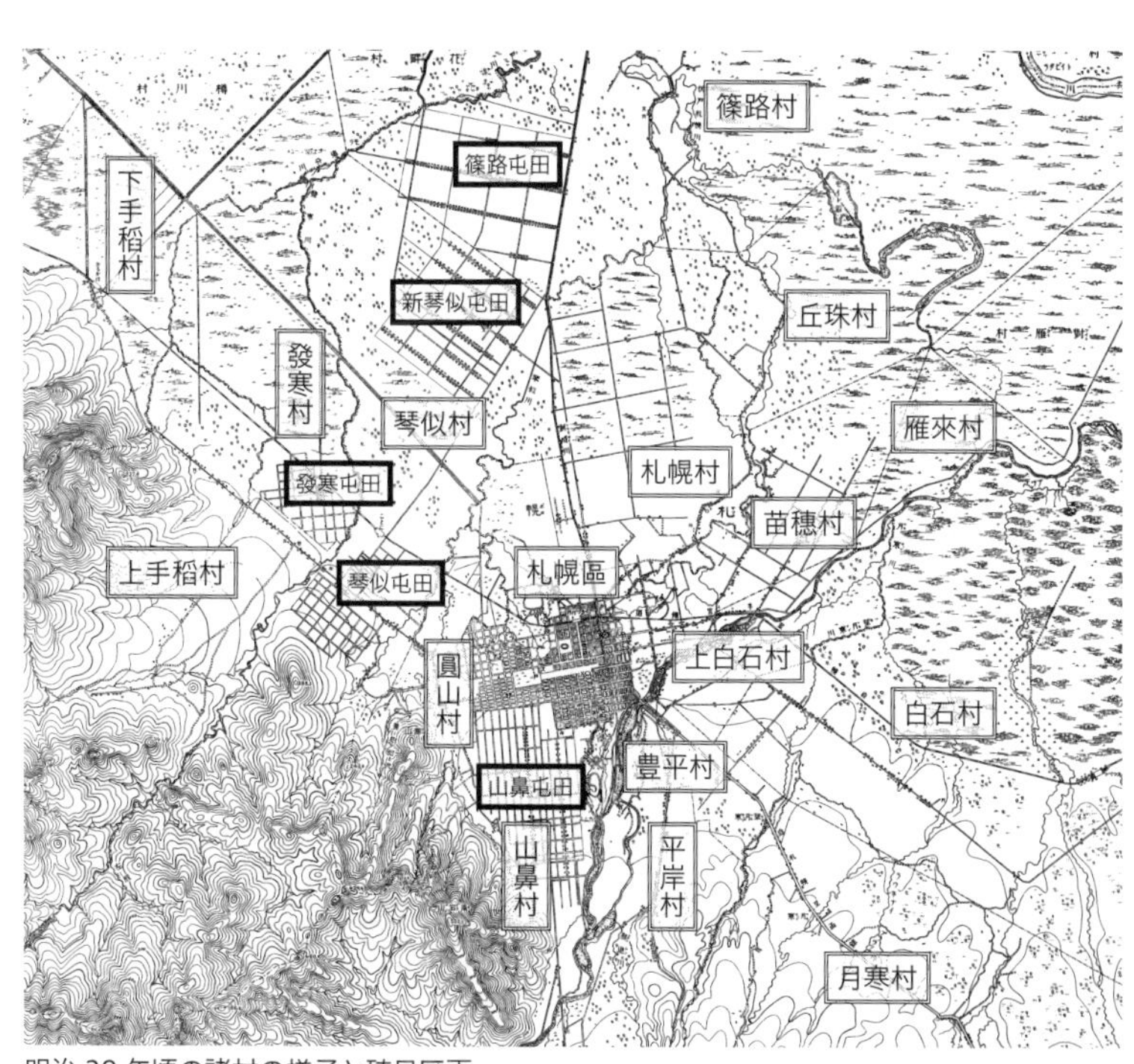

明治 29 年頃の諸村の様子と殖民区画
（国土地理院発行の 5 万分 1 地形図「札幌」「平岸」〔明治 29 年製版〕部分、一部加筆）

7　町名の増加――隣接町村との境界変更と合併

明治末から大正期にかけては、移民の入植という形で札幌の農村部は開墾され、住民の居住空間は範囲を広げていった。また、中心部の札幌区は道都として位置づけが明確になっていく。国の出先機関の設置や大銀行などの集中により、政治的な位置づけに加え経済的な位置づけについても重要性が増し、こうした中枢機能の集積によって人口が増加することで都市化が進んだ。

札幌区の人口は、明治20年（1887）1万3000人余、同30年3万5000人余、同40年4万6000人余に増加していった。それにつれて住宅地も札幌区周辺に広がり、北7条以北や札幌村の創成川沿いにまで住宅地が拡大したため、条丁目を増設していった。

そのため明治43年、札幌区は隣接する札幌村、白石村、豊平町、藻岩村との境界を変更して、札幌区に近い部分を編入し、北27条あたり以北は琴似村に編入した。この合併による編入地は、札幌村から札幌区苗穂町と札幌区雁来町、白石村から札幌区白石町、豊平町から札幌区豊平町、藻岩村から札幌区山鼻町となった。

8　大正14年の町名区画の確定

その後も札幌市（区）は、大正9年（1920）に10万人、昭和5年（193

0）には17万人と、急激に人口を増やしていく。

大正14年には、「町名変更新設ニ関スル標準」を示した。これにより、山鼻町、豊平町、白石町と苗穂町の一部に条丁目を付すこと、従来の標準区域に則（のっと）らず町名で呼んでいた地域は標準区域に則って分割し条丁目を付すこと、従来丁名のない区域に条丁目を付すこと、そして従来条丁の区域の標準を示した。

最初の3点では、新たに条丁目を付すことと区域割りをすることが示された。そこでまず、創成川沿いの東は北12条まで、西は北25条まで

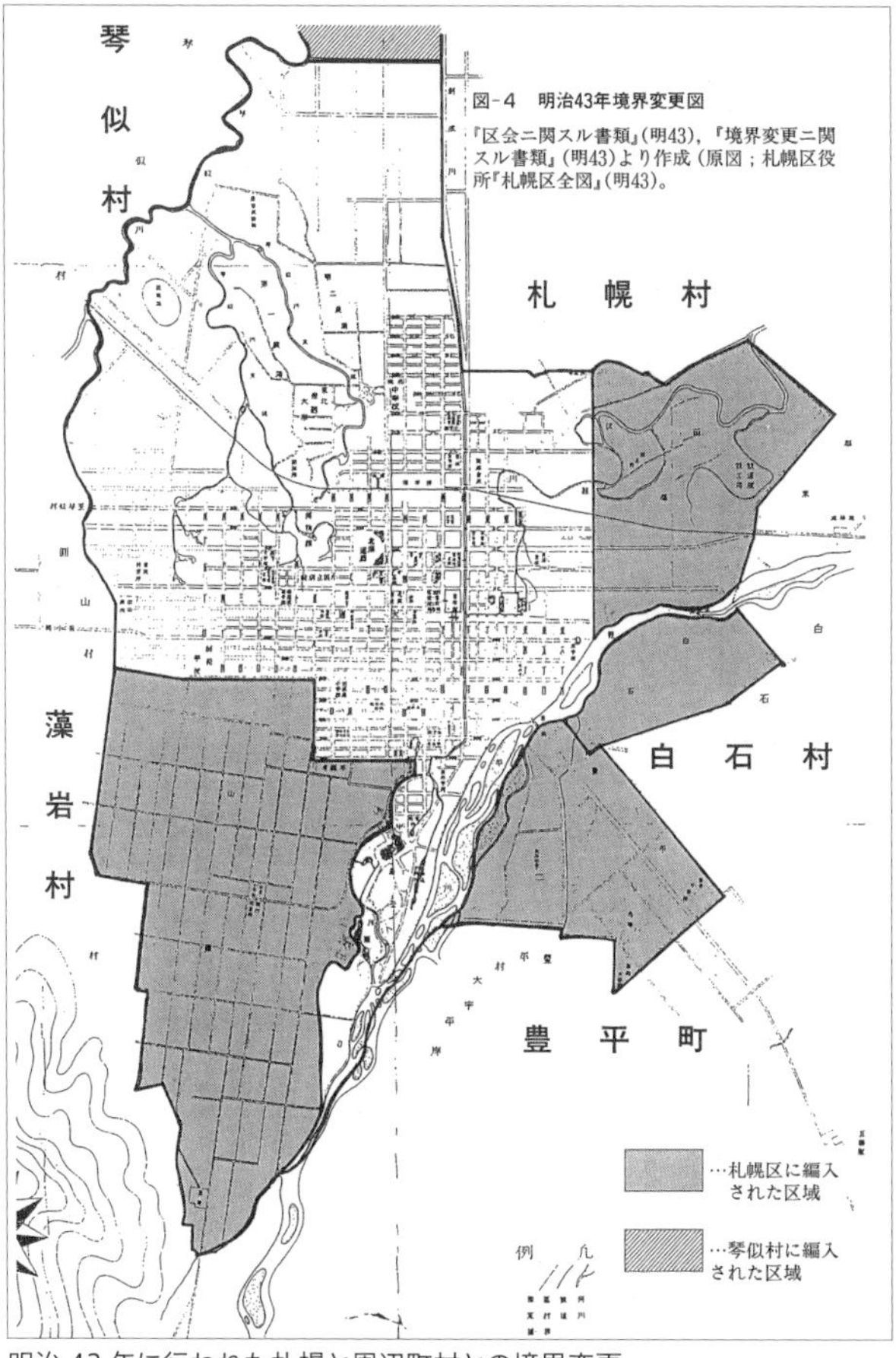

明治43年に行われた札幌と周辺町村との境界変更
（『新札幌市史　第三巻通史三』より）

の地域のほか、苗穂町には中心部に連続する条丁目を付し、山鼻町にも中心部から連続する条丁目を付し、豊平町には豊平○条○丁目、白石町には菊水○条○丁目の町名を付した。

「町名変更新設」の最後に挙げられた条丁の区域の標準により、大通、北1条、北2条、西1丁目、東1丁目など各条丁の範囲を決めた。例えば大通は、北の境界を創成川以西については大通道路より半町北まで、創成川以東は北1条通までと定め、南の境界は創成川以西は大通道路より半町南まで、創成川以東は大通道路限りとする、としている。同時にその区域は、創成川以西が大通を中心として南北に半町ずつ、創成川以東は大通と北側半町と説明している。

北1条については、創成川以西は大通の境界から北2条道路までの1町半であり、創成川以東は北1条道路から北2条道路までの1町分とし、北1条道路は北1条に属するとしている。

北2条については、創成川以西は北2条道路から北3条道路までの1町で、創成川以東は北1条との境界から北3条道路までの1町分とする。そして北2条道路は、東西共に北2条に属するとしている。なお北3条以北は、東西共に北2条の区域の例に準じ、4条、5条と順次北に進むとされた。

次いで南1条は、創成川以西は大通の境界から南1条道路を中心として南北に半町ずつの1町分、創成川以東は大通道路から南1条道路まで1町分とする。

南2条以南は、南1条の区域の例に準じて3条、4条と順次南に進むものとする。また、丁目の区域については、西1丁目は創成川以西は南北共に創成川中心から西2丁目道路まで1町分とする。西2丁目は、西2丁目道路から西3丁目までの1町分とし、西2丁目道路は西2丁目に含む。西3丁目以西は、西2丁目の区域の例に準じて、西3丁目西4丁目と順次西へ進むとする。

東1丁目は、創成川以東は南北共に創成川中心より半町分とする。東2丁目は、大通以北は東1丁目の境界から東3丁目道路まで1町半とする。大通以南は、東1丁目の境界から東2丁目道路を中心とした東西半町ずつとし1町分とする。続いて東3丁目は、大通以北は東3丁目道路から東4丁目道路まで1町分とし、東3丁目道路は東3丁目に属し、大通以南は東2丁目の区域の例に準じる。東4丁目以東は東3丁目の区域の例に準じて、東5丁目、東6丁目と順次東に進むとする、とした。

この条丁の区域が標準化されたことで、各条と丁目の範囲がどこからどこまでなのかが明確になった。以後、これを標準として条丁目の範囲が確定された。

なお、道路については、大正9年に中心部の各道路を市道とし、その名称・起終点を認定して以降、住宅地の広がりに合わせたブロックの拡張に伴い、周辺域へと増えていった。

9 昭和の境界変更と町名設定

昭和に入っても札幌市の人口は増え、中心部から周辺へ市街地が広がっていった。そのため昭和9年（1934）には、札幌村の一部を編入して北に条丁目を広げ、北25条まで広がった。

昭和16年には円山町と合併。札幌市と合併した円山町域の地名は、札幌市側の条丁目とのつながりで条丁目がつく部分もあったが、円山町字円山の一部が円山北町、宮ヶ丘、円山、滝ノ沢となり、円山町字円山字山鼻の一部が円山南町となり、円山町字山鼻の一部は、伏見町、山元町、藻岩下となり、円山町字円山字山鼻字八垂別の一部は藻岩山、円山町字八垂別の一部は川沿町、北ノ沢、中ノ沢、南沢、砥石山、円山町字白川の一部は白川となり、円山町字八垂別字白川の一部は硬石山となった。*11

次いで昭和25年には、札幌村の創成川に沿った地域を編入し、北26〜同28条東1〜7丁目と条丁目を広げた。さらに、白石村と合併して東部に市域を拡大。そして、札幌市と合併した白石村の地名は、白石村大字上白石村の一部が、札幌市上白石町一区、同二区、同三区、同四区となり、白石村大字上白石村の一部や白石村大字白石村字米里・字厚別・字南郷・字北郷・字野津幌・字下野津幌・字小野津幌については、札幌市白石町を冠称して米里・東米里・横

*11 北海道庁告示第921号『北海道庁公報』2529号、1941年7月4日。

町・中央・本通・北郷・南郷とし、また札幌市厚別町を冠称して旭町・東区・西区・川下・山本・上野幌・下野幌・小野幌とした。[*12]

昭和30年には、琴似町、札幌村、篠路村と合併して北方へ市域を広げた。そして、琴似町の字名であった琴似町字宮ノ森、同字山ノ手、同字二十四軒、同字琴似、同字八軒、同字新琴似、同字屯田、同字発寒、同字盤渓については、冠称していた「琴似町字」の部分に「札幌市琴似町」をつけることとなり、札幌市琴似町宮の森、札幌市琴似町山の手、札幌市琴似町二十四軒、札幌市琴似町琴似、札幌市琴似町八軒、札幌市琴似町新琴似、札幌市琴似町屯田、札幌市琴似町発寒、札幌市琴似町盤渓となった。

札幌村は、札幌村字元村が、札幌市元町と栄町、札幌村字丘珠、同字苗穂、同字雁来は、札幌市丘珠町、札幌市東苗穂町、札幌市東雁来町となった。さらに篠路村は、篠路村字篠路、同字上篠路、同字太平、同字拓北、同字福移、同字中野、同字茨戸は、札幌市篠路町篠路、札幌市篠路町上篠路、札幌市篠路町太平、札幌市篠路町拓北、札幌市篠路町福移、札幌市篠路町中野、札幌市篠路町茨戸となった。[*13]

続いて昭和36年には豊平町と合併した。豊平町の地名は、豊平町字○○の冠称を廃して札幌市○○とし、豊平町真駒内上町一丁目など字（あざ）を使用していない地名は、真駒内○町○丁目となった。[*14]

昭和42年には、手稲町と合併。手稲町の地名は、手稲町字○○であったもの

＊12　北海道庁告示第72号『札幌市公報』566号、1950年7月20日。

＊13　『昭和30年告示原本』札幌市公文書館2013—1725（札幌市公文書館蔵）。

＊14　広報さっぽろ（1961年6月）。

を、手稲を冠称して手稲福井・手稲平和・手稲西野・手稲東・手稲宮の沢・手稲富丘・手稲本町・手稲前田・手稲稲穂・手稲金山・手稲星置・手稲山口とした。

これらの合併により、札幌はさらなる人口の増加に対する受け皿を広げていった。と同時に、住宅地が広がるに従って新たな町名を付したり、住居表示を導入していくことで、地名もまた変化していった。

10 住居表示法による住所表記の導入

昭和37年（1962）、住居に関する法律が制定され、それまでの地番の表記が変更されることになった。それによると、住居表示の原則には、住所などを表示するには都道府県、郡、市区町村の名称を冠した上で、街区方式と道路方式の2通りを示すことが定められた。

街区方式は、街区に付された符号と街区内の建物に付された番号を用いる表示方法、道路方式では市町村内の道路の名称と道路の近辺の建物につけられる住居番号を用いる表示方法、と規定している。この道路方式は、明治の初めに札幌市街地で郡名の通り名と○番地を用いていたことにあたる。

そして街区方式の場合、街区内の町や字の区域を街区方式に適した合理的な区画にすること、名称についても読みやすく簡明なものにすることを義務化している。そのほか、住居表示の義務、表示板の設置、住居表示台帳の設置も義務化した。また、街区符号、道路の名称、住居番号を付す場合などの手続きについては、条例で定めることとした。

しかしこの時、札幌は条例を制定しなかった。この時期、札幌の人口は、昭和30年には43万人であったが、住居表示を制定した同37年には66万人に増加していた。以後も、急激なペースで人口が増加していく。[*15]そのため、都心部から市街地が急速に拡大し、新札幌の副都心形成、東部開発、真駒内の団地化など、郊外の住宅地化が進行していたため、地番表記を定められなかったと考えられる。

その後も、昭和46年に策定された札幌市長期総合計画により多核心都市形成を目指し、地下鉄沿線の主要駅や鉄道駅など、郊外に交通の中継点や住宅地の拠点地域を設置していった。その住宅地化についても、札幌市は市街化調整区域の導入などにより、スプロール（都市郊外に無秩序に宅地が拡大すること）的な開発を抑制し、計画的な開発を進めた。そして、郊外での住宅地化が進んだ地域には、地域名を冠した条丁目制の町名設定を実施していった。

昭和47年4月1日、札幌市は政令指定都市となり、それを機会に同年6月30日、住居表示に関する条例を制定して住居表示を開始した。実際の適用は昭和47年12月、白石区（現厚別区）青葉町で実施する旨の告示があり、同48年2月から青葉町1～8丁目に街区符号と家屋番号が付されたのが最初となった。次いで、同年と翌同49年には菊水地区に導入された。以降、市街地周辺部から

＊15　札幌の人口は、昭和30年に43万人、同35年52万人、同37年66万人、同40年には79万人、同45年101万人、同47年110万人、同50年には124万人に増加していた。昭和30年から同50年の20年間で、81万人増となり、1年平均で4万人ほどが増加していた。さらに、昭和37年から同47年の10年間は、44万人増で1年平均4万4000人増、同35年から同45年の10年間では49万人増となり、年平均4万9000人のペースで人口が増加していた。

順次、住居表示が実施され、平成29年（２０１７）８月20日現在、２万３３５９ヘクタール（市街化区域の91パーセント）で実施されている。

11　昭和47年の政令指定と7区体制

札幌市は、明治期の都市建設開始以来、人口の増加が続いた。前節で述べた通り、戦後の急激な人口増加は他に類を見ないものであった。

昭和45年（１９７０）の国勢調査で人口１０１万人となり、同47年に政令指定都市となったが、政令市への移行問題はそれより早く、同36年に札幌市議会で取り上げられて以来、毎年のように議会で話題となっていた。特に区制案については、昭和42年に市議会総務委員会に示された「区制施行に関する基本構想」において、中・西・北・東・南の５区体制が提案されていた。

その後、市議会の指定都市に関する調査特別委員会での議論をうけて、昭和46年９月の第４回臨時市議会で、中央・琴似・幌北・北栄・白石・豊平・藻南の７区案が提案された。しかし、議会での議論や市民から出された区の名称や区割りについての陳情・請願をふまえ、同年の第３回定例市議会において、中央・西・北・東・白石・豊平・南の７区案が提案、可決され、昭和47年４月１日から７区体制が発足した。

なぜ札幌は、急激に人口が増加し、道内他都市に比べて群を抜いた大都市に発展したのだろうか。それを理解するためには、中枢機能の集積から読み解く見方がある。

下の表は、道内主要都市の中枢管理機能の集積度を比較したものである。政治的中枢機能である政府機関や北海道の関係機関の設置数の比較、経済的中枢機能といわれる金融業の従業者数・卸売業販売額・預金と貸出金額・開通電話数の比較、文化的中枢機能といわれる大学や短大の学生数、試験研究機関数・全国全道の大会開催数の比較など、多角的に検証されている。

それらの比較からは、札幌市が他都市に比べて、すべての面で集積の度合いが高いことがわかる。これらは、調査時点（昭和49年）の結果として表

道内主要都市別中枢管理機能の分布（『札幌市政概要　昭和58年版』〔札幌市、1983年〕）

都市別	総合的機能		経済的機能		行政的機能		文化・社会的機能	
	昭和41〜45年	47〜49年	44･45年	47･49年	41年	48年	41〜44年	47〜49年
札幌	**(100.0) 49.1**	**(100.0) 50.1**	**(100.0) 38.0**	**(100.0) 40.1**	**(100.0) 55.9**	**(100.0) 56.6**	**(100.0) 53.3**	**(100.0) 53.7**
函館	(12.4) 6.1	(13.0) 6.5	(16.8) 6.4	(16.2) 6.5	(14.1) 7.9	(14.3) 8.1	(7.7) 4.1	(9.1) 4.9
小樽	(7.9) 3.9	(6.4) 3.2	(11.8) 4.5	(9.7) 3.9	(7.2) 4.0	(5.5) 3.1	(5.8) 3.1	(5.0) 2.7
旭川	(13.8) 6.8	(13.4) 6.7	(21.3) 8.1	(20.4) 8.2	(11.8) 6.6	(12.2) 6.9	(10.5) 5.6	(9.1) 4.9
室蘭	(6.7) 3.3	(5.2) 2.6	(8.9) 3.4	(7.7) 3.1	(4.5) 2.5	(3.9) 2.2	(7.7) 4.1	(4.8) 2.6
釧路	(8.1) 4.0	(8.4) 4.2	(11.1) 4.2	(11.0) 4.4	(9.1) 5.1	(10.4) 5.9	(4.9) 2.6	(4.1) 2.2
帯広	(5.3) 2.6	(5.4) 2.7	(7.9) 3.0	(8.2) 3.3	(4.8) 2.7	(4.4) 2.5	(4.1) 2.2	(4.1) 2.2
北見	(3.7) 1.8	(4.2) 2.1	(5.5) 2.1	(5.7) 2.3	(4.5) 2.5	(4.8) 2.7	(1.7) 0.9	(2.6) 1.4
苫小牧	(2.2) 1.1	(2.8) 1.4	(4.5) 1.7	(5.5) 2.2	(1.1) 0.6	(2.1) 1.2	(2.1) 1.1	(1.5) 0.8

注）1. 全道を100とする指数である。 2.（　）内は札幌を100とする指数である。
〔各機能を構成する指標〕
1. 経済的機能：① 卸売業年間販売額（45年、47年商業統計調査）
② 開通電話数（45年、47年北海道電気通信局）
③ 金融業従業者数（44年、47年事業所統計調査）
④ 預金及び貸出金額（45年、49年北海道財務局）
2. 行政的機能：政府機関、政府関係機関及び道・道関係機関の管理職職員数
3. 文化・社会的機能：
① 大学・短大学生数（42年北海道企画部、49年北海道総務部）
② 試験研究機関数（43年北海道企画部、48年大蔵省及び北海道年鑑）
③ 全国・全道大会開催数（44年、49年北海道商工観光部）
④ 出版・印刷業従事者数（41年、47年事業所統計調査）
〈資料〉企画調整局企画部　※初出：『中枢管理機能に関する調査報告書　昭和50年6月』

されるものではあるが、歴史的に考察すると中枢管理機能の集積過程が如実に見出される。

こうした傾向は、第2次世界大戦の敗戦後により強くなっており、札幌市が政令指定都市になる頃の現状を、この表がはっきりと物語っている。そして、これらの機能の集積が札幌の急激な人口増を引き起こし、その集積はさらにそれを助長して現在に至っているとも言い得る。

その後も札幌市の人口は、昭和60年154万人、平成7年（1995）176万人、同17年188万人、同27年195万人に増加した。しかし、30年間で41万人の増加となっているが、1年平均で1万4千人ほど、10年ごとに見ると22万人増、12万人増、7万人増と、人口増加は頭打ちの状態になっている。

札幌市は、住宅地拡大のコントロール策として、中央区や幹線道路沿いなどは、用途地域の変更に加え、**高度利用地区**などを指定して高層マンションなどを建設できるようにした。この施策により、中央区への人口回帰と郊外住宅地域の高層化が進んでいく。

その結果、人口増加が進んだ白石区と西区は、平成元年に分区が行われて厚別区と手稲区が成立。さらに平成9年、豊平区が分区されて清田区が成立した。住宅地の拡大、町名整備地区の拡大、住居表示地区の整備は、現在も進行している。

なお、現在は札幌と合併したそれぞれの市町村には、各々の小地域に部や区が

高度利用地区　低層な建物と細分化された土地が集まる密集市街地を再開発し、高層ビルなど高さのある建物を建てられるようにした地区のこと。

設置されたり、町内会が組織されたりするため、住宅団地ができると、それらの名称がその地域の地名や俗称となることがあった。

〔参考文献〕
札幌市教育委員会編『新札幌市史』第一～七巻（札幌市、1986～2005年）
『札幌市政概要　昭和58年版』（札幌市、1983年）
『中枢管理機能に関する調査報告書　昭和50年6月』（札幌市企画調整局、1975年）
『札幌市の住居表示　平成6年4月』（札幌市企画調整局計画部都市計画課、1994年7月）
『住居表示旧新対照表』
中央区旭ヶ丘ほか4地区（1979年）、中央区円山西町地区（1979年4年23日実施）、中央区桑園地区〔函館本線以北〕（1983年）、中央区南23条以南地区（1984年）、中央区南19条西5丁目地区等（1985年）、中央区南13条～15条地区（1985年）、中央区南16条～18条地区（1985年）、中央区南9西1地区等（1986年）、住居表示新旧対照表　中央区宮の森の一部地区（1986年）、中央区南9西1地区等〔南9～12条西13～23丁目〕（1986年）
『地番調査・旧新対照表』
中央区双子山町の全部及び円山西町　宮ヶ丘並びに宮の森の各一部（1979年3月30日現在）、中央区宮の森の一部区域（1982年）、中央区宮の森1条18丁目～4条13丁目（1982年）、中央区桑園地区〔函館本線以北〕（1983年）、中央区南22西10～南29西12の一部（1984年）、中央区南19条西6丁目地区等（1985年）、中央区南13～18条地区（1985年）、中央区南9条西1丁目地区等（1986年）、中央区宮の森1条15丁目の一部区域（1986年）
＊札幌市役所ホームページ「住居表示」※住居表示に関する情報

Chapter……03

移民と家臣団で形成された屯田兵村と開拓村落の地名

郷土史家
中村英重

1　屯田兵村

北海道を守る屯田兵を配備

北海道に軍備を置く計画は、ロシアの南下を警戒する明治政府によって早くから立てられていた。例えば明治3年（1870）に、東京府**貫属**(かんぞく)120戸を札幌に移す案、あるいは同4年に札幌へ移住した仙台藩・旧片倉家の家臣団による防備案、また西郷隆盛が提起した旧薩摩藩士の移住案など、さまざまに考慮された。

明治6年（1873）、20歳以上の男子を対象に徴兵令が公布され、全国に六つの**鎮台**(ちんだい)を設置し、国防体制の整備が進められた。しかし北海道と沖縄は除外されており、特にロシアとの国境問題をかかえる北海道において、北方警備は緊急の課題であった。そこで開拓使は同年、土地開墾と「**封疆**(ほうきょう)ノ守、人民保護」を目的とした屯田兵設置案を、太政大臣へ提出したのである。

それは、旧館県の松前や青森、酒田、宮城など各県の士族を対象に兵の募集

貫属　明治期に使われた用語で、ある地方自治体の管轄に属すること。

鎮台　明治初期の臨時軍政機関。地方防備のため、東京・仙台・名古屋・大阪・広島・熊本市に駐留した軍隊で、後に師団となる。

封疆　国境や領土境界のこと。

を行い、札幌、小樽、室蘭、函館などを入植地として、明治7、8年に各750戸、家族も併せて1500人ずつを募集するというものだった。これは極めて壮大な計画であったが、予算の関係もあって札幌を中心とする計画に縮小され、兵員募集も、青森県では旧会津の斗南藩、山形（酒田）・宮城県では、戊辰戦争に敗れ困窮していた士族に限定された。

屯田兵制度の大枠については、明治7年の「屯田兵条例」によって支度料や3年間の扶助料などが定められ、開拓次官の黒田清隆が屯田憲兵事務総理を兼任するとともに、開拓使内部にも屯田事務局が設置された。

琴似屯田兵村の開墾状況（明治8年撮影、北大附属図書館蔵）

琴似屯田——初の屯田兵

札幌に初めて屯田兵村がおかれたのは**琴似**であった。候補地として月寒[*1]や発寒川沿岸[*2]が適地に挙げられたが、最終的には琴似と山鼻が入植地

琴似 144頁参照。

＊1 『松本系譜』

＊2 『蝦夷と江戸 ケプロン日誌』

鍬やレーキを手に集合した琴似の屯田兵たち（明治８年撮影、北大附属図書館蔵）

に決まった。琴似は、銭函—小樽方面と札幌中心部を結ぶ幹線上に位置しており、札幌防備において非常に重要な地点であった。

明治8年（1875）、198戸・965人*3が、最初の屯田兵として琴似に移住。翌年には8戸、そして隣接する発寒に32戸の、計165人が入植し、約240戸の琴似屯田*4が形成されることになる。

琴似兵村の特徴は、何よりも住居が**密居制**（みっきょせい）の形態をとったことにある。**松本十郎**判官は、「屯田兵は専ら以て開墾に事へ（つか）、蓋し（けだ）広圃を与

*3　青森県より50（49）人、酒田県から10（8）人、宮城県から91（93）人が入植した（『新札幌市史第2巻』。（　）内は『琴似兵村誌』による）。諸史料によって数値は若干異なる。なお、余市、福山、函館近辺の宮城県士族は48人であった。

*4　琴似屯田については『琴似兵村誌』を参照。

密居制　1戸当たりの面積が狭く、隣り合う兵屋が近接したもの。明治8年の場合、現在の琴似1～2条、4～6丁目辺りで、1区画が横50間（約91メートル）、縦30間（約55メートル）の住居地の中に、間口10間、奥行15間、面積150坪（約495平方メートル）の宅地が用意された。その中に間口5間、奥行3・5間、建坪17坪5合（約58平方メートル）の家屋が置かれた。

松本十郎　234頁参照。

えざるべからず」と密居制には反対であった[5]が、軍事訓練などを行う必要上、やむを得なかった。その後、明治12年に「半数分位置ヲ正シクシテ各自ノ給与地へ移シ遣」る、という移転案が提起され、同24年には**兵村会**を設置。開墾地が遠方で不便なため、3分の2の兵屋が移転した。

兵村地の西側には、運営を管理する周番所（後の中隊本部）や練兵場が置かれ、併せて養蚕室や学校なども設けられた。この頃は特に養蚕が重視されており、一兵村で18万本の桑園造成が課題とされていたが、琴似では明治11年に、山鼻では同12年に目標数を達成していた。また、教育については、琴似・山鼻両兵村ともに学校が整備され、農業科・養蚕科が設けられたほか、屯田兵員のため夜間の補習教育も実施された。[6]

琴似屯田の兵屋は現在も1棟残っており、琴似神社境内に移設されて道の有形文化財となっているほか、復元された兵屋が、国指定の史跡「琴似屯田兵屋跡」として建つ。また、現在の西区役所付近にあった屯田兵の本部跡には、記念碑が建っている。

山鼻屯田――半数近くを占めた旧仙台藩士

山鼻屯田は、札幌を南側から防備するために設定された兵村で、明治9年（1876）、240戸が入植した。兵の募集地は琴似と同様に、青森、山形

＊5　『新札幌市史　第七巻　史料編二』

兵村会　公共事業や学校運営、相互扶助などの自治を行う、屯田兵を中心とした住民組織。

＊6　『札幌教育史　上巻』

山鼻　25・218頁参照。

（酒田）、宮城各県のほか、山形（米沢地方置賜郡）、岩手、秋田各県にも広げられた。また、有珠郡に移住していた旧仙台藩亘理領伊達家に対しても募集を行い、一部が再移住[*7]することになった。

山鼻屯田では、旧仙台藩の出身者が１０４人と最も多く、全体の約43パーセントを占め、その大半が旧亘理領伊達家出身者であった。宮城県南部の亘理地方は、かつて伊達家一門の**伊達邦成**が支配しており、その知行高は２万４０００石あまり、家臣は１３００人に達していた。戊辰戦争による領地没収で、開拓期には有珠郡（現伊達市）に５７９戸、３０７４人が移住したが、それを果たせない旧家臣たちも多かった。次いで旧会津藩が53人、旧弘前藩が52人となっている[*8]（表参照）。

兵村の再編――開拓使の廃止と北海道庁の設置

明治15年（１８８２）に開拓使が廃止となり、札幌、函館、根室の三県が設

琴似屯田・山鼻屯田の出身地別移住者数

	琴似	山鼻	計
旧仙台藩	117人	104人	221人
旧会津藩	55人	53人	108人
旧弘前藩	4人	52人	56人
旧盛岡藩	27人	2人	29人
旧秋田藩	2人	21人	23人
旧鶴岡藩	9人	8人	17人
北海道	17人	0人	17人

＊7　『山鼻創基81周年記念誌』

伊達邦成　仙台藩一門・亘理伊達氏第14代当主。戊辰戦争で新政府軍に敗れ、知行のほとんどを取り上げられたため、家臣団とともに北海道開拓に活路を求めた。

＊8　『新札幌市史　第二巻通史二』

三県　函館・札幌・根室の三県。明治15年2月、開拓使を廃止して設置し、同19年1月に三県を廃止して北海道庁を置いた。

置された。だが、いずれの県にも開拓予算は設けられず、北海道開拓は停滞を余儀なくされた。札幌県の岩見沢、函館県の木古内、根室県の釧路へ、政府による官募の士族がわずかに移住しただけで、一般の移民増加には至らなかった。

開拓使の廃止により、屯田兵の管轄は陸軍省へ移るが、開拓の停滞を打開するため、開拓民の役割まで屯田兵が負うことになった。明治17年には江別兵村、同18年には野幌兵村、同19年には根室の東和田兵村へ屯田兵が配置され、「道都」である札幌の警備に加えて、太平洋岸の防衛までを担うことになった。

明治19年には、開拓推進のため三県は廃止となり、北海道庁が新設された。それと同時に、再び屯田兵も募集され、明治20年には新琴似、室蘭の輪西(わにし)兵村、同21年には根室の西和田兵村、同22年には篠路兵村への入植が進められた。

新琴似屯田──多かった九州出身者

新琴似屯田には、明治20年（1887）に140戸が入地した。場所は現在の北区新琴似、新琴似町、麻生町、新川の一帯であり、当時は琴似村の一部であった。

募集兵員は九州からの応募が多く、*9なかでも大分県から入地した屯田兵は、屯田兵という国家的使命を果たすことを期待され、出発時に県知事らから「告別の演説」や「立食の饗応」*10を受けていた。*11

兵村は南側の一番通から北側の六番通までの範囲で、**散居制(さんきょせい)**の家屋配置であっ

新琴似　40頁参照。

＊9　募集兵員は福岡（44人）、熊本（41人）、佐賀（40人）、鹿児島（11人）、岡山（10人）の計146人であった。翌明治21年には第2陣として74人が福岡、佐賀、大分、徳島、岡山などから入った。

＊10　『福岡日日新聞』（明治21年5月19日）

＊11　『新琴似兵村史』、『新琴似百年史』

散居制　疎居制もしくは粗居制とも。農業開発を重視し、比較的広い用地に距離を置いて兵屋を配した。道の両側に兵屋を置き、その背後に耕地があった。

た。これは琴似兵村などとは違って、営農を重視した兵屋配置[*12]であった。

『新琴似百年史』には、「移住当時の福岡日日新聞」の記事が何本か掲載されている。明治20年6月17日の「新琴似通信」によると、「(五月)二十五日よりは午前七時より正午迄練兵、午后一時より当村に通する新道廿七、八間、幅九尺の道作りに従事し、午后六時の喇叭（らっぱ）にて引揚くることにて、屯田兵は三週間にて練兵は卒業するの成規なり」と報告されていた。また、帰宅後も家の周囲の伐木に従事していたが、「隣家へは四十間程隔たり居れは実に寂寥（せきりょう）閑散、仙境に入りし心地せり」と、入植間もない頃の村内状況を伝えている。

四番通には、明治19年に建てられた中隊本部があった。かつては西側に中隊長などの将校や軍医たちの官舎があり、このほか火薬庫、物資庫なども建ち並び、その向かい側は練兵場となっていた(現在は新琴似小学校の敷地)。今も中隊本部の建物のみ、新琴似神社境内に保存され、市の有形文化財となっている。[*13]屯田兵村に由来する地名としては、前出の兵村の区画割に基づく「○番通」の通り名が、後に字名となっており、現在は道路の名称として残っている。

篠路屯田――苦戦した開墾

篠路屯田は、明治22年（1889）に熊本県46戸、山口県43戸、和歌山県37戸、石川県32戸、徳島県29戸、福井県20戸、福岡県13戸の、220戸105

＊12　兵村1戸分の土地は間口40間（約73メートル）、奥行100間（約182メートル）で、面積は4000坪（約1万3200平方メートル）あり、そのうち宅地は150坪（約495平方メートル）あった。

＊13　正式名は、新琴似屯田兵中隊本部。兵村の役場としての機能も担った。屯田兵役の解除後は、兵村会の共有財産となった。現在は文化財として保存され、屯田兵に関する資料が保存・展示されている。

篠路　34頁参照。

2人が入植*14して始まった*15。各県における募集時の模様は、「福岡日日新聞」、「九州日日新聞」（熊本）、「北陸新報」（金沢）などの地元紙でも取り上げられ、北海道での「**稼穡**（かしょく）」と「守戦」が報じられている。*16この時は、室蘭、根室へ入植する屯田兵と併せて募集が行われた。

入植地は現在の北区屯田町、石狩市花川に跨がる区域で、新琴似屯田の北方に当たり、両者の間の境界代わりに**防風林**が設定されていた。篠路の地は石狩川の洪水地帯という悪条件下にあり、明治29年に屯田兵の予備役が終了すると離村者が相次ぎ、同37年にはわずか72戸に減少した。

明治29年には篠路村に編入され、農村地域と同じ扱いとなり、同39年には旧兵村区域のみが琴似村に移管され、同村の大字篠路村となった。昭和18年（1943）の字名改正に際しては、「篠路兵村」に改称されるはずだったが、篠路村と紛らわしいことから「字屯田」に変更された。現在は、北区の行政地名として「屯田」

篠路屯田兵村の将校と下士官（明治27年撮影、出典：『屯田九十年史』）

＊14　『屯田百年史』

＊15　1戸分の土地は間口30間（約55メートル）、奥行166間（約302メートル）、面積は4980坪（約1万6430平方メートル）、宅地は150坪（約495平方メートル）であった。

稼穡　作物の植え付け、取り入れのこと。農業と同義。

＊16　『九州日日新聞』（明治22年7月5日）

防風林　現在も屯田防風林として残る。42頁参照。

「屯田町」の名称があり、兵村時代の名残を今にとどめている。

このように、札幌西部は琴似、南部は山鼻、東部は江別・野幌、北西部は新琴似、北部は篠路に屯田配置を行ったことで、道都・札幌を防衛する軍事ラインが完成したのである。

屯田兵の兵役期間は長期におよんだが、明治29年から同34年に**後備役**（こうびえき）が終了し、屯田兵村も終焉を迎えた。しかし、開拓移民となった屯田兵とその子息たちは、識字者が多かったことや、札幌周辺に居留したこともあり、兵役終了後も官吏（役人）、警察、教員などになるケースが多かった。明治初期の札幌官界の裏側を支えていたのは、こうした屯田兵村の出身者たちであった。

2 札幌周辺の開拓村落

開拓使の時代、札幌は一里四方の区域で、その周辺は村々に囲まれていた。北部は苗穂・丘珠・札幌・篠路・雁来村、東部は白石・上白石村、南部は豊平・平岸・月寒村、西部は円山・琴似・上手稲・下手稲・山口村であった。

これら諸村の再編成と地域の自治のため、明治33年（1900）に北海道一級町村制、同35年には二級町村制が施行される。これにより、札幌周辺では札幌村・手稲村・豊平村・白石村、同39年には藻岩村・篠路村・琴似村の計7村が、二級町村として誕生した。

後備役　軍隊で予備役（非常時にのみ召集され軍務につく）を終了した者がついた兵役で、有事の際は予備役に次いで召集される。

札幌村・手稲村

新しい札幌村は、明治35年（1902）に旧札幌村・苗穂村・丘珠村・雁来村の4村が併合して成立した。旧村を引き継いだ4大字に編成され、大字札幌村に元村・中通・新川・烈々布、大字苗穂村に苗穂上・苗穂下、丘珠村に丘珠、雁来村に雁来が置かれた。昭和12年（1937）には字名改正により、札幌村のみ「元村」に改称された。これは隣接する札幌市との混同を避けるためであった。

札幌村大字苗穂村のタマネギ収穫（明治39年撮影、北大附属図書館蔵）

札幌村では、タマネギ、ニンジン、ゴボウなど蔬菜（野菜）の栽培がさかんになり、苗穂下は野菜の供給地となった。丘珠はタマネギの特産地で、明治30年以降、京浜地方やロシアのウラジオストックに輸出されるまでになっていた。また、馬の飼料となる**エンバク**（燕麦）の生産量

エンバク（燕麦） 35頁参照。

も多く、雁来にあった陸軍**糧秣本廠**札幌派出所に納入していた。移民は、苗穂村が福井・富山県、丘珠村が富山県、雁来村が富山・福井・徳島県が多いとされる。(『札幌郡調』)＊17

手稲村は、上手稲村・下手稲村・山口村の3村が併合されたもので、役場は下手稲村の**軽川**にあった。大字上手稲村に上手稲・西野、大字下手稲村に軽川・三樽別・下手稲星置、大字山口村に山口・星置という編成になっていた。

軽川には役場のみならず、鉄道の軽川駅があったことから、市街も開けていた。駅の北東部には、明治28年に**森本**(**花房**)**義質**から**前田利嗣**が買収した前田農場があり、これが現在の手稲区の地名「**前田**」の由来となっている。上手稲には、明治4年に旧片倉家家臣団の半数が入植した。西野の地名は、上手稲の西部に位置したことによる。ここには明治18年に、広島県より19戸52人が移住しており、＊18開拓の功績をたたえて「広島開墾」の名でかつて呼ばれた。

山口は、岩国を中心とした山口県東部からの移民が中心であった(後述)。昭和17年には、福井県人によって開拓されたことに由来する「**福井**」の地名が手稲村に設けられ、現在も西区の行政地名として残る。

豊平村・白石村

豊平村は、明治35年(1902)に旧豊平村・月寒村・平岸村の3村で形成さ

糧秣本廠　兵員の食糧と軍馬の飼料などを保管・供給する施設

＊17　『札幌の歴史』第22号。

軽川　157・405頁参照。

森本(花房)義質　明治・大正期の外交官。

前田利嗣　加賀前田家第15代当主。

前田　156頁参照。

＊18　『札幌県報』第88号。

福井　145頁参照。

豊平村の農家〈平岸の重延家〉（明治40年撮影、北大附属図書館蔵）

れた。*19札幌周辺の村では人口・面積ともに最大であったため、商店街や居住民が集中した地区のほとんどは、明治43年に札幌区へ編入された。

　月寒村は明治29年、月寒東通に第七師団歩兵第25連隊が置かれて以来、「軍都」となっていく。明治43年には村役場がこの地区に移転したことで、国道沿いに商店が立ち並ぶようになった。かつては、明治4年に現在の福住に6戸入植したことにちなむ、「六軒村」の地名もあった。

　平岸村はリンゴなどの果

*19　豊平村は豊平、月寒村は月寒東通・月寒西北通・月寒東北通・月寒西通・月寒上西山・月寒下西山・二里塚・牧場・厚別・厚別北通・厚別南通・公有地・三里塚・三里塚北通・器械場、平岸村は平岸下本村・平岸上本村・東裏・中島・精進川・真駒内・石山・土場・穴ノ沢・丸重吾沢・野々沢・東簾舞・西簾舞・御料地・砥山・滝ノ沢・一ノ沢・定山渓となっていた。

樹栽培がさかんで、簾舞地区には札幌農学校の第四農場や帝室林野管理局の御料農場があり、多数の小作をかかえたことから、市街に商店などが集まっていた。

白石村は、宮城県（旧仙台藩）白石領を治めていた片倉家の家臣が移住したことから、開拓使により「白石」と命名された。家臣たちが入植したのは、上白石・横町・中央・本通の地域であった。旧白石村と上白石村を併せて明治35年に白石村が形成され、字は米里・上白石・横町・中央・本通・南郷・北郷・大谷地・旭町・東部・西部・川下・野津幌・下野津幌・小野津幌で編成された。

米里と上白石は元の上白石村で、そのほかは旧白石村の区域である。各字は村の中央部を通る国道12号に沿って付けられた。旭町（現在の厚別区厚別中央ほか）には長野県からの移民が入り、信濃小学校などの校名にその名残が見られる。

藻岩村・篠路村

藻岩村は、山鼻村と円山村が合併して、明治39年（1906）に成立。札幌区に隣接していたことから会社員や官公吏の住民が多く、商業・製造業も多かった。明治43年には、山鼻屯田の大部分を占めていた村の南東部が、札幌区へ編入となったことから、藻岩村が新たに再設置された。[*20]かつて、藻岩村大字円山村の字名だった中央区「伏見」は、明治4年に移民が入植して「四軒村」と通称したことに始まる。

＊20 山鼻村は伏見・上山鼻・四号ノ沢・五号ノ沢・八号ノ沢・石山通・白川、円山村は五条通・一条通・神社通・界川・滝ノ沢。

篠路村と琴似村にも、明治39年に二級町村制が施行された。この折、屯田の篠路兵村は琴似村へ編入され、新たに篠路村が編成された。*21 茨戸には、藤田九三郎の藤田農場があった。藤田は札幌農学校の第2期生で、官吏のかたわら農場経営を志して農場を開いたものだった。また、開拓使や屯田兵の高官などを務めた**堀基**の農場があり、これを明治27年に旧加賀藩の前田利嗣が買収し、前田農場を興している（同28年には手稲村前田にも農場を設立）。

藻岩村役場（明治45年撮影、北大附属図書館蔵）

山口は、山口県出身の政治家**山田顕義**が、明治13年頃に140町歩の払い下げを受けて農場を開いたことにちなむ。**当別太**は、明治15年に福岡県より**開墾社**の団体が入植して始まったが、国から借り入れた資金を幹部が費消し、移民は苦渋を嘗めたという。*22

なお篠路村は、安政5年（1858）に農民数十軒が、現在の篠路町篠路付近に入植したことに始まる。その後ろ盾となった幕吏の名から、当初は「荒井村」と称

＊21 本村・五ノ戸・十軒・レツレップ・中島・学田・横新道・茨戸（前田農場より市街中央まで）・茨戸（市街中央より石狩川添ペケレト沼まで）・興産社大野地・興産社沼方・興産社地内・山口・カマヤウス・当別太（移住者共有地界より中野開墾道路沿いまで）・当別太（当別渡道路沿い対雁村界まで）・沼ノ端（苗穂村界まで）・中野開墾。

堀基 304頁参照。

山田顕義 陸軍軍人・政治家。日本法律学校（後の日本大学）創始者。

当別太 43頁参照。

開墾社 福岡県の士族救済のために設立された組織。

＊22 『シノロ 140年のあゆみ』、『札幌の歴史 第23号』、『新札幌市史 第二巻通史二』

した。その2年後には、上篠路に入植した移民のリーダーの名から「中島村」が生まれ、後に両村を併せて篠路村となった。

興産社——徳島県人が設立

興産社は、北海道における藍栽培を目的に、徳島県人が移住して設立したもので、北区「あいの里」の地名はこの事績に由来する。藍栽培を手掛けた篠路興産社の名にちなんで、かつては「興産社」の字名もあった（36頁参照）。このため篠路村や札幌村も、徳島県からの移民が多かった。

しかし、明治20年（1887）代後半になると製藍事業が行き詰まり、同32年には中止された。農場は明治37年に売却、同45年から三菱財閥の**岩崎久弥**（いわさきひさや）による経営となり、後に拓北農場となった。

また、北区「**篠路町福移**（しのろちょうふくい）」は、明治15年に筑前（現福岡県）からの移民が入植したことから、当初は「筑前開墾」と呼ばれた。その後、昭和初期になって、福岡県人が移住・開墾した地であることにちなみ「福移」の地名となっている。このほか十軒、五ノ戸、山田開墾など、移民にまつわる地名が少なくなかった。

琴似村

琴似村は、発寒村・篠路兵村を併合し、明治39年（1906）に二級町村と

岩崎久弥　1865〜1955年。明治・昭和期の実業家。岩崎弥太郎の長男で、三菱財閥3代目。三菱合資の社長として鉱業や造船などの事業を発展させた。大正5年の退任後は、農牧事業を手がけた。

篠路町福移　43頁参照。

琴似村のエンバク収穫風景（大正元年撮影、北大附属図書館蔵）

なった。大字は琴似村・発寒村・篠路村の3村から成り、琴似・新琴似・篠路屯田の3兵村が集まっていた。[*23]

主産業は農業で、稲・麦・豆・亜麻・蔬菜が主要作物だった。麦はビール工場、亜麻は製麻工場に納められ、蔬菜は札幌区へ出荷されるなど、都市近郊型の農村であった。鉄道線の北部に広がっていた低湿地や泥炭地の土地改良もさかんに行われ、酪農が行われたことからエンバク・牧草の栽培も多く見られた。[*24]

移住者にちなむ地名としては、初期の入植者数に由来する「八軒」「二十四軒」「十二軒」などの字名があり、現在も一部が行政地名として残る。

＊23　琴似村は川添・二十四軒・山手・十二軒・小別沢・盤ノ沢・中ノ沢・八軒・牧場・新琴似南1番通から南6番通・部有地、発寒村は南発寒・北発寒・西発寒、篠路村は北1番通から北5番通とみられる（『新札幌市史　第3巻』）。

＊24　新琴似は当時、ダイコンの生産で知られた（『札幌の歴史　第6号』）。41頁参照。

3 家臣団の移住と県人組織の形成

白石と片倉家臣団

旧仙台藩に奉仕する片倉家の所領は白石と呼ばれ、現在の宮城県南部に位置した。戊辰戦争で敗れた仙台藩は、石高が減らされ、藩領も大幅に縮小されることになった。縮小された領地は、要害と呼ばれる藩の外延部であり、そこには陪臣が2万人以上住んでいた。彼らは武士の身分を捨て、百姓にならねばならなかったが、年来奉公した領主との離別をきらい、武士身分の維持を願った。そこで陪臣たちは、北海道に新たな所領をもとめる「**北地跋渉**（ほくちばっしょう）」を計画したのである。

だが、計画通りに進展したのは亘理・岩出山の伊達家、白石の片倉家などわずかで、いずれも財政は逼迫していた。片倉家は戊辰戦争の際、本拠の白石城が反政府軍の本拠地となったことで軍備に多大な出費を重ねており、ついには城まで処分するありさまであった。片倉氏の家臣と家族数は1402戸、7495人におよび、うち半数が北海道移住を希望していたが、片倉家では66戸193人しか送ることができなかった。残りの希望者は、新たに開拓使の管理下に入り、**開拓使貫属**（かんぞくしょうぼ）の招募移民*25として札幌へ送られることになった。

白石へ入植した一団は、現在の国道12号沿い、中央1条3丁目付近から本通

北地跋渉　232頁参照。

開拓使貫属　開拓使に所属するが、藩士など、身分上の名称を失わずに開拓に従事する者をいった。

***25**　開拓使では、明治3年に酒田県（現山形県）、新潟県などより400人ほどを招募移民として迎え入れ、庚子一ノ村（苗穂村）・同二ノ村（丘珠村）・同三ノ村（円山村）・同四ノ村（札幌村）を形成した。翌明治4年には盛岡県（現岩手県）岩手郡から月寒村・花畔村（現石狩市）へ、登米県（現宮城県）遠田村から対雁村ほか、胆沢県（現岩手県）水沢領の伊達将一郎の旧家臣が平岸村へ移住した。

14丁目付近までの間、道の両側に50戸ずつ計100戸が居住。西端に置かれた神武天皇を祀る神社が、現在の白石神社である。望月寒川付近は出水被害が多かったため、明治7年（1874）には豊平川沿いの菊水、菊水上町、菊水元町に26戸が移り、そこに上白石村が成立した。上手稲へ入植した一団は、旧国道5号沿いの西町南・西町北に50戸が居住し、開拓が進められていった。

現在、白石の名称は区名として残るほか、駅名などさまざまな施設名に使用されている。

山口県人と山口村

明治16年（1883）に設置された山口村への移住者は、山口県岩国にあった殖産会社の人々が中心であった。山口村は、明治15年に下手稲村から分離独立して成立したもので、手稲村大字山口村を経て、現在は手稲区「手稲山口」の行政地名となっている。このほか旧藩士救済のため、旧岩国藩では**授産**会社である義済堂を興し、移住希望者に対して旅費の補助を行っていた。*26 北海道移住希望者の総代であった宮崎源治右衛門が、まず調査と土地選定のために渡道。明治14年に下手稲村へ30戸分、60万坪の地所仮渡を出願し、地所の割渡を受けた。移住者の大部分が山口県の**平郡島**の出身であったのは、かつて山口藩の海軍基

授産　失業者などに仕事を与え、生計を立てさせること。

＊26　『岩国市史　下巻』。

平郡島　山口県柳井市。瀬戸内海伊予灘に浮かぶ離島。

明治5年からの歴史を有する白石神社
（昭和52年撮影、札幌市公文書館蔵）

地があったためで、そこに勤めていた下級武士たちが新たな生活をもとめて、移住を志願したものだった。

明治10年代半ばより、山口県からの移住者はさらに増加する。その契機は、旧藩主・毛利家の開拓事業への参入であった。同家は、開拓使官吏の勧めもあって、明治13年に岩内郡へ出願し、同15年に余市郡仁木町に農場を設けた。これにより旧士族層の移住が促進され、明治18年の山口県からの移住戸数は225戸と、第2位にまで伸びた。ただし山口村での開墾は困難を極め、ニシン場であった小樽・銭函に薪や炭を卸したり、製糸を行うなど、生活が安定するまでには苦難も多かった。

札幌への移住と県人会

明治3年（1870）の札幌への移民は、山形県の鶴岡、新潟県からで、その翌年には盛岡県（現岩手県）、宮城県などからの移住者も見られた。そのうち山形県の人々は、円山村に入植した。また同村の伏見にも、鶴岡出身の佐藤三右衛門・三蔵の父子が移住したことを契機に、同郷人や一族の係累が移住した。

明治45年の時点で、伏見を含めた円山村の在籍者209戸のうち、山形県出身者は108戸におよんだ。[*27]そのほか、広島県からの移住も見られ、明治13年以降、上手稲村に移住ありとされ（札幌郡調）、同16、17年には月寒へ30戸、

＊27 『札幌郡藻岩村大字円山部落』

山口村へ40戸の移住があった。[*28]

北海道庁が設置された明治20年以降になると、道都である札幌とその周辺村には、各県から多くの人々が移り住むようになり、特に徳島・福井・富山県からの移住者が多く見られた。徳島県から札幌への移住は、前述の興産社が最初であったとみられるが、やがてその小作人たちが自作地をもとめ周辺地域に定着していく。徳島移民が最も多かったのは篠路村だが、新琴似・篠路各兵村の屯田兵にも同県人が多かった。

福井からの移民も、明治10年代後半から多くなり、同22年の札幌郡役所管内の統計によると、福井県からの移民数は44戸（152人）で、第1位だった。[*29]上手稲の右股・左股（現在の平和・福井）も福井県人が入植したところで、「越前開墾」とも呼ばれた。明治20年代には、白石・豊平村への移住者も福井県人が上位を占めている。[*30]

富山県からの移民は札幌村に顕著で、札幌農学校第三農場では28戸と小作の半数を占めた。明治45年までの「移民系譜」（『東区拓殖史』所載）によれば、443人の移民のうち、約3割に当たる150人が富山県出身者で、札幌周辺24農場の小作517戸のうち、136戸を占めていた。

こうした中から県人会などが結成され、同郷人による交流も生まれた。明治10年代には岩手県人同盟会、仙台親睦会などが主だったものであったが、同24年

＊28 『新札幌市史 第七巻 史料編二』
＊29 『北海道毎日新聞』（明治23年3月28日）
＊30 中村英重「明治後半期における札幌の移住動態」（『札幌の歴史』第24号）。

までには20県の親睦（懇親）会が成立していた。

明治30年代には、信濃会（長野県）、巌鷲協会（岩手県）など県人会組織の改編があり、また諸県ごとに組織されている。これらは、同県人間の懇親にとどまらず、相互扶助、支援、母県との交流なども行う組織[*31]であった。単に郷里への懐古というだけではなく、新たな郷土の建設に目が向けられていたのである。

＊31　中村英重「札幌における県人会の形成」（『札幌の歴史』第45号）。

［参考文献］

松本十郎「松本系譜」（道立文書館蔵、成立年不詳）

『札幌縣報』第88号（札幌県、１８８４年）

『福岡日日新聞（明治21年5月19日）』（１８８８年）

『九州日日新聞（明治22年7月5日）』（１８８９年）

『北海道毎日新聞（明治23年3月28日）』（１８９０年）

河野常吉『札幌郡調』（１９００年）

琴似兵村五十年記念会編『琴似兵村誌』（琴似兵村五十年記念会、１９２４年）

佐佐木俊郎『新琴似兵村史』（新琴似兵村五十年記念会、１９３６年）

『新撰北海道史　第3巻』（北海道庁、１９３７年）

伊沢富之助編『山鼻創基八十一周年記念誌』（山鼻創基81周年記念会、１９５７年）

『札幌郡藻岩村大字円山部落』（１９６９年）

『新北海道史』（北海道、１９７１年）

『屯田90年史』（屯田開基90周年協賛会、１９７８年）

『篠路兵村の礎』（篠路兵村50年記念会、１８８０年）

松下芳男『屯田兵制史』（五月書房、１９８１年）

岩国市史編纂委員会『岩国市史 下巻』（岩国市役所、1981年）
『東区拓殖史』（札幌市東区役所、1983年）
『札幌の歴史 第6号』（札幌市、1984年）
ホーレス・ケプロン『蝦夷と江戸 ケプロン日誌』（北海道新聞社、1985年）
桑原真人「屯田兵制度」（『さっぽろ文庫33 屯田兵』収載、1985年）
山崎長吉『札幌教育史 上巻』（第一法規出版、1986年）
札幌市教育委員会『新札幌市史 第七巻史料編二』（札幌市、1986年）
新琴似百年史編纂委員会『新琴似百年史』（新琴似百年記念協賛会、1986年）
『屯田百年史』（屯田開基一〇〇年記念事業協賛会、1989年）
札幌市教育委員会『新札幌市史 第二巻通史二』（札幌市、1991年）
『札幌の歴史 第22号・第23号』（1992年）
中村英重「明治後半期における札幌の移住動態」（『札幌の歴史』第24号収載、1993年）
札幌市教育委員会『新札幌市史 第三巻通史三』（札幌市、1994年）
中村英重『北海道移住の軌跡』（高志書店、1998年）
中村英重「札幌における県人会の形成」（『札幌の歴史』第45号収載、2003年）
羽田信三編著『シノロ 140年のあゆみ』（加藤隆司、2003年）
中濱康光『札幌郡白石村・上白石村・手稲村開拓使Ⅱ』（2004年）
中村英重「山口団体と北海道への移住」（『札幌の歴史』第53号収載、2007年）

Chapter.....04

新興住宅地・団地の成立に伴う新地名の誕生

郷土史家
中村英重

1 団地の成立

戦後の人口増大

戦後の札幌は、市町村合併で市域が拡大した。昭和25年（1950）に白石村、同30年に札幌村、琴似町、篠路村、同36年に豊平町、同42年には手稲町と合併し、市域の拡大を続けていった。一方、空知地方を中心に炭鉱の閉山があいつぎ、また農村部での離農者が増えたこともあって、離職者の札幌への流入が顕著となった。人口は増大の一途をたどり、昭和45年には100万人を突破した。

こうした状況の中、住宅不足が深刻な問題となり、札幌市をはじめ北海道、日本住宅公団、民間会社などによって大規模な団地造成が行われていった。

初期の団地造成

札幌市では、昭和23年（1948）から北24～25条、西2～4丁目に市営住宅を建設。さらに昭和26年には、幌北地区の旧飛行場地区などを住宅開発していった。**日本住宅公団**では、昭和32年から豊平町平岸（現在の豊平区平岸）に木の花団地の建設をはじめる。これは同公団が「札幌市の住宅払底を緩和するために北海道で最初に建設した住宅団地」であった。昭和32年に平岸地区の果樹園を買収し、4年間かけて45棟732戸を建設*1した。「木の花」とはリンゴの木のことで、木の花団地が作られた昭和30年代の平岸には、リンゴ農家が多く見られた。昭和28年に現在の米里行啓通が開通した際、平岸の象徴であるリンゴの花から「木の花通」と名づけられた。昭和33年、この通り沿いに団地が造成される際、通りの名称にちなんで「木の花団地」となった*2という。現在では見られなくなった平岸のリンゴ畑の記憶を今に伝える名称となっている。

また、北海道財務局は中の島に昭和36年から同41年にかけて公務員合同宿舎を建設した。昭和32年には、豊平町内の十五島、羊ケ丘住宅地が、その翌年からは麻生団地の建設も始まった。麻生団地の建設地は、北海道製麻（せいま）（帝国製麻）会社琴似工場の跡地で、工場・社宅・**亜麻**（あま）の干場など、8万5000坪（28万平方

豊平区・木の花団地〈写真中央〉と藻岩山
（平成12年撮影、札幌市公文書館蔵）

日本住宅公団　現在の都市再生機構。略称UR。

＊1　『平岸百拾年』

＊2　『札幌地名考』

亜麻　亜麻生産の提案者はお雇い外国人トーマス・アンチセル、繊維技術の導入者は榎本武揚とされる。北海道における亜麻生産発祥の地は琴似で、明治20年に北海道製麻株式会社が設立され、屯田兵の妻など女性も労働力となった。戦後は化学繊維の台頭により亜麻産業は急速に衰退、昭和42年には終了したが、近年再生産の動きがあり、平成16年には札幌市に亜麻公社が設立されている。

メートル）におよぶ広大な敷地であった。このうちの南半分が、北海道住宅公社（昭和40年からは北海道住宅供給公社）により麻生団地として開発された。*3麻生とは、亜麻の生産を由来とする地名で、工場閉鎖直後の昭和33年に地元住民の町名新設請願により決定された。*4

2　真駒内団地と新札幌の諸団地

真駒内団地

真駒内は開拓使の牧場および道庁の種畜場として利用されてきたが、戦後は米軍の第11空挺師団が駐留、基地は「キャンプ・クロフォード」と呼ばれた。この名称は、北海道最初の鉄道を建設したアメリカ人技師の名にちなんで命名されたものという。*5

昭和30年（1955）に北部の兵舎地区の接収解除が行われ、代わって自衛隊北部方面第七混成団が駐屯を開始した。さらに昭和33年にはキャンプ地の南部地

南区・五輪団地〈真駒内団地〉（撮影年不詳、札幌市公文書館蔵）

*3　『麻生のあゆみ』
*4　『札幌地名考』
*5　陸上自衛隊真駒内駐屯地公式ホームページ。

区約50万坪（約1.65平方キロメートル）が返還となり、跡地の利用をめぐって北海道が検討にはいっていた。特に札幌は「人口が5年間に30％増と急膨張を続ける札幌市では、2万6千戸が不足し、公営住宅の競争率は最高30倍を超すほど」という状況であり、このことを反映して、大規模な住宅団地の建設が計画された。*6

北海道が作成した基本構想では、大阪の千里ニュータウンに次ぐ広さをもった4万人のベッドタウンを創出する計画で、町名は、昭和40年に真駒内曙町、同上町、同41年に真駒内緑町、同幸町、同泉町、同南町、同54年に真駒内柏丘、同58年に真駒内東町の名称が付けられた。

その後、昭和47年からは札幌オリンピック冬季大会の開催に向け、真駒内に屋外・屋内の両スピードスケート場、選手村などの建設が進められた。選手村は団地中央部の真駒内緑町、同幸町に建設され、大会終了後は住宅区となった。そのうち女子選手村に建築された2棟のアパートは、当時札幌では初めての11階建てという高層建築であった。男子選手村は5階建てのアパートで19棟あり、大会後はその690戸が「五輪団地」として賃貸された。

新札幌の諸団地

札幌市の住宅地造成・整備において、東部地区も重点開発地区となっていた。特に千歳線の路線変更とあいまって、新札幌を副都心とする整備事業が進められ

*6　『真駒内団地史』

ていった。副都心構想における宅地整備計画は、ひばりが丘団地（昭和34～41年）・下野幌第一（現青葉）団地（昭和38～43年）・下野幌第二（現新さっぽろ）団地（昭和42～56年）・下野幌第三（現もみじ台）団地（昭和42～55年）の4事業*7に分けられていた。

ひばりが丘の名称は一般公募で選ばれたもので、春にはヒバリの囀り（さえず）が聞こえる丘であったことに由来する。*8隣接する青葉町団地は、昭和44年（1969）に青葉町となった。この町名は札幌市長による命名で、ひばりが丘団地が「春」に関連した名称であることから、「夏」を感じさせる名称が選ばれた。*9その後、もみじ台団地は、昭和46年にもみじ台北・西・東・南となった。従来の地名は厚別町下野幌だったが、先に命名されたひばりが丘（春）と青葉町（夏）との関連から、「秋」にふさわしいもみじの名称が選ばれたという。

建設中のもみじ台団地〈現厚別区〉
（昭和45年撮影、札幌市公文書館蔵）

新札幌駅の設置と副都心開発

札幌市では、昭和45年（1970）の長期総合計画において副都心的商業業務

*7 『札幌副都心開発公社20年誌』
*8・9 『札幌地名考』

ひばりが丘団地〈現厚別区〉付近（昭和52年撮影、出典：『厚別開基百年史』）

地がうたわれ、新札幌駅およびその周辺部に官公署や商業施設を設置する計画が本格化した。ここには新札幌駅、地下鉄駅、デパート、区役所施設などの構想も含まれていた。

昭和48年には新しい千歳線[*10]が開通し、新札幌駅が開業する。それに伴い、ショッピングセンターや札幌市青少年科学館などが次々に開業・開館し、札幌東部地区の中心的役割を果たすようになっていく。昭和57年には地下鉄東西線が延伸され、地下鉄新さっぽろ駅が開業。平成元年（1989）に厚別区が誕生すると厚別区役所が置かれた。

副都心計画と連動して、周辺

＊10 札幌副都心開発には国鉄千歳線の路線変更もあげられていた。陸軍の歩兵第25連隊が月寒にあったことから、かつて千歳線には月寒駅が設けられていた。これは東札幌付近で急カーブして月寒駅を経過する、白石村の西端をはしる路線であった。しかし戦後は連隊もなくなり、新札幌から北広島方面へ向かう路線に変更となった。

部の大谷地、上野幌、下野幌、平岡、里塚にまたがる地域も市街化区域となり、東部地域開発連絡協議会が結成され、開発が進められていった。

3　諸団地・ニュータウンの造成

北都団地

白石区北郷にある北都団地は、元は白石町大谷地と厚別町川下であった区域を、昭和38年（1963）から同42年にかけて北都土地区画整理組合が農地を区画整理し、住宅地化したものである。以降、北都団地と呼ばれるようになった。この地域は明治35年（1902）頃より開拓され、北村英一郎が経営する北村農場があった（後に伊藤農場）。近隣地区共同草刈り場として利用されていたが、昭和7年に水田が造成。戦後も営農が続けられた。しかし、灌漑用水の確保や近辺の住宅地化の問題から、昭和38年に耕作の継続を断念した。

北都は通称名であり、正式な行政地名は北郷である。しかし周辺には北都小学校、北都公園、また商店の名称にも北都が見られる。昭和21年、大谷地西農事組合から独立した農

白石区・北都団地（平成２年撮影、札幌市公文書館蔵）

家が、新たに北斗農事組合を結成した。「北斗」の名称は、大谷地の北東に位置することに由来するという。昭和38年から始まった宅地開発にともない、「北の都」となるようにとの願いが込められ、新たに北都団地の名称が生まれた。

区画整理後の新市街地名称が検討された際、組合は「北都」を希望したが、北郷の地区名と北都の俗称を統一したいとする考えから、明治4年（1871）から続く北郷の地名が優先された[*11]という。

*11　札幌市商店街振興組合連合会公式ホームページ。

北区・あいの里教育大駅前の商業施設群
（平成21年撮影、札幌市公文書館蔵）

あいの里

昭和後期になっても続いていた札幌の人口増加に対応するため、北辺の篠路地区に造成された広大なニュータウンがあいの里である。

ここは明治15年（1882）、徳島県の興産社が開拓した土地であり、藍の栽培がその主要産業であったことから、昭和57年（1982）に町名が「あいの里」となった。平成14年（2002）からはさらに南あいの里の開発が始まった。

清田区・市営住宅美しが丘団地（平成21年撮影、札幌市公文書館蔵）

その他のニュータウン

明日風は手稲区にある地区で、平成19年（２００７）に手稲山口および曙の一部が新規に町名整備されて生まれた行政地名である。明日風という名称は、ニュータウン名である「明日風のまち」にちなんだもので、中央に明日風公園を擁する。

美しが丘は清田区にある住宅街で、かつて里塚地区の一部であったが、昭和57年（１９８２）に「里塚・真栄地区土地利用転換計画」が策定されたことで、計画的な街区開発が進められた。平成4年から同5年には、それまで「里塚」だった行政地名が「美しが丘」に改められた。

札幌市最西端の駅で、手稲区星置に位置するほしみ駅は、ＪＲ北海道函館本線の駅名である。札幌の住宅地の広域化にともなう北海道ジェイ・アール都市開発および岩倉土地開発による宅地分譲は、この駅の開業（平成7年）にあわせて行われた。ほしみとは「星観」の意で、近隣には公園「星観緑地」もある。

一方、ＪＲ函館本線で札幌市最東端に位置する森林公園駅は厚別区にあり、こちらは昭和59年に森林公園パークタウン（森林公園町内会）の各戸と、開発業者による旅客駅設置の請願を受けて開設されたものである。名称は、隣接する道立自然公園野幌森林公園にちなむ。

厚別区・森林公園駅
（平成２年撮影、札幌市公文書館蔵）

［参考文献］

札幌市教育委員会文化資料室編『さっぽろ文庫1　札幌地名考』（札幌市、１９７７年）
澤田誠一編『平岸百拾年』（平岸百拾年記念協賛会、１９８１年）
「麻生のあゆみ」編集委員会編『麻生のあゆみ』（麻生連合町内会、１９８９年）
札幌副都心開発公社『札幌副都心開発公社20年誌』（札幌副都心開発公社、１９９５年）
北海道自治行政協会編『篠路村史』（篠路村役場、１９５５年）
真駒内街路灯組合『真駒内団地史　街路灯と地域の歩み』（真駒内街路灯組合、２０１６年）
＊陸上自衛隊真駒内駐屯地公式ホームページ（２０１８年）
＊札幌市商店街振興組合連合会公式ホームページ（２０１８年）

Chapter.....05

札幌の近代産業史を飾り今も生まれる産業の地名

北海道史研究協議会　大庭幸生
札幌地理サークル　山内正明

偕楽園　明治4年、開拓判官・岩村通俊によって、現在の北7条西7丁目あたりに開かれた。当時はまだ郊外で、原生林に囲まれた泉池のほとりに種々の勧業施設が設置されていた。202頁参照。

創成川　28・371頁参照。

1　中央区

官園（かんえん）

札幌官園を指し、北6条の西方に設置された都市公園である**偕楽園**（かいらくえん）の隣地3600坪を、明治4年（1871）に農業試験場とし、各種の穀物・蔬菜の育成を試みた場所である。同様の施設は東京と七重（ななえ）（現亀田郡七飯町）の各官園が先行し、根室官園が後続。国内外の作物や洋式農具の導入、現術生徒（農業技術者）の育成なども行った、開拓期における農業諸施設の中心。〔参考文献①〕（大庭）

工作場（こうさくじょう）

明治5年（1872）から開拓使工業局が設置を始めた工場群。大通の**創成川**から東4丁目までの範囲にわたり、数十棟の設備を設けた。主なものは、蒸気木挽（こびき）器械所、製鉄所、錬鉄器械所、木工所、鋳造所、粉磨器械所、製油所ほか。明治9年、この北側に物産課所管の麦酒（ビール）・葡萄酒両醸造所などを設置して、醸造を開始した。〔参考文献②〕（大庭）

桑園（そうえん）

中央区の地区名。明治8年（1875）、開拓使が本庁西北の原野21万坪余を、酒田県（現山形県）士族に依頼して開墾。桑苗14万株を植栽し、道内における桑園伸長の一根拠地とした。その後、地区は地の利を得て都市化を遂げ、JR桑園駅付近から北1条西20丁目付近まで伸張した。〔参考文献③〕（大庭）

二条魚町（にじょううおまち）

南3条東1丁目（中通りを挟む）に密集した、鮮魚、水産乾物、蔬菜、日常雑貨などを売る店舗約50軒からなる地区。周囲にはホテル、居酒屋なども付随し、通称「二条市場（いちば）」の名で親しまれる。明治35年（1902）の大火で空き地となった場所に、創成川周辺の魚小売商などが店を開き、徐々に集合したという。かつては行商人や露天商の多い〝市民の台所〟だったが、現在は観光客中心の市場となっている。〔参考文献④〕（大庭）

桑　低～高木性の落葉樹。葉はカイコの飼料に用いられ、果実は食用になる。

開拓使工業局札幌器械所（明治10年頃撮影、北大附属図書館蔵）

サッポロファクトリー

中央区北1〜2条東3〜5丁目を占め、百数十のショップ、レストラン、映画館、アミューズメント、ホテルなどを擁した、国内最大級のショッピングモール。かつての開拓使麦酒醸造所の跡地であり、今も保存される100年前のれんが建築物内に醸造所を一部復活し、醸造過程の見学や購入もできる。*1会社の事業キーワードには、「歴史的建造物の保存と再生」も掲げられる。〔参考文献⑤〕（大庭）

2 北区

麻生町（あさぶちょう）

明治23年（1890）、**北海道製麻会社**が新琴似（現**麻生町**）に**亜麻**製線所（後の帝国製麻琴似工場）を建設。その敷地は広く、現在の琴似栄町通と西5丁目樽川通、創成川に囲まれた範囲で、原料の亜麻は屯田兵村などから集めた。昭和期以降、周辺の都市化が進行する一方、戦後は化学繊維の台頭により製麻業は衰微し、昭和32年（1957）に工場は閉鎖された。跡地は、住宅供給公社の団地建設や地下鉄の延長による繁華街の形成などで変貌した。〔参考文献⑥〕（大庭）

拓北（たくほく）

旧**篠路村**の北東部一帯を占める地区名。明治10年（1877）代に**滝本五郎**

＊1　レンガ館内にある札幌開拓使麦酒賣捌所（うりさばきしょ）で、地ビールを製造、販売する。

麻生町　38頁参照。

北海道製麻会社　明治20年、札幌で設立。同40年に日本製麻株式会社と合併し、帝國製麻株式会社となった。

亜麻　アマ科の一年草。明治期、茎から繊維をとる目的で北海道に導入。衣服のほか、ロープやテント生地など軍需用として栽培面積が増加した。戦後は化学繊維の台頭などにより、商用栽培は行われなくなった。

篠路村　34頁参照。

滝本五郎　1836〜1899年。徳島県出身。北海道開拓を志し、徳島興産社（後に篠路興産社）を興して現在の拓北に入植。藍栽培で成功を収めるが、安価な輸入品に押され、明治30年に栽培を中止した。

が興した篠路興産社の藍（あい）栽培から開拓が始まった。短命に終わったその跡地を含む村の北東部は、その後二、三転し、昭和初期に**北海道拓殖銀行**の所有となるが、昭和10年（1935）代に自作農創設政策により解放。JR学園都市線（札沼線）の北側は、近年のニュータウン計画で**あいの里**が分離された。〔参考文献⑦〕（大庭）

3 東区

御手作場（おてさくば）

慶応2年（1866）以降、幕府の命により**大友亀太郎**が開削した堀の周辺に、二十数戸の農民を入地させた地域をいう。現在の東区北13条東16丁目付近で、石狩低地帯開発の一模範となった。幕府は大金を投じてこの開墾事業を進め、農民も勉励した。大友は地域の鎮守として、個人で妙見社も建立したが、開拓使発足後、辞任し離札した（181・231頁参照）。〔参考文献⑧〕（大庭）

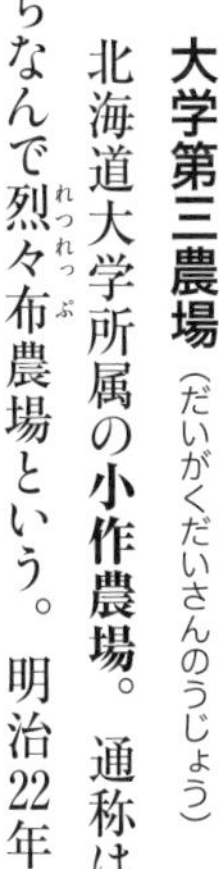
大学第三農場（昭和10年撮影、北大附属図書館蔵）

大学第三農場（だいがくだいさんのうじょう）

北海道大学所属の**小作農場**。通称は、地域名にちなんで烈々布（れつれっぷ）農場という。明治22年（1889）

北海道拓殖銀行 明治33年、北海道開拓を促進する目的で国策により特殊銀行として設立。戦後は都市銀行に転換するが、平成9年に経営破綻し、北洋銀行へ経営を譲渡した。

あいの里 35頁参照。

大友亀太郎 181頁参照。

小作農場 農地の所有者が、小作人と呼ばれる農民に耕地を貸し出して経営した農場。小作人は小作料として、地主に農作物の一部または金銭を納めた。

から札幌農学校、同校同窓会などが経営した。農場の範囲は、北23条から北51条(東1~7丁目)に至る、石狩街道沿いの広大なものだった。昭和25年(1950)の農地改革時、解放された耕地面積は320ヘクタール、小作者数は70戸に及んだ。〔参考文献⑨〕(大庭)

丘珠鉄工団地(おかだまてっこうだんち)

東区**北丘珠**2~6条、幅員400メートル内に立地する、機械・鉄工・金属加工業を中心とする団地。戦後の高度経済成長を背景に、市内の小規模業者が集団化による発展を求めて立地に至った。昭和38年(1963)に操業を始めた4工場を皮切りに拡張を続け、同48年に事業計画が完了。1980年代には42企業を数え、また関連施設や住宅も増え、純農村は大きく変貌した。〔参考文献⑩〕(大庭)

サッポロビール園(さっぽろびーるえん)

東区北7条東9丁目の総称「サッポロガーデンパーク」内にあり、ビールとジンギスカンなどの郷土料理で観光客を集める。パーク内にある**サッポロビール**博物館は、札幌麦酒(ビール)会社の麦芽工場だった遺構を生かしたもの。平成16年(2004)には、鉄道技術館、**雪印乳業史料館**、福山醸造などとともに、**苗穂**地区の工場・記念館群の一つとして**北海道遺産**に指定された。〔参考文献⑪〕(大庭)

北丘珠　50頁参照。

サッポロビール　開拓使が明治9年に開業した、開拓使麦酒醸造所を前身とする。明治19年、民間に払い下げられ、翌年札幌麦酒会社となる。明治39年、札幌・日本・大阪の3大ビール会社が合併し、大日本麦酒となる。昭和39年、社名をサッポロビールに変更。

雪印乳業史料館　現雪印メグミルク 酪農と乳(にゅう)の歴史館。昭和52年、創業以来の資料や実際に使われた乳製品の製造機械を展示する施設として開館。平成23年に現在の館名に改称した。

苗穂　51頁参照。

北海道遺産　北海道の自然や歴史、文化、産業、生活にまつわる、有形・無形の事物から、次世代に残したいものを遺産として選定。平成13年の第1回から同30年の第3回までに、67件が選定されている。

4 白石区

菊水（きくすい）

豊平橋付近から豊平川右岸に沿って下流に向かい、札樽自動車道まで展開する地区。字名では**菊水**1～9条、菊水上町1～4条、菊水元町1～10条となる。開拓の着手は、旧上白石村時代の明治19年（1886）、元開拓吏*2の**菊亭脩季**（きくていゆきすえ）が、札幌養蚕場の施設であった白石村養蚕場の貸与を受けた頃か。第2次大戦後、菊亭の「菊」と豊平川の「水」にちなんで「菊水」の地名がつけられた。札幌市街の伸長に伴い住宅が増え、商店、歓楽施設、医療施設等の増加が進んだ。〔参考文献⑫〕（大庭）

宇都宮牧場（大正7年撮影、出典：『札幌開始五十年記念写真帖』）

宇都宮牧場（うつのみやぼくじょう）

明治35年（1902）、アメリカで酪農を学んだ**宇都宮仙太郎**（うつのみやせんたろう）が、現在の菊水地区に約18ヘクタールの牧場を開き、洋式の牧舎やサイロなどを建設。優秀なホルスタイン牛を飼養し、バター

菊水　62頁参照。

***2**　開拓使及び農商務省北海道事業管理局に勤務した職員。

菊亭脩季　62頁参照。

宇都宮仙太郎　1866～1940年。明治―昭和時代前期の酪農家。大分県出身。真駒内種畜場の実習生を経て、アメリカに留学し酪農技術を学ぶ。帰国後、札幌で牛乳販売とバターの製造を開始。大正14年、北海道製酪販売組合を結成し、バターの自主生産を開始。その後もデンマーク酪農の普及に取り組むなど、北海道酪農の父と呼ばれた。

製造を行うなど、日本における酪農業の草分けとなった。後に地元酪農家をまとめ、旧**雪印乳業株式会社**の前身となる販売組合を組織した。昭和初期、周辺の市街地化により**上野幌**（かみのっぽろ）へ移転。〔参考文献⑬〕（大庭）

流通センター（りゅうつうせんたー）

函館本線と道央自動車道、**厚別川**に囲まれた地域に広がる、道内最大の物流拠点。昭和42年（1967）に建設が始まり、**札幌貨物ターミナル駅**の引き込み線に接して、約100棟の運輸関係倉庫が立地、その勢いは厚別川を越え東側に伸びつつある。平成元年（1989）の白石区と厚別区の分区により、大谷地から白石区流通センター（1〜7丁目）の行政地名に変更された。*3〔参考文献⑭〕（大庭）

5　厚別区

厚別町山本（あつべつちょうやまもと）

野津幌川と厚別川に挟まれた、約3キロメートルの北行する道路沿いに広がる地区。水害が多発する泥炭地帯を明治41年（1908）、小樽の実業家山本久右衛門が払い下げを受けて開拓が始まる。養子の厚三が後を継ぎ、開拓を完成させた。昭和9年（1934）、厚三の姓にちなんで地区名を山本と命名。厚三は衆議院議員であり、自作農創設の気運の中で農地を解放した。〔参考文献⑮〕（大庭）

雪印乳業株式会社　大正14年、北海道製酪販売組合として設立、乳製品の製造販売を行った。昭和25年、北海道酪農協同株式会社の企業分割により、雪印乳業として独立。平成23年、雪印メグミルクに吸収合併された。

上野幌　76頁参照。

厚別川　384頁参照。

札幌貨物ターミナル駅　昭和43年開業のJR貨物の貨物駅。開業時は新札幌駅と称したが、現在の新札幌駅開設時、現駅名に改称した。道央圏における鉄道貨物輸送の拠点で、コンテナ取扱量は国内最大を誇る。

＊3　流通センターの行政地名については、67頁参照。札幌初のカタカナ混じりの行政地名であるという。また、通称名「大谷地流通センター」の方が、正式名称より広く知られ、分区後は「白石区流通センター」の通称が使用されている。

厚別軽工業団地（あつべつけいこうぎょうだんち）

厚別の中心部から北へ約1キロメートル、厚別東地区の国道12号周辺に位置する、昭和49年（1974）設立の工業団地。約16万平方メートルの敷地は、国道を挟んで南側の厚別軽工業団地と北側の第2厚別軽工業団地（昭和56年設立）に分かれる。業種は食料品製造が最も多く、次いで建具・家具製造など北海道の代表的な軽工業種が集まる。*4〔参考文献⑯〕（大庭）

下野幌テクノパーク（しものっぽろてくのぱーく）

厚別区の東端、野幌森林公園に隣接するハイテク団地。全国に先駆けてIT産業の集積地を企図した札幌市が、昭和61年（1986）に造成し、第1テクノパークの分譲を開始した。進出第一号は富士通で、20区画を半年で完売し、2年後に隣接地にできた第2テクノパークも完売した。*5平成3年（1991）には、行政地名「下野幌テクノパーク」が設定されている（79頁参照）。〔参考文献⑰〕（大庭）

6 豊平区

月寒種羊場（つきさむしゅようじょう）

現在、羊ケ丘にある**農業試験場**は、明治34年（1901）設置の北海道農事試

*4 札幌市経済観光局国際経済戦略室による。

*5 札幌市経済観光局立地促進ものづくり産業課によると、野幌森林公園隣接の恵まれた自然環境と分譲価格の安さ、さらに人材の確保が容易であることなどが成功要因であるという。

農業試験場 明治34年に国費で設置され、同43年、北海道農事試験場から北海道農業試験場に改称。札幌に本場、旭川・十勝・北見・渡島に支場を持った。昭和41年、羊ケ丘に移転。現組織は「国立研究開発法人農業・食品産業技術総合研究機構北海道農業研究センター」の名称となる。

験場以来の系統を引き継ぎ、隣地にあった旧月寒種羊場を包接する。月寒種羊場は大正8年（1919）、羊毛の国内自給を目指す政府の方針から、畜産試験場北海道支場内に設置され、*6室蘭街道沿いにあって広く親しまれた。広々とした牧草地に草を食む羊群は、今なお観光資源となっている。〔参考文献⑱〕（大庭）

7 清田区

札幌ハイテクヒル真栄（さっぽろはいてくひるしんえい）

清田区役所から南に約3キロメートルの丘陵地に、札幌市が平成元年（1989）からハイテク工業団地の造成を開始。総面積約43ヘクタールの内、約半分が森林など緑地として残されている。対象企業は、エレクトロニクス・ソフトウェア・バイオテクノロジーなどの研究開発事業所であった。現在は日本電気、化合物安全性研究所、アミノアップ化学など6社が盛業中。*7〔参考文献⑲〕（大庭）

8 南区

厚別山水車器械所（あしりべつやますいしゃきかいじょ）

明治13年（1880）、開拓使は月寒村厚別にある**アシリベツの滝**の滝下に、82馬力の水車を動力とする器械所を開設した。柾挽（まさびき）、大小円鋸（まるのこ）、柾鉋（まさがんな）などの器械を備え、周辺の豊富な木材資源を活用して本府地区の工業局木工所な

厚別山水車器械所（明治13年頃撮影、北大附属図書館蔵）

＊6 札幌のほか、滝川など全国5ヶ所に種羊場が開設され、羊毛の増産が図られた。

＊7 札幌市経済観光局立地促進ものづくり産業課によると、分譲当初は不況だった影響で、出足が鈍かったという。

アシリベツの滝 400頁参照。

ど へ材料を供給した。山中に20人の人員を配置し、落差20メートルの滝の水力を利用した画期的な試みであったが、道庁時代に入り衰微した。〔参考文献⑳〕（大庭）

真駒内種畜場（まこまないしゅちくじょう）

明治9年（1876）、**エドウィン・ダン**が、**真駒内川**右岸に位置する約100ヘクタールの土地を牧牛場として開場。同19年に真駒内種畜場、さらに北海道庁種畜場と改称した。その後、農耕馬の飼育を開始し、札幌育種場（養豚場）、牧羊場、養鶏場を統廃合し、一大家畜センターとなった。昭和21年（1946）、米軍の駐留キャンプ建設のため、敷地や建物が接収され役割を終えた。現在、エドウィン・ダン記念公園内に、エドウィン・ダン記念館として種畜場事務所が残る。〔参考文献㉑〕（山内）

石山／硬石山（いしやま／かたいしやま）

開拓初期に洋風建築が増加したことから、家屋や倉庫の断熱性や耐火性の高い建築資材として、明治8年（1875）に**石山**で**札幌軟石**の採石が始まった。明治42年には、石材輸送のため山鼻（やまはな）まで馬鉄が開通（その後、札幌中心部まで延長）し、大規模な生産販売の体制が整ったことで、道東など遠隔地まで販路が拡大する。しかし昭和40年代以降、周辺の市街化などにより採石が中止され、100軒以上

エドウィン・ダン　1848～1931年。アメリカオハイオ州出身。ケプロンの要請で来日。その後津軽出身のツルと結婚。明治9年、札幌に移り、農業畜産技術の指導伝授に大きく貢献した。離道後も駐日公使を務め、石油開発事業にも関わるなどした。

真駒内川　392頁参照。

石山　118頁参照。

札幌軟石　約4万年前に噴火した支笏火砕流堆積物（火山灰）が高温で融解し、ゆっくり冷えて自重で固まった溶結凝灰岩。明治初期に発見され、昭和37年に機械化されるまで、手掘りで採石が行われていた。

あった石材店のほとんどが姿を消し、現在は**常盤**(ときわ)地区で採石が続けられている。

一方、石山の豊平川対岸に位置する、かつて石切山(いしきりやま)と呼ばれた**硬石山**では、明治5年、のちに札幌硬石と呼ばれる硬質石材が発見され、道庁旧本庁舎や豊平館の礎石などに使用された。現在も採石業者3社が操業し、コンクリート骨材など土木・建築資材となる砕石を中心に採石を行う。〔参考文献㉒〕（山内）

定山渓温泉（じょうざんけいおんせん）*8

地名は開祖**美泉定山**(みいずみじょうざん)にちなむ。定山は慶応2年（1866）、アイヌの先導でこの地に到達し、湯治場を開設した。明治4年（1871）に開拓使から湯守を命じられ、同年、正式に定山渓と命名。明治10年の定山の死後、これを継いだ佐藤伊勢造が同13年に元の湯（佐藤温泉）を経営し、同19年に中の湯、同28年に鹿の湯寒翠閣が営業を始め、「札幌の奥座敷」として発展していく。〔参考文献㉓〕（山内）

豊羽鉱山（とよはこうざん）

定山渓の**白井川**(しらいがわ)上流に位置し、鉛、亜鉛、**インジウム**などを産出した。大正5年（1916）操業開始、平成18年（2006）閉山。戦前、浸水事故で休山したが、戦後、国内の資源開発が活発化し、昭和26年（1951）に出鉱を再開。名称は、生みの親である丹羽定吉の姓と豊平町から一字ずつ採ったもの。昭和30年代

常盤　127頁参照。

硬石山　353頁参照。

＊8　114頁参照。

美泉定山　1805～1878年。岡山県出身。高野山、出羽三山などで修験。嘉永6年に来道し、蝦夷地巡錫の旅を始める。小樽内張碓川河畔に鉱泉を開き、その後、湯の沢鉱泉（場所は不明）を経営。後に定山渓温泉の発見に至る。

白井川　397頁参照。

インジウム　液晶やプラズマなど、パネルディスプレイの電極に使われるレアメタル。1990年代以降、急激に需要が増え、豊羽は世界有数の産出量を誇った。

に最盛期を迎え、**元山**（もとやま）には社宅、商店、学校などができ賑わった。鉱石は石山の**選鉱所**まで鉄道で搬出したが、昭和38年に廃止された。〔参考文献㉔〕（山内）

9　西区

発寒木工団地（はっさむもっこうだんち）

昭和36年（1961）、発寒に造成された木工関連の工業団地。中小企業を集団化することで、生産性の向上や設備の近代化を目指した通商産業省（現経済産業省）が、**中小企業近代化資金等助成法**を適用した全国初の工業団地である。かつて低湿で地価が安く、鉄道など交通の利便性に恵まれたことから、この地区が選ばれた。近年は低廉な輸入品に対抗するため、デザイン性の高い商品開発など業務の多様化が進む。平成18年（2006）には、団地敷地の3分の1を使って大型商業施設が誕生し、周辺の様相は一変した。現在、木工関連企業15社が操業する。〔参考文献㉕〕（山内）

発寒鉄工団地（はっさむてっこうだんち）

昭和37年（1962）、市内に散在する鉄工関連企業が、木工団地に隣接して函館本線の北側に造成。豊平にあった旧豊平製鋼（現

元山　135頁参照。

選鉱所　119頁参照。

中小企業近代化資金等助成法　昭和38年、中小企業の生産性向上、設備の近代化を図る目的で制定され、融資、貸し付けと保証制度からなる。政府の指定で、製造業の構造改善や集約化を推進した。

豊羽鉱山（昭和40年撮影、札幌市公文書館蔵）

JFE条鋼）を中心に現在、鉄鋼、金属加工、機械器具製造など51社が操業する。電力供給の共用や技術、情報の共有、交流などに利点がある。団地の敷地面積は約46ヘクタールあり、市内最大の工業団地を形成する。〔参考文献㉖〕（山内）

農業試験場（のうぎょうしけんじょう）

大正14年（1925）、北区北23条西13丁目界隈にあった**北海道農事試験場**を、国鉄琴似駅にほど近い**八軒**地区に移転して誕生。琴似村が誘致したもので、同時期、東隣に**工業試験場**も新設された。当時、周辺は蔬菜や果樹生産、牧畜が盛んな農業地帯で、農業機械の導入に伴う新しい耕作方法や農業技術の改良が求められていた。昭和41年（1966）には本庁舎が羊ケ丘に移転し、今は同地区の「農試公園」にのみ名をとどめる。〔参考文献㉗〕（山内）

10　手稲区

前田農場（まえだのうじょう）

明治27年（1894）、旧加賀藩主**前田利為**（としなり）が、北区茨戸で**堀基**（ほりもとい）が経営する農場と、**開進社**（かいしんしゃ）が軽川に所有する土地を買収して開設。耕地、放牧採草地、林地など2000ヘクタールを超える大農場で、酪農や育牛事業、山林経営などを直営し、小作も導入して経営を行った。しかし、大正期から昭和初期にかけて他農

JFE条鋼　平成24年、豊平製鋼など3社の合併で誕生。現在は、鉄スクラップを原料に、形鋼・鉄筋コンクリート用棒鋼の製造・販売を行う。

北海道農事試験場　明治34年に国費で設置。琴似に本場、渡島・上川・北見・十勝に4支場を持った。その後、北海道農業試験場に改称。現在は農水省付属の研究機関となっている。299頁参照。

八軒　141頁参照。

工業試験場　141頁参照。

前田利為　156頁参照。

堀基　1844〜1912年。鹿児島県出身。明治期の官僚、実業家。開拓使の屯田事務局長などを務め、退職後に北海道運輸会社を興す。さらに、北海道庁第2部長、長官官房などを歴任し、北海道炭礦鉄道会社の初代社長も務めた。

場との競合に遅れをとり、*9やがて育牛事業を廃止。小作への分譲も進め、山林経営のみに縮小した。現在は手稲区**前田**にその名をとどめる。〔参考文献㉘〕（山内）

手稲鉱山（ていねこうざん）

明治23年（1890）、星置の農民鳥谷部弥平治が金鉱を発見。昭和10年（1935）、三菱鉱業が本格的な採掘経営を開始する。戦時体制下、金の需要が増加し、最盛期には原鉱石が月産6万トン、産金量は全国2位となった。多数の朝鮮人強制労働者を含む約2000人の労働者が働いた。生活の中心は**宮町**（みやまち）で、社宅や物品販売所、学校、病院などが立地し、やがて**金山**（かなやま）の地名に変わった。戦後は規模を縮小し、昭和46年、高品位鉱の枯渇などにより閉山した。〔参考文献㉙〕（山内）

〔参考文献〕
①北海道編『新北海道史　第三巻通説二』（北海道、1971年）、札幌市教育委員会編『新札幌市史　第二巻通史二』（札幌市、1991年）、北海道史研究協議会編『北海道史事典』（北海道出版企画センター、2016年）、札幌市教育委員会編『百年の清華亭　清華亭創建百年記念誌』（札幌市教育委員会、1980年）②開拓使編『北海道志　上』〈復刻版〉（歴史図書社、1973年）、札幌市教育委員会編『新札幌市史　第二巻通史二』（札幌市、1991年）③開拓使事業報告編纂員編『開拓使事業報告　第1編・第2編』（大蔵省、1885年）、北海道編『新北海道史　第三巻通説二』（北海道、1971年）、札幌市教育委員会編『新札幌市史　第四巻通史四』（札幌市、1997年）④札幌市教育委員会文化資料室編『さっぽろ文庫1

開進社　明治12年、士族授産と北海道開拓を目的として、函館に設立された開墾会社。道南を中心に各地で未開地の払い下げを受けたが、士族の移住・開墾ともに振るわず、明治17年に解散した。

＊9　酪農界の先駆として活躍した宇都宮仙太郎、黒沢酉蔵らとの市乳競争に敗れ、乳牛の品種もエアシャー種から、その後主流となるホルスタイン種への転換が遅れ、育牛に失敗した。

前田　156頁参照。

宮町　万能沢、紅葉ヶ沢、乙女沢、旭ヶ丘、滝見町、栄町にも社宅が建設されたが、宮町がその中心で、金山神社、会館、駐在所などがあった。現在は宮町浄水場にその名を残す。

金山　155頁参照。

札幌地名考』（札幌市、1977年）、札幌二条魚町商業協同組合作成のリーフレット ⑤サッポロ不動産開発株式会社「会社概要」（2017年）、札幌市教育委員会編『新札幌市史 第五巻通史五（上）』（札幌市、2002年）⑥「麻生のあゆみ」編集委員会編『麻生のあゆみ』（1989年）、帝国製麻株式会社編『帝国製麻株式会社三十年史』（帝国製麻、1937年）⑦北海道自治行政協会編『篠路村史』（篠路村役場、1955年）、札幌市教育委員会文化資料室編『さっぽろ文庫1 札幌地名考』（札幌市、1977年）、札幌市教育委員会文化資料室編『さっぽろ文庫70 町内会今昔』（札幌市、1994年）、札幌市教育委員会編『新札幌市史 第五巻通史五（下）』（札幌市、2005年）⑧札幌市教育委員会編『新札幌市史 第一巻通史一』（札幌市、1989年）、札幌村歴史研究会編『東区今昔「大友堀」』（札幌市東区役所総務部総務課、1983年）、札幌市東区市民部総務企画課編『まちの歴史講座 ひがしく再発見1・2』（札幌市東区役所、2002年・2003年）⑨北海道大学編『北大百年史［2］部局史』（ぎょうせい、1980年）、北海道大学編『北大百年史［1］通説』（ぎょうせい、1982年）、北海道編『北海道農地改革史 下巻』（北海道、1957年）⑩札幌村郷土記念館編『東区今昔 東区拓殖史3』（札幌東区役所、1983年）、札幌市教育委員会編『新札幌市史 第五巻通史五（下）』（札幌市、2005年）⑪大日本麦酒株式会社札幌支店編『サッポロビール沿革誌』（大日本麦酒札幌支店、1936年）、札幌市教育委員会編『新札幌市史 第二巻通史二・第三巻通史三』（札幌市、1991年・1994年）、雪印メグミルク公式ホームページ「歴史館のあゆみ」（参照2022年7月）、北海道遺産公式ホームページ「北海道遺産とは」（参照2022年7月）⑫『北海道市町村行政区画便覧 改訂版』（北海道行政協会、1997年）、白石村役場『白石村誌』（1921年）、札幌市教育委員会編『新札幌市史 第三巻通史三・第四巻通史四』（札幌市、1994年・1997年）⑬白石村役場『白石村誌』（白石村役場、1921年）、黒沢西蔵『宇都宮仙太郎』（酪農学園出版部、1958年）、北海道総務部文書課編『開拓につくした人びと6 のびゆく北海道 下』（理論社、1967年）、札幌市白石区役所地域振興課編『白石歴しるべ 区内の歴史案内板「歴しるべ」紹介』（札幌市白石区役所地域振興

課、２００５年）札幌市役所編『札幌開始五十年記念写真帖』（札幌市、１９１９年）⑭札幌市教育委員会編『新札幌市史　第五巻通史（下）』（札幌市、２００５年）、『札幌便利情報地図』（昭文社、２０１７年）⑮札幌市教育委員会文化資料室編『さっぽろ文庫１　札幌地名考』（札幌市、１９７７年）、白石村役場『白石村誌』（１９２１年）⑯札幌産業振興財団公式ホームページ「札幌産業ポータル／札幌の産業団地の情報」（参照２０１８年８月）、札幌市教育委員会編『新札幌市史　第五巻通史五（下）』（札幌市、２００５年）⑰札幌市教育委員会編『新札幌市史　第五巻通史五（下）』（札幌市、２００５年）、『札幌便利情報地図』（昭文社、２０１７年）⑱⑲札幌市教育委員会編『新札幌市史　第五巻通史五（下）』（札幌市、２００５年）⑳札幌市教育委員会文化資料室編『さっぽろ文庫１　札幌地名考』（札幌市、１９７７年）、札幌市教育委員会編『新札幌市史　第二巻通史二・第三巻通史三』（札幌市、１９９１年・１９９４年）㉑郷土史真駒内編纂委員会編『郷土史真駒内　わたしたちのマチ、まこまない。』（郷土史真駒内編纂委員会、１９７７年）㉒㉓㉔札幌市南区役所総務部総務課『南区のあゆみ　区制十周年記念』（札幌市南区役所総務部総務課、１９８２年）㉕㉖札幌産業振興財団公式ホームページ「札幌産業ポータル／札幌の産業団地の情報」（参照２０１８年８月）、札幌鉄工団地協同組合公式ホームページ「組合概要」（参照２０２２年７月）㉗琴似屯田百年史編纂委員会編『琴似屯田百年史』（琴似屯田百年記念事業期成会、１９７４年）、北海道庁編『北海道写真帖』（北海道庁、１９２５年）㉘㉙山本茂編『手稲の今昔　手稲開基１１０年誌』（手稲連合町内会連絡協議会、１９８１年）

Chapter.....06

道路、公共交通の駅・停留場、橋梁——その歴史と名称の変遷

札幌地理サークル
濱本武司

※札幌市内の主要道路、公共交通の位置関係や駅名については4頁「札幌市略図」を参照されたい。

札幌の開拓と発展には、道路、橋、鉄道、路面電車、地下鉄などが大きな役割を果たしてきた。ここでは、その歴史と名称の変遷をたどる。

1　一般国道・自動車道

国道のルーツは歴史ある道

札幌市内を通る国道の多くは、古くは江戸末期に生まれた道を母体とする。例えば、国道5号と国道36号は、安政4年（1857）に幕府によって開削されたサッポロ越（ごえ）新道（銭函—豊平—千歳—勇払）が基となっている。その後、開拓使がコースを多少変えた上で道幅を広げ、明治6年（1873）に馬車道を完成させた。

その中でも、銭函—札幌間を結ぶ部分が銭函街道、函館—札幌間を結ぶ部分は札幌本道と呼ばれた。銭函街道は、軽川（がるがわ）（現手稲本町）では軽川街道と呼ばれたが、昭和に入り、札幌と小樽を結ぶ主要な幹線道路となってからは、札樽（さっそん）国道（現国道5号）の名で市民に親しまれ、現在に至る。

札幌本道は陸路と海路から成り、函館―森間、室蘭―札幌間は陸路、森―室蘭間は海路であった。そのうち室蘭―札幌間は、室蘭街道（現国道36号）と呼ばれ、第二次世界大戦後に米軍が千歳に駐留したことから、軍需物資などを運ぶ幹線道路となった。そのため、昭和28年（1953）に千歳―札幌間が北海道初の全面舗装道路となり、人々からは**弾丸道路**と呼ばれた。

国道12号は、仙台藩白石から現在の白石区に入植した藩士が開削し、明治5年（1872）に完成した白石街道（通称白石本通）が基となっている。道北、道東に通ずるこの街道は、明治後期から昭和初期にかけて**第七師団**が設置されていた旭川と札幌を結ぶ、重要な幹線道路でもあった。

国道230号は、北海道開拓を申し出た東本願寺が開拓使の指令により開削し、明治4年に完成した本願寺街道（**有珠新道**）が基となっている。この道路は札幌から定山渓を経由して有珠へ通じるもの

札幌―千歳間の舗装道路が完成。弾丸道路と呼ばれた（昭和28年撮影、北海道新聞社蔵）

弾丸道路　名称の由来は、「弾丸のようにスピードが出せるから」「急ピッチで工事が進められたから」「米軍が駐留していた頃、弾薬を積んで運んでいたから」など諸説あるという（『豊平区の歴史』）。

第七師団　北辺の守りを担う目的で北海道に置かれた、大日本帝国陸軍の常備師団。明治29年、屯田兵を母体に編成された。

有珠新道　明治3年、開拓使が開削を指令し、翌年完成した有珠（現伊達市）―札幌間の道路（『北海道史事典』）。

建設工事が進む札幌新道〈北区北34条西1丁目〉
（昭和46年撮影、札幌市公文書館蔵）

で、中山峠など難所が多く、コースを何度も変えながら現在に至っている。また、札幌本府と山鼻屯田中隊本部を結ぶ道路は、市内を通る部分が石山通と呼ばれた。

国道231号（石狩街道）は、明治21年につくられた茨戸新道が基となっており、明治44年に馬車鉄道が敷かれたことで幹線道路となった。石狩街道の呼称は、初め**伏籠川**の**自然堤防**上にできた道路のことを指したが、後に茨戸新道にその名前を移して現在に至る。

その他にも、山口本通が国道337号、雁来街道が国道275号、平岸街道（現平岸通）が国道453号と、明治初期に誕生した道路が、後に国道となった。また国道274号についても、大正5年（1916）測量の地形図に、早くも野津幌（野幌）から廣島村（北広島市）に通ずる道が鮮明に描かれている。

昭和40年代になると、国道5号と国道274号の一部区間が、**札幌新道**に組み込まれた。その後、高速自動車国道の**札樽自動車道**と**道央自動車道**が開通し、平成4年（1992）に完成した札幌ジャンクションで両自動車道が接続した。札樽自動車道、道央自動車道の一部高架道路区間では、高架下に国道5号

伏籠川　375頁参照。

自然堤防　378頁参照。

札幌新道　都心部を迂回する西区から清田区にかけての半環状のバイパス道路。

札樽自動車道　北海道横断自動車道の一部。昭和46年、国道5号札幌小樽道路（札樽バイパス）として、小樽IC—札幌西IC間が開通。同48年、札樽自動車道に昇格。

道央自動車道　北海道縦貫自動車道の一部。昭和46年、北広島IC—千歳IC間が開通。現在は、大沼公園ICから、札幌を経由して士別剣淵ICに至る。

や国道274号が走っている。

2　鉄道

札幌を経由する三つの鉄道路線

北海道初の鉄道である官営**幌内鉄道**は、明治13年（1880）に手宮―札幌間、2年後に札幌―幌内間が開通した。明治32年の法改正により、北海道鉄道部と私鉄の北海道炭礦鉄道・北海道鉄道の3者で経営が行われるが、同39年の鉄道国有法公布で多くの私鉄は政府に買収、国有化された。さらに明治42年、鉄道院の告示により路線名が定められ、函館―旭川間の名称は函館本線となった。

千歳線は大正15年（1926）、私鉄の北海道鉄道が敷設した札幌線（苗穂―沼ノ端間）を母体に、昭和18年（1943）の国鉄による買収で、国鉄千歳線となった。昭和30年代後半からは、従来の小樽回りのルート（通称山線〈やません〉）に代わり、道央と道南を結ぶメインルートとなり、昭和48年のルート変更を経て現在に至る。

札幌と石狩沼田を接続した国鉄札沼線は、昭和10年に全線が開通した。その後、太平洋戦争の開戦により一部区間が休止するも、戦後の鉄道復元運動により営業を再開。しかし、赤字ローカル線の廃止対象として一部区間の廃止が断続的に行われた結果、現在は桑園―北海道医療大学間が残る。沿線には北海道教育大学札幌校などもあることから、学園都市線の愛称で親しまれる。

幌内鉄道　空知の幌内炭山で産出される石炭を、小樽港の手宮桟橋に輸送するため、開拓使によって設立された官営鉄道。その後、明治15年の開拓使廃止により、幌内鉄道は所管する官庁が次々と移り変わり、明治21年からは北有社、後に北海道炭礦鉄道と、民間の経営となった。

函館本線、千歳線、札沼線とともに、昭和62年の国鉄民営化により、北海道旅客鉄道株式会社（JR北海道）の運営となっている。また、大正7年開業の私鉄、定山渓鉄道（東札幌―定山渓間）は、昭和44年に廃線となった。

札幌市内の各鉄道駅名

現在、札幌市内を通る函館本線には、貨物駅を含め15の駅がある。明治13年（1880）の幌内鉄道開業時、正式な駅は札幌駅だけだった。明治14年に軽川駅（現手稲駅）、同15年に琴似駅が**フラグステーション**としてスタートし、その後に正式な駅となる。同様の形で白石駅も明治15年に営業を始め、翌年休止の後に廃止となるが、同36年に正式な駅として復活した。明治27年には厚別駅、大正13年（1924）には桑園駅が開業。明治43年に開業した苗穂駅は、北海道鉄道管理局札幌工場の玄関口としての役割も担っていた。昭和60年（1985）代には、札幌の市街地拡大により、星置、稲穂、稲積公園、発寒、発寒中央、森林公園の各駅が、平成になってからは、ほしみ駅が開業する。多くの駅名が開業時の所在地名にちなむが、近隣の公園名を付けた稲積公園駅や森林公園駅（野幌森林公園）もある。なお、函館本線には、貨物駅の**札幌貨物ターミナル駅**があるほか、かつては**札幌市場駅**もあった。

札幌市内を通る千歳線の駅は、上野幌駅・新札幌駅・平和駅の3つである。

貨物専用だった札幌市場駅跡
（昭和52年撮影、札幌市公文書館蔵）

フラグステーション　乗客や荷物がある時のみ、立てられた旗を目印に停車し、下車する時は車掌に申し出た。

札幌貨物ターミナル駅　昭和43年、「新札幌」の駅名で貨物駅として開業。昭和48年に千歳線の新駅開設に伴って駅名を譲り、同年に現在の駅名に改称した。

千歳線開業時にできた上野幌駅は、駅の位置が野津幌川上流にあることから命名されたといわれ、昭和48年に千歳線のルートが変更された際に、現在地に移転した。新札幌駅は、千歳線のルート変更時に新設された高架駅である。駅名には、札幌の副都心となることへの期待が込められている。所在地名にちなむ平和駅は、市街地の拡大に伴って設置された。なお、千歳線の開業時には、**東札幌駅・月寒駅・大谷地駅**も設置されたが、先述の千歳線ルート変更後、段階的に廃止された。

札沼線は現在、市内に10の駅を有する。昭和10年の開業時に設置されたのは、桑園駅・新琴似駅・篠路駅だけであった。桑園駅は通称である地区名、新琴似駅は**新琴似屯田兵村**の名称、篠路駅は所在地名にそれぞれちなむ駅名である。その後、昭和33年に旧所在地名にちなんだ釜谷臼駅、同42年には所在地内における駅の位置を示した東篠路駅が開業した。両駅は平成7年、公園名を付けたあいの里公園駅、所在地名にちなんだ拓北駅に改称している。このほか、昭和60年代には所在地名にちなんだ太平、新川、八軒の各駅、所在地名と移転してきた大学名を組み合わせたあいの里教育大駅、近隣の公園名を付けた百合が原駅が開業。令和4年（2022）には、札沼線のあいの里公園―当別間に**ロイズタウン駅**が開業した。

3　路面電車

札幌の路面電車は、大正7年（1918）の**開道五十年記念北海道博覧会**を

札幌市場駅　昭和34年に札幌市中央卸売市場が開設された際、設定された貨物駅。昭和53年に廃止された。

東札幌駅・月寒駅・大谷地駅　いずれも大正15年に開業し、昭和48年の千歳線ルート変更で旅客駅としては廃止。その後、月寒駅は昭和51年、東札幌駅は昭和61年まで貨物駅として営業。月寒の読み方については、昭和19年の豊平町議会で地域として「つきさむ」と発音することが決まったが、駅名については最後まで「つきさっぷ」とした。

新琴似屯田兵村　40・265頁参照。

ロイズタウン駅　北区あいの里に本社を置く洋菓子メーカー「ロイズコンフェクト」と、同社工場がある当別町が請願して誕生した。JR北海道としては20年ぶりの新駅となる。

国道36号を走っていた市電豊平線〈豊平3条2丁目〉
（昭和45年撮影、札幌市公文書館蔵）

契機に、馬車鉄道を電気軌道に転換して始まった。やがて私営から市営（市電）となり、市街地の拡大に歩を合わせて路線の数と営業距離数を増やしていく。

しかし、昭和40年（1965）代に入ると、自家用車の普及で道路の渋滞が著しくなり、加えて札幌オリンピック冬季大会の開催に伴う地下鉄の開業もあって、市電の路線は大幅に縮小された。しかし、平成27年（2015）には都心線の開通でループ化され、新しい停留場も生まれた。*1

現在の運行路線の停留場名について、その特色とその変遷を辿ってみる。停留場名は、通りの名称と施設名をつけたものが多い。石山通、東屯田通、東本願寺前の三つの停留場は、設置以来変更されていないが、多くの停留場が途中で名称を変更している。施設の移転や新設などにより停留場名が改称されたと思われる。中には、付近の通り名と施設名を使って、繰り返し改称する停留場も見られる。また、創成学校など明治期開設の学校名が、長らく停留場名として残っていた場合もあった。

開道五十年記念北海道博覧会　第1会場の中島公園には教育、農業などのテーマ館、第2会場の札幌駅前通（北1条西4丁目）には工業館、第3会場の小樽区には水族館が設置された。東京、大阪を除く地方博覧会としては、空前の規模だった。

＊1　市電都心線の開業時、戦前に開設されていた停留場「狸小路」が同じ名称で復活した。

現在の運行路線　現在の運行路線は、大正7年開業の停公線と南1条線、同12年開業の山鼻線、昭和6年開業の山鼻西線が基となっている。

平成30年 路面電車路線図

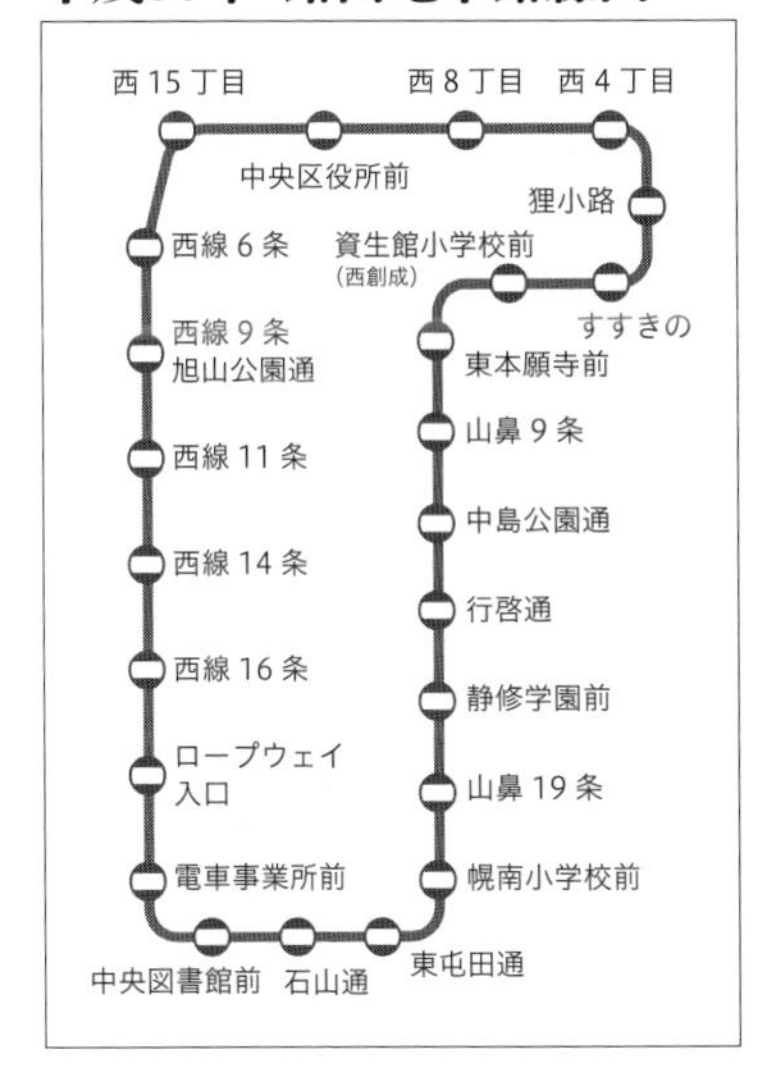

大正7年 路面電車路線図

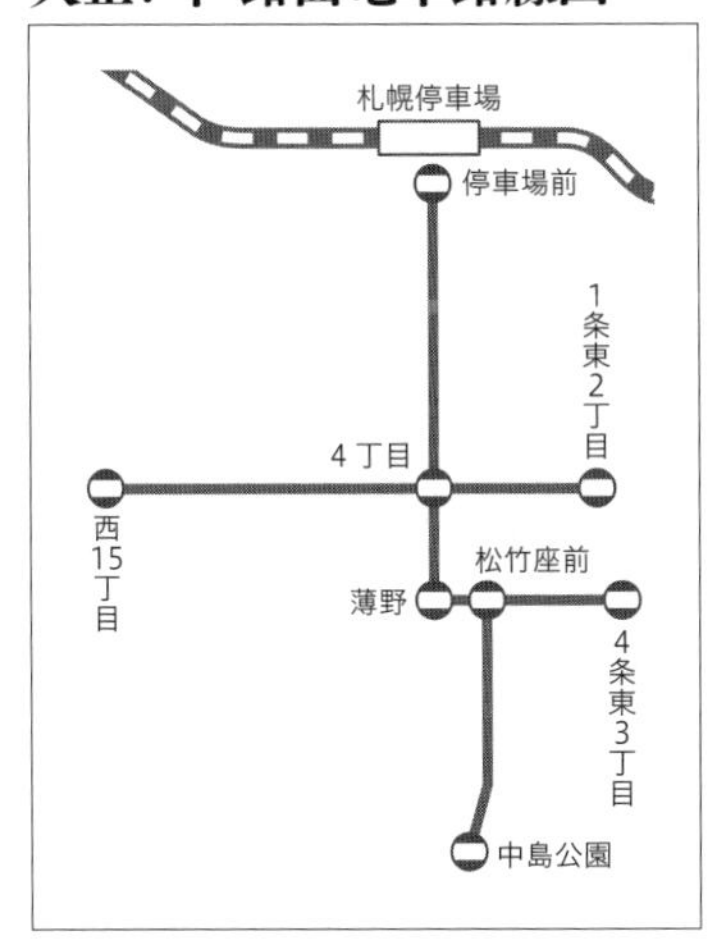

路面電車停留場名の変遷（大正7年～平成30年）

開設時停留場名	停留場名の変遷						現行停留場名
4丁目	⇒	4丁目・三越前	⇒	三越前			⇒ 西4丁目
西11丁目	⇒	交通局前	⇒	西11丁目	⇒	消防局前	⇒ 中央区役所前
西15丁目	⇒	師範学校前	⇒	西15丁目	⇒	交通局前	⇒ 西15丁目
師範学校前	⇒	学芸大学前	⇒	教育大学前	⇒	西屯田通	⇒ 中央図書館前
二高前*3	⇒	柏中学校前	⇒	柏中学前	⇒	山鼻20条	⇒ 幌南小学校前
一中前*4	⇒	南16条	⇒	山鼻16条			⇒ 静修学園前
行啓通	⇒	行啓道路	⇒	行啓道路・護国神社通			⇒ 行啓通
中島橋通	⇒	山鼻9条	⇒	中央保健所前			⇒ 山鼻9条
西創成学校前	⇒	創成学校前	⇒	創成小学校前			⇒ 資生館小学校前*5
薄野	⇒	薄野交番前	⇒	ススキノ交番前	⇒	薄野	⇒ すすきの

（『さっぽろ文庫22　市電物語』巻末資料や「札幌LRTの会」著作などより作成）

＊1　過去に3回以上名称変更した停留場を掲載　＊2　**太字**は大正7年開業時に設置された停留場
＊3　二高：旧制札幌市第二高等小学校の通称。現在の札幌市立柏中学校の前身
＊4　一中：旧制北海道庁立札幌第一中学校の通称。現在の北海道立札幌南高等学校の前身
＊5　資生館小学校前については、「西創成」の副称をもつ

4 地下鉄

札幌の市営地下鉄には、南北線・東西線・東豊線の3路線がある。*2南北線は札幌の南と北を、東西線は東と西を、東豊線は東区と豊平区を繋ぐ意味で付けられた。各駅の名称は、所在地名や条丁目名にちなむものが多い。このほか、通りの名称をつけた環状通東駅（環状通）や新道東駅（札幌新道）、施設の名称を付けた自衛隊前駅・東区役所前駅・学園前駅、公園の名前を付けた中島公園駅・円山公園駅・豊平公園駅、近隣の橋梁名を付けた幌平橋駅、団地名にちなんだひばりが丘駅がある。

また、所在地の旧地名からつけられた栄町駅・元町駅、旧地名と通称名を組み合わせたものとしては**豊水**すすきの駅がある。さっぽろ駅と新さっぽろ駅については、隣接する函館本線の札幌駅や千歳線の新札幌駅が漢字で表記されているため、あえて駅名を平仮名にしたと思われる。このほか、**南平岸駅**のように駅名を開業後に改称した珍しい例もある。

地下鉄の試験車はるにれ
（昭和40年頃撮影か、札幌市公文書館蔵）

＊2 南北線は昭和46年に北24条―真駒内間、同53年に北24条―麻生間が開業。東西線は、昭和51年に琴似―白石間、同57年に白石―新さっぽろ間、平成11年には琴似―宮の沢間が開業。東豊線は昭和63年に栄町―豊水すすきの間、平成6年に豊水すすきの―福住間が開業。

豊水 旧豊水小学校（現札幌市公文書館、中央区南8条西2丁目）周辺には、豊平川と鴨々川が流れ、数条の支流が校庭の西側を流れる水の豊かな地域であった。それにちなみ、地区一帯を豊水と称したという。

南平岸駅 平岸霊園に隣接することから「霊園前駅」の駅名で開業した。しかし、隣接する平岸霊園の火葬場が移転したことなどから、平成6年に現駅名に改称された。

5　豊平川の橋

札幌の市街地を流れる**豊平川**に架かる五輪大橋―雁来大橋間の橋の中で、明治・大正・昭和初期に架けられた橋には、豊平橋、藻岩橋、豊平川橋梁、東橋、一条大橋、幌平橋、上白石橋、雁来大橋（完成は戦後）がある。

豊平橋は、明治4年（1871）に架けられた。当時の豊平川は四つに分流しており、2連の丸木橋と二つの渡船で道を繋いでいた。その時はまだ、豊平橋とは呼んではいなかったようである。その後、開拓使のお雇いアメリカ人技術者などによって掛け替えられるが、荒れ川であった豊平川との闘いは続いた。現在の橋は、昭和41年（1966）に建設されたものである。

藻岩橋は、明治14年の明治天皇行幸の際、仮橋（木橋）として架けられた橋がルーツとなった。橋から藻岩山がよく見えるため、藻岩橋の名がつけられたようである。昭和44年には、200メートル下流に新しい橋を建設し、名称を藻岩橋としたことから、既存の橋を藻岩上（かみ）の橋と改称した。この橋は翌年、歩行者専用橋となるが、昭和50年に自転車歩行者専用橋に架け替えられた。

豊平川橋梁（通称・豊平鉄橋）は、かつての幌内鉄道の鉄道橋である。明治15年、橋の難工事がようやく完了したことで、幌内鉄道の幌内―札幌間が開通し、この橋が北海道初の鉄橋となった。

豊平川　386頁参照。

豊平川橋梁（昭和35年撮影、札幌市公文書館蔵）

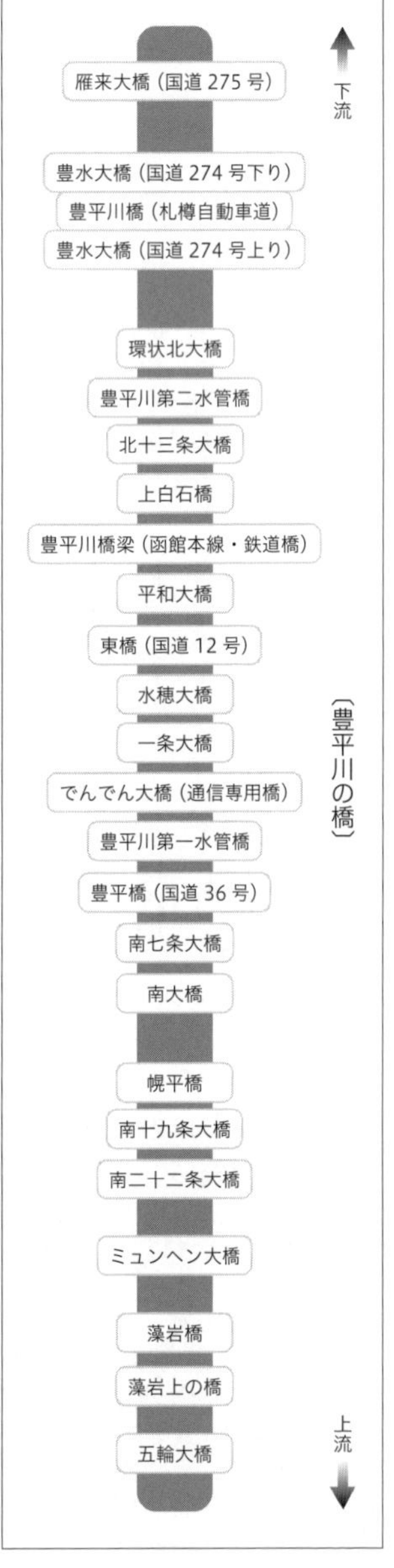

東橋は明治23年に架けられた橋で、札幌から東の方向にあり、また架橋工事が着工した年に後の大正天皇が東宮になられたことから、東橋と名づけたという。

一条大橋は大正13年（1924）に完成した橋で、南一条通と接続することにちなんで南一条橋（通称・一条橋）と付けられた。薄野遊郭が上白石に移転したことをきっかけにつくられた橋で、関係住民の寄付によって建設された。昭和13年に永久橋に架け替えた時に、現在の一条大橋に改称された。

幌平橋は、昭和2年に河合才一郎が中の島の発展を願い、私費で建設した木橋がルーツである。札幌の幌と豊平の平を合わせ、橋の名称を幌平橋とした。

上白石橋は、昭和5年に札幌で最初の本格的吊り橋として架けられたもので、橋の名称は、上白石という当時の所在地名（旧字名）にちなむ。

水穂大橋（平成30年、筆者撮影）

雁来大橋は最初、雁来橋として昭和12年に橋の下部工事が完成した。しかし、上部の工事中に戦争が始まったことで建設は中断され、昭和32年に工事が再開されて、2年後にようやく完成した。その後、昭和50年に橋を架け替える際、雁来大橋に改称されている。

昭和30年代後半からは、札幌の人口増加に伴う市街地の拡大と冬季オリンピックの開催に伴い、豊平川に架かる橋の新設が続いた。その多くが、平和橋（平和通）、環状北大橋（環状通）のように、通りの名称からとられたものである。南大橋も、本来は通りの名称にちなんで南九条大橋とするところ、「九」が「苦」につながることを嫌い、名称から九条をとったという。

通りの名称以外では、オリンピックにちなんでつけられた五輪大橋、姉妹都市名をつけた**ミュンヘン**大橋、橋の役割に合わせた**でんでん大橋**、菊水の水と苗穂の穂を合わせた水穂大橋がある。

また豊水大橋は、工事の際の仮称だった豊水大橋が正式名称となる予定であったところ、中央区にある地名「豊水」と同じでは紛らわしいと、地元住民から反対の声があがり、苦慮した札幌開発建設部は、雁来の雁と米里の里を組み合わせた〝雁里大橋〟の橋名を提案した。しかし、これは受け入れられず、結局はそのまま豊水大橋となったようである。

ミュンヘン　ドイツ最大の州・バイエルン州の州都。ベルリン、ハンブルクに次ぐドイツ第3の都市。昭和47年の冬季・夏季オリンピック開催地にそれぞれが選ばれたことを縁に、同年、札幌と姉妹都市提携が結ばれた。

でんでん大橋　正式名は豊平川通信専用橋。昭和55年に通信専用橋として設置された。旧日本電信電話公社（略称・電電（でんでん）公社、現ＮＴＴ）が管理することから命名されたと思われる。

6 厚別川の橋

札幌近郊の小さな河川において、橋の名称はどのように付けられているのか、**厚別川**（岡部橋—厚別橋間）を例に35の橋を調べてみた。橋の名称を見ると、真栄橋、清田橋、北野橋、大谷地橋、厚別橋と所在地名をつけた橋や、南栄橋、共栄橋、農栄橋、実(みのる)橋のように地域住民の願いを込めた橋名もある。岡部橋、秋田橋、岩本橋、高木橋、柳瀬橋は、入植者などの人名にちなんだものである。入植時の厚別川は川幅が今よりも狭く、丸太に板を敷いて人と馬が渡れる程度の橋を、集落もしくは個人で作ったと思われる。

上流にはアシリベツ橋、不老橋、白帆橋、鱒見橋など地元の滝の名称をつけた橋があり、滝ノ上、三滝ノ沢という旧所在地名（旧字名）を使った滝の上橋、上三滝橋、下三滝橋がある。有栄橋や北野ふれあい橋（人専用橋）のように所在地の有明、北野と地域住民の願いを合わせたもの、真羊橋のように所在地の真栄と通り名の羊ケ丘通を組み合わせたもの、また、田の中橋のような人名（田中）と水田地帯である周辺環境を合わせた橋もある。そのほかに、虹の橋（自転車専用橋）のようにアーチ状の橋の形を表現した橋名、樹木名のはるにれ橋、唯一英語で表現された国営滝野すずらん丘陵公園の滝野パークブリッジがある。厚別川に

厚別川 384頁参照。

虹の橋（昭和57年撮影、札幌市公文書館蔵）

架かる橋には、二つの厚別橋がある。旧国道36号の通る橋を「あしりべつ橋」、国道12号の通る橋を「あつべつ橋」と呼ぶ。両橋ともに主要道路が通る、古くから使われてきた橋である。

なお、厚別川には無名の橋がある。それらは、釣り堀・売店につながる橋、対岸の林や畑につながる橋、損傷が著しく通行止めになっている橋などであった。

［参考文献］
札幌市教育委員会文化資料室編　さっぽろ文庫『7　札幌事始め』（札幌市、1977年）、『4　豊平川』（札幌市、1978年）、『8　札幌の橋』（札幌市、1979年）、『11　札幌の駅』（札幌市、1979年）、『55　札幌の通り』（札幌市、1991年）
札幌教育委員会編『新札幌市史　第二巻通史二』（札幌市、1991年）
日本地図センター編『地図で見る札幌の変遷』（日本地図センター、1994年）
札幌LRTの会編『札幌・市電の走る街』（JTB、1999年）
豊平区役所市民部総務企画課広聴係編『豊平区の歴史』（札幌市豊平区、2002年）
札幌LRTの会編『札幌市電が走った街 今昔』（JTB、2003年）
三浦宏編者『豊平川の橋物語』（石狩川振興財団、2003年）
札幌市教育委員会編『新札幌市史　第五巻通史五（下）』（札幌市、2005年）
札幌市教育委員会編『新札幌市史　第八巻Ⅱ』（札幌市、2008年）
堀淳一『地図の中の札幌　街の歴史を読み解く』（亜璃西社、2012年）
北海道開発局札幌開発建設部札幌河川事務所、札幌市みどりの推進部みどりの管理課編『豊平川マップ』（北海道開発局札幌開発建設部札幌河川事務所、2014年）
北海道史研究協議会編『北海道史事典』（北海道出版企画センター、2016年）

Chapter.....07

札幌の幼稚園、小・中学校の名称に見る特色と地域性

岡田祐一

1 幼稚園・小学校の名称と地名

多様な幼稚園名

市内の幼稚園・**認定こども園**は市立と私立があり、市立は幼稚園9園に加え、認定こども園1園がある。*1 ただし、令和6年（2024）度末には、市立4園が閉園されることになっている。一方の私立は、幼稚園と認定子ども園を合わせて約240園が学び舎となっている。

市立の園名は、設立時に園児から親しまれる名称にしようと、花や鳥、樹木の名などが付けられた。しかし、こうした園名では、どの地域にあるのかがわかりにくいという声が市民から上がったため、以降は地域名や近隣の小学校名と同じ名称を付けるようになった。令和7年度以降も存続する市立幼稚園の園名「中央（小学校名）、白楊（ポプラ）、きくすいもとまち（地域名）、かっこう（札幌市の鳥）、はまなす（北海道の花）」からは、前述の園名の変遷を窺うことができる。

認定こども園　教育と保育の両方を行う施設。幼保連携型、幼稚園型、保育所型、地方裁量型があり、幼稚園型が最も多い。同時に、地域の子育て家庭を対象に子育て支援も行う。

***1**　市立の幼稚園9園のうち、4園は令和6年度末の閉園を予定する。

一方、私立の幼稚園や認定こども園の名称は、植物の部分名や成長過程名、地域名、あるいはそれらを結合させた例など多様である。また、経営する法人や団体の名称、教育・保育の理念、経営方針、さらにはそれらに地域名や数称を重ねる例などもあり多様だが、いずれも園名に工夫を凝らしていることが窺える。

西区・はまなす幼稚園（平成21年撮影、札幌市公文書館蔵）

200ほどある小学校名

大正11年（1922）8月、市制が施行された札幌市は、令和4年（2022）に節目の100周年を迎えた。この間、戦後間もない昭和22年（1947）の小学校数はわずか19校で、在籍児童数は2万8936名であった。その後、近隣町村との合併[*2]や社会状況の変化に伴い、

*2　白石村・琴似町・篠路村・札幌村・豊平町・手稲町と合併。

産炭地や農村部などからの人口流入が相次ぎ、児童数が増加したことで、新設校の設置が急速に進められた。

その結果、ピーク時の平成9年（1997）から同15年にかけては、実に213校を数えるまでになった。同時に児童数の増加も続き、昭和58、59年には14万人を超えたが、その後は都心部の**ドーナツ化現象**や新興住宅地の高齢化、少子化の進行などで児童数の減少が続いた。令和3年には9万人を割り込み、同4年には公立・私立あわせて202校、計8万8787人[3]となっている。

この間、適正な学校規模を維持するために、近隣校の統廃合が実施され、市立は200校を下回ることとなった。これらの小学校名を見ると、中心部からの方角や位置、旧来から親しまれている地域名、歴史や自然環境、住民が考える理想像などが表現されている。こうした多様な校名をタイプ別に見ていきたい。

条・丁目の数字を使う小学校名

札幌の市街地は区名に続けて、大通を境に「条」（南は39条、北は51条まで）を、創成川を境に東西方向へ「丁目」（東西ともに各30丁目まで）を組み合わせ、住居表示を行っている。[4]さらにその周囲ついては、区名に続けて地域名に条丁目あるいは丁目を付して表示している。こうした条・丁目数を校名に採用しているのは、北区の北九条小と中央区の二条小の2校だけである。

ドーナツ化現象　生活環境・経済生活など多様な事情から、都心部の居住者が郊外に移り住み、人口が減少し空洞化する現象を、リングドーナツに例えたもの。しかし、最近になって回帰現象もあらわれてきている。

＊3　市内の小学校は、市立203校、私立1校、国立1校の計205校で、このほかに特別支援学校がある(平成29年5月1日時点)。

＊4　一部欠けている条丁目がある。例としては、南3条西19丁目、南30条西1丁目から西7丁目、北13条以北の東11丁目、南4条から南13条までの西19丁目、南10条から南16条までの西2丁目から西4丁目までの一部などがある。

中心部からの方角や数字を含む小学校名

東西南北を校名にする学校は、南小（南区）・北小（東区）・西小（西区）の3校があり、東小はない。*5 しかし、中心部の北方に位置する北小だけは、昭和47年（1972）の区制施行によって、北区ではなく東区所在の小学校となっている。

また、東西南北に札幌の「幌」や学園の「園」を加え、中心部からの方角を連想できる校名もある。前者は、開校順に幌西小（中央区）・幌北小（北区）・幌南小（中央区）・幌東小（白石区）で、4校は中心部からほぼ同心円状に位置し、開校年も各地域の居住者が増加した時期とほぼ一致している。後者は、東西北に「園」を加えた東園小（豊平区）・西園小（西区）・北園小（東区）がある。

そのほか、東区の栄を始め、白石区の白石、北区の新琴似、手稲区の手稲、西区の発寒、豊平区の西岡・月寒・平岸、清田区の平岡などでは、校名に方位などを取り入れて地域内での位置関係を示している。

ちなみに、西野第二小（西区）の「第二」は、第一・第二などの設立順を意味するものではなく、かつての地域名「西野第二」にちなむもので、今も町内会名や地区集会施設名、公園名、バス停名などにも残る。

入植の歴史や母村名を今に残す小学校名

札幌は最初に屯田兵が入植した土地で、北区には屯田小・屯田北小・屯

東北小学校と統合して中央区・中央小学校となった東小学校（昭和33年撮影、札幌市公文書館）

＊5　現在の中央小学校（大通東6丁目）の位置に、明治36年開校の東小学校があった。しかし昭和44年に東北小学校と統合し、中央小学校が開校している。

屯田兵　260頁参照。

北区・拓北小学校（平成12年撮影、札幌市公文書館）

田西小・屯田南小がある。函館本線厚別駅に近い信濃小（厚別区）は、信州からの入植者を中心とした「信濃開墾地」の成立に伴い、明治26年（1893）に信濃簡易教育所として創立された。以来、地名は変わっても、信濃中学校（戦後に開校）とともに校名を継承している。函館本線桑園駅に近い桑園小（中央区）は、開拓使が養蚕を奨励するために**桑畑**を造成し、酒田県（現山形県）の士族140余名を招募して開いた桑園に由来する。

明治33年開校の鴻城小（北区）は、同28年に山口県からの入植者が、郷里で信頼されていた私立学校の名を継承したもので、良き郷土を創造しようと誓い合ったことに由来する。同じく北区の「あいの里」は、明治15年に徳島県人の滝本五郎が**興産社**を組織して入植し、藍などを栽培したことに始まる。平成2年（1990）、北海道教育大学札幌校を中心とした学園都市が誕生したことで、あいの里西小とあいの里東小が開校した。同じあいの里にある拓北小も、興産社が開

桑畑　桑畑（桑園）の歴史は知事公館（中央区北1条西16丁目）前庭の桑園碑に残る。27・293頁参照。

興産社　36頁参照。

拓した地域に位置し、長らく「興産社」が地名だった。しかし後年、**北海道拓殖銀行**の所有地となったことから、昭和12年（1937）の字名改正に際して、開拓精神を受け継ぐ意味から「拓」と「北」を組み合わせて「拓北」としたことにちなむ。

東区の福移小（東区）も入植者の郷里と関係する。明治15年、旧福岡藩士が入植した筑前開墾を端緒に、2年後には寺子屋式教育が始まった。後年、福岡の「福」と、移住の「移」を組み合わせた「福移」を地域名としたことから、寺子屋が篠路教育所福移分教場となり、これが福移小の前身となっている。

明治5年開校の白石小を始め、上白石小・東白石小・西白石小・南白石小・北白石小がある白石区の「白石」は、宮城県（仙台藩）白石領を治めていた片倉家の家臣が、明治4年から白石に団体移住したことに由来する。

札幌開拓の創始であり、札幌発祥の地ともいわれる東区北36条以北の旧**元村**北部地域には、栄小をはじめ、栄北・栄西・栄東・栄南・栄町・栄緑の7校がある。昭和30年に札幌村が市と合併した時に、この辺りを「**栄町**」に改称したことに由来し、その後に開校した学校も、新しい地名に倣っている。隣接地区には、同じ旧元村の南部に当たる旧**元町**地区があり、元町小と元町北小が所在する。

西区の福井野小は、福井県からの入植者によって開拓が始まった地域であることにちなむ。校名が「福井」ではなく「福井野」となったのは、開校した昭和53

北海道拓殖銀行　平成10年まで、中央区大通西3丁目に本店があった都市銀行で、道内では拓銀、道外では北拓と呼ばれた。バブル期の不動産融資に失敗して破綻、経営を譲渡した。

元村　416頁参照。

栄町　55頁参照。

元町　56頁参照。

年、既に東区に同じ音の福移小があったことから、混乱を避けるために「野」を加えたといわれている。校名に母県の名が残っているのは、手稲区の手稲山口小も同様で、山口県からの入植者に始まる歴史を伝えている。

人名に由来する小学校名

手稲区には、旧加賀藩主前田家15代利嗣(としつぐ)が前田農場を開いたことにちなむ地域名「前田」があり、昭和53年（1978）以降に順次開校した前田小・前田中央小・前田北小の名に残っている。同区の稲積(いなづみ)小も、稲積公園・稲積公園駅と同じく、小樽の**稲積豊次郎**(いなづみとよじろう)が明治35年（1902）、この地に稲積農場を開いたことに由来する。

南区石山には「**小鳥の村**」をもつ**藤の沢**小があり、それを生かした愛鳥教育活動を継続的に展開している。この校名は、北海道命名50年を迎えた大正7年（1918）、白石から定山渓まで定山渓鉄道が開通した折に線路用地や駅舎用地を寄附した、加藤・小沢両氏の名にちなむもので、その後に地区名ともなって残っている。

東区の美香保(みかほ)小の名は、北20条以北にある**美香保公園**(みかほ)から命名された。同公園は、造成時に土地を寄付した3氏*6の頭文字を採り、当初は「みかお公園」と呼ばれたが、その後「みかほ」となり、校名ともなった。同区内に所在する中

東区・美香保小の授業風景（昭和52年撮影、札幌市公文書館蔵）

稲積豊次郎　明治時代の実業家。富山県出身。

小鳥の村　愛鳥教育活動を目的に、昭和31年に設けられた藤の沢小の森林体験学習林。全国的にも注目され、昭和58年には環境庁長官賞、翌年には総理大臣賞を受賞している。

沼小も同様である。昭和24年以前、この地域は篠路村字中野と沼の端に分かれていた。中野は地主の姓であり、沼の端とはモエレ沼の東端にあったことに由来することから、それぞれ一字ずつ採って「中沼」とされた。*7

白石区には、菊水・菊水上町・菊水元町と、「**菊水**」の付く地域名が3つあり、その範囲内に東橋小・幌東小・上白石小・菊水小の4校が所在している。これら3つの地区名、および昭和53年開校の菊水小の校名に付された「菊」は、かつて**菊亭脩季**が豊平川沿いに農場を開いたことに由来し、「水」は豊平川をイメージした地域名で、校名もそれにちなんでいる。

地域の自然や植物、施設の名にちなむ小学校名

地域の自然や植物名、施設名などにちなんで命名された典型的な例が、北区にある白楊小である。昭和29年（1954）の開校時、ポプラ（白楊）がたくましく育っていたことから、その若木のように児童が元気に真っ直ぐ伸びることを願い、父母と職員によって発案された。同校はポプラを**校木**とし、関連するモニュメントを校内に掲示するなど、学校のシンボルとして大切にしている。

同区内の和光・光陽・新陽・北陽の各小学校は、いずれも太陽の光を念頭に、他にない力強さ、物事の中心となるたくましさなどをイメージして「光」や「陽」の字を用い、新川小と光陽小を母体に開校した新光小も「光」の字を受

藤の沢　129頁参照。

美香保公園　東区北20条から22条の東4・5丁目に位置し、約8.3ヘクタールの広さに、体育館、野球場3面、硬軟テニスコート4面、遊具などを有している。

***6**　宮村朔三、柏野忠八、大塚藤四郎。

***7**　53頁参照。

菊水　62頁参照。

菊亭脩季　公家鷹司家の生まれ。華族菊亭家を継いだ。開拓使に勤務後、農場を営む。62頁参照。

校木　市内の多くの小中学校では、教育目標や児童生徒の理想、目標をシンボライズするために、特定の樹木を校木に指定している。

け継ぐ。東区の北光小・東光小も、教育の成果が輝くことを期待して命名された。また、百合が原小（北区）や平岡公園小（清田区）は、近くの総合公園名にちなみ、南区の定山渓小は、修験僧**美泉定山**が開いた定山渓温泉に由来する。

豊平区には、隣接地の**豊平公園**と園内にある**緑のセンター**にちなんだみどり小、昭和34年の開校当時、周囲が畑作地帯であったことから、豊かな実りの園をイメージして命名された豊園小、平岸の東方に位置し、背後に月寒公園の丘があることにちなむ東山小がある。清田区には、羊ケ丘に隣接し「ケ」の字を省略して校名とした羊丘小、寺の名前から付いた地域名にちなむ福住小、同校と校区を接し、「菖蒲園」跡に開校したことに由来するあやめ野小がある。

清田区の三里塚小は、札幌から三里の行程地であったことから名づけられたものであるが、現在の地名は里塚に改められており、古い地名が学校に残された。白石区には、豊平川に架かる東橋（国道12号）を校名にした東橋小がある。昭和2年の開校で、橋の名にちなむ唯一の校名である。北区の新川小と新川中央小は、明治時代に開削された「新川」に由来する。

山名などが校名となった例もある。中央区の大倉山小は、昭和47年開催の札幌オリンピック冬季大会でジャンプ競技の会場となった**大倉山**に由来し、隣接する三角山小は**三角山**に、円山小は元はモ・イワ（アイヌ語で小さい岩山の意）と呼ばれた**円山**の名による。伏見小は、明治40年（1907）に伏見稲荷神社がこの地に

美泉定山　114頁参照。

豊平公園　旧農林省林業試験場跡地を利用して設けられた公園。

緑のセンター　植物についての市民からの相談を受け付けるほか、データバンク事業などを担う施設。正式名称は「札幌市緑化植物園豊平公園緑のセンター」。

大倉山　大通から見通す西端方向にあり、高さ301メートル。348頁参照。

三角山　高さ311メートル。367頁参照。

円山　高さ226メートルで麓には動物園や円山球場、円山総合運動場などがある。20・347頁参照。

遷座されたことにちなむ地区名に由来するが、住所は南18条である。

古典・故事などに由来する小学校名

校名が古典・故事に由来する例として、日新小（中央区）がある。中国の古典『**大学**』伝二章から命名され、*8校歌の一節に「日に新しく　伸びていく」と歌われている。学校では校名の由来を、配布物などを通して保護者に説明するなど、命名の思いを今に伝えている。同じ中央区には、都心部の創成・豊水・大通・曙の4小学校を統合し、平成16年（2004）4月に開校した資生館小がある。校名は、開拓使によって明治期に創設された「資生館」（創成小の前身）にちなみ、出典は「**易経**」からとされる。

東区の開成小は、昭和55年（1980）の開校時に初代校長が、中国の古典にちなんで校名を付けており、東京大学の前身も「開成学校」であった。平成11年には、全国の「開成」を冠する小学校7校、中学校6校の代表が岡山市に集まり、開成サミットを開催して交流を行っている。

地域名と校名が一致しない例

校名と所在地の住所が一致していない例もある。白石区では大谷地小が白石本通にあり、上白石小が菊水上町、北白石小が北郷にある。北区では太平小が篠

大学　儒教の経書『大学』『中庸』『論語』『孟子』を総称した四書の一つで、朱子学の聖典とされる。

＊8　「苟日新日日新、又日新」（まことに　ひにあらたに　ひびあらたに　またひにあらたなり）から、「昨日よりも今日また新たに、今日よりも明日はさらに新たに自分の徳を磨きたい」という意味を込めて命名された。

＊易経　儒教の経典「五経」の一つで、森羅万象を陰陽変化の原理で説き、予言を行う書物。

路にあるほか、豊平区では美園小が平岸にある。西区では琴似中央小が八軒に、東区では札幌小が伏古にある。手稲区では手稲北小が手稲山口にあり、手稲山口小が曙にあるほか、手稲宮丘小と手稲東小は、手稲区ではなく西区にある。これらは主に、地名の改称や町村の編入、分区などによって生じたものである。

また、住所と校名が、相互にたすき掛けになった例もある。平和通に本通小、本通に平和通小があり、本郷通に南郷小、南郷通に本郷小があって興味深い。

2 中学校の名称と地名

中学校名とその特色

市内には107の中学校*9があり、約4万3000名の生徒が在学している（令和4年学校基本調査）。中学校数は、小学校数のほぼ半数であることから、小学校の通学区域の約2倍の広さを受けもつ。そのため、多くは地域名のみを採用している。東西南北や、中央・緑などを付加している例は小学校より少ないが、栄中・栄町中・栄南中・東栄中といった類似する校名の例*10もある。

このほか、市内中心部からの方角を念頭に置いたと思われる幌東中・東栄中・北栄中・陵北中・西陵中・南が丘中、地域名を一部取り入れた稲陵中、古くから親しまれてきた地域名などを使った藻岩中（南区）、山鼻中（中央区）、柏丘中（白石区）などもある。一方、あいの里東中はあるのに、あいの里中がない、屯田

*9 市内の中学校は、市立99校、私立7校、国立1校の計107校で、このほかに市立の中高一貫校1校と特別支援学校がある（令和4年5月1日時点）。

*10 類似3校の例を挙げる。厚別中・厚別北中・厚別南中、篠路中・上篠路中・篠路西中、白石中・北白石中・東白石中、手稲中・手稲西中・手稲東中、平岡中・平岡中央中・平岡緑中などがある。類似2校の例としては、札苗中・札苗北中、新川中・新川西中、新琴似中・新琴似北中、中島中・中の島中（地域は異なる）、西岡中・西岡北中、八軒中・八軒東中、月寒中・東月寒中、前田中・前田北中、真駒内中・真駒内曙中、もみじ台中・もみじ台南中などがある。

北中・屯田中央中はあるが、屯田中がないなどの事例は、地区内での立地場所や新設計画の見通しなど、多様な要因が絡んでの結果といえる。

校名の由来と地名とのかかわり

校名の由来については、各学校が発行する学校要覧などを参考にタイプ別に紹介したい。

中央中（中央区）は、「一条中と陵雲中の統合校として、東北小学校跡地に開校。両校は札幌の中心部にあり教育実践校であった。両校が築き上げたよき校風を受け継ぎ、名実共に百万都市札幌にふさわしい気品と品格と風格のある、しかも中央に位置する学校でありたい、というビジョン」から、西区の宮の丘中は「所在する丘陵一帯は『宮丘公園』となっていること、一角に手稲宮丘小学校が所在すること」からと、それぞれ由来を記している。

開拓の歴史や郷土愛を背景とする例としては、東区の福移中や、厚別区の信濃中など小学校の項でも紹介した類例がある。北区の北陽中は「日本の北、札幌の北を意味する北で、陽は大空に輝く太陽を意味し、北の文化を創りみんなの熱意を燃やし続けようという願いを込めて」とし、白石区の北都中は「北海道のこの地に都をもって

西区・西陵中学校（平成２年撮影、札幌市公文書館蔵）

中央区・伏見中学校（昭和52年撮影、札幌市公文書館蔵）

きた先人の偉業を引き継ぎ、逞しく未来を開拓する精神をいつまでも持続し自己の未来を開拓し創造することを象徴した」とする。また、西区の西陵中は「西部に位置し、手稲山をしのぐ健康で知性豊かな人物の育成を願うことに由来する」としている。

中央区の啓明（けいめい）中と白石区の日章中、北区の北辰中は、天体との関係で説明する。啓明中は「啓明は明けの明星（金星）に通じ、また心広やかに知識を啓発するという意味をもつ。生徒の久遠の希望と学業に専念する向学の姿とを象徴したもの」としている。日章中は札幌の伸びゆく東部に位置していたことから、昇る太陽の力強さを象徴したいと願ったものである。北辰中は、「北辰はこぐま座のα星、すなわち北極星（ポラリス）のことで、国土を守り貧窮を救う菩薩でもあることから」とするなど、命名の意味合いや込められている願いは多様である。一方、八条中のように、校名決定までの経過を詳細に記している例*11もある。

＊11　八条中では開校時、新設学校の名を広く校下より募集した。応募された校名は旭中学校、東雲中学校、豊平中学校、東方中学校などであった。このうち、本校が豊平八条に位置するところからとった「八条」が、末広がり、八百万神といった縁起のよい「八」の字を持つ名前であることから決定した、といわれる。

学校名と地域名の関係を見ると、現在、条丁目地区にある伏見中（中央区）は、かつて伏見地区を校区にしていたが、後に山鼻中が開校したことによって校区が変更され、現在は伏見地区を校区に含んでいない。

このほか、札幌中は東区伏古地区に、厚別南中は厚別区大谷地地区に、羊丘中は豊平区福住地区にあるなど、地域名と学校名が一致していない例は中学校にも見られる。

中学校名と小学校名の関係では、小中同名の北野台小と北野台中の通学校区が完全一致するのはまれな例で、逆に羊丘小と羊丘中のように校区の重なりが全くない例もある。

市内の養護学校3校の場合、1校は地域名の山の手を採り、他2校の豊成・北翔は、それぞれ生徒の健やかな成長と発展への願いを込めた校名となっている。

しかし、時には新校名の決定に困難を伴うこともある。ある新設小の開校に際して、近くにアオサギのコロニー（集団営巣地）があったことから「さぎの森小」とほぼ校名が決定していた。それにもかかわらず、コロニーが永続する保証がないという理由から他の名称となった。開校後、間もなくコロニーはなくなり、関係者は判断が正しかったことに安堵した例もある。

紙幅の都合で触れられなかったが、校名の一部や、地域の歴史と自然の特色が模られている園章や校章にも注目し、親しんでみてほしい。

清田区・三里塚小学校の授業風景
（昭和52年撮影、札幌市公文書館蔵）

Chapter……08

神社と公園の名称に見る地域の歴史と地名のかかわり

岡田祐一

1　神社の名称と地名のかかわり

人々は古くから、人知を超える自然現象に畏敬の念をいだき、また恐れてもきた。そのため、神仏についての受け止め方や、宗教施設・組織との関係はさまざまである。

北海道で登記されている宗教団体のうち、*1札幌市内には528の宗教法人が存在する。その内訳は、神道系83、*2仏教系259、*3キリスト教系97、*4天理教81を含む諸教系89となっている。これら宗教法人名と地名との関係をみると、設立の由来や歴史を推測できる例がある一方、所在・所管する地域の名称と一致していない例も見られる。ここでは、地域性の色濃い名称をもつ神社に着目して、その名称と地域のかかわりを見ていきたい。

神社と人々の暮らし

人々は初詣・七五三・結婚式・厄払い・合格祈願・安全祈願などの際、神社へ

＊1　各団体の数は北海道による（令和2年12月31日現在）。

＊2　神道系は神社本庁関係42、金光教関係6など。

＊3　仏教系は真宗大谷派関係48、曹洞宗関係43など。

＊4　キリスト教系は日本基督教団関係14、日本キリスト教会系7など。

依代　神霊が憑依（ひょうい）する物。樹木・岩など。

詣でたり、地鎮祭を依頼したりと、生活の中でさまざまな結び付きをもってきた。また、入植者や為政者が定住する過程で創建されてきた神社は、人の力が及ばない自然の猛威などに祈りを届ける**依代**（よりしろ）として、また縁起を叶える象徴として、さらには地域的な結束を深める基盤として機能してきた。

神社は一般に、入植した人々が以前住んでいた土地の神社、あるいはその総本社の祭神を**分祀**（ぶんし）することが多く、現存する市内の神社も地域住民や屯田兵が分霊を迎え、*5建立したものが多い。そのため創建年代や経緯はそれぞれ異なり、祭神のご利益（りやく）や祀る神の柱数なども多様である。

神社名と地名との関係では、「北海道」や「札幌」を付加している例がある一方で、分霊された総本社の名をそのまま残した例、また地域名で建立した例、そしてその融合型も見られる。

北海道・札幌を付加している神社名

北海道神宮（中央区）は明治2年（1869）、勅旨（ちょくし）（天皇の命）によって奉祀（ほうし）され、同4年に札幌神社*6となった。その後、昭和39年（1964）に明治天皇を増祀（ぞうし）して北海道神宮となっている。このほか、北海道神宮頓宮（とんぐう）*7もある。

札幌護国神社（中央区）*8は、**西南戦争**で没した屯田兵の霊を慰めるため、明治12年、北区に招魂碑が建てられたことに始まる。札幌祖霊神社（中央区）は明治4年、

分祀　本社の祭神を、他所で祀ること。

***5**　新琴似神社（新琴似屯田）、琴似神社（琴似屯田）。

***6**　東区のサッポロビール園と中央区のサッポロファクトリーの敷地内に同名の神社があるが、これは別の神社である。

***7**　南2条東3丁目にあり、北海道神宮の創建時、市街地から遠く参拝に不便だったことから、神社遥拝地として建立された。

***8**　昭和8年、中島公園から南15条西5丁目に移築された。境内には20基の慰霊碑なども設置されている。

西南戦争　明治10年、西郷隆盛を盟主に鹿児島士族が起こした大規模な武力反乱。明治政府に不満を抱く士族が各地で起こした一連の反乱のうち、最も大きなもの。

中央区・札幌神社〈現北海道神宮〉（大正２年撮影、北大附属図書館蔵）

黒田清隆らの願いにより**祖霊社**として祀られたもので、昭和23年から現在の名称となった。紋は白地に赤の五稜星で、道旗の元となった**北辰旗**と同じである。

札幌諏訪神社（東区）は明治15年、信濃からの入植者によって、長野県諏訪市・茅野市・下諏訪町にまたがる総本社諏訪大社の分霊を受けて創建された。他にも札幌村神社、札幌藤野神社、北広島市の札幌八幡宮*9など、「札幌」の地名を冠した神社がある。

総本宮などの名称を受け継ぐ神社

彌彦（伊夜日子）神社（中央区）は、明治末期に日本海沿岸や越後平野で暮らす人々から崇拝されていた新潟県西蒲原郡の彌彦神社から分霊を受けた。伏見稲荷神社（中央区）は、明治17年（1884）に京都市伏見区の稲荷大社の分霊を受けて設立され、同40年に琴似村十二軒から現在の中央区伏見2丁目に遷宮され、社殿が建立された。

黒田清隆　15頁参照。

祖霊社　祖先の霊を祭るための神棚や小祠。

北辰旗　開拓使の旗印。青地や白地に、赤の五稜星を描いた旗を用いた。

***9**　元来の母体となった法人が札幌市内にあった由緒から、札幌の名を残した。

本宮名に地域名を加えた西岡八幡宮（豊平区）は、明治23年に兵庫県から入植した森金蔵が、郷土の八幡神社分霊を開拓守護神として祀ったことに始まる。「さんきちさん」の愛称で親しまれる三吉神社（中央区）は、明治11年に秋田からの移住者が、同県の太平山三吉神社からの分霊を受けて祀ったものである。

中島公園に隣接する水天宮（中央区）は、福岡県久留米市の水天宮本宮から、同市出身の水野源四郎が分霊を頂き渡道したのが始まりで、明治21年から現在地に祀られている。この他、信濃神社（厚別区）は明治16年に信濃出身の入植者が諏訪大社から分霊を受け創建したことに始まる。

相馬神社（豊平区）は、福島県の相馬太田神社から分霊を頂いたもので、大正5年（1916）に現在の天神山に移転している。新川皇大神社（北区）は、明治37年に出雲大社の祭神大国主神など六柱を受けて始まった。

地名にちなむ名称の神社

地域の守り神としての神社は、古くは安政年間に**稲荷社**として始まった発寒神社（西区）や、**八幡社**として始まった篠路神社（北区）などがある。創建後に名称を変更した例もあるが、古くから

稲荷社　稲荷神を祀る神社。稲荷神社。

八幡社　八幡神を祭神とする神社。

西区・発寒神社（明治36年頃撮影、発寒神社蔵）

の名称をそのまま使う例も少なくない。札幌村神社（東区、明治32年〔1899〕創建）、烈々布神社（東区、明治22年創建）、花岡神社（南区、明治15年に八幡神社として創建）、上手稲神社（西区、明治9年に旧仙台藩白石からの入植者47戸が小祠を建立したことに始まる）、三里塚神社（清田区）、苗穂神社（東区）、瑞穂神社（東区）なども創建当時から名称は変わらず、それぞれの歴史を有する。

一方、住居表示名と同じなのが、明治5年に札幌神社遥拝所として始まった白石神社（白石区）、明治33年に西山神社として始まり同36年に現在の名となった月寒神社（豊平区）、札幌市指定保存樹木である**ハルニレ**の巨木を神木とする豊平神社（豊平区）、急速に都市化が進んだ地域にある大谷地神社（厚別区）、明治15年の祠建立に始まる丘珠神社（東区）*10、さらに屯田兵村第一中隊の琴似神社（西区）、屯田兵村第三中隊の新琴似神社（北区）などがある。

地名の変更により、現在の地名とは一致しないものの、創建時の地域名を今に残す神社もある。明治7年創立の厚別神社（清田区）は、「あしりべつ」神社と旧来からの社名で呼称されている。現在は厚別区があり、厚別駅があることから「あつべつ」の読みが一般化したが、以前は「あしりべつ」と読み、清田区一帯の地名でもあった。同じ漢字でありながら「あしりべつ」「あつべつ」と読みが異なるため、あたかも場所が移ったかのような印象を与えるが、所在地は創建時と変わっていない。

ハルニレ　ニレ科の落葉高木。やや湿った肥沃な環境を好む。豊平川の扇状地上に位置する札幌には、古来ハルニレが多く生育していた。

＊10　秋季例祭での丘珠獅子舞奉納で知られる。

＊11　昭和13年、開道70年を期に、松浦武四郎など開拓に縁ある37柱を祀ったもの。

＊12　昭和15年、鉱山関係の殉職者慰霊のため中央区宮ケ丘に建立された。

商業や産業に由来する神社

中央区宮ケ丘の北海道神宮境内にある開拓神社、[*11] 札幌鉱霊神社、[*12] 穂多木神社[*13]も、本道の歴史を今に伝えている。札幌鉱霊神社は、**札幌鉱山監督局**開局50周年を記念して建立し、昭和24年（1949）に神宮の末社として現在地に移転された。穂多木神社は、平成9年（1997）に経営破綻した**北海道拓殖銀行**が、本店屋上に守護神として昭和13年に建立し、同25年に現在地に遷座したものである。企業や大学の敷地、ビルの屋上などに祀られている神社もある。北海道神宮の旧称と同名の札幌神社（東区）は、昭和41年のサッポロビール園開業と同時に、北海道神宮から分霊を受けて建立された。**雪印メグミルク**本社工場内の「酪農と乳の歴史館」の一角には、ゲン担ぎの勝源（**カツゲン**）神社（東区）があり、**狸小路**商店街は本陣狸大明神社（中央区）を祀る。[*14]

2　公園名と地名のかかわり

緑豊かな公園の多い街

札幌は自然豊かで、公園や樹木の多い街といわれている。それを裏付けるように、大通公園（中央区）を始めとする特殊公園（風致などを目的にした公園）が13ヶ所、中島公園（中央区）や平岡公園（清田区）などの総合公園（住民の総合的な利用に供する公園）が10ヶ所、厚別公園（厚別区）や農試公園（西区）などの運動公

＊13　穂多木とは、「北・拓・銀」から一音ずつ採ったもの。

札幌鉱山監督局　明治25年施行の「鉱業条令」によって設置された鉱山における保安指導機関。

北海道拓殖銀行　37頁参照。

雪印メグミルク　雪印乳業とメグミルクの経営統合による乳業メーカー。

カツゲン　雪印メグミルクが道内限定販売する乳酸飲料。現在の商品名は「ソフトカツゲン」となっている。

狸小路　27頁参照。

＊14　これまで神社が祀られていた西5丁目のビル解体に伴い移転。2022年9月現在、西2丁目の商業施設「狸COMICHI（たぬきこみち）」の狸小路側に鎮座する。

中央区・中島公園（平成26年撮影）

園（住民の運動用に供する公園）が4ヶ所ある。これらはほぼ3000平方メートル以上の広さを有している。

このほか、複数区に広がる豊平川緑地（中央区・豊平区・南区・白石区・東区）や天神山緑地（豊平区）などの都市緑地（自然環境の保全と景観の向上目的）が126ヶ所。緩衝緑地（公害の防止と居住地の環境確保）といわれる星観緑地（中央区）が1ヶ所、北郷緑道（白石区）やあいの里緑道（北区）などの緑道（災害時対応と生活の安全・快適の確保）が7ヶ所ある。

あいの里公園（北区）や美香保公園（東区）、常盤公園（南区）などの地区公園（徒歩圏内の利用者を想定）は26ヶ所、エドウィン・ダン記念公園（南区）や馬場公園（厚別区）などの近隣公園（近隣住民の利用を想定）は145ヶ所ある。

さらに、2395ヶ所の街区公園（近隣250メートル圏内の居住者の利用を想

＊15 続いて西区の303ヶ所、手稲区の270ヶ所、東区の261ヶ所、南区の257ヶ所、豊平区の238ヶ所、清田区の214ヶ所、白石区の166ヶ所、厚別区の133ヶ所となっている。

定）、真駒内公園（南区）や滝野すずらん公園（南区）などの広域公園（市域を越える利用を想定）を合わせると、2729ヶ所、2500ヘクタール近くとなり、総面積は道立自然公園野幌森林公園（札幌市厚別区・江別市・北広島市）の2053ヘクタールを超える面積となる。

これら市内の公園の数は、政令都市では最も多く、面積を市民一人あたりに換算すると、12.7平方メートルと神戸・岡山・仙台に次いで多い。

街区公園の名称から読み解く地域性

市内に設置されている前記の街区公園と呼ばれる小公園は、住民の徒歩圏内に複数あることも珍しくない。これらの公園が設置されている数を区単位で見てみると、最も多いのは北区で444ヶ所設置されている。*15対して、最も少ないのが中央区の109ヶ所である。こうした公園数の多寡は、区の面積や住宅の密集度、市街地形成の年代などが関係している。

街区公園の名称には、地域の自然や歴史、子どもたちや市民への願いや期待などが反映されている。それだけに、その土地ならではの名称も少なくない。公園名のタイプは、動物名・天文気象語・形状語・畳語・童言・抽象名詞・架空物名・近隣にある建造物や施設名・歴史的由来・民俗用語・植物名・外国語*16など、実に多岐にわたっている。

畳語　「すくすく」「ほのぼの」など、同じ単語を重ねて一語とした複合語。

童言　子どもっぽい言葉、子どもらしい言葉のこと。

＊16　動物名ではバンビ・ライオン・ハチドリなど、天文気象語では水星・明星・かすみなど、形状語ではさんかく・つぼみ・ふきのこなど、畳語ではピヨピヨ・すくすく・ほのぼのなど、童言ではあそぶべ・わらしっこなど、抽象名詞ではやすらぎ・ゆうあい・ことぶきなど、架空物名では天使・ピノキオなど、建造物や施設名では地下鉄・サイロ・十字街など、歴史的由来では藍・たまねぎちゃん・あんパンなど、民俗用語ではとねっこ・ときわぎなど、植物名ではみつば・ぽぷら・くるみなど、外国語ではキッズ・グルッペ・フラワーなどがある。

昭和30年代以前に設置された公園は、固有名詞が一語だけの公園名が多い。しかし、それ以降に整備された公園や、新たに造成された住宅地に設けられた公園には、住居表示の地域名、もしくは古くから呼び習わされ、親しまれてきた土地名に、固有の名称を付加する例が多くなっている。そのため公園の名称から、その地域の歩み・地理・自然・文化財・施設などを読み解くこともできる。これらの公園の名称は、ほぼ重複していないことから、命名の任に当たった人々の苦労が偲ばれる。

さまざまなタイプの公園名

ここでは、街区公園の名称をタイプ別に紹介したい。

住所そのものを名称に当てた「北三〇西九丁目公園」や「屯田いちに公園」（1条2丁目）、かつてその地にあった施設名を付した「二中公園」（庁立札幌第二中学校跡）や「屯田開拓公園」（屯田七条の屯田兵第一大隊第四中隊本部跡）、近隣にある建物などの名を付けた「法国公園」（本町一条の寺院名）や「福住ドーム前公園」、近くにある小学校名と同じ名称なのが「日新公園」や「豊園公園」などである。

その土地と関係ある人名を残しているのが「新渡戸稲造記念公園」（南4条東4丁目）や「幌西しげたろう公園」（南14条西17丁目）、現在の住居表示とは異なるが、地域で親しまれる通称地名を使った例に「北光らいらっく公園」（北18条東

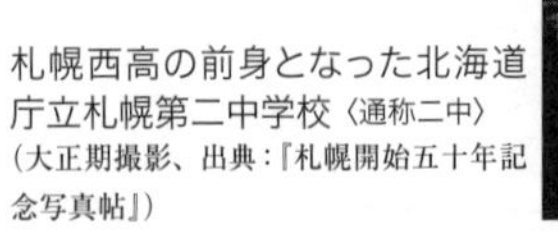

札幌西高の前身となった北海道庁立札幌第二中学校〈通称二中〉（大正期撮影、出典：『札幌開始五十年記念写真帖』）

5丁目）や「桑園公園」（北7条西18丁目）などがある。

このほか、子どもへの願いや期待、遊ぶ姿を連想させる「あそぶべ公園」（大通東4丁目）や「澄川はっちゃき公園」（澄川4条6丁目）、町内会名から採った「第〇新和公園」（北△条東□丁目）や「中立〇公園」（西野△条□丁目）、公園の形状から名付けた「ゆたか東三角公園」（手稲区前田10条9丁目）、このほか山麓などの地勢、「くまごろう」や「正ちゃん」などの愛称を生かした公園名もある。

これらの街区公園には、統一された表示板が設置され、そこに名称とともに住所が明示されており、訪ねる折の参考にもなっている。「〇〇跡地」などの表示は、かつて所在した建物を思い起こさせるであろうし、天文用語を使った公園名など、子どもたちに天体への興味関心を抱かせるなど、成長の糧にもなっている。

中央区・あそぶべ公園（平成30年撮影）

●参考文献
札幌市役所編『札幌開始五十年記念写真帖』（札幌市役所、1919年）
『北海道神宮』（北海道神宮社務所、1994年）
北海道編『北海道宗教法人名簿』（北海道、2010年）
『ゆっくり・じっくり・ぐるっと神社探訪』（北海道神社庁札幌支部、発行年不詳）
『札幌市仏教連合会寺院名鑑』（札幌市仏教連合会、2008年）
札幌市建設局みどりの推進部みどりの管理課編『札幌市の公園・緑地　平成29年度』（札幌市建設局みどりの推進部みどりの管理課、2017年）

Chapter.....09

扇状地を囲む山々と峠
——名称の由来と形成史

㈱アイピー 地質情報室
宮坂省吾

※山・峠の位置については、巻頭カラー口絵7頁「《MAP》札幌の山々と峠」を参照されたい。名称に付した番号は、口絵地図の番号と対応する。

札幌は、山があり、川があり、平地があって、大変恵まれた環境にあるということができる。西方には1000メートル前後の山々が連なり、市街地には藻岩山や円山・三角山が隣接し、東には小山が点在している。加えて、平成16年（2004）には新たにモエレ山が作られた。

「動かざること山の如し」というが、実は山にも一生があって、数百万年あるいはそれ以上の悠久の時を経過したものもある。地殻変動によって上昇した岩盤の一部が、海や川の侵食から免れて山を形成したのだ。本章では、山名をつけた先住民族アイヌの人々、それを書き留め日本語で残した和人たち、そして明治以降の開拓の足跡を、山の形成史とともに整理した。

山名の記述は、おもに『さっぽろ文庫1　札幌地名考』『さっぽろ文庫48　札幌の山々』によった。山地の標高については、国土地理院ホームページ・地理空間情報ライブラリー「地理院地図（電子国土web）」からの読み取りによる。河川名の読みについては、Ⅱ部10章を参照されたい。ま

円山（平成23年、筆者撮影）

た、地質構成については『**5万分の1地質図幅**』、年代データ等は『日本地方地質誌1北海道地方』などを参考に記述した。アイヌ語地名については、**山田秀三**（やまだひでぞう）の著書『札幌のアイヌ地名を尋ねて』および『北海道の地名』に準拠した。アイヌ語の表記はカタカナで〈 〉内に、続けて和訳を（ ）内に示した。またアイヌ語の川名は、読みやすいようアイヌ語に「川」を付した。

1　中央区

01　円山（まるやま）・双子山（ふたごやま）・神社山（じんじゃやま）

円山は、北西—南東方向に延びる長径約1キロメートルの山で、主峰は標高225.0メートルである。西に円山川、南に界川（さかい）が流れ、東麓は豊平川扇状地に接した急斜面になっている。山の形は、200〜300万年前頃の円山**溶岩**と呼ばれる饅頭型の**溶岩ドーム**が造ったものである。円山の北には**コタンベツの丘**と呼ばれた小さな扇状地があり、そこは札幌市街を見晴らせるところだった。

この山は、アイヌの人たちが〈モイワ（小さい山）〉と呼ぶ、祖先の祭場のある聖なる地だったが、明治4年（1871）に円山村が開村してから、山名も円山に改称された。そして、モイワの山名は〈インカルシペ（いつも眺めるところ）〉に移され、そちらが藻岩山に改称された。

双子山は、円山の南西にある標高125メートルほどの小さな丘で、山名は頂

5万分の1地質図幅　以下の各図幅説明書。『札幌』小山内ほか、1956年。『石山』土居ほか、1956年。『銭函』杉本、1953年。『定山渓』土居、1953年。

山田秀三　195頁参照。

溶岩　マグマが地表に噴出したもの。短時間で冷却され岩石となる。ケイ酸成分の含有量によって、玄武岩・安山岩・デイサイト・流紋岩に分けられる。本書で紹介する溶岩の多くは安山岩（やや黒っぽくて硬く、耐火力が強い）なので、以降は記述を略する。

溶岩ドーム　粘性の高い溶岩が、火口付近に椀を伏せたような形の山体を造ったもの。溶岩円頂丘（えんちょうきゅう）とも呼ばれる。

コタンベツの丘　アイヌ語地名は「コタンペッ」（村の川）で、「ヨコシペッ」（いつも獲物を狙う川）を示すと考えられる。373頁参照。

きが二つの瘤になっていたことにちなむ。**鮮新世**の堆積岩が造る山なので侵食されやすく、円山よりずっと低い。神社山は、円山の西にある標高237メートルの小高い山で、約400万年前の幌見峠溶岩からなる。麓からの高さは150メートルほどだが、街中では見上げるような山で、『**札幌沿革史**』に記されたように、対称的な三角形の山容から古くは〈エプイ（蕾のような小山）〉と呼ばれていた。明治30年（1897）に札幌神社の所有地となってからは、神社山と呼ばれる。

02 大倉山（おおくらやま）

昭和6年（1931）、この山に**大倉喜七郎**が出資して60メートル級の**シャンツェ**が作られ、「**大倉シャンツェ**」と命名された。以来、山名を大倉山（標高307メートル）と呼ぶようになった。500万年前頃の三角山安山岩が造る急斜面が、シャンツェに利用されたものである。大倉山の北東山麓にある荒井山は、標高185メートルの小山で、山名は土地所有者の荒井保吉にちなむ。上部の急斜面にシャンツェを作り、緩斜面を小ぶりのスキー場とした。*1

また、三角山小学校の南東にある細長い丘陵（宮の森緑地）は、「なまこ山」と呼ばれる。山名は、山容が棘皮動物のナマコに似ることにちなむという。また、馬場和一郎の牧場があったことから「馬場山」とも呼ばれる。一方、三角山小学校の北西に広がる宮の森4条緑地は、かつて「馬の背山」「木野山」などと呼ばれた。その斜面

鮮新世　およそ530万年前から260万年前までの期間。

札幌沿革史　明治30年、札幌史学会により著された、北海道地方史の先駆をなす書籍。

大倉喜七郎　1882～1963年。大倉財閥2代目総帥を務めた。

シャンツェ　ドイツ語で、スキーのジャンプ競技が行なわれる競技場のこと。

大倉シャンツェ　建設費を寄贈した大倉喜七郎の厚意に報いるため「大倉シャンツェ」と命名され、昭和45年の改修により「大倉山ジャンプ競技場」に改称された。「大倉山シャンツェ」は通称。

＊1　その後スキー場は廃止されたが、ジャンプ台は荒井山シャンツェとして、現在も小中学生に利用されている。

北海道大学から望む大倉山や神威岳、百松沢山など（平成16年、筆者撮影）

で明治期末、後に北大スキー部を創設する学生たちが練習を始めており、大正時代からはスキー競技大会が開かれ、スキー場として昭和40年代まで賑わった。*2

03　幌見峠（ほろみとうげ）

円山西町から盤渓に通じる峠で、「札幌を見る」ことができるため、故**秩父宮殿下**が命名したといわれる。

04　小林峠（こばやしとうげ）

中央区盤渓から南区北ノ沢に通じる峠で、名称は道路整備に貢献した小林新夫にちなむという。*3この区間

＊2　『中央区 歴史の散歩道』

秩父宮殿下　秩父宮雍仁親王は今上天皇明仁の叔父にあたり、幻に終わった1940年の札幌オリンピック開催に尽力した。

＊3　『さっぽろ藻岩郷土史八垂別』

は、急勾配、急カーブが連続し、特に冬期は交通事故の多発区間であったことから「盤渓北ノ沢トンネル」が建設され、平成29年（２０１７）から供用されている。ただし現在も、旧道は通行できる。

2　東区

05　モエレ山（もえれやま）

不燃ゴミと公共残土を積み上げて、平成16年（２００４）に完成した、綺麗な円錐形の人工の山である。標高は61・7メートル、麓からの高さは52メートルで、モエレ沼公園最大の造形物である。山名は隣接する**モエレ沼**による。

3　豊平区

06　天神山（てんじんやま）

火砕流台地の一部が侵食から取り残されてできたため、山頂（標高89メートル）が平坦になっている。山名は、平岸の開拓者が建てた天神さま（菅原道真）を祭る祠（ほこら）（天満宮）にちなむ。この山からは、縄文時代中期の石器や土器、〈チャシ（砦）〉が発掘されている。

東区唯一の山であるモエレ山（平成18年撮影）

モエレ沼　381頁参照。豊平川あるいは石狩川の河跡湖で、アイヌ語の「モイレペッ」（流れの遅い川）に由来するという。

火砕流台地　およそ4万年前の支笏火砕流堆積物が造った台地状の地形で、北にわずかに傾斜している。

07　焼山〈西岡〉（やけやま）

標高261・7メートルの**焼山**（西岡）は、天神山へ続く火砕流台地の上に突きでた小山である。平坦な山頂が1キロメートルにわたって広がり、山麓には放射状に谷ができている。鮮新世の焼山溶岩が侵食から取り残されて山となり、山部川と月寒川の**分水界**（ぶんすいかい）となった。山名は、明治時代に山火事が頻発し、焼け野原となったことに由来する。

4　清田区

08　白旗山（しらはたやま）

標高321・2メートルの主峰から、四方に放射状の谷ができている。鮮新世の白旗山溶岩が造った山で、火砕流台地から100メートル近くも高い。山名は、明治時代に測量の基点となる白旗を、山頂に設置したことにちなむ。

09　島松山（しままつやま）

標高約500メートルの平坦な山頂をもつ、鮮新世の島松山溶岩が造った山。地下では幅5〜6キロメートルの広がりをもつ火山と推定され、焼山（西岡）や白旗山をしのぐ大きな火山である。厚別川・島松川・漁川（いざりがわ）の分水界となっており、山名は千歳市と北広島市の市界を流れる島松川に由来する。

焼山　「焼山」という山名は各地にあることから、本章およびⅡ部10章では地名を付して表記する。

分水界　異なる水系の境界線を指す。山岳においては稜線と分水界が一致していることが多く、分水嶺（ぶんすいれい）とも。

5 南区

10 藻岩山（もいわやま）

標高50メートルほどの扇状地から、480メートルもの高さでそびえる530・9メートルの山である。アイヌの人たちは〈インカルシペ（いつも眺めるところ）〉と呼び、霊山として崇敬していたと伝わる。

『札幌沿革史』（明治30年〔1897〕）はアイヌ語地名に由来する「臨眺山（りんちょうざん）」を当てたが、6年後の『札幌市街之図』[*4]では「藻岩山」となっている。この頃、円山と改称されたモイワの山名がこちらに移り、藻岩山として定着したことがわかる。

藻岩山（平成25年、筆者撮影）

約280~240万年前の溶岩噴出によって形成された火山で、南麓の**軍艦岬**が最初の溶岩で造られた。完成後の火山は、長期間にわたって風雨や河川による侵食にさらされ、周囲の軟らかい堆積岩は削り込まれて凹地となった。しかし溶岩は侵食に抗して残り、現在のような形となっている。

＊4　明治36年に発行された『札幌市街之図』（自治堂）。

軍艦岬　134頁参照。筆者は、〈インカルシペ〉は藻岩山山頂ではなく、軍艦岬ではないかと考えている。比高480メートルの山頂は、「いつも眺める」ために登るには、遠すぎると思うからだ。

11　硬石山（かたいしやま）

豊平川と南の沢川に挟まれた長径2・5キロメートルほどの山塊は、約400万年前の**デイサイト**の溶岩が造った。岩盤が侵食に極めて強いため、豊平川は迂回してその東南端を流れている。最高峰は約390メートル、豊平川からの高さも280メートルを超える。山名は、開拓使時代より、**札幌硬石**（こうせき）と呼ばれる建築石材を採掘していることにちなむ。

12　焼山〈藤野〉（やけやま）

円錐形の山容を有する標高662・5メートルの焼山（藤野）は、約400万年前の溶岩ドームと見られる。古名は〈エプイ（蕾のような小山）〉といい、和名の焼山は明治時代の開墾時に頻発した山火事に由来する。昭和26年（1951）頃、地元の青年有志がこの山を「豊平山」と名づけ、他の二山（豊栄山、豊見山）とともに「藤野三豊山」と命名したが、地図には反映されていない。これらの三山や藤野富士（標高651メートル）は、

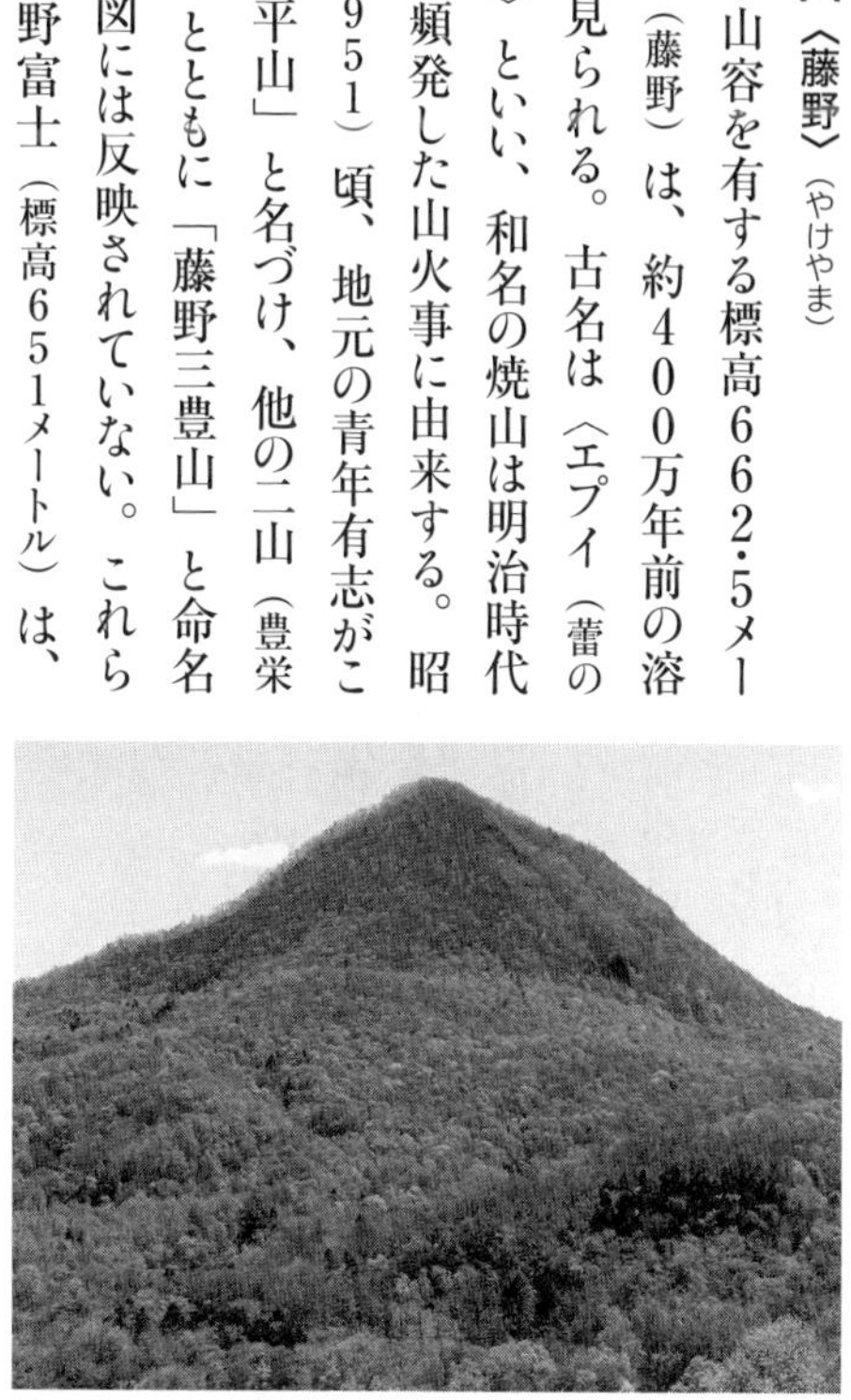

焼山〈藤野〉（平成29年、筆者撮影）

デイサイト　マグマが短時間で冷やされてできた火山岩の一種で、やや白っぽい。安山岩よりも石英に富み、流紋岩よりもアルカリ成分に乏しい。

札幌硬石　デイサイトと呼ばれる火山岩の一種。明治6年より札幌本府建設のため採掘が始まった。

見事な**残丘地形**となっている。

13 砥石山（といしやま）

標高826・3メートルで、琴似発寒川上流の中の沢川・砥石沢川と、豊平川支流の観音沢川・中の沢川の分水嶺をなす。山頂部は、440万年前の砥石山溶岩からなり、標高550〜750メートル付近の急斜面を占める。標高800メートル強の平坦な山頂は、溶岩が残った**火山原面**となっている。

山名は砥石が採れたことにちなみ、**中新世**の堆積岩に含まれる砂岩が、砥石の原材料になったと思われる。開拓使時代の『札縨郡西部図』[*5]は、この山に「ケネウス」と付したが、琴似川の古名〈ケネウシ川（ハンノキの群生する川）〉の源流部に近いとの見立て違いをしたためと思われる。

14 観音岩山（かんのんいわやま）

豊平川の北岸にそびえる標高498メートルの岩山で、北西―南東に延びる狭い尾根が600メートルほど続き、南西面は鋸歯状に岩峰が並び立つ。これは約400万年前のデイサイトの**岩脈**が、約700万年前の簾舞沢溶岩を貫いたものである。周囲の堆積岩は侵食され、岩脈だけが薄板状の残丘として天空にそびえる。山名は山中に祀られた観音に由来するが、岩峰を8本の剣と見立てた

残丘地形 軟質な地層の中の堅硬な岩体が、周囲の侵食に抗して小山状に突出して残存する地形。

火山原面 侵食を受けていない火山斜面で、堆積した当時のオリジナルな地形表面を指す。火山体の原形は、ふつう形成された直後から侵食されて変形する。

中新世 およそ2300万年前から530万年前までの期間。

＊5 飯嶋矩道・船越長善作（明治6年、道立図書館蔵）。当時としては、最も詳しい札幌郡図。本書巻頭カラー口絵参照。

岩脈 地層や岩石の割れ目にマグマが貫入し、板状に固まったもの。

八剣山の通称で知られる観音岩山（平成27年、筆者撮影）

「**八剣山**（はっけんざん）」の通称も広く使われている。

15　百松沢山（ひゃくまつざわやま）

南北に延びる尾根の北に主峰（標高1037・8メートル）があり、500メートルほど離れて南峰（標高1043メートル）がある。山頂にわずかに残った緩斜面は、**百松沢溶岩**の火山原面を示している。山名は、南に流れ下る百松沢川にちなむ。なお、主峰と南峰の間にコブがあることから「三段山」とも呼ばれる。発寒川の源流部と見た地名として、『札幌郡西部図』には「**初寒山**」と記されている。

16　烏帽子岳（えぼしだけ）・神威岳（かむいだけ）

烏帽子岳（標高1109・4メートル）

八剣山　かつては五剣山、天巌山（てんげんやま）などとも呼ばれた。

百松沢溶岩　砥石山溶岩と同時期に噴出したものと思われる。

初寒山　アイヌ語地名に〈ハチャムヌプリ（ハチャム川の山）〉があって、これを記載したのかもしれない。

は小樽内川支流の木挽沢川の源流にあり、神威岳（標高983メートル）はその南東に位置する。いずれも、約750万年前の**水冷破砕岩**が山を造っている。『札幌郡西部図』は、この山に「シマノホリ」と記しており、〈**スマヌプリ**（岩の山）〉と解される。これは、狭い山頂が岩壁に囲まれてそびえる、神威岳の姿を表わしたものと思われる。山名の由来は、〈カムイヌプリ（神の山）〉あるいは〈キムンカムイ（山の神）〉とされる。

烏帽子岳は平らな山頂、東の急斜面、西の緩斜面の形が「烏帽子」に似ることから名づけられたといわれる。一方、〈エペシ（頭が岩崖）〉と呼ばれた神威岳から山名が移動したともいわれる。*6

17　朝日岳（あさひだけ）・**夕日岳**（ゆうひだけ）

定山渓温泉の西には最初に朝日を受ける朝日岳（標高598.1メートル）が、東には夕日を最後まで浴び続ける夕日岳（標高594メートル）がそびえる。いずれも約850万年前にマグマが固結した、**石英斑岩**からなる山である。

18　天狗山（てんぐやま）・**小天狗岳**（こてんぐだけ）

定山渓温泉の北西にある小天狗岳（標高764.7メートル）と天狗山（標高1144.5メートル）は、急峻な岩壁を特徴とする。

水冷破砕岩　マグマが水に急冷されてできた、大小さまざまな砕屑（さいせつ）粒子を主とする岩石のこと。

スマヌプリ　『地名アイヌ語小辞典』による。「スマ」は「シュマ」とも書かれる。

***6**　『札幌の山々』49頁。

石英斑岩　石英（ガラス光沢のある二酸化ケイ素からなる鉱物）の大きな斑晶（肉眼で外形のはっきり見える結晶）を含む火成岩。

天狗山　天狗山（岳）と呼ばれる山は、小樽市の朝里や銭函にもある。それらと区別するため、一般には定山渓天狗岳と呼ばれる。

天狗山は、定山渓天狗岳とも呼ばれ、標高950メートル付近から上部にかけてが、約750万年前の水冷破砕岩が露岩する急崖斜面となっている。『札幌郡西部図』の山名は、ここも〈スマヌプリ〉であった。

小天狗岳は約500万年前の安山岩からなり、水冷破砕岩を貫いている。

急峻な岩壁を有する天狗山（平成24年、筆者撮影）

19　四ツ峰（よつみね）

小樽内川（さっぽろ湖部分）と滝の沢川の間にそびえる、尾根筋の最高峰（標高789.2メートル）。山名は、南北に1キロメートルほど続く細長い山頂に、四つのピークがあることによる。山腹上部は天狗山と同様の水冷破砕岩からなり、740〜780メートルと高さの揃った山頂となっている。

20　迷沢山（まよいざわやま）

奥手稲山から続く、約470万年前の安山岩溶岩が造った平坦な台地*7に、高度差50メートルほどの小山（標高1005・

さっぽろ湖　平成元年、小樽内川（木挽沢川合流点下流）に建設された定山渓ダム貯水池の名称。399頁参照。

＊7　このような地形を溶岩台地という。

3メートル）が載る。迷沢川にちなんだ山名のようである。

21 樺山（つげやま）

樺山溶岩からなる山頂は、標高934・7メートルで平滑な緩斜面をなす。一般に**ツゲ**と呼ばれる常緑低木が、多く生えていたことからついたとされる。

22 奥手稲山（おくていねやま）

溶岩台地の北端に位置する、緩傾斜の円錐状となった小山で、標高は948・9メートル。山名は、手稲山の奥にあることから名づけられた。山容から、約470万年前の安山岩溶岩で形成された**楯状火山**（たてじょう）と見ることができる。北東側は星置川の強い侵食にさらされ、山頂から急峻な斜面となっている。

23 春香山（はるかやま）

約380万年前の春香山溶岩で形成された山（標高906・7メートル）で、北西の**和宇尻山**（わうす）（標高856メートル）などとともに、南北6キロメートルにおよぶ火山の中心である。当初、山名は遥山（はるか）と呼ばれていたが、**鉄道案内書**に「春香山」と書かれて以降、こちらが定着したとされる。*8

ツゲ 黄楊、柘植とも書くツゲ科ツゲ属の常緑広葉樹。北海道には自然分布せず、本道でツゲと呼ばれるのはモチノキ科の常緑広葉樹であるイヌツゲのこと。

楯状火山 楯を伏せたような形をした、傾斜の緩やかな火山。

和宇尻山 小樽市張碓の恵比寿島（アオバトの飛来する島）を指すアイヌ語地名「ワウシリ」にちなむ（『北海道地名誌』）。ワウシリに流れ出る川の源流域であることからの山名か。川名は「ハリウス」（食物の群生する）に由来し、「張碓川」の字が当てられている。

鉄道案内書 札幌鉄道局『札幌小樽付近スキーコース図』（昭和9年版）を指すと思われる。北大山スキー部編『札幌附近のスキーコース図』（昭和10年版）では「遥山」のままである。

24　朝里岳（あさりだけ）

緩傾斜の円錐形をした朝里岳（標高1280・6メートル）は、南北に2キロメートルほど続く、幅1キロメートル以下の山頂緩斜面の北端に位置する。南端にも、標高1300メートル前後の緩やかな円錐形の高まりが二つある。山名はアイヌ語の〈アサリ〉によると伝えられる。朝里川の源流部に位置する山なので、この名がついたと思われる。*9

200〜300万年前に活動した朝里岳溶岩（**玄武岩**）から造られており、山頂緩斜面はその火山原面と考えられる。朝里峠近くまで続く北の緩斜面は広く残るが、大きな地すべりによって地形の**削剥**が進んでいる。

25　白井岳（しらいだけ）**・股下山**（またしたやま）

白井岳は朝里岳の南東に標高1301・3メートルの山頂をもち、股下山のすぐ西まで3キロメートルの尾根が続く。山名は、**白井川**にちなむ。約660万年前の白井岳溶岩が造った山稜で、東面には岩壁が連続する。白井岳は溶岩ドームの中心部にあたり、北東に延びる尾根は岩脈と考えられる。

股下山は、標高820・0メートルの小山で、谷底とは200メートルの高度差がある。水冷破砕岩から造られており、溶岩に覆われていない分、樺山や白井岳よりも低い。山名は、小樽内川と朝里岳沢川が合流する、大きな二股の下

＊8　『札幌の山々』39頁。

玄武岩　マグマが短時間で冷やされた火山岩の一種。黒っぽくて重量がある。

削剥　風化・侵食・地すべりによって地表がけずり取られ、地下の岩石が露出すること。

白井川　397頁参照。

＊9　『地名アイヌ語小辞典』では〈マサルカ（海岸の草原）〉としており、これは〈マサリ（浜の草地）〉（『北海道地名誌』）と共通する言葉のようなので、これが「アサリ」の語源であると思われる。

流に位置することから名づけられた。

26 余市岳（よいちだけ）

札幌市の最高峰で、標高１４８８・０メートル。朝里岳から続く幅の広い山頂緩斜面は、地すべりにより東側が大きく滑落したため、幅１５０メートル以下と狭くなっている。豊平川支流の右股川と西の余市川との分水嶺をなし、右股川には地すべりによる沼や湿地を含む緩斜面が広がる。山名は**余市川**による。

余市岳を造った火山は、朝里岳火山より新しいものと見られ、標高１０００メートルより高い位置に分布する。下位には**熱水変質**を受けた安山岩が広がっており、余市岳の南３キロメートルほどの所に標高９８２・９メートルの南岳を造る。

右股川の対岸には、**毒矢峰**と呼ばれる標高８８５・３メートルのコブのような小山があるが、山名の由来は不明。

27 美比内山（びひないやま）

標高１０７１メートルの美比内山は、南北６００メートルほどの細長い山稜の北端に位置し、白井川支流の右大江沢川と尻別川支流の美比内川の分水嶺となっている。尾根の東西は地すべりによって滑落し、斜面が高さ１００メートルにもおよぶ。美比内は〈**ぺーぺナイ**〉が転化した名称とされる。

余市川　３９７頁参照。山田秀三（１９８４年）は、「ユオヲチ」（温泉のあるところ）あるいは「イオチ」（蛇の多くいるところ）などを余市の語源として挙げる（『北海道の地名』４８６頁）。

熱水変質　地下から上昇してくる熱水と周辺の岩盤が反応し、両者がその成分を変化させること。

毒矢峰　「どくやみね」あるいは「どくやほう」とも読まれる。

ぺーぺナイ　山田秀三は、豊浦町の例から「小流がむやみにあった川」の意と考えた（『北海道の地名』４１２頁）。源流域である美比内山の西斜面には小沼が散在するため、地形的な特徴は合致する。

28　無意根山（むいねやま）

美比内山の南東4・7キロメートルに長尾山（標高1211メートル）があり、その南に無意根山（1460・2メートル）、中岳（1387・5メートル）が連なる。これらの山は、約300万年前の無意根山溶岩が造ったもの。尾根の東西両側に地すべり地形が発達し、長尾山と無意根山の中間は、地すべりの滑落によって山稜の食い違いが生じている。東は薄別川支流の白水川などの、西はペーペナイ川の、それぞれ源流部となっている。

札幌市第二の高峰である無意根山は、東麓が25度を超える直線状の斜面と、平坦で半月形を示す山頂からなり、アイヌ民族の道具〈ムイ（箕）〉をひっくり返した形をしている。この山容から〈ムイネシリ（箕のような山）〉と呼ばれた。

長尾山は東麓を二つの地すべりで断たれ、北に傾斜する尾根がよく見える。山名はこの長い尾の形、あるいは人名によるともいわれるが、定かではない。

中岳は、無意根山と喜茂別岳の中間に座すことから名づけられ、その南麓は地すべりによって断たれている。

小白山は、薄別川支流の小川と白水川に挟まれた尾根筋にある、標高893・1メートルの小山である。尾根筋は中新世の**緑色凝灰岩**が造る。山名の由来は不明だが、両側の川名を併せたものかもしれない。

箕　穀物をふるって、殻やごみをふり分けるための農具。

緑色凝灰岩　一般にグリーンタフと呼ばれる、火山活動で形成された火山岩や火砕岩が変質して緑色を帯びたもの。凝灰岩とは堆積岩の一種で、火山灰などの火山噴出物が凝結してできた岩石。

藤野から望む無意根山（平成29年、撮影：関根達夫）

簾舞ダムから望む札幌岳〈写真右側のピーク〉（平成29年、筆者撮影）

29　喜茂別岳（きもべつだけ）

中岳から南南東に喜茂別岳（標高約1180メートル）、さらに南東の京極町に**小**（しょう）**喜茂別岳**（標高970メートル）がある。いずれも、無意根山溶岩と同時期の古い火山である。山名は、喜茂別川のアイヌ語名〈キモペッ（山奥にある川）〉*10に由来する。

30　蓬莱山（ほうらいざん）

中山峠の南にある標高980・3メートルの小山で、「中山峠スキー場」として利用される。山名は、かつて「蓬山（よもぎやま）」と呼ばれたことによるとされる。*11

31　札幌岳（さっぽろだけ）

最高峰（標高1293・0メートル）より西に緩やかに傾く**札幌岳**の山頂は、北東に25キロメートル離れた**伏籠川**（ふしこがわ）からも望める（上掲写真参照）。アイヌの人たちは、この山が豊平川の古名〈**サッポロペッ**（乾く大きな川）〉の目安になる山として、〈サッポロ

小喜茂別岳　読みは『北海道地名誌』185頁。

＊10　『北海道の地名』468頁。

＊11　『札幌地名考』185頁。

札幌岳　明治6年の『札縨郡西部図』は、現在の札幌岳の位置に山名「サッポロ岳」と記した。本書ではこれにより、上掲の山名の意味を解釈した。

伏籠川　375頁参照。

サッポロペッ　173頁参照。

ヌプリ〈サッポロ川の山〉〉と呼んだと考えられる。約100万年前の札幌岳溶岩で造られた山で、西傾斜の緩斜面は侵食を免れた楯状火山の一部である。

32　狭薄山（さうすやま）

札幌岳の南にある四角錐をなす山（標高1295・7メートル）で、西麓に緩傾斜の溶岩地形がわずかに残る。遠目には端正な三角形の山としてよく目立つ。サウスとは〈サシヌ（山が狭くなっている）〉の変化とされるが、「ヤブが多い」との説もあるという。[*12]

標高855・9メートルの大二股山（おおふたまたやま）は、豊平川上流の漁入沢川（いざりいりざわがわ）を介して左岸5キロメートルほどの尾根筋に位置する、狭薄山溶岩末端の小山である。山名は、豊平川本流と漁入沢川が合流する二股があることから名づけられた。

33　空沼岳（そらぬまだけ）

南西―北東に2キロメートルほど延びる標高1200メートル前後の尾根の南端に、標高1251メートルの空沼岳がある。東西両翼ともに大きな地すべり地で、東麓には万計沼（ばんけいぬま）・真簾沼（まみすぬま）・空沼（そらぬま）など地すべりに伴い生まれた沼や湿地が多い。山名は、アイヌ語にちなむとされる。[*13]真駒内川の支流・鳥居沢川（とりいざわがわ）から空沼岳への登山道には、真簾峠（まみすとうげ）・鞍馬越（くらまごえ）などの地名が残る。

*12　『札幌の山々』57頁。

*13　空沼岳に源流をもつ〈ラルマナイ川（漁川支流）〉の古名〈ソラルマナイ（滝の潜る所）〉が「ソラヌマ」に転訛したという説もある（『北海道地名誌』49頁）。

34 漁岳（いざりだけ）**・小漁山**（こいざりやま）

標高1317・7メートルの漁岳は、空沼岳の南にあり、豊平川支流の漁入沢川と千歳川支流の漁川との分水界をなす。小漁山（標高1235・1メートル）はさらに南西にあり、豊平川源流とオコタンペ川の分水界に位置する。「漁」は〈イチャニ（サケの産卵場）〉に由来。この二つの山は、約250万年前の安山岩溶岩のピークで、西に広がる緩斜面は火山原面である。

35 野牛山（やぎゅうざん）

滝野青少年山の家の南西3キロメートルに位置する。牛が寝ている姿のような山並から、野牛山と呼ばれる。約400万年前の安山岩溶岩が造った、標高500メートル前後の山である。西側は昔から**槐**（えんじゅ）の木が多かったことから、槐平とも呼ばれた。*14

36 中山峠（なかやまとうげ）

札幌市と喜茂別町の境にある国道230号が通る峠で、標高は約835メートル。この道は明治4年（1871）に**本願寺道路**として整備されたもので、二つの山の間にある峠であることから名づけられたとされる。また、それらの山は喜茂別岳と札幌岳のことではないかと思われる。

槐 マメ科エンジュ属の落葉高木で、中国原産の植栽種。北海道でエンジュといえば、一般には同属の自生種であるイヌエンジュ（クロエンジュ）を指す。

＊14 『札幌地名考』187頁。

本願寺道路 明治初期、東本願寺が札幌（石狩国）と伊達（胆振国）を山越えで結ぶ街道として建設した道路。「本願寺街道」とも。

37　朝里峠（あさりとうげ）**・銭函峠**（ぜにばことうげ）

朝里峠は、札幌市と小樽市の境にある峠で、標高約716メートル。平成11年（1999）、道道1号（小樽定山渓線）に朝里峠トンネルが完成したため、かつての峠道であった旧道は、現在通行できなくなっている。

銭函峠は、定山渓から銭函へ抜ける道の峠だったが、いまは林道（春香山登山道）の名称として残るのみである。

38　真簾峠（まみすとうげ）

真駒内川と簾舞川の分水界を通る尾根筋の林道の峠で、双方の川名をとって「真簾峠」と名づけられた。すぐ東にある標高651.6メートル峰を「真簾山」と呼ぶ人もいる。

6　西区・手稲区

39　手稲山（ていねやま）

標高1023.1メートルの山で、札幌市街中心部の北海道庁から13キロメートルほど西に位置する。この山は約370万年前にできた楯状火山で、東に傾く山頂緩斜面は火

手稲山の山頂部〈急崖は山体崩壊によってできた滑落崖〉（平成29年、筆者撮影）

南麓から望む手稲山（平成29年、筆者撮影）

山原面である。その後、侵食によって南面に溶岩壁が露出し、北側の山体崩壊によって北面に急崖（滑落崖）が形成された。

山名は手稲の古名〈テイネイ（湿地）〉から、〈テイネヌプリ（テイネの山）〉と呼ばれたと考えられる。〈タンネウェンシリ（長い断崖）〉は山名ではなく、南北両側の岩壁を指すと見るほうが妥当であろう。*15 山頂は石狩平野を一望できる高所にあるため、早くから放送用アンテナの開発研究の地となり、テレビ局の送信所などが置かれている。また、昭和47年（1972）の札幌オリンピック冬季大会では、男女の大回転コースが滑落崖に設定された。

テイネイ　「湿地」という訳語は、『地名アイヌ語小辞典』によった。

テイネヌプリ　『札幌沿革史』は「タンネウェンシリ」（長悪山）の西に「テイネヌプリ」（手稲（山））があると記した。

***15**　一般には、南面の急崖を指す。しかし、北側の山麓には狩や墓に関するアイヌ語地名が残されていることから、北麓側の利用が多かったと考えられる。そのため、こちらの急崖も猟の行き止まりになるタンネウェンシリであったと見ることができる。

40 丸山（まるやま）

手稲山から北西に延びる山麓の、その末端に位置する標高141メートルの山。名称は、山容が楕円をなすことによる。コタンの**国造神の墓**であったというアイヌ伝説がある（『北海道地名誌』20頁）。

41 阿部山（あべやま）

手稲山の南、百松沢山の北にある標高703メートルの山。付近の琴似発寒川には、**平和の滝**、宮城沢川には**精竜の滝**がある。山名は、最初の土地所有者からとったもの。

42 五天山（ごてんざん）

五天山は阿部山の東に位置し、南北に延びる尾根の北に主峰（標高303・2メートル）がある。山体は約540万年前の安山岩で、マグマの貫入した岩脈である。採石場跡地は「五天山公園」として利用されている。山名は、山頂に祠を設けて「五天山」と名づけたことによる。

43 三角山（さんかくやま）

五天山の東にあり、標高311・0メートル、麓からの高さは150メートルを

国造神の墓 『北海道蝦夷語地名解』は、軽川の古名〈トゥシリパオマナイ（墳頭川）〉の墳（盛土して造った墓）を国造神のものと記した。しかしその記述から、現墳は「丸山」ではなく、現在手稲神社になっている小円丘などが候補となると筆者は考える。

平和の滝 406頁参照。

精竜の滝 「しょうりゅうのたき」あるいは「せいりゅうのたき」とも読まれる。

採石場跡が残る三角山（平成23年、筆者撮影）

超える山で、500万年前の三角山安山岩からなる。山容が三角形に見えることが山名の由来である。アイヌの人たちはこの山を〈ハチャムエプイ（発寒川の小山）〉、その北の先を〈オペッカウシ（**山の崎**）〉と呼び、西野方向から見た山の姿を的確に表していた。『札縨郡西部図』は、〈ハチャムエプイ〉に「**マルヤ山**」、現在の円山に「モイワ」を当てている。和人による「円山」の名称は、最初は現在の三角山に当てられていたようだ。

山の崎　『地名アイヌ語小辞典』では、〈オペッカウシ（川岸が高い丘になって続いている所）〉としている。142・403頁参照。

マルヤ山　マル山の誤記と考えられる。

［参考文献］
飯嶋矩道・船越長善『札縨郡西部図』（北海道立図書館蔵、1873年）
NHK北海道本部編『北海道地名誌』（北海教育評論社、1975年）
川淵初江編『さっぽろ藻岩郷土史　八垂別』（藻岩開基110年記念事業協賛会、1982年）
札幌史学会『札幌沿革史全』（札幌史学会、1897年）
札幌市教育委員会文化資料室編『さっぽろ文庫1　札幌地名考』（札幌市、1977年）
札幌市教育委員会文化資料室編『さっぽろ文庫48　札幌の山々』（札幌市、1989年）
札幌市中央区役所市民部総務課編『中央区 歴史の散歩道』（札幌市中央区役所、2005年）
札幌鉄道局編『札幌小樽付近スキーコース図 昭和9年版』（1933年）
知里真志保『地名アイヌ語小辞典』（1956年／北海道出版企画センター、1984年復刻版）

永田方正『北海道蝦夷語地名解』(北海道庁、1922年)
日本地質学会編『日本地方地質誌1北海道地方』(朝倉書店、2010年)
北大山スキー部編『札幌附近のスキーコース図』(1935年版)
本間清造編『札幌市街之図』(自治堂、1903年)
山田秀三『札幌のアイヌ地名を尋ねて』(1965年/『山田秀三著作集　アイヌ語地名の研究』第4巻、草風館、1983年)
山田秀三『北海道の地名』(1984年/『山田秀三著作集』別巻、草風館、2000年)

Chapter…… 10

川・湖沼・滝の成り立ちとその流路、名称の由来

㈱アイピー 地質情報室
宮坂省吾

かつて札幌には、山や台地から流れ出た川が、大小の扇状地や、たくさんの**氾濫原**(はんらんげん)そして湿原を造っていた。札幌は、この150年の間に自然の姿を大きく変貌させ、今やかつてのおもかげを見ることは難しくなっている。

西部の山々では、数百万年あるいはそれ以前の古い時代に、上昇・陸化が起こり、山に源流をもつ川が刻まれ始めた。約4万年前に支笏火山の巨大噴火により形成された広大な**火砕流台地**では、**ガリ**（雨裂）が刻まれ、そこから浅い川ができていった。このように、ずっと変わらないように見える川にも一生があり、今なお、より上流へ、より川岸へ、より川底へと侵食が続いている。

本章では、川に名を付けたアイヌの人たち、それを日本語で書き留めた和人たち、そして明治以降の足跡を、川の成り立ちとともに整理してみた。現在の川名については、ホームページ「札幌市の河川分類」によった。また記述内容は、おもに『さっぽろ文庫1　札幌地名考』および『さっぽろ文庫44　川の風景』によった。引用した資料を基に私見を述べているため、あるいは原意の損なわれてい

※川・湖沼・滝の位置については、巻頭カラー口絵8頁《MAP》札幌の川と湖沼、滝」を参照されたい。名称に付した番号は、口絵地図の番号と対応する。

氾濫原　洪水時に浸水する範囲。

火砕流台地　約4万年前の支笏火砕流が造った台地地形。

ガリ（雨裂）　gully。水流による侵食でできた溝状の地形。降雨や融雪時に水流が集中し、次第にV字型の小さな谷が形成される。平時には流水が見られないことが多い。ガリーとも。

るところもあるかと思うが、川の地名解釈への一つの試みとしてご寛容いただきたい。

川名には異なる呼称が多いため、本章では基本的に『北海道河川一覧（平成7年改訂）』に従ってルビを振った（該当する川名の初出に「☆」を付した）。そのほかの川名は『札幌地名考』および札幌市下水道河川局事業推進部河川事業課によった（山名の読みは、Ⅱ部9章を参照）。また、アイヌ語地名は**山田秀三**（ひでぞう）の著書に準拠した。アイヌ語表記についてはカタカナで〈　〉内に、続けて和訳を（　）内に示し、アイヌ語の川名に関しては地名に「川」を付してわかりやすくした。

1　中央区

区内を南北に流れる**豊平川**（とよひらがわ）☆のほか、姿を変えたコトニ川の諸流やフシコ川の上流がある。西部の山地には、東に流れる**藻岩川**（もいわがわ）や、西に流れる**盤渓川**（ばんけいがわ）☆などがある。**創成川**（そうせいがわ）☆は札幌本府の基点となった**開削河川**である。

01　創成川（そうせいがわ）

札幌市を東西に分ける川で、幌平橋付近で豊平川から分流し、14キロメートルほど北流して**伏籠川**（ふしこがわ）☆に合流した後、茨戸川（ばらとがわ）に注ぐ。幕末期に開削された「大友堀（おおともぼり）」を基礎に、下流の「寺尾堀（てらおぼり）」、上流端の「吉田堀（よしだぼり）」を併せ、石狩川（いしかりがわ）☆からの舟運（しゅううん）を担う運河として作られた人工河川である。明治4年（1871）に架橋された新

山田秀三　195頁参照。

藻岩川　『札幌地名考』196頁。現在の北山鼻川・山本川・伏見川・界川を併せて流れていた。

開削河川　土地を切り開いて造られた人工河川。

伏籠川　ウェブサイト「地理院地図」（国土地理院）での表記は「伏籠川」であるが、『北海道河川一覧』では「伏篭川」と表記する。後述の旧伏籠川も同様。なお「伏古川」と書かれることもある。

創成川　28頁参照。

中央区・創成川（平成30年、筆者撮影）

しい橋を「創成橋」とし、同7年に「創成川」と命名した。

02　鴨々川（かもかもがわ）

創成川上流部、幌平橋下流の豊平川分流口から南7条までの約2・5キロメートル区間の通称である。この川からさらに分流し、西2丁目付近を流れ、北2条から東へ向きを変えて伏籠川に入っていた川は、かつて開拓使によって「胆振川」と呼ばれていた。しかし、昭和初期に**暗渠**（地下川）化されている。

03　コトニ川（ことにがわ）

開拓使時代の**札幌本府**には、コトニの名が付く川が数多く残っていた。コトニはアイヌ語〈コッネイ（凹地になっているところ）〉によるものとされ、源流域で湧きだす〈メム（**湧泉池**）〉の造った窪地群や凹地を流れる小川を表す地名だった（208頁

暗渠　地下に埋設したり、ふたをかけたりした水路。暗溝とも。

札幌本府　184頁参照。

湧泉池　湧泉に発する川を「湧泉川」という。これにならい、源流域の池を「湧泉池」と呼ぶ。

チェプンペッ　〈チェプンペッ〉は元来のアイヌ語地名であったと考えられる。〈セロンペッ（蒸籠川）〉は松前藩時代の川名（『永田地名解』）。

参照）。コトニ川の諸流には、〈ポロコトニ（大きいコトニ川）〉、〈ポンコトニ（小さいコトニ川）〉、〈シンノシケコトニ（真中のコトニ川）〉、〈チェプンペッ（魚が入る川）〉、〈サクシコトニ（川の方を流れるコトニ川）〉があり、それらが合流して**シノロ川**となった。

開拓使の本府建設によって、これらの川の姿は変わっていく。鴨々川から分流していた川は、西5丁目通に沿う水路となり、新川と呼ばれた。また、チェプンペッ川とポロコトニ川は、一本の水路（桑園新川☆）にまとめられた。*1

04 琴似川（ことにがわ☆）

幌見峠西方の山に水源があり、**サクシュ琴似川**と、その下流の桑園新川を入れて北西に向きを変え、琴似発寒川☆と合流して**新川**に入る。古名は〈ケネウシペッ（ハンノキの群生する川）〉に由来するケネウシ川だったが、開拓使は琴似川に改称。明治中期に新川に接続した後、伏籠川に入る下流域は古川と呼ばれるようになった。現在、その河道の一部が旧琴似川☆として残る。

05 円山川（まるやまがわ）

藻岩山の西の尾根（標高406メートル）などに源を発し、円山西町を流れて円山公園の池に入り、暗渠で界川に合流する。かつては**養樹園の沢**とも呼ばれた。古名は〈ヨコシペッ（いつも獲物を狙う川）〉とされる。開拓使時代に**コタンベツの**

シノロ川 「シノロ」は〈シノコトニオロ（本流のコトニ川）〉のコトニを省略した「シノオロ」であるとの論考がある（『シノロ 140年のあゆみ』）。

＊1 どちらの川も、メムから流れ出た大量の湧水に涵養されていたが、やがてメムが涸れ、川の姿も失われた。

サクシュ琴似川 208頁参照。

新川 明治19年、氾濫平野の治水・排水や舟運を目的に開削が始められた。

養樹園の沢 開拓使時代、現在の円山公園は苗木を育てる「養樹園」だったことによる。22頁参照。

コタンベツの丘 347頁参照。

丘と呼ばれていた高台は、この川が造った小さな扇状地である。

06　界川（さかいがわ）

藻岩山北西麓に水源があり、円山の脇を暗渠で北に流れ、円山川を併せて琴似川に合流する。川名は、この川が旧円山村と旧藻岩村の境界だったことによる。

07　藻岩川（もいわがわ）

かつて藻岩山麓沿いにあった旧山元町〜旧伏見町を流れた小流で、界川に合流していた。川名は、旧藻岩村の村域を流れたことに由来する名称である。明治29年版5万分の1地形図には、藻岩山の山麓まで川筋が描かれていたほか、『**札幌沿革史**』には「ヨコシベツは藻岩山が源で、琴似川に合流する」と記されている。これらの記録は、藻岩川がヨコシペッの本流だったことをうかがわせる。*2

08　盤渓川（ばんけいがわ☆）・**中の沢川**（なかのさわがわ☆）・**砥石沢川**（といしざわがわ☆）

琴似発寒川の大きな支流である**左股川**（ひだりまたがわ）☆の東側の川（盤渓川・中の沢川・砥石沢川など）で、中央区に属する。これらの川は、砥石山から小林峠を経由して藻岩山の北西麓までを分水界とする、左股川**右岸側**の支流である。

盤渓川の旧名は盤之沢で、「パンケの沢」が転訛したとされる〈パンケ（川下）〉

札幌沿革史　348頁参照。

***2**　原文は「インガルシベ山に発して赤楊川に会す」。この川は「ユクニクリ」（鹿の来る林）と呼ばれていた旧山鼻村の山際を流れていた。そこが「ヨコシペッ」（いつも鹿狩をする川）だったと考えられる。

左股川　左股・右股は一般に下流から見て決める。左股川は403頁参照。

右岸側　川を上流から見て、右側を右岸、左側を左岸と呼ぶ。

を冠し、川下の沢の意を持つので、中の沢川が〈ペンケ（川上）〉の沢だったと思われる。砥石沢川は、砥石の原材料が取れたことに由来するとされる。

2　北区

石狩市および当別町との境界を流れる**石狩川**☆は、札幌市域の東区と北区を3キロメートルほど北西へ流れている。**氾濫平野**や**後背湿地**を流れてきた伏籠川・創成川・発寒川☆は、茨戸川☆に流れ込む。

09　茨戸川（ばらとがわ）

石狩川の直線化工事によって切り離された大きな川跡（旧石狩川）で、札幌大橋から石狩市生振に至る。茨戸の名は〈パラト（広い沼）〉に由来するとされ、発寒川の下流にかつて大きな沼があったことを示している（２１０頁参照）。

10　伏籠川（ふしこがわ）

札幌中学校付近から丘珠墓地付近までを北東に流れ、北に向きを変えてから丘珠・篠路地区を通って茨戸川に入る。旧琴似川などのほか、篠路新川☆など多くの人工河川を併せている。

川名は〈フシコサッポロペッ（古い**サッポロ川**）〉を略した「フシコ」に漢字を当てた

石狩川　アイヌ語「イシカリ」は、江戸時代末期には、すでに原意が不明となっていたとされる（『札幌のアイヌ地名を尋ねて』１０９頁参照）。

氾濫平野　洪水時の氾濫によってできた平野。河川の中流から下流にかけて広く発達する。

後背湿地　川岸に堆積した土砂による高い地形（自然堤防）の背後（陸地側）にできた湿地。

サッポロ川　「サッポロ川」は、１８００年以前に現在の豊平川から伏籠川へ流れていた川で、３５０年ほど前には成立していたアイヌ語地名。本章では、〈フシコサッポロペッ〉を「フシコ川」と表記することもある。サッポロの地名についてはⅡ部序論を参照。

もので、伏篭・伏古・伏戸など、**さまざまな当て字**が使われてきた。伏籠川の元の流路（サッポロ川）は、篠路川（しのろがわ）☆（後述）や篠路拓北川（しのろたくほくがわ）☆の下流（拓北いきいき公園）に残されている。

11　旧琴似川（きゅうことにがわ）

旧琴似川は、北49条東7丁目付近から、百合が原を通って篠路で伏籠川に入る。現在では、かつての上～中流部分は失われてしまった。

12　篠路川（しのろがわ）

伏籠川から分かれて茨戸川へ入る、かつてサッポロ川と呼ばれた流路の最下流部の現称。開拓使時代の『**札縨郡西部図**』には、サッポロ川と旧石狩川（茨戸川）との合流点が〈シノロプト（シノロ川の口）〉と表記されている。しかし**松浦武四郎**は、その20年ほど前に「サツホロブト」と記しており、ここがサッポロ川の本流だったことがうかがえる。*3

13　旧伏籠川（きゅうふしこがわ☆）・**茨戸耕北川**（ばらとこうほくがわ☆）

旧伏籠川は、太平小学校付近から創成川沿いに流れる水路（暗渠）で、篠路9条1丁目付近で向きを変え、東の伏籠川に入る。

さまざまな当て字　東区の町名に「伏古」が残っている。54頁参照。

札縨郡西部図　354頁参照。

松浦武四郎　196頁参照。

***3**　1801年頃におきたサッポロ川の流路変更（河川争奪）の後、フシコ川は縮小し、コトニ川本流（シノロ川）が主流となった。174頁参照。

石狩国札幌郡之図　開拓使地理課が明治14年に作成（国立公文書館蔵）。

サクシコトニ　永田方正は、子音の「シ」を「シュ」と表記した（『札幌のアイヌ地名を尋ねて』46頁）。本章では「サクシコトニ」を採用。

***4**　「川の方」とは豊平川と改称される前の「サッポロ川」のこと。

茨戸耕北川は、西茨戸を流れ、西茨戸5条1丁目付近で創成川に入る。

開拓使時代には、シノロ川や発寒川とつながって石狩川に入っていたようだ。『**石狩国札幌郡之図**』によれば上流域に二つの沼があり、うち一つの沼に「カハトウ」の名称が付されていた。

14　サクシュ琴似川（さくしゅことにがわ）

北海道大学の中央ローンから図書館脇を通り、総合博物館を経て工学部裏を北へ流れ、札幌競馬場の北で桑園新川と合流する、おもに北大構内を流れる川。

昭和26年（1951）頃、〈ヌプサムメム（野の傍らの湧泉池）〉が涸れ、水流が失われたが、平成16年（2004）に北大と札幌市が再生事業を実施し、復活させた。

川名は、〈**サクシコトニ**（川の方*4を流れるコトニ川）〉によるとされる。

北区・サクシュ琴似川〈北大構内〉（平成29年、筆者撮影）

15 発寒川（はっさむがわ）

発寒川は新川から分かれ、新琴似川・安春川☆・屯田川☆・東屯田川☆を併せて、紅葉山砂丘に沿って石狩川へ向かい、西茨戸で伏籠川と合流する。元来、発寒川は琴似発寒川と一連の川であったが、新川の開削によって切り離され、下流域が発寒古川☆および発寒川として残った。発寒川の古名は〈ハチャムペッ（桜鳥の川）〉に由来するとされる（224頁参照）。

安春川は、湿原の農地開拓を目的に作られた人工河川で、工事を担った新琴似屯田兵の氏名を川名に付したともいわれる。*5

16 篠路新川（しのろしんかわ）

排水を目的に開削された人工河川で、モエレ沼から北西へ流れて伏籠川に入る。

17 ペケレット湖（ぺけれっとこ）

茨戸川の河畔にある小さな湖。旧石狩川の三日月湖で、『北海道蝦夷語地名解』による語源は〈ペケレ**トシカ**（明るい堤）〉。石狩川の氾濫の繰り返しによりできた**自然堤防**は、樹林が生育しにくく、明るい疎林地となっていたことを示すものと思われる。上流にもトンネウス沼と呼ばれる同様の河跡湖があり、その周囲はあいの里公園として整備されている。名称は〈トゥンニウシナイ（ナラの木の群生する川）〉に由

＊5 屯田兵中隊長安藤貞一郎、工事請負人春山にちなむとされる（『札幌地名考』202頁）。

トシカ 『地名アイヌ語小辞典』は「低い崖」のほか「どて」を和訳に挙げており、「自然堤防」と解釈することが妥当と思われる。

自然堤防 流下した土砂が川岸に堆積することで形成された天然の土手状地形。

来するという。この沼から流れ出ている水路は、拓北川（たくほくがわ）☆と呼ばれる。

3　東区

江別市北西部から篠路・丘珠にかけて広がる後背湿地や氾濫平野の中央を、伏籠川が流れる。自然河川の跡であるモエレ沼を除き、他の川は人工河川となる。また、**豊平川**が豊平区・白石区および江別市との境界になっている。

18　豊平川（とよひらがわ）

雁来大橋付近から昭和16年（1941）に完成した開削河道を通り、石狩川に合流する。この川も、雁来大橋から下流は人工河川である。切り替え前の豊平川は「旧豊平川（きゅうとよひらがわ）☆」と改称されており、東へ流れて厚別川（あつべつがわ）☆に入る。

19　伏籠川（ふしこがわ）

基となった川は「サッポロ川」（乾く大きな川）で、享和元年（1801）頃に幌平橋～一条大橋付近で上流を切り離された川が、〈フシコサッポロペッ（古いサッポロ川）〉と呼ばれるようになった。江戸時代末には、苗穂まで舟で上がれるほどの水位だったが、開拓使の札幌本府建設によって、鴨々川や胆振川などの支流が断ち切られ、上流を失った。いま東区では、旧流路の一部が伏古公園の緑地に残るな

豊平川　名称の由来については183頁参照。

ど、所々で川跡を見るのみとなっている。

一条大橋付近から東へ流れるようになったサッポロ川は、**対雁川**（**厚別川**）を併合した。この川を本章では「新しいサッポロ川」と呼ぶ。

20　雁来新川（かりきしんかわ☆）

伏籠川と豊平川の間には、東から人工河川の雁来川☆・苗穂川☆・丘珠藤木川☆が北へ流れ、苗穂刑務所の囚人が開削した排水溝である雁来新川☆に合流して豊平川に入っている。

21　古川（ふるかわ）

『石狩国札幌郡之図』には、伏籠川と旧琴似川の間に3本の川が記載されている。これを本章では「古川」と表記する。この川は伏籠川から分流し、百合が原公園の北東で旧琴似川に入っていた。後に、空港周囲の丘珠5号川☆や丘珠通に沿う丘珠川☆に切り替えられた。

東十八丁目通を南から流れていた西の川は、烈々布排水となった。

さらに西を流れていた小川は、北大第三農場跡の大学村の森公園付近から東5丁目あたりを流下していたようだが、早くに消失した。

対雁川　『札幌沿革史』ではツイシカリメムより流れ出し、石狩川に入る川と説明された。この川は後にサッポロ川に併合され、明治時代に豊平川と名づけられた。

厚別川　古名はツイシカリ川と考えられる（『飛騨屋久兵衛石狩山伐木図』では「トイシカリ川」と表記）。１６７頁参照。

22　モエレ沼（もえれぬま）

〈モイレペットー（流れの遅い川の沼）〉に由来し、川名は篠路新川となる。元来のモエレ沼は、伏籠川と豊平川の双方につながっていた川の一部であったと思われる。新しいサッポロ川（現在の豊平川）に残った地名〈**トーパロ**（沼の口）〉からは、モエレ沼から豊平川に流れていた〈**モイレペッ**（モイレ川）〉の存在を想起させる。

沼の周囲に広がっていた湿原は、洪水氾濫によって水没することが多かった。北区上篠路で伏籠川に入る**赤坊川**（あかぼうがわ）☆は、このような湿地を開拓するために作られた排水溝であった。さらに、雁来新川や篠路新川などによる排水も加わり、やがてモイレ川は消失した。

トーパロ　江戸時代末期に松浦武四郎が採録したものである。

モイレペッ　モエレはモイレの転訛あるいは方言（『札幌のアイヌ地名を尋ねて』106頁）。本章では、この川の古名を「モイレ川」と呼ぶ。

赤坊川　アカンボ川とも。工事に札幌監獄の「あかんぼ」（赤い獄衣を着た囚人）を動員したことから名づけられた。

東区・モエレ沼（平成30年、筆者撮影）

4　白石区

中央区との区界をなす豊平川のほか、望月寒川☆、月寒川☆、厚別区との区界をなす厚別川が流れる。南部は豊平川扇状地と火砕流台地からなり、北部の川沿いには氾濫平野が、その間には**大谷地湿原**や**厚別湿原**などの後背湿地が広がっていた。

大谷地湿原・厚別湿原　かつては大谷地原野・厚別原野と呼ばれた湿原だった。地盤としては泥炭の堆積地である。

23　小沼川（こぬまがわ）・逆川（さかさがわ☆）

札幌東高校付近から北東に流れていた川で、白石川☆を入れてから旧月寒川☆を経由し、豊平川に入っていた。〈ツイシカリメム（対雁川の湧泉池）〉から流れ出ていた小川なので、小沼川と呼ばれるようになったと思われる。後述するように、ツイシカリ川とは現在の厚別川を指す。

小沼川はかつて月寒川の支流であったが、白石川とともに現在では埋め立てられており、川跡の一部が遊歩道となっている。月寒川・望月寒川の下流は、洪水時に豊平川から逆流・氾濫したので、逆川とも呼ばれていた。望月寒川の流路切替で残された最下流部に、その川名が残る。

24　望月寒川（もつきさむがわ）

厚別通付近から人工河川に切り替わり、月寒排水機場の下流で月寒川に入る。

25　月寒川（つきさむがわ）**・旧月寒川**（きゅうつきさむがわ）

現在の**月寒川**は、ＪＲ函館本線付近から人工河川に切り替わり、北郷から川北を過ぎ、望月寒川を併せて米里で豊平川に入る。**旧月寒川**は、函館本線から西へ流れていた下流域を指し、豊平川水再生プラザ（下水処理場）付近で望月寒川に合流、米里で豊平川に入っている。

26　北白石川（きたしろいしがわ☆）

北白石川は、ＪＲ平和駅付近から北へ流れ、川下公園と白石高校の間を通って、旧豊平川（きゅうとよひらがわ）の分流口で豊平川に入る。その西側を並行して、月寒川の下流が流れている。

27　吉田川（よしだがわ☆）

豊平区羊ケ丘に源をもつ吉田川は、かつて大谷地湿原の西縁に入っていた。現在は、南郷通の南で厚別川と暗渠でつながれている。明治時代中頃、吉田善太郎が用水路として開削した吉田用水の一部に当たる。

5　厚別区

白石区との区界をなす厚別川と、その東に野津幌川（のっぽろがわ）☆が流れている。上流側は

月寒川　220頁参照。

旧月寒川　この川は旧白石村百番地の白石神社付近から流れていたので、百番川と呼ばれていた。

火砕流台地の末端、東側は**野幌丘陵**（のっぽろ）の西縁となっている。かつて川沿いには、氾濫平野と後背湿地である厚別湿原が広がっていた。

28　厚別川（あつべつがわ）

豊平川に次ぐ、札幌市第2の長さ（延長約42キロメートル）を有する川。札幌市南部の空沼岳から5キロメートルほど東に延びた稜線上に位置する、標高633メートルのピークを水源とする。上流域の清田区では「あしりべつ川」と呼ばれる。現在の厚別川下流は、川下公園付近から旧豊平川までを開削した厚別新川に切り替えられた川である。切り離された旧河川の川跡は、白石区の川下地区にわずかに残存する。山本川（やまもとがわ）☆・野津幌川・旧豊平川を併せてから、モエレ沼の東1.5キロメートルほどのところで豊平川に合流している。

寛政時代、サッポロ川（後の豊平川）に併合されるまで、厚別川は**ツイシカリ**川と呼ばれていたようで、野津幌川・月寒川・望月寒川などを支流とする、広い流域を有した。その下流域には、かつて大谷地原野・**厚別**原野などと呼ばれた広大な湿原が広がっていた。

29　三里川（さんりがわ☆）・二里川（にりがわ☆）

火砕流台地の里塚から流れ出る川で、厚別川の支流である。**三里川**は、室蘭

野幌丘陵　標高150メートル以下の台地状の丘陵で、数十万年前より、沖積平野から丘陵へ成長しはじめたといわれる。

ツイシカリ　「ツイシカリ」は『永田地名解』によれば回流沼の意で、湿原内を曲流する川の様子を表した名称かもしれない。

厚別　〈ハシペッ（潅木の群生する川）〉に由来するとされるが、それは上流域の清田地区で見られた河畔林の風景によるものらしい。

三里川　アイヌ語地名はラウネナイ。『札幌のアイヌ地名を尋ねて』は『低い処を流れて居る川』と解すべきとした後、同書に「深く落ち込んだ沢、其処を流れる川」と訂正文を付した。筆者はこれを谷底低地（こくてい）（388頁参照）を流れる川を表すアイヌ語地名と考える。

街道（国道36号）における札幌本府までの距離（三里）を川名とした（104頁参照）。二里川は、札幌南ＩＣ（インターチェンジ）の西側を流れ、三里川より上流で厚別川に入る。

30　野津幌川（のっぽろがわ）

野幌丘陵の西側を上野幌から北へ流れ、ＪＲ函館本線付近で広い沖積低地となり、厚別西川（あつべつにしがわ）☆・厚信川（こうしんがわ）☆・小野津幌川（おのっぽろがわ）☆を併せて厚別川に合流する。川名は〈ヌポロペッ（野の中の川）〉に由来するとされ、火砕流台地を**下刻**（かこく）した流れの様子を示す。上野幌から西へ上る支流は、大曲川（おおまがりがわ）☆と呼ばれ、里塚霊園付近から北広島市との市界を流れる。熊の沢公園付近から東へ上る支流は、熊の沢川（くまのさわがわ）☆と呼ばれる。

31　小野津幌川（おのっぽろがわ）*6

野幌丘陵の西縁を流れて沖積低地に入り、野幌川に合流する。川名は〈ポンヌポロペッ（小さい野中の川）〉によるものとみられ、支流にはポンノッポロ川という、古名にちなんだと思われる川名が残されている。

32　瑞穂の池（みずほのいけ）

小野津幌川の丘陵側を流れる支流に、昭和の初め、小野幌地区の人々が築造

下刻　河床を深く掘り下げる侵食作用のこと。下方侵食とも。

＊6　川名の読みは『札幌地名考』で「このっぽろ」としているが、本章では『北海道河川一覧』の表記に従い、「おのっぽろ」とした。

谷底低地の特徴を表す昔日の三里川
（『札幌のアイヌ地名を尋ねて』150頁所載）

した農業用貯水池で、池自体は江別市域にある。昭和47年（1972）にその役割を終えたが、野幌森林公園の景勝地（瑞穂池）として保存されている。

6 豊平区

豊平川、望月寒川、月寒川が流れ、豊平川は中央区、望月寒川は南区、吉田川は清田区との区界をそれぞれなしている。豊平区の東側には火砕流台地が、西側には豊平川扇状地が広がり、南に焼山（やけやま）（西岡）を中心とする丘陵地がある。

33 豊平川（とよひらがわ）

千歳市との境にある小漁山（こいざりやま）に源をもち、北へ流れて石狩川に注ぐ、延長約73キロメートルの大河川である。豊平川扇状地を縦断する川で、札幌の中心部は、その扇状地上にあり、市の利水および治水上、最も重要な川となる。

定山渓で白井川（しらいがわ）☆や小樽内川（おたるないがわ）☆を併せて東へ流れ、硬石山を迂回して真駒内川（まこまないがわ）☆を入れる。市街中心部で北東に向きを変え、雁来大橋付近からは江別市と札幌市の境をなす**新河道**を通って石狩川に合流する。

豊平川の**祖先河川**であるサッポロ川は、現在の伏籠川を通って石狩川に合流していた。享和元年（1801年）の大洪水で北東へ向きを変え、月寒川、厚別川、野津幌川などからなるツイシカリ（対雁）川へ流れ込んで合流した（新しいサッ

新河道　豊平川下流は昭和16年にできた開削河道で切り離された。厚別川までを旧豊平川と呼び、江別市内では世田豊平川（せたとよひらがわ）と呼ばれる。「世田」は江別市の開拓地だった「世田谷」にちなむ。

祖先河川　豊平川の名称は開拓使が「新しいサッポロ川」に付けたものであることから、元のサッポロ川を豊平川の「祖先」と見て、本章ではこれを「祖先河川」と呼ぶ。

豊平区・豊平川〈豊平橋より南七条大橋〉（平成28年、筆者撮影）

ポロ川の成立）。後に開拓使が、この新しい川を豊平川と改称し、古名「サッポロ川」の名は消えた（181頁参照）。

ミュンヘン大橋付近で豊平川から分かれ、幌平橋の下流で再び合流する分流が、大正時代まであった。この川が高台をなす扇状地を侵食し、常に崩れる状態にあった崖ができていたのだろう。豊平の名称は、この〈**トゥイピラ**（崩れる崖）〉に由来するとされる。

この分流は、大正2年（1913）の大洪水で上流部が塞がれ、昭和7年（1932）に築堤で遮断された後、**精進川**（しょうじんがわ）☆の下流をなす川に替わった。

また、その下流には、水車町5丁目付近で豊平川から分かれ、豊平橋の上流付近で再び本流に戻る水車川（すいしゃがわ）と呼ばれた川がかつてあった。

トゥイピラ　「豊平」の由来について山田秀三は、永田方正『北海道蝦夷語地名解』を検討した上、tui piraが良いとしており（『札幌のアイヌ地名を尋ねて』）、これに従った。

精進川　392頁参照。

34　月寒川（つきさむがわ）

西岡の奥から火砕流台地を流れ、豊平区月寒東でラウネナイ川を入れ、大谷地湿原の開削水路を北流して、米里地区で豊平川に注ぐ。羊ケ丘通付近までは望月寒川と併走する。川名は、アイヌ語〈**チキサプ**〉によるという。
西岡水源池（すいげんち）*7は、明治42年（1909）に月寒川を堰き止めて作った取水施設（西岡浄水場）の名残で、かつて月寒地区にあった陸軍施設等へ給水していた。

35　望月寒川（もつきさむがわ）

真駒内駐屯地射撃場から火砕流台地を流れ、白石区米里で月寒川に合流する。明治時代には、月寒川とは別に大谷地湿原へ流れ込んでいた。川名は〈モチキサプ（小さいチキサプ）〉に由来するという。

36　ラウネナイ川（らうねないがわ☆）**・うらうちない川**（うらうちないがわ）

羊ケ丘の北海道農業研究センター敷地内から北に流れ、国道36号付近で、支流のうらうちない川を入れ、区界の栄通付近で月寒川に入る。ともに焼山（西岡）の北麓に源流がある。川名は〈ラウネナイ（深く落ち込んだ沢を流れる川）〉に由来。うらうちない川は〈ウライウシナイ（**梁**（やな）の多い川）〉に由来するという。筆者はラウネナイを**谷底低地**（こくていていち）を流れる川と考える（384頁脚注「三里川」参照）。

チキサプ　220頁参照。

***7**　昭和46年に浄水場としての役割が終わり、札幌市の公園として整備された。

梁　川の中に足場を組み、杭や石などを敷設して水流を堰き止め、木や竹で作った簀の子状の構造物へ魚を誘導して捕獲する仕掛けのこと。「簗」とも書く。

谷底低地　山や丘陵、台地に刻まれた緩やかな谷底に、軟らかい砂礫や土砂などが堆積してできた地形。

7 清田区

清田区は厚別川流域に属している。**鮮新世**の火山岩からなる**焼山**（**西岡**）が、南北に延びる月寒丘陵の高まりを造り、月寒川との分水界となっている。焼山のほか、白旗山・島松山・野牛山が**残丘**をなしており、その間の低所が火砕流台地となっている。

37 厚別川（あつべつがわ）

清田エリアでは「あしりべつ川」の川名で呼ばれる。鱒見の沢川☆から上流は、南区に属する。下三滝橋付近から清田では火砕流台地を刻んで、幅

下三滝橋付近の厚別川〈清田区有明地区〉（平成30年、筆者撮影）

鮮新世　348頁参照。

焼山（西岡）　351頁参照。

残丘　354頁「残丘地形」参照。

200～400メートルの広い谷底低地（氾濫原）を発達させている。このような場所では、大洪水が起こると流路がしばしば大きく変わったと考えられる。こうして新しくできた川筋を、〈アシリペッ（新しい川）〉と呼んだものと思われる。

38　清田川（きよたがわ☆）

北海学園運動場の南から流れ出し、西のトンネ川を入れ、国道36号の下流で厚別川に合流する。〈トゥンニウㇱナイ（ナラの木が群生する川）〉に由来するとされるトンネ川は、古くは清田川とは別の水系で、羊ケ丘通の北の旧トンネ川へ流れ込み、そこから厚別川に入っていた。

その西を流れる吉田川（よしだがわ）☆は、羊ケ丘の北海道農業研究センター敷地内から白石区に入り、厚別川に合流する。

39　山部川（やまべがわ☆）

陸上自衛隊西岡演習場と札幌南ゴルフクラブ駒丘コースとの境界、標高271メートルの稜線の東側に源を発し、真栄で厚別川に合流する。川名は〈ヤムペ（冷たい水）〉に由来するという。真栄川（しんえいがわ）☆は山部川の支流で、西真栄川（にししんえいがわ）☆を併せて山部川に注ぎ、わずかに下って厚別川に合流する。山部川は、月寒川や精進川と同様に、火砕流台地を下刻して流れ下っている。

40　鱒見の沢川（ますみのざわがわ）

南区との区界をなす鱒見の沢川は、滝野すずらん丘陵公園の東縁を流れ、上流に鱒見の滝、支流に竹子沢川（南区）をもつ。

41　有明の滝（ありあけのたき）・有明小滝（ありあけこたき）

厚別川支流の有明第2沢川、有明第8沢川にある落差13メートルと5メートルの滝である。**支笏溶結凝灰岩**を削って**直瀑**をなしている。

8　南区

札幌西部山地の大半を占め、水系はすべて豊平川に含まれる。東縁を流れる真駒内川などが火砕流台地を流れるほかは、新第三紀の堆積岩や火山岩からなる山地の河川となる。

42　山鼻川（やまはながわ☆）

藻岩山の東山麓を流れる川で、扇状地に出てから北へ流れ、**軍艦岬**の上流で藻岩発電所の放水を入れて豊平川に合流する。この流域は**旧山鼻村**に属し、川名の由来となったと考えられる。古名〈ヌツホコマナイ（野にある川）〉は、扇状地を横断する川の様子を表しているとされる。

支笏溶結凝灰岩　約4万年前に噴出した支笏火砕流堆積物が、熱と重量によって溶融・圧縮されてできた岩石。

直瀑　垂直に流れ落ちている滝。

軍艦岬　古いサッポロ川が侵食して造った見晴しの良い岩崖。扇状地から25メートルほど高い。この高台は、〈インカルㇱペ（いつも眺めるところ）〉を思わせる。134頁参照。

旧山鼻村　25頁参照。

豊平川・真駒内川合流地点〈写真奥左手から真駒内川が豊平川へ流れ込む〉
（平成26年、筆者撮影）

43　真駒内川（まこまないがわ☆）

万計沢川・湯の沢川☆や中の沢川☆・鳥居沢川☆・小滝の沢川☆・金古沢川☆など、空沼岳から北西に延びる尾根に水源をもつ支流を併せ、**常盤**地区では幅250～400メートルの谷底低地を刻んで北流、**柏丘**の東側山裾を通って豊平川に注ぐ。川名は、〈マクオマナイ（山奥に入っている川）〉によるとされる。

常盤　127頁参照。
柏丘　126頁参照。

44　精進川（しょうじんがわ）

精進川は真駒内滝野霊園の西、左精進川☆は厚別川上流との分水界の北に源がある。平行して流れる真駒内川の中流域と同様に、火砕流台地を流れている。川名は〈オソウシ（川尻に滝がある川）〉が「オショシ川」となり、それが「お精進川」と呼ばれるようになったとされる（211頁参照）。このオソウシの滝は、昭和初期まで流れていた豊平川の東分流に流れ込んでおり、そこまでが精進川だった。現在、豊平川と切り離された東分流は精進川と名を変え、幌平橋の下流で豊平川に合流している。

45　北の沢川（きたのさわがわ☆）**・中の沢川**（なかのさわがわ☆）**・南の沢川**（みなみのさわがわ☆）

藻岩山の南麓から硬石山までを総称して、かつて八垂別（はったるべつ）と呼んでいた。その語源は〈ハッタルペッ（淵のある川）〉とされ、この付近を流れていた豊平川に、明治時代まで深い淵*8があったことに由来するという。三つの川は、藻岩山から砥石山につながる尾根に水源をもち、東の緩斜面を通って豊平川に合流する。古名としては、北の沢川が〈パンケハッタル（川下の淵）〉、中の沢川が〈ペンケハッタル（川上の淵）〉、南の沢川が〈タンネハッタル（長い淵*9のある川）〉に当たると思われる。

46　穴の川（あなのがわ☆）

藤野富士の東山麓から流れ、藻南橋の上流で豊平川に入る。元の川口は50 0メートルほど下流の藻南公園にあった。石山2条4丁目から分かれる「穴の川放水路」は、石山大橋の上流で豊平川に入る。東の支流である石山川（いしやまがわ）☆は、火砕流台地を刻んで流れている。

＊8　北の沢川の川尻部分が深い淵になっており、背の2倍ほどの深さがあったという。

＊9　藻南公園脇の広い岩場の下流に、深く長い淵があり、そこに南の沢川が流れ込んでいたと推定される。

藤野富士　353頁参照。

47 オカバルシ川（おかばるしがわ☆）

藤野富士と豊見山の間から北流し、藤野と石山の境を流れて豊平川に注いでいる。川名は〈**オカパルシ**（川尻の平岩）〉による。470万年前にできた硬石山の火山岩（デイサイト）が河床に現れている様子を、〝平岩〟と見たのであろう。

48 野々沢川（ののさわがわ☆）

焼山（藤野）と豊見山の間から流れ出し、藤野小学校から切替河川によって豊平川に入る。*10かつての下流である旧野々沢川は、小学校から東へ段丘の縁を流れ、**十五島公園**の下流端で豊平川に合流する。古名は〈エプユトゥロマプ（蕾のような小山の間を流れる川）〉であり、その小山とは焼山（藤野）のことである。このほか、藤野沢川☆・藤野川☆・東野々沢川☆などが豊平川に入る。

49 白川（しらかわ☆）*11

砥石山から南に流れ、十五島公園の対岸で豊平川に注ぐ。豊平川のこの付近は、岩盤床の早瀬で、常に白く波立っていた。その様子が川名の由来となった。

50 簾舞川（みすまいがわ☆）

空沼岳の北面から流れ、豊平川に入る。古名は、〈ニセイオマプ（絶壁のある所）〉

オカパルシ　『アイヌ語小辞典』の「カパルシ」（水中の平岩）を参考にした。

焼山（藤野）　353頁参照。

***10**　昭和56年の豪雨による洪水で被災したため、流路の切り替えがなされた。

十五島公園　130頁参照。

***11**　『札幌地名考』215頁では「しらいかわ」である。

である（211頁参照）。

豊平川は、白川橋（しらいかわばし）から御料橋（ごりょうばし）付近まで溶岩を深く下刻して流れ、峡谷をなす。この風景が、古名の由来の一つとされる。この一帯の流域は、第二次世界大戦以前は**御料林**（ごりょうりん）であった。東御料川（ひがしごりょうがわ）☆や西御料川（にしごりょうがわ）☆の川名は、その名残であろう。

上流側には、空沢川（からさわがわ）☆や板割沢川（いたわりざわがわ）☆がある。

51　観音沢川（かんのんざわがわ☆）

砥石山の源から南に流れ、藻岩ダム（豊平川）に流れ込む。川名は、上流に位置する観音岩山に関連するものと思われる。なお同山の両脇には、東砥山川（ひがしとやまがわ）☆と砥山沢川（とやまざわがわ）☆が流れる。

52　盤の沢川（ばんのさわがわ☆）**・滝の沢川**（たきのさわがわ☆）

盤の沢川は、滝の沢川と共に札幌岳の主峰から流れだす川である。下流では、約500メートル東に中の沢川（なかのさわがわ）☆が平行して流れ、ともに豊平川に入る。山部沢川（やまべざわがわ）☆は、滝の沢川の西を流れている。

53　百松沢川（ひゃくまつざわがわ☆）

烏帽子岳に水源をもち、百松沢山と神威岳から延びる稜線に挟まれて南東に

御料林　明治憲法下の皇室財産であった森林のこと。当時の帝室林野局が管理経営を行っていたもので、一般の国有林とは異なる。第2次大戦後の皇室財産解体により、すべて国有林に移管された。

流れ、デイサイトの岩体（中央区との区界稜線から南南西に延びる尾根）に当たって南へ流下し、砥山ダム（豊平川）に落ちる。川名は、「百松」という人名にちなむ、またエゾマツやトドマツの多い沢であったため、など諸説ある。この川は、『**飛騨屋久兵衛石狩山伐木図**』に記載された「パンケチライ別」に当たると考えられ、これは古名〈パンケチライペッ（イトウのいる下流の川）〉に由来するとされる。

神威岳から南へ流れる**神威沢川**（かむいざわがわ）☆は、上流で豊平川に合流する。

飛騨屋久兵衛石狩山伐木図 165頁参照。

神威沢川 「地理院地図」では、神居沢川と表記。

54 鱒の沢川（ますのさわがわ☆）

札幌岳の北、標高935・9メートルの東北麓から流れ出し、砥山橋の上流で豊平川に入る。

55 一の沢川（いちのさわがわ☆）

鱒の沢川と同じ山稜に水源をもち、やや急な谷壁をなして流れ、百松橋の下流で豊平川に入る。なお『飛騨屋久兵衛石狩山伐木図』において「チライ別」と記載されている川は、「パンケチライ別」より豊平川の上流部を流れる、一の沢川を指すものと思われる。

56　白井川（しらいがわ）

余市岳の南西麓から流れ出し、右大江沢川☆・胡桃沢川☆・湯の沢川☆・小柳沢川☆を支流にもつ。その下流で、余市岳東麓を水源とする右股川☆が、北西麓からの左股川☆を合流させて白井川に入る。そして天狗山からの川、オンコの沢川☆、鴛鴦沢川☆・滝の沢川☆などを併せ、最後に小樽内川を入れ、定山渓温泉の東で豊平川に流れ込んでいる。

白井川は、『札幌郡西部図』に「シロイ川」と記されており、語源は和名と考えられる。古名は〈ヨイチパオマナイ（余市川の上手に入る川）〉あるいは〈イヨチオマサッポロ（余市川の方に入るサッポロ川）〉（『北海道の地名』）で、余市岳を分水嶺とする二つの川（白井川・余市川）を表した地名とされる。

57　小樽内川（おたるないがわ）

朝里岳・春香山・奥手稲山などに源をもち、春香沢川☆・金ヶ沢川・張碓越沢川・奥手稲の沢川☆・朝里岳沢川☆などの支流を入れ、流れを南に向け、逆川☆・大漁沢川☆・上平沢川☆・滑沢川☆・迷沢川☆・天狗沢川・滝の沢川☆・貂の沢川☆・**木挽沢川**☆などを入れて白井川に合流する。

松浦武四郎『**東西蝦夷山川地理取調図**』に記載された〈エピショマサッポロ（源流が海の方に向くサッポロ川）〉は、この川の位置関係をよく表している。少し後の

木挽沢川　「地理院地図」での表記はコビキ沢川。

東西蝦夷山川地理取調図　448頁参照。

『札縨郡西部図』には、「ヲタルナイ」と別名で記されている。幕末期、小樽内場所（現在の小樽市）が村落並の規模になったとされており、[*12]そこに向かうルートとして使われたことによる名称だろうか。

58 薄別川（うすべつがわ☆）

喜茂別岳に源をもち、右沢川☆・白水川☆・小川☆を入れてから豊平川に合流する。川名はアイヌ語地名と見られるが、語義は不明とされる。

59 豊平川（とよひらがわ）源流域

小漁山とフレ岳の間から西に流れ、右入沢川・小漁沢川・岩沢川・小屋沢川☆・中山沢川☆を入れて北流し、駅逓沢川☆・空沼入沢川☆を入れた漁入沢川を併せる。合流点付近より、狭い峡谷の底を流れる渓流となり、**豊平峡**ダムの貯水池である定山湖に狭薄沢川☆・ガマ沢川☆を併せた後、ダム堰堤下流で豊平峡と呼ばれる峡谷となる。

豊平峡は、アイヌの人たちが〈カムイニセイ（神の絶壁）〉[*13]と呼んだところで、かつては豊平峡大橋の下流から約6キロメートルにわたり続いていた。定山渓自然の村付近で右岸から冷水沢川☆を、一番通地区で一番川☆を入れ、左岸側から流れてくる薄別川が入る。合流後は、夕日の沢川☆を入れ、定山渓温泉の東で白井

*12 『新北海道史 第2巻』（809頁）。

豊平峡 134頁参照。

*13 226頁参照。

川と合流する。

60　厚別川（あつべつがわ）**上流**

空沼岳から東北東に5キロメートルほど続く稜線の、標高633メートル南東直下に水源をもつ。東から北へ流れ、真駒内川上流の金古沢川と並走してから北東へ向きを変える。国道453号の東方からは、幅の広い谷底低地となる。

滝野神社の下流にあるアシリベツの滝は、20メートルほどの落差がある。滝野すずらん丘陵公園内で野牛（やぎゅうのさわがわ）沢川や鱒見の沢川などを入れ、清田区の有明（ありあけ）からは勾配の緩い流れとなり、谷底低地の幅は200〜400メートルとさらに広くなる。

61　定山湖（じょうざんこ）

昭和47年（1972）、洪水調節・上水道供給・水力発電を目的として、豊平川本流に建設された豊平峡ダムの貯水池。名称は定山渓にちなむ。ダムの風景とともに、観光放流や豊平峡の景勝が観光ポイントとなっている。

62　さっぽろ湖（さっぽろこ）

平成元年（1989）、小樽内川に豊平峡ダムを補う目的で建設された定山渓ダムの貯水池。「さっぽろ湖」と名づけられ、資料館や公園を備えている。

63 空沼岳（そらぬまだけ）の沼

空沼岳の東側には、地すべり変動によってできた沼や湿地が多い。

万計沼（ばんけいぬま）は、真駒内川の支流である万計沢川の水源で、沼名は〈パンケトー（川下の沼）〉の音に漢字を当てたものとされる。西方の滑落崖（かつらくがい）を上がったところには四角い真簾沼（まみすぬま）がある。この沼が〈ペンケトー（川上の沼）〉であったと思われる。真簾沼は、簾舞川の源流にも当たり、また真駒内川の源流が東に迫ることから、双方の文字をとって「真簾」と名づけられた。

南区・アシリベツの滝（撮影時期不詳、札幌市公文書館蔵）

64 アシリベツの滝（あしりべつのたき）

厚別川本流にあるアシリベツの滝のほか、支流には野牛沢川の不老の滝、鱒見の沢川の鱒見の滝、滝野すずらん丘陵自然公園案内所裏手の沢に白帆の滝がある。これらは支笏溶結凝

滑落崖 地すべり斜面の上部に見られる、切り立った崖地形や急傾斜面のこと。

灰岩の台地を削り取ってできた〝滝銀座〟である。

65　白糸の滝（しらいとのたき）

定山渓発電所の放出した戻り水（余水）が落ちる滝で、定山渓温泉街の中にある。豊平川水系では初の水力発電所であり、現在稼働する発電所のなかでは道内最古のものとなる。

66　かっぱ淵（かっぱぶち）

定山渓温泉を貫く豊平川に架かる、二見（ふたみ）吊橋付近の深い淵の名。温泉地に客を呼び込むための観光戦略により命名された。温泉街付近の豊平川には深い淵が多く、イトウなどの大魚も生息しており、河童が棲む光景を想像し得る自然景観を有していた。そこから、画家の**おおば比呂司**が「かっぱ一族」が浮かれ踊る祭りを提案。昭和40年（1965）に第1回かっぱ祭りが開催され、同時にかっぱ淵にまつわる**河童伝説**が創作された。祭りはすでに幕を閉じてしまったが、河童は今も定山渓温泉のシンボルとして親しまれている。

67　花魁淵（おいらんぶち）

藻南（もなみ）公園横の豊平川の淵に付けられた名で、花魁が身投げをしたという言い

おおば比呂司　1921〜1988年。札幌出身の漫画家・画家。北海道新聞社図案課を経てフリーとなり、週刊誌の一コマ漫画で人気を博す。その後も挿絵や雑誌の表紙絵、商品パッケージなど幅広い分野で活躍した。定山渓温泉街の定山渓二見公園に置かれた「かっぱ大王像」は、おおばのデザインによるもの。

河童伝説　一般社団法人定山渓観光協会公式ホームページ参照。

伝えによるという（123頁参照）。一帯は河床に岩盤が露出する早瀬で、かつては流量が多く、水深も深かったことから、岸寄りに淵があったのだろうか。下流端にある小滝からは、細長い峡谷となっており、そこも淵となっている。ここが〈タンネハッタㇽ（長い淵）〉と呼ばれていたところであろう。

9 西区

人工河川である新川に諸河川が集められ、南には札幌西部山地があり、北には**発寒川扇状地**から氾濫平野および後背湿地が広がる。

68 新川（しんかわ☆）

明治19年（1886）から開削が行われた**新川**に始まる流路で、琴似川と琴似発寒川の合流点（西野屯田通付近）から北西に流れ、小樽市銭函の通称・大浜海岸で石狩湾に出る。南西の山地に源をもつ中の川☆・上追分川☆・宮の沢川☆・上富丘川・富丘川☆・三樽別川☆・軽川☆・稲積川☆・濁川☆・金山川☆・稲穂川☆などコトニ川の諸流を「新川水系」として集め、日本海に注いでいる。

69 琴似発寒川（ことにはっさむがわ）

手稲山から迷沢山に連なる山地から東へ流れ、宮城沢川☆・羽田の沢川・永峰

発寒川扇状地　平和地区・福井地区に始まり、東は琴似川、北はJR函館本線付近まで広がっている。

新川　373頁参照。

西区・琴似発寒川〈富茂登橋付近。左後はオペッカウシ*14〉（平成29年、筆者撮影）

沢川☆を併せ、福井緑地の下流で左股川と合流、発寒川扇状地を北東へ流下する。西野緑道沿いを流れる左水無川☆は分流である。下流のJR函館本線付近で北へ向きを変え、西野屯田通の下流で新川に入る。川名は〈ハチャムペッ（桜鳥の川）〉によるとされる。なお、ここから3・5キロメートルほど下流には、新川から北東に流れる元来の発寒川の下流（発寒古川・発寒川）が残る。

左股川は、百松沢山から流れる常次沢川、砥石山の稜線に水源をもつ砥石沢川・中の沢川☆を併せ、源八

＊14 上掲写真説明の〈オペッカウシ〉については142頁参照。

の沢川（さわがわ）☆・**盤渓川**・小別沢川（こべつざわがわ）☆を入れて、琴似発寒川に合流する。小別沢川は、盤渓川の北を流れる支流で、川名は〈クオペッ（仕掛弓のある川）〉の音に漢字を当てたものとされる。そのほかの地名は、山名や人名による。

70　中の川（なかのかわ）

手稲山の東のネオパラ山（通称）が源流で、発寒川扇状地の西縁に沿って東北へ流れ、山の手通（道道西野真駒内清田線）を過ぎてから北西に向きを変え、上追分川・宮の沢川・上富丘川を入れて北流し、富丘川・三樽別川・軽川を併せて新川に合流する。川名は、東の発寒川と西の星置川の中間に位置したためといわれている。古名は〈ポンハチャム（小さい桜鳥の川）〉である。

山の手通付近で上流と切り離された**中の川**の下流部分は「旧中の川（きゅうなかのがわ）☆」と呼ばれ、JR函館本線に沿って北西へと流れ、追分川（おいわけがわ）☆を入れてから北へ向きを変え、中の川に合流する。

71　西野川（にしのがわ☆）・**追分川**（おいわけがわ）・**上富丘川**（かみとみおかがわ）

西野川は、中の川の東を並流し、山の手通の北東側で合流する。

追分川は、上追分川と一連の川だったが、上追分川が中の川に入れられたため、下流に残された部分がJR函館本線付近で旧中の川に入っている。

盤渓川　374頁参照。

中の川　元来は、発寒川の約2キロメートル西側で函館本線を横切って流れていた。しかし平成に入って、開削により山の手通付近で旧追分川とつなげられたことで、下流部は切り離され、旧中の川に改称された。

上富丘川は、中～下流では西区宮の沢と手稲区西宮の沢の境界を流れ、国道5号の南で中の川に合流する。

10　手稲区

札幌西部山地の北端である、手稲山と奥手稲山を頂とした山地から、その前面の小さな扇状地を介して多くの川が流下する。その北側には氾濫平野が広がり、かつては手稲湿原があった。

72　富丘川（とみおかがわ）・三樽別川（さんたるべつがわ）・軽川（がるがわ）・稲積川（いなづみがわ）・濁川（にごりがわ☆）

富丘川は、富丘東公園付近で中の川に合流する。三樽別川は、手稲山緩斜面の東縁を下り、ＪＲ函館本線を越えてから中の川に入る。川名は〈サンダロッキヒ（鹿を下ろす所）〉に由来するとされる。

軽川は、緩斜面の中を流れる川で、軽川緑地で中の川に入る。古名は〈**トゥシリパオマナイ**（墓の上手にある川）〉であった。稲積川も、緩斜面の西縁を流れて、手稲土功川（ていねどこうがわ）☆に入り、その後、新川に入る。

濁川は、稲穂地区の南に位置する標高４２９メートルの稜線から、金山川・稲穂川を入れて北へ流れ、新川に合流する。

トゥシリパオマナイ　小円丘の形をした墳陵は、手稲山の山体崩壊による流れ山と考えられる。３６７頁脚注参照。

軽川と中の川の合流点〈手稲区前田〉
（平成２年撮影、札幌市公文書館蔵）

73　星置川（ほしおきがわ）

奥手稲山から北に流れ、手稲山に水源をもつ滝の沢川と合流して山地を抜け、キライチ川を併せてから日本海に入る。川名はアイヌ語に由来するとされる（213頁参照）。

下手稲通から北西へ流れる清川（すみかわ）☆は、元来の星置川であり、河口付近で新川に合流する。開拓使時代には、この川が〈オタルナイ川（砂浜の川）〉であった。

74　手稲山口川（ていねやまぐちがわ☆）**・樽川**（たるかわ☆）

明治時代に舟運と排水を目的に、小樽市銭函（ぜにばこ）から石狩市花畔（ばんなぐろ）までの銭函運河が開削された。現在では、新川と星置川の間が山口運河（手稲山口川）、新川から茨戸川までが樽川と呼ばれる。

75　平和の滝（へいわのたき）

発寒川扇状地の**扇頂域**（せんちょういき）、阿部山（あべやま）の山際にある三段の小滝。滝の名称は地区名に由来する。宮城沢川には霧噴きの滝（別称・**精竜の滝**）もある。

76　星置の滝（ほしおきのたき）

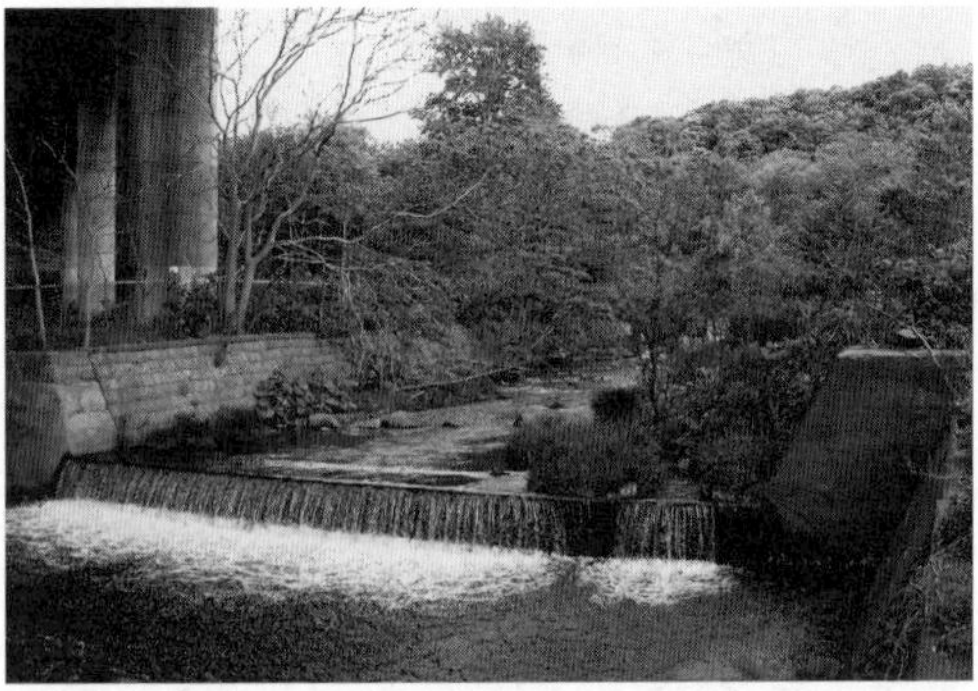
手稲区・星置川（平成27年、筆者撮影）

扇頂域　扇状地の頂点に近い部分のこと。中央部を扇央、末端部を扇端と呼ぶ。

精竜の滝　367頁参照。

星置川が山地の末端で造った滝で、20メートルを超える深い峡谷となっており、滝の中段にも滝壺がある。脇の高台は、古い星置川扇状地で、その西縁を星置川が流下している。

［参考文献］

「飛騨屋久兵衛石狩山伐木図（仮称）」（岐阜県歴史資料館寄託「武川久兵衛家文書」、宝暦年間）
飯嶋矩道・船越長善『札縨郡西部図』（北海道立図書館蔵、1873年）
NHK北海道本部編『北海道地名誌』（北海教育評論社、1975年）
開拓使地理係『石狩国札幌郡之図』（国立公文書館デジタルアーカイブ、1881年）
札幌史学会『札幌沿革史全』（札幌史学会、1897年）
札幌市教育委員会文化資料室編『さっぽろ文庫1　札幌地名考』（札幌市、1977年）
札幌市教育委員会文化資料室編『さっぽろ文庫44　川の風景』（札幌市、1988年）
札幌市教育委員会文化資料室編『さっぽろ文庫48　札幌の山々』（札幌市、1989年）
札幌市下水道河川局総務部河川管理課『札幌市河川網図』（札幌市、2017年）
鈴木隆介『建設技術者のための地形図読図入門　第2巻　低地』（古今書院、1998年）
知里真志保『地名アイヌ語小辞典』（1956年／北海道出版企画センター、1984年復刻版）
永田方正『北海道蝦夷語地名解』（1891年／草風館、1984年復刻版）
羽田信三編著『シノロ　140年のあゆみ』（加藤隆司、2003年）
北海道土木部監修『北海道河川一覧（平成7年改訂）』（北海道土木協会、1995年）
山田秀三『札幌のアイヌ地名を尋ねて』（1965年／『山田秀三著作集　アイヌ語地名の研究』第4巻、草風館、1983年）
山田秀三『北海道の地名』（1984年／『山田秀三著作集』別巻、草風館、2000年）

Chapter…… 11

昭和戦前期に施行された字名改正事業と地名の変化

北海道史研究協議会
関 秀志

※本章の地名・資料名については、原則的に当時の地名表記（旧字）を用いた。

はじめに

札幌を含め、北海道の地名の大きな特色は、アイヌ語地名（アイヌ語またはアイヌ語を起源とする地名）が極めて多いことにある。また日本語地名では、移住・開拓に関する地名が多いことを挙げることができる（本書序論参照）。

アイヌ語地名の多くは本来、片仮名で表記されていたが、近代になると急激に漢字表記への転換が進み、その過程でアイヌ語の原形は大きく変化した。さらに、膨大な数に達していたアイヌ語地名も、移住者である和人たちに継承されず、次第に忘れ去られたものが多い。

一方、日本語地名は、移民社会の成立・発展に伴い増加の一途をたどり、その種類も多様化したが、昭和初期まではアイヌ語地名が圧倒的に多かったのである。

このような地名の変化、特にアイヌ語地名の変質と消失および現行地名の設定に決定的な影響を与えたのが、北海道庁が昭和2年（1927）から同21年にか

字界　地区と地区の境界。

字名　町村内の小区画（区域）の名称（地区名）で、単に字と呼ぶことが多い。大字と小字（字）があり、明治～大正期の北海道では、町村合併の際に旧村名を大字として残すことが多く見られた。

けて実施した「北海道第二期拓殖計画」の「**字界**（あざかい）地番整理」事業として進められた**字名**（あざめい）改正である。北海道の地名、特に字名（地区名）に大きな転換をもたらしたこの事業は、全道の半数以上の市町村で実施された大掛かりなものだった。[*1]

本章では、この政策による新地名（行政字名）の誕生と、アイヌ語地名を含む古い名の変形・消滅の実態を、現在の札幌市域を中心にみることにしたい。

1 字名改正事業とは

改正事業の目的と変更された方針

北海道における地名の改称については、明治14年（1881）に開拓使が以下の方針を示した。そこでは、各地の字名はその土地固有の名称であり、古くから伝来するものが多いことなどから、安易な変更を禁じていた。[*2]北海道庁も基本的にその方針を継承したため、[*3]明治・大正期において各市町村の全域におよぶ字名改正は稀で、アイヌ語地名を含め旧来の地名が比較的よく残されていた。

ところが第二期拓殖計画では、「字界は主として往時旧土人の山岳、河川の形状に依る称呼を其（そ）の侭（まま）字名とし、又は之を意訳したものであつて、同一の称呼は各所に散在し随（したが）つて明（あきらか）な字界（あざかい）を認めることが出來ない。地番は土地の順に随つて付番したものは稀で、多くは土地処分の順に依つて付番された為に字界及地番は犬牙錯綜し一般行政上の不便は少くない」[*4]として、字界・地番の整理を行っ

*1 関秀志「北海道における昭和初期の字名改正について―住民意識の反映を中心に」（北海道史研究協議会編『北海道の歴史と文化―その視点と展開―』2006年）。

*2 明治十四年十月二十五日付郡区役所・戸長役場宛開拓使函館支庁第四二号達。

*3 道庁の地名政策については、山田伸一「アイヌ語地名の近現代史に関するノート」（『北海道開拓記念館研究紀要』33号、2005年）参照。

*4 北海道総務部開発計画課『北海道第二期拓殖計画実施概要』（昭和26年）。

た。そして、その方針に従って字名の改正も同時に行ったのである。

新字名選定の基準

字名改正を行う際の新字名選定の基準について、道庁は当初、①字名は簡明・平易・優雅で口調が好いこと、②文字は平易なものを用いること、③アイヌ語地名は避けること、④字名には必ず振り仮名を付けること、としていた。[*5]

しかし、アイヌ語地名、特に漢字表記のアイヌ語字名の中には、古くから定着し、地域住民に親しまれてきたものが多く、その沿革・歴史などを考慮し、存続を望む意見が少なくなかった。その結果、昭和11年（1936）、道庁長官の談話[*6]に基づき、新たな方針が出された。

その要点は、「イ　歴史的由緒沿革等ハ成ルベク尊重スルコト、ロ　難渋ナル地名ハ廃止スルコト、ハ　旧土人語ハ避クルコト」の3項目で、「地名ハ道民精神ノ高揚ヲ強調シ郷土愛着心ヲ喚起スル為ニハ極メテ重要性ヲ有スルモノニ付、改称ニ際シテハ此ノ点特ニ留意スルコト」[*7]とした。

昭和15年には、注目すべき変更が行われている。それは、「イ　漢字ニテ二字乃至三字トスルコト、ロ　難渋ナル字名ハ廃止スルコト、ハ　同一支庁管内ニ類似ノ字名ハ避クルコト、ニ　歴史的由緒沿革等ハ成ルベク尊重スルコト」[*8]の4項目であった。ロ、ニの2項目は従来通りだが、イ、ハの2項目が追加されるとともに、それ

＊5　拓殖部殖民課『昭和九年　字界並ニ地番（二）』（道立文書館蔵）。

＊6　「本道に於ける市町村名及字名の整理改稱に就いて」（『北海道廳公報』九一四号、昭和11年）。

＊7　昭和十一年四月十八日付子殖第一一七三号「字名改稱地番變更ニ關スル件」（『北海道廳公報』九七一号、昭和11年）。

＊8　昭和十五年四月十日付辰拓地第一七七四号「字名改稱地番整理ニ關スル件」（『北海道廳公報』二一五九号、昭和15年）。

までの「アイヌ語地名は避ける」方針を転換するに至った。しかし、この後も「難渋ナル字名」として、多くのアイヌ語地名が廃止されていくのである。

字名改正の手順

改正事業の具体的な手順は、道庁拓殖部・振興部の「字界地番整理」関係文書（道立文書館蔵）によると、およそ次の通りであった。

①道庁拓殖部が支庁・市町村へ事業実施の意志を照会し、年度毎に計画を定める。

②関係市町村が事前に地元関係者の意見を聞き、原案を作成する。

③官民総合（合同）の**字地番改正協議会**で協議し、改正案をまとめる。

協議事項は、字の名称、区域（境界）および地番とその始発点・方向・終点などの決定であった。ここでの決議内容が、一般的には市町村の改正案となったが、それに対して道庁が修正を求めたり、関係地区（部落）住民との意見の調整がつかなかったりして、未確定の部分を残すこともあった。

④市町村長がこの案を市町村会に諮り、決定する。

また、この決定に対し関係住民から反対運動が起こり、修正することもあった。

⑤市町村長から支庁長に道庁長官宛の報告書を提出し、支庁長は意見を添えて道庁拓殖部・振興部長に申達する。

字地番改正協議会　字地番改正協議会の構成員は、地元の市町村長、収入役、書記、市町村会議員、区長・部落会長・町内会長、農会・産業組合・土功組合・農事実行組合等役員、青年会支部長、小学校長、郵便局長、在郷軍人会役員、地域の元老・有識者などであった。また、この協議会には、道庁拓殖部（振興部）担当課（殖民課・拓地課・拓殖課）、関係支庁、所轄の税務署（のちには札幌税務監督局も）、区裁判所の職員が参加していた。

⑥道庁長官が決裁し、所轄の税務署長・区裁判所長の同意を得て告示する（『北海道廳公報』に登載）。

⑦道庁長官から内務大臣に報告し、手続きが完了。

このように昭和初期の字名改正事業は、北海道庁主導で実施されていく。しかし、市町村役場が事前に関係住民と協議して素案を作成し、さらに協議会にも地域の関係者が多数参加するなど、民意の反映には一定の配慮がなされていた。その一方で、この改正によって多くの地名を失った、先住民族アイヌの意志を汲み上げる配慮は、ほとんどなされなかった事実も忘れてはならないだろう。

2　札幌市・札幌郡関係町村の字名改正――昭和4〜同19年

(1)字名改正を実施した市町村

札幌郡においては、昭和4年（1929）に第二期拓殖計画による字地番整理事業が始まっている。当時は、札幌村、篠路村、琴似村（昭和17年、町制施行）、手稲村（昭和26年、町制施行）、藻岩村（昭和13年、円山町に改称）、豊平町、白石村の7町村が、独立した町村として現在の札幌市域に存在していた。

その後、昭和16年に円山町（旧藻岩村）、同25年白石村、同30年札幌村・篠路村・琴似町、同36年豊平町、同42年手稲町が、それぞれ札幌市に編入された。

篠路村　明治3、4年頃に篠路村として成立。同22年、篠路屯田兵村設置。同39年、二級町村篠路村（自治体）となる〔34・273頁参照〕。

これらの市町村で、昭和4～同19年に実施された字名改正は【表1】のとおりである。

この時期における字名改正事業のうち、町村の全域を対象としたのは、全8市町村のうち、篠路村、札幌村、手稲村、琴似町、豊平町の5町村であった。改正内容を大別すると、明治時代に設定された大字（旧村名）の廃止・改称と、字名（小字）の改称に分けられる。その他の字名改正の多くは、隣接する町村の一部を札幌市に編入した際、その区域を対象としたものであった。

次に、全域的な改正を行った5町村、および部分的な改正を実施した札幌市について、その実態を見ることにしたい。

（2）篠路村――残された「字茨戸」

村内協議で問題となった合併案

篠路村（しのろむら）の字名改正は、昭和12年（1937）

【表1】 札幌市・札幌郡町村（現札幌市域）の字名改正（昭和4年～同19年）

市町村名	施行年月日	道庁告示	改正内容	出典（史料）等
豊平町	4. 6.15	4. 6. 7(670号)	大字平岸村字「丸重吾ノ澤」→「藤ノ澤」	①129号、②其の三-15、④
札幌市	7. 9.10	7. 9. 7(1202号)	字名の一部変更（豊平9·10条ほか）	②其の三-81、④
札幌市	9. 4. 1	9. 3.10(288号)	札幌村と境界変更（札幌村・苗穂村・雁來村の一部編入）	①366号附録、②其の四-14、④
札幌市	9. 4. 1	9. 4.1(400号)	札幌村からの編入区域に条丁目設定	①363号、②其の四-9、④
札幌市	9.11. 1	9.11.1(1561号)	苗穂町・元村町の一部に条丁目設定	①541号、②其の四-22、④
篠路村	12. 6. 1	12. 5.20(647号)	字名改称	①1299号、③殖民課『昭和十二年　字界竝地番　一』(A7-1　3428)
札幌村	12. 6. 1	12. 5.20(647号)	大字札幌・苗穂・丘珠・雁來村廃止、字名改称	①1299号、③同　上、④
藻岩村	13. 4.15	13. 4. 5(429号)	藻岩村を圓山町と改称	②其の四-86
圓山町	13. 7. 1	13. 6.24(824号)	大字圓山村・山鼻村廃止、字名改称	①1627号、②其の四-95
札幌市	16. 4. 1	16. 3.27(377号)	札幌郡圓山町を廃止、札幌市に編入	①2446号、②其の四-128、④
札幌市	16. 7.10	16. 7. 4(921号)	旧圓山町区域等の字名改正	①2529号、②其の四-132
琴似村	17. 2.10	17. 2. 5(168号)	手稲村と境界変更	①2709号、②其の四-142追加、④
琴似町	17. 2.11	17. 2.10(188号)	琴似村に町制施行	①2714号、②其の四-145、④
手稲村	17. 4.10	17. 3.31(480号)	大字上手稲村・下手稲村・山口村廃止、字名改称	①2754号、③拓地課『昭和十七年境界査定(一) 外一目　合冊』(A7-1　3457)、④
札幌市	17. 4.10	17. 4. 3(505号)	字名変更（北12条以北西1丁目の一部）	①2757号、②其の四-142、④
琴似町	18. 5.15	18. 5. 1(560号)	大字篠路村・琴似村・発寒村廃止、字名改称	①3078号、②、③拓殖課『昭和十八年字地番整理（一）』(A7-1　3442)
豊平町	19.12. 1	19.10.15(1402号)	大字豊平村・月寒村・平岸村廃止、字名改称	①3519号別冊、③豊平町役場『札幌郡豊平町字地番整理調書』(318-12ﾄﾖ)、④

出典：①『北海道庁公報』、②『北海道市町村行政沿革台帳』（道立文書館）、③北海道庁拓殖部・振興部「字竝地番整理」関係簿書（道立文書館）、④北海道自治協会『北海道市町村行政区画〔便覧〕』（昭和12·23·29年）

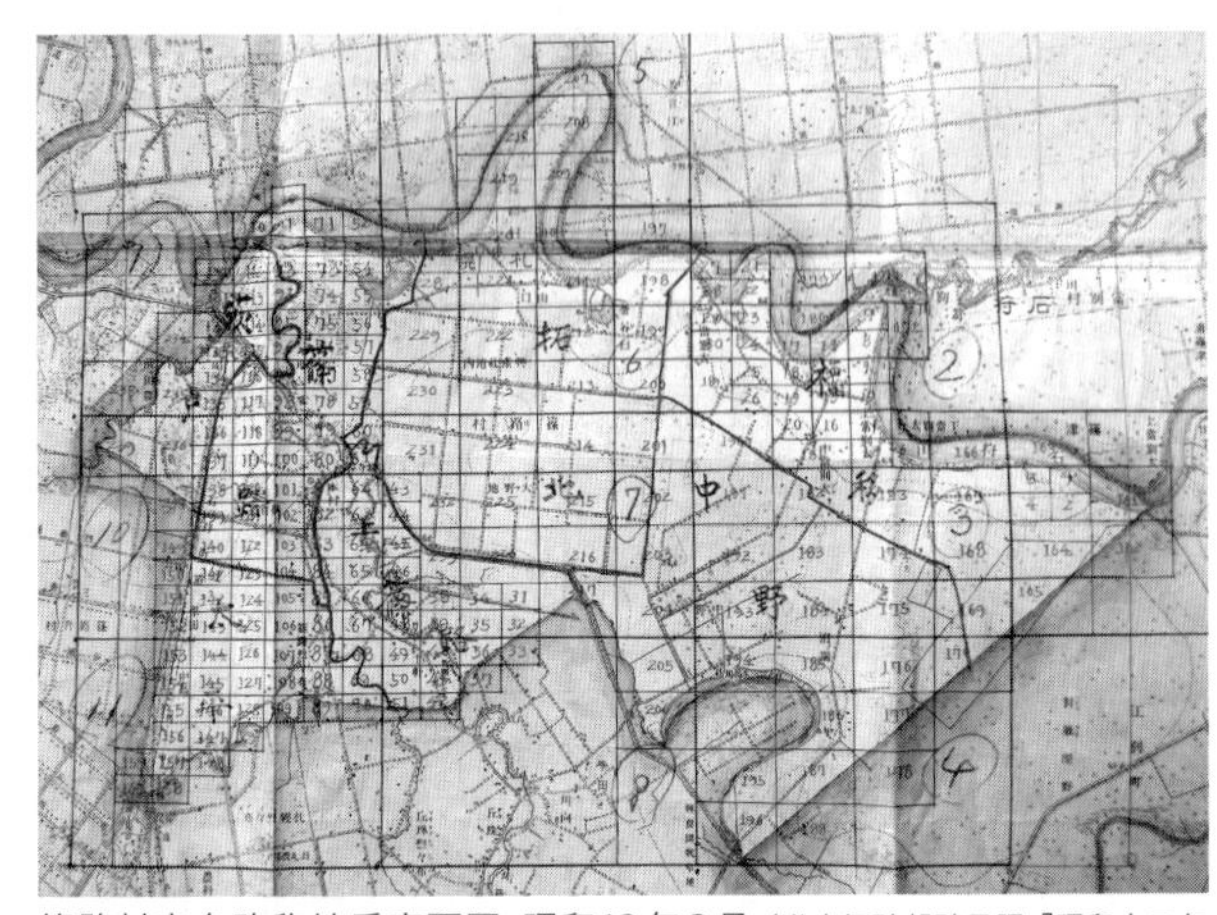
篠路村字名改称地番変更図 昭和12年3月〈道庁拓殖部殖民課『昭和十二年字界竝地番一』〉（道立文書館蔵）

6月1日に施行された。事業の実施は、札幌村と同じく昭和11年4月に決定していたが、*9そこに至るまでの協議の過程で大きな問題となったのが、茨戸(ばらと)地区（茨戸太、上・下茨戸）と篠路地区との合併問題であった。

当初、「茨戸」を「篠路」に併合する案が出されたが、「茨戸ハ、相當古キ沿革ヲ有シ、人家相當稠密シ、一部落形成シ居ルノミナラス、札幌市郊外水郷遊覧地トシテ相當著名トナレル地名ヲ、之ヲ抹殺スルコトハ、字名改称ノ主旨ニ背馳(はいち)（そむくこと＝引用者注）スルモノト認メラル、ヲ以テ」、*10協議会の開催に先立ち各関係官庁と村理事者とが熟議を行った。その結果、「茨戸」の存続を決め、その後の協議会などで【表2】の改正原案が認められることとなった。

＊9 昭和十一年四月十八日付、拓殖部長通牒 子殖第一一七三号「字名改稱地番變更ニ關スル件」（『北海道廳広報』九七一号、昭和11年）。

茨戸 42頁参照。

＊10 北海道庁拓殖部殖民課「篠路村字名改稱竝ニ地番変更ニ関スル件」（『昭和十二年 字界竝地番 一』第四番）（道立文書館蔵）。

改正で残されたアイヌ語起源の字名

篠路村の字名改正「調書」が【表2】である。

篠路村全村においては、土地筆数（土地の区画数）の大部分に公簿上、字が設定されておらず、村内はおおむね通称行政区名（部落名）で17区に分けられていた。この改正によって面積の狭い数区を一部合併し、全村を7字に減らし、それぞれの字名は各部落で協議を重ねて決定した。

従来の地名は、旧字名10、俗称（行政区名・部落名）17の計27種であったが、重複する地名を除くと実質的には24字ある。このうちアイヌ語起源の地名は、「札幌太・キウス・フレップ・烈々布・釜谷臼・ペケレトシカ・当別太・茨戸太・上茨戸・下茨戸」の計10字で、全体の42パーセントを占める。

また和名の字は、「興産社・学田・十軒・五ノ戸・山田開墾・山口・上福移・中福移・下福移・中野」と、移民や開拓に関するものが10字あり、アイヌ語起源の地名と同じく42パーセントを占める。このほか、「横新道」のような交通地名、「大野地・沼ノ端」のような自然地名もあった。

【表2】札幌郡篠路村新旧字名一覧

改称字名	旧字名	俗称（行政区名）	戸数
篠路（シノロ）	札幌太・キウス	本村・横新道・興産社（一部）	113
太平（タイヘイ）	フレップ	烈々布・学田	68
上篠路（カミシノロ）	十軒	十軒・五ノ戸	65
拓北（タクホク）	山田開墾・山口・釜谷臼・ペケレトシカ	山口・釜谷臼・大野地・興産社（一部）	93
福移（フクイ）	当別太	下・中・上福移	102
中野（ナカノ）		中野・沼ノ端	52
茨戸（バラト）	茨戸太	上・下茨戸	75
7	10	17	568

出典：北海道庁拓殖部殖民課「篠路村　字名改稱竝ニ地番変更ニ関スル件」（『昭和十二年　字界竝地番一』）（道立文書館蔵）

改称された字名は、旧字名の約30パーセントまで減少し、このうち旧字名（村名の篠路を含む）を継承したものは、「篠路・上篠路・福移・中野・茨戸」の計5字で、他の町村に比べて継承率は高い。また、アイヌ語起源の字名は「篠路・上篠路・茨戸」の計3字、43パーセントとなり、他の町村より高率であった。

（3）札幌村——「大字札幌村」が「字元村」へ

村内協議の経過と改正の内容

前項の篠路村同様に、**札幌村**（さっぽろむら）の字名改正も昭和12年（1937）6月1日に施行された。事業の実施は昭和11年4月に決定し、協議が進められた結果、【表3】の原案が官民合同協議会に提案され、議決されている。道庁長官決裁文書[*11]の調書が【表3】である。

従来の大字「札幌・丘珠・苗穂・雁來」の4村を廃止し、「丘珠・苗穂・雁來」の村名はそのまま新字名として継承された。しかし、札幌村だけは俗称の「元村」が採用され、字界は旧大字界を踏襲している。

旧大字名を新字名として継承した理由について関係文書は、大字4村がいずれも開拓使時代初期に開設された歴史的な村落であり、その境界も明瞭であることを挙げている。[*12]また、大字の札幌村だけあえて改称したのは、当時、この地区が札幌市に隣接しており、混乱をさけるためであった。

札幌村　明治4年、札幌元村と札幌新村が合併して札幌村が成立。明治35年、札幌・丘珠・苗穂・雁来4村が合併し二級町村札幌村（自治体）となる。269頁参照。

＊11　北海道庁拓殖部殖民課「札幌村　字名改稱竝ニ地番変更ニ関スル件」（『昭和十二年　字界竝地番　一』第七番）（道立文書館蔵）。

＊12　道庁拓殖部殖民課担当職員の昭和十二年四月七日付、長官宛「復命書」（脚注11文書所収）。

新字名は旧大字名を継承

旧字名は、大字名・俗称（行政区名・部落名）を含めると計18種であった。このうちアイヌ語起源の字名は、「札幌・丘珠・苗穂・上苗穂・下苗穂・レツレップ・烈々布・モイリトン・モイリト」の計9種で、全体の半数を占めており、いずれも川と沼に由来する自然地名である。

漢字表記のもの、片仮名表記のもの、片仮名・漢字併用のもの、一つの地名の発音が訛って複数の字名となったもの、苗穂のように複数の字名が派生したものなど、その表記は実に多様である。また和名の字にも、「新川添・川向・沼端・大沼端」などの自然地名が多く、そのほかには「元村」のように集落の歴史を表す地名、「大曲・中通」などの交通関係地名などが見られる。

改称された字名は、既述のとおり4種あり、旧字名（大字名・俗称などを含む）の約20パーセントにまで減少したが、旧大字名を継承していることに注目したい。こうした改正内容となったのは、この村が北海道

【表3】札幌郡札幌村新旧字名一覧

改称字名	旧大字名	旧字名	俗称（行政区名）	戸数
元村（モトムラ）	札幌村	新川添・レツレップ〔レツレップ〕	元村・中通・烈々布	213
丘珠（ヲカタマ）	丘珠村	丘珠・レツレップ・モイリトン・沼端〔川向・モイリト・レツレップ・大沼端〕	丘珠	157
苗穂（ナヘボ）	苗穂村	〔三角〕	上苗穂・下苗穂	306
雁來（カリキ）	雁來村	大曲・三角	雁來	78
計	4	8〔6〕	7	754

出典：北海道庁拓殖部殖民課「札幌村　字名改稱竝ニ地番ノ更正」（『昭和十二年　字界竝地番二 第七号』（道立文書館蔵）

〔注〕本表は昭和十二年四月二十四日、道庁長官決裁文書の「調書」による。ただし、「旧字名」欄の〔　〕内は、三月三十一日開催の札幌村字地番改正協議会資料「字名改称案」による。

開拓行政の拠点として建設された**札幌本府**(ほんぷ)（札幌市街）の衛星村落として政策的に設置され、歴史的に由緒のある村だったことを反映したものといえる。

（4）手稲村――幻の「字片倉」

協議の経過と反対運動

手稲村(ていねむら)における字名改正事業は、昭和17年（1942）4月に着手し、翌年4月10日に施行された。事前に開催された協議会の結果、当時の部落会区域（行政区）を基礎として村内を11字に区分し、各字名とその区域については、部落単位で協議することになった。*13その結果、本協議会で【表4】（420頁）のように決定し、村会の賛成も得て、村長が道庁長官宛に「字名改称字界変更地番整理ノ件」について申請した。

ところが、この協議で関係部落から提出された原案のうち、「片倉」「清川」「新川」については、それぞれ「**宮ノ澤**」「富丘」「前田」に変更されていた（【表4】参照）。「片倉」が「宮ノ澤」に変更され、手稲村の原案として道庁に申請されたことを後から知った中ノ川・宮ノ澤・追分部落の住民は、それを不服として部落民大会を開き、道庁長官に「嘆願書」を提出する騒ぎとなった。

その内容は、白石城主・片倉小十郎の家臣らが現在の宮城県から上手稲村に移住し、開拓に当たった歴史にふれ、「上手稲村ハ手稲村ノ本村ナリ、元村ナリ」

札幌本府　184頁参照。

手稲村　明治5年、手稲村として成立。翌年、上手稲村と下手稲村に分離。明治35年、上手稲村・下手稲村・山口村が合併して二級町村手稲村（自治体）となる。152・269頁参照。

＊13　本協議会に出席した道庁拓殖部拓地課職員の昭和十七年八月十一日付、長官宛「復命書」（脚注15文書所収）。

宮ノ澤（宮の沢）　地名の由来については、143頁参照。

とした上で、主君だった片倉家の名を字名として残そうという趣旨であった。歴史を重視する考えは、「福井」や「前田」と同じであると述べ、「宮ノ澤」は造林会社所有地内の〝記号目標〟に過ぎず、字名とするには不適であるとした。[*14]

しかし、この「片倉」案は受け入れられることなく、道庁の判断で「宮の澤」に決定された。道庁長官決裁文書および字名改称地番整理協議会の調書[*15]をまとめたものが【表4】である。

廃止された字名と改称字名

旧大字の「上手稲・下手稲・山口」3村は、いずれも明治初期に成立している。明治35年（1902）に3村が合併して二級町村の手稲村となった際、旧3村は大字となった。手稲はアイヌ語起源、山口は移民の出身県名である。

字名は【表4】で13字となるが、同表の注②のとおり、部落名などを含めた通称地名は22種あり、合計35ある。そこから重複したものを除くと、計26の地名となる。このうちアイヌ語起源の字名は、日本語との合成地名も含めて、「上手稲・三樽別・下手稲・下手稲瀧之澤・下手稲星置・手稲鑛山・ホシボッケ・星置・山口星置・發寒川沿」の計10字あり、全体の約40パーセントを占める。しかし、おおもとの地名だけにしぼると、「手稲・三樽別・星置・發寒」の4種類となる。

和名の字は、「左股・右股・右股奥瀧ノ澤・西野・東部・西部・追分・中ノ

＊14　昭和十六年九月二十四日付、拓地課長閲覧文書「手稲村字名改稱地番整理協議会ニ於テ決定字名ノ変更ニ関スル件」（脚注15文書所収）。なお、ここでの「記号目標」とは、地名の由来となったお宮（神社）の存在を指すと思われる。

＊15　北海道庁拓殖部宅地課「手稲村字名改稱地番整理ニ関スル件」（『昭和十七年境界査定〈一〉外一目』第三番）（道立文書館蔵）。

川・中ノ川奥・輕川・新川・山口・椴山・白川・濁川・清川沿」の計16字あり、川・滝・山などの自然地名が大部分を占める。

改称された字名は計12字となるが、アイヌ語起源の地名で継承されたのは「星置」だけで、これほどアイヌ語字名が消えた町村は稀である。和名の字では、移住者の出身地に由来するのが「福井・山口」、開拓・産業関係が「前田・西野・金山」、位置と沢に由来するのが「東」と「宮ノ澤」である。その一方で、「平和・富丘・稲穂」のような、願望・理想を示す字名が誕生したことは注目される。

(5)琴似町——「字江南」案が「字屯田」へ

協議の経過と字名の追加変更

琴似町（ことにちょう）の大字廃止と字名改称は、昭和18年（1943）5月15日に施行された。それに先立ち、町と道庁担当者との事前協議、部落常会お

【表4】札幌郡手稲村新旧字名一覧

改称字名	希望字名	旧大字名	旧字名	戸数	字名の語意または起因
福井（フクヰ）	福井	上手稲	左股	26	福井縣人ノ移住地ナルヲ以テ郷土ノ縣名ヲ採リタルモノナリ
平和（ヘイハ）	水上 平和	上手稲	右股	44	将来一層平和郷タラシメントシテ名付リ
西野（ニシノ）	西野	上手稲	西野	105	西野米ノ産地ナルヲ以テ従来ノ名稱保存シタルナリ
東（ヒガシ）	東	上手稲	東部	71	本村ノ最東ナルヲ以テ其侭名付タルモノナリ
宮ノ澤（ミヤノサハ）	片倉	上手稲	西部	59	従来宮ノ沢ノ呼稱アリ、省営バスノ宮ノ沢停留所等モアリ
富丘（トミヲカ）	清川	下手稲	三樽別	69	小丘ヲナセル地形ニシテ地味肥沃冨裕ナル農村ヲ建設セントスル理想ニ依リ名付タリ
輕川（ガルガハ）	軽川	下手稲	軽川	358	従来通存置セントスルモノナリ
前田（マヘダ）	新川	下手稲	新川	35	本字ノ大部分ヲ開墾セル先人ノ効績ヲ保存センガタメ名付タリ
金山（キンザン）		下手稲	下手稲星置 手稲鉱山	1,198	三菱手稲鉱業所ノ所有地ニシテ金鉱ニ因シ名付ントスルモノナリ 地勢並ニ河川名等の関係ヨリ名付ントスルモノナリ
星置（ホシオキ）	星置	山口	山口星置	40	
山口（ヤマグチ）	山口	山口	山口	52	住民ノ出身地山口縣ニシテ従来ノ通名付ントスルモノナリ
稲穂（イナホ）		下手稲	下手稲星置	95	元稲穂神社ノ所有地ナルト水田耕作ノ豊饒ヲ希望シ名付ントスルモノナリ
12	11	3	13	2,152	

出典：北海道庁拓殖部宅地課「手稲村字名改稱地番整理ニ関スル件」〔『昭和十七年　境界査定（二）外一目』〕（道立文書館蔵）

〔注〕①「希望字名」は昭和16年8月の協議会に提出された関係部落の原案。②「旧字名」は同年4月の事前の協議会資料では、大字上手稲が「西野・追分・中ノ川・中ノ川奥・右股・左股・発寒川沿・上手稲・右股奥滝ノ沢」の9字、大字下手稲が「下手稲滝之沢・三樽別・軽川・下手稲星置・下手稲」の5字、大字山口が「ホシボッケ・椴山・白川・星置・濁川・澄川沿・軽川・山口」の8字、合計22字である。

よび字地番整理委員会での原案検討を経て、官民総合の字名改称地番整理協議会が開催された。そこでは、従来の28字を11字に削減する原案が提出されたが、協議の結果、「新川・新川西」の2字を「新川」にまとめる変更がなされ、計10字となっている。

その後、町会において部落常会案の「江南」が「篠路兵村」に変更された。「江南」は、この地区が「北海道第一ノ大河ナル石狩河ノ南岸ニ近キヲ以テ夙(つと)ニ部落神社及國民學校ニ江南ノ二字ヲ冠セルヲ以テ」[*16]として採用されたものである。町会では、「明治二十二年屯田兵移住以来篠路兵村ト稱シタル」[*17]として、この地区の歴史を重視した上で変更を行っていた。戦時体制下の当時は、明治開拓期の**屯田兵制度**が重視されていたので、時代を反映した選択でもあった。

ところが「篠路兵村」は、字数が新字名の選定基準である3字より多く、「篠路」では隣接する「篠路村」と紛らわしいこともあって、道庁の指導により[*18]歴史的に由緒のある、簡単明瞭な「屯田」へと再び変更されている。

「字宮ノ森」反対運動

このほか、改正案の「字宮ノ森」についても、対象地区とされた大字琴似村中央十二軒部落などの住民が、変更を要望する「嘆願書」[*19]を道庁長官に提出した。そこではまず「宮ノ森」の欠点として、「宮」の字を濫(みだ)りに地名に用いるこ

琴似町　明治4年、琴似村として成立。明治8年に琴似屯田、翌年に発寒屯田、同20年に新琴似屯田の各兵村が設置される。明治39年、発寒村・篠路村大字篠路村を併合し二級町村、琴似村（自治体）となる。大正12年、一級町村制施行。昭和17年、琴似町となる。138・274頁参照。

＊16　本協議会に出席した道庁振興部拓殖課職員の昭和十八年二月十九日付、長官宛「復命書」（脚注21文書所収）。

＊17　昭和十八年二月二十四日付、町会議長から町長宛「答申書」（同前）。

屯田兵制度　140・260頁参照。

＊18　昭和十八年四月十日付道庁振興部長から琴似町長宛文書（脚注21文書所収）。

＊19　昭和十八年三月十五日「部落字名改正ニ関スル儀ニ付歎願書」（脚注21文書所収）。

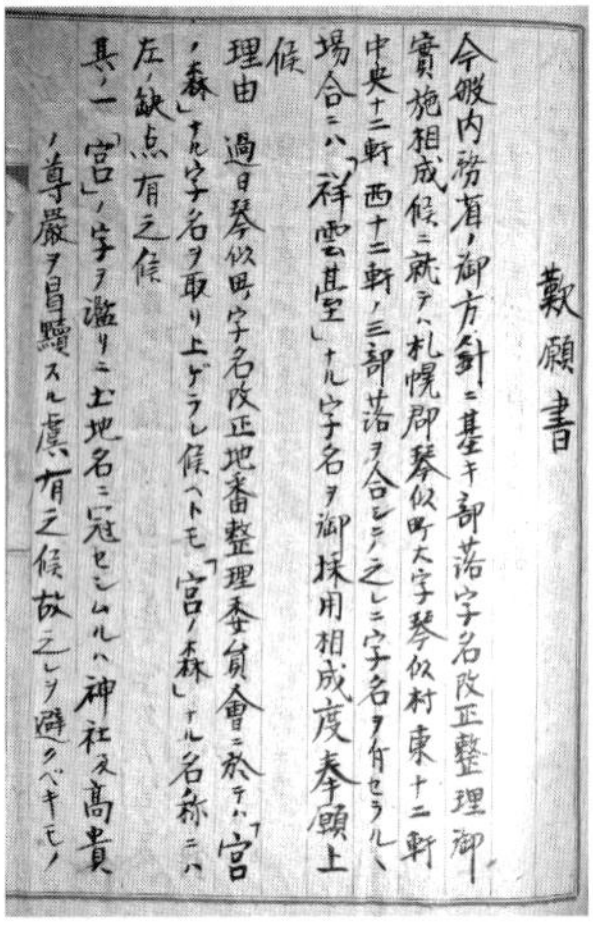
嘆願書

今般内務省ノ御方針ニ基キ部落字名改正整理御實施相成候ニ就テハ札幌郡琴似町大字琴似村東十二軒中央十二軒西十二軒ノ三部落ヲ合セテ之レニ字名ヲ付セラルヽ場合ニハ「祥雲台」ナル字名ヲ御採用相成度奉願上候

理由　過日琴似町字名改正地番整理委員會ニ於テハ「宮ノ森」ナル字名ヲ取リ上ゲラレ候ヘトモ「宮ノ森」ナル名称ニハ左ノ缺点有之候

其ノ一「宮」ノ字ヲ濫リニ土地名ニ冠セシムルハ神社及高貴ノ尊厳ヲ冒瀆スル虞有之候故之レヲ避クベキモノ

昭和18年3月に提出された琴似町の「部落字名改正ニ関スル儀ニ付　嘆願書」（道庁振興部拓殖課『昭和十八年　字地番整理（一）』、道立文書館蔵）

とは「神社及高貴ノ尊厳ヲ冒瀆スル」おそれがあること、本地区に隣接する札幌市旧圓山町の一部が「宮ケ岡」と称するので混乱を招くことなどを挙げ、対案として「祥雲台」を提案した。*20しかし道庁は、すでに「宮ノ森」は官民合同の協議会、琴似町会で決定済みであるとして、この嘆願が認められることはなかった。道庁長官の決裁文書および字名改称地番整理に関する官民総合協議会などの記録*21から、筆者がまとめた調書が【表5】である。

廃止された大字と字名

字名改正で廃止された大字は、【表5】のとおり「篠路・琴似・發寒」の3村であった。他の町村と同じくいずれも明治期に成立した村で、琴似村との合併の際に大字として存続していた。「琴似・發寒」は新字名として、篠路は「屯田」として継承されている。旧大字の3村名は、いずれもアイヌ語起源の地名である。旧字名は、計38字あった。新「屯田」と「新琴似」地区には、ともに屯田兵

＊20　昭和7年、札幌神社が部落住民の水道設置事業に協力して井戸を掘削し、神社の手洗水にも用いられた。このことを「慶祝スベキ土地柄ヲ表顕スル」とし、「風光明媚」であることから、かつて名づけられた「祥雲台」の地名を由緒あるものとした。

＊21　北海道庁振興部拓殖課「琴似町字名改稱地番整理ニ關スル件」（『昭和十八年字地番整理（一）』第二番）（道立文書館蔵）。

帝国製麻　294頁参照。

北海道農事（業）試験場・北海道工業試験場　ともに141頁参照。

村の区画割りに基づく「〇番通」と称する字名が11字あり、大字琴似村における初期の入植者数に由来する「八軒・二十四軒・十二軒」などの字名も、ほぼ同数の10字ある。

また、工場・試験場・農場・牧場などの所在を示す字名には、「帝麻（**帝国製麻**株式会社）・農試（**北海道農事**〔**業**〕**試験場**）・工試（**北海道工業試験場**）・東牧場・西牧場・學田・部有地」などがあった。

大字發寒村は、幕末

【表5】札幌郡琴似町新旧字名一覧

改称字名	旧大字名	旧字名（行政区）	字名の語意または起因
屯田（トンデン）	篠路村	北一番通・北二番通・北三番通東・北三番通西・北四番通	明治二十二年屯田兵移住以来篠路兵村ト称シタルヲ以テ之ヲ採リタリ。
新琴似（シンコトニ）	琴似村	南一番通・南二番通・南三番通・南四番通・南五番通・南六番通・帝麻・学田ノ大部・部有地ノ一部	明治二十年屯田兵移住以来、本部落ヲ新琴似兵村ト称シタルヲ以テ之レヲ採リタリ。
新川（シンカハ）	同	東牧場・西牧場・学田ノ一部・部有地ノ大部分	札幌市界ヨリ石狩湾ニ向ケ新タニ運河ヲ開鑿シ之ヲ新川ト称シタリ、本部落ハ其沿岸ニ該ル。
八軒（ハチケン）	同	八軒西・八軒東・八軒北・農試・工試	屯田兵入地以前、本部落ニ八戸ノ農民居住シタリ。
發寒（ハツサム）	発寒村	東発寒・西発寒・北発寒・南発寒	安政四年山岡清次郎等農業ヲ営ム。発寒ノ原語「ハチヤム」ニシテ櫻鳥ノ義ナリ、昔時櫻鳥群生シタリ。
琴似（コトニ）	琴似村	川添東・川添西・二十四軒北・二十四軒西	明治八年百九十八戸、同九年発寒ニ三十二戸来住、本道屯田兵ノ嚆矢トス。原語「コトネ」ニシテ低地ノ義ナリ。
二十四軒（ケン）	同	二十四軒南・二十四軒東	明治四年本部落ニ戸長役場ヲ設置。明治三年大谷派東願寺移民二十四人移住。
山ノ手（ヤマテ）	同	東山ノ手大部分・西山ノ手	本町ノ内、山ノ手ニ位シ土地高燥、風光明媚、住居ニ適ス。
宮ノ森（ミヤモリ）	同	東十二軒・西十二軒・中央十二軒・東山ノ手ノ一部	札幌神社ノ神域ノ周囲ニ位置シ、宮ノ森ノ森厳サヲ拝スルヲ光栄トシ命名ス。
盤溪（バンケイ）	同	盤ノ澤・小別澤	発寒川ノ支流ニシテ沿岸岩盤露出ノ個所アリ、清流岩ヲ噛ム。
10	3	38	

出典：北海道庁拓殖部宅地課「琴似町字名改稱地番整理ニ関スル件」（『昭和十八年　字地番整理（一）』）（道立文書館蔵）
〔注〕「字名の語意または起因」欄は、昭和十八年二月開催の協議会資料「附表」の抄録。

に和人の移住・開拓が始まり、アイヌ語に由来する「發寒」に東西南北を冠した4字に分かれていた。大字琴似村の「川添東・川添西・東山ノ手・西山ノ手・盤ノ澤・小別澤」は、川・山・沢に由来する自然地名である。

新字名とその傾向

新字名は【表5】のとおり計10字で、このうち旧大字名・字名を継承したのは「八軒・發寒・琴似・二十四軒・山ノ手」の5字である。「屯田」と「宮ノ森」については、異論や反対意見があったことは既述のとおりである。そのうち、アイヌ語起源のものは「新琴似・發寒・琴似」の3字、地区の歴史・開拓に由来するものは「屯田・新川・八軒・二十四軒」の4字、神社に関するものは「宮ノ森」、自然に関するものは「山ノ手・盤溪」の2字であった。

(6)豊平町——願望地名の出現

昭和19年（1944）12月1日から施行された、**豊平町**（とよひらちょう）の大字廃止と字名改称の調書が【表6】（426頁）である。協議の経過については、道立文書館の関係文書や『豊平町史』（昭和34年）にも記載がなく、詳細は不明である。しかし、事業の基本的な手順は、他の町村と同様だったと思われる。

豊平町　明治7年、豊平村として成立。明治35年、月寒村・平岸村を併合し、二級町村の豊平村となる。明治40年に一級町村制、同41年に町制施行。88・270頁参照。

廃止された大字と旧字名

廃止された大字は、「豊平・月寒・平岸・白石・廣島」の5村で、月寒村と平岸村が町域の大部分を占める。いずれも明治期に設置され、その後、境界変更や合併などに伴い大字が設定された。これらのうち、アイヌ語の自然地名に由来するものが「豊平・月寒・平岸」の3村、移民の出身地に由来するものが「白石・廣島」の2村である。

字の数（種類）は、町域が他の市町村に比べて広かったこともあり、計89種に達し、同一字名が各地に分散・交錯していて、延べ数は138にもおよぶ。

旧字名の最大の特色は、アイヌ語起源の地名が圧倒的に多いことにある。しかも、「月寒川・望月寒川・厚別川・野津幌川・下野津幌川・オカバルシ川・眞駒内川・精進川・ウラウチナイ川・アラコ川・ニーベツ（ニンベツ）」など、川や沢といった自然地名が、その大部分を占める。[*22]

自然地名は和名の字名にも多く見られ、「清水川・穴ノ川・野々川・穴ノ澤・藤ノ澤・野々澤・鱒ノ澤・一ノ澤・盤ノ澤・中島・中ノ島・中河原・山ノ上」などがある。また、語源は同じでありながら、「簾舞・簾前・ミスマイ・ミソマイ・ミソマップ」「ヲカバルシ川・オカバルシ川」「ニンベツ・ニーベツ」「器械場・機械場・厚別機械場」のように、表記が異なる地名も少なくない。

和名の交通関係地名には、通り・道路の名称（本通・北通・西通・南通・裏通・焼

*22　これらの川名の末尾に、その位置を示す川口・川尻・川添・川沿・上流・川上などの語を付した字名も少なくない。

山道路添など）や「土橋・大曲」などがあった。このほか、明治初期に開通した大字月寒村の旧札幌本道沿いに設けられた、一**里塚**に由来する「一里塚・二里塚奥・三里塚・三里塚北通」も注目される。また、開拓に関係する地名としては、集落を示す「六軒村」、開拓使が設置した厚**別山水車器械**（機械）**所**に由来する

【表 6】札幌郡豊平町新旧字名一覧

改称字名	旧大字名	旧　字　名
美園（ミソノ）	豊平村 月寒村	望月寒川沿
月寒（ツキサム）	平岸村 月寒村 白石村	北通、焼山、月寒川沿、本通、厚別、望月寒川沿、望月寒、西通、西通焼山通
福住（フクズミ）	月寒村	西通、六軒村、月寒川沿、六軒、西通六軒村、西通焼山、ウラウチナイ川添、焼山、月寒川上
八紘（ハツクワウ）	月寒村	北通、二里塚、厚別、二里塚奥、下野津幌、月寒川、アラコ川沿、北裏
西岡（ニシヲカ）	月寒村	焼山、西通、望月寒、月寒川沿、焼山道路添
羊ケ丘（ヒツジヲカ）	月寒村	
清田（キヨタ）	月寒村	厚別、厚別北通、厚別南通、厚別川上、厚別焼山
眞榮（シンエイ）	月寒村	厚別、厚別南通、三里塚、器械場、焼山、厚別西山
北野（キタノ）	月寒村	厚別、北通、二里塚、厚別北通、二里塚奥、大谷地、北通厚別川
平岡（ヒラヲカ）	月寒村	厚別、三里塚、北通
里塚（サトヅカ）	月寒村 廣島村	厚別、三里塚、三里塚北通、米山、大曲川尻、大曲川沿、野津幌、大曲、土橋
有明（アリアケ）	月寒村	厚別、厚別南通、厚別西山、厚別川上、ニンベツ、三滝ノ澤、ニーベツ、西山、厚別上流
瀧野（タキノ）	月寒村	厚別川上、機械場、西山、厚別、滝ノ下、滝ノ上、厚別機械場
平岸（ヒラギシ）	平岸村	平岸、東裏、麻畑、簾舞、定山溪、眞駒内、中島、精進川、山ノ上、裏
中ノ島（ナカシマ）	平岸村	中ノ島、中河原、中島、眞駒内
澄川（スミカハ）	平岸村	精進川、眞駒内、東裏、平岸、山ノ上、望月寒、清水川坂ノ上、焼山精進川沿
眞駒内（マコマナイ）	平岸村	眞駒内、石山、精進川沿
石山（イシヤマ）	平岸村	土場、眞駒内、眞駒内川沿、穴ノ澤、穴ノ川尻、石山、簾舞、穴ノ川沿、簾前、穴ノ川口、ミソマツプ、ミスマイ
常盤（トキワ）	平岸村	眞駒内、眞駒内川沿、簾舞
藤野（フヂノ）	平岸村	簾舞、簾前、ミソマイ、簾舞ヲカバルシ川上流、藤ノ澤、オカバルシ川沿、ミスマイ、野々澤、野々川、簾舞野々澤、オカバルシ川上
砥山（トヤマ）	平岸村	砥石山
簾舞（ミスマヒ）	平岸村	簾舞
豊瀧（トヨタキ）	平岸村	鱒ノ澤、鱒澤、一ノ澤、簾舞、盤ノ澤
定山溪（ジヤウザンケイ）	平岸村	定山溪、簾舞
24	5	89（延べ138）

出典：豊平町役場『昭和十九年十二月一日施行　札幌郡豊平町字地番整理調書』（道立文書館蔵）

「器械場・機械場・厚別機械場」のほか、「焼山・麻畑・石山・砥石山・土場」などがある。

新字名とその特色

協議の結果、決定した新字名の数は24字となり、延べ138もあった旧字名が激減したことで、字名の重複が解消された。そのうち、旧字名を継承したのは「月寒・平岸・中ノ島・眞駒内・石山・簾舞・定山渓」の7字で、アイヌ語起源の地名は「月寒・平岸・眞駒内・簾舞」の4字に激減したことが大きな特色である。

その他の字名では、旧字名の1字を継承した「西岡・北野・里塚・瀧野・澄川・藤野・砥山」、その地域の土地柄を反映した「**八紘**（はっこう）（八紘学院の所在地）・羊ケ丘（農林省月寒種羊場の所在地）・平岡（丘陵地形）・豐瀧（滝が多いなど）」がある。

地名の歴史上、特に注目されるのが、「美園・福住・清田・眞栄・有明・常盤」などである。これらの願望を示す地名は、道庁の方針に従った簡明・平易・優雅で口調の好いという特徴をもつが、地域性・歴史性には乏しい。新しい字名に見られるこうした傾向は、豊平町に限らず全道的な現象となった。

(7)札幌市の字名改称——条・丁目の拡大

札幌市においては、隣接する札幌村との境界変更、圓山町の編入などに伴う

一里塚　104頁参照。

厚別山水車器械所　128・300頁参照。

八紘　第二次世界大戦（アジア・太平洋戦争）中に、日本の海外侵略を正当化するためのスローガンとされた「八紘一宇」と関連し、この時代を色濃く反映した地名といえる。

新字名の設定、既存条丁目の部分的変更が行われた。新字名の大部分は条丁目で、主に市の人口増加による市街地の拡大を示している（Ⅱ部第2章参照）。

実施の具体例としては、【表1】（413頁）のとおり5例を挙げられる。

①既存条丁目・豊平地区条丁目の変更

既存の条丁目における変更は、昭和7年（1932）9月に施行された。対象地区は、従来の南7条東1丁目、南10〜14条西1〜19丁目、南15〜17条西1〜15丁目、南25条西7〜12丁目、南27・28条西8〜12丁目、北1条東1〜15丁目、北4条東1〜9丁目、北11〜13条西1〜20丁目、北17条西1〜19丁目、北20条西2〜16丁目、北22条西2〜14丁目、北25条西2〜11丁目、豊平9条4〜9・13丁目、豊平10条5〜8丁目である。[*23]

②札幌村編入地区の条丁目設定

昭和9年（1934）4月、札幌村との境界変更により札幌市に編入された旧札幌村に、字名が新設された。北11条東10・11丁目、北12条東1〜14丁目、北13条東1〜15丁目、北14〜16条東1〜16丁目（東11丁目欠）、北17〜25条東1〜15丁目（同前）、北12〜25条西1丁目（以上、旧大字札幌村地区）、苗穂町（旧大字苗穂村）、雁來町（旧大字雁來村）である。[*24]

③苗穂町・元村町の条丁目設定

昭和9年11月、苗穂町・元村町（旧札幌村）などに条丁目が新設された。北

***23** 昭和七年九月七日付「北海道庁告示千二百二号」（北海道庁地方課『北海道市町村行政沿革台帳　其の三』（道立文書館蔵）。

***24** 昭和九年四月一日付「北海道庁告示四百号」（北海道庁地方課『北海道市町村行政沿革台帳　其の四』）（道立文書館蔵）。

4条東7~16丁目、北5条東7~17丁目、北6条東7~18丁目、北7条東7~19丁目（以上、旧苗穂町）、北8~10条東7~20丁目、北11条東7~19丁目、北12条東12~17丁目（以上、旧苗穂町・元村町）、北12条東7~9丁目（旧元村町）、北12条東1~7・西1丁目（旧北11条の一部）である。[*25]

④既存条丁目・旧圓山町の字名改正

昭和16年7月、従来の条丁目の一部変更と同時に、同年4月に編入された旧圓山町地区の新字名設定が実施された。前者は、北1条西20丁目、北2~4条西22丁目、南1~6条西20丁目、南6~14条西18丁目、南19~23条西14丁目である。後者は大通西20~28丁目、北1条西20~28丁目、北2条西21~28丁目、北3条西22~30丁目、北4条西21~30丁目、南1~5条西20~28丁目、南6条西20~27丁目、圓山北町、宮ケ丘、圓山、瀧ノ澤（以上、旧字圓山）、圓山南町（旧字圓山・山鼻）、伏見町、山元町、藻岩下（以上、旧字山鼻）、藻岩山（旧字圓山・山鼻・八垂別）、川沿町、北ノ澤、中ノ澤、南澤、砥石山（以上、旧字八垂別）、白川（旧字白川）、硬石山（かたいしやま）（旧字八垂別・白川）である。この改正により、古くからの行政地名「山鼻」と「八垂別」が姿を消した。[*26]

⑤北12~25条西1丁目の変更

昭和17年4月、従来の北12~25条西1丁目の一部（北12~18条は創成川以東）が北12~25条東1丁目に変更された。[*27]

*25　昭和九年十一月一日付「北海道庁告示千五百六十一号」（北海道庁地方課『北海道市町村行政沿革台帳　其の四』）（道立文書館蔵）。

*26　昭和十六年七月四日付「北海道庁告示九百二十一号」（北海道庁地方課『北海道市町村行政沿革台帳　其の四』）（道立文書館蔵）。

*27　昭和十七年四月三日付「北海道庁告示五百五号」（北海道庁地方課『北海道市町村行政沿革台帳　其の四』）（道立文書館蔵）。

おわりに——札幌市と周辺町村における字名改正の特色

札幌市と周辺町村における字名改正事業の実態は、多様であり、市町村によりその内容に違いが認められる。それらを整理すると、およそ次のようになる。

①大字の廃止

大字の大部分は、開拓使・三県（さんけん）時代から道庁時代初期の戸長役場（こちょうやくば）時代に設置された村名が、その後の町村合併の際に新町村の大字名となったものである。その後、時代の実状に適合しなくなった結果、多くは廃止されたが、その一部は新字名として継承された。

②字名の継承

道庁の新字名選定の基準により、沿革・歴史を尊重し、地域住民が愛着をもち存続を希望した字名は継承された。アイヌ語地名であっても、漢字表記に改められて定着し、広く用いられて来た地名の中には、存続したものが少なくない。旧字名の継承・残存率は、市町村によって著しい差異が認められる。

③字名の廃止

この事業における最大の特色は、字名の大幅削減である。廃止されたものの中には、和名の字名も含まれるが、大部分がアイヌ語起源の地名、特に片仮名表

三県　264頁参照。

戸長役場　明治期の地方行政機関。開拓使・三県・北海道庁から任命された、戸長と呼ばれる官吏が、町村の行政事務を統括する、戸長制度に基づき設置された役場。「北海道一級町村制」（明治33年より施行）、「北海道二級町村制」（同35年より施行）が施行されると、町村役場と称した。

記の字名であった。しかし、行政的な字名としては廃止されても、通称としてその後も使用され続けた字名も多い。

④新字名の設定

新字名は、アイヌ語地名を簡略化して漢字を当てたもの、従来の部落（集落）名や区名を字名としたもの、団体移民の出身地の地名を採用したもの、団体移民のリーダーや地域の開拓功労者、農場主など人名を当てたものなどのほか、自然や地理、地形などに関するものなどであった。また、新しい字名として、信仰や願望を示したもの、新字名選定基準に合わせた平易で口調は好いが、地域的個性に乏しい字名が増加したことが注目される。

⑤札幌市における条丁目地区の拡大

札幌市に編入された地区については、新たに条丁目が設定されることが多く、これは人口増に伴う市街地の拡大を示す。

以上のように、字名改正事業の前と後では、字名（地名）をめぐる状況が一変した。そして、この時期に設定された字名の多くが、現在も地名として継承され、使われている（Ⅰ部「10区の略史と地名」参照）。全道はもちろん現札幌市域においても、昭和前期は地名の大転換期となったのである。

Chapter….. 12

江戸期〜明治初期の記録や地図に現れる札幌とその周辺の地名

古地図研究家
高木崇世芝

1 寛文期から寛政期

現在知られている最古の記録

「札幌」の地名が記録や地図に現われるのは、いつ頃からであろうか。

現在、知られているのは、寛文9年（1669）から始まった**シャクシャイン蜂起**の際、蝦夷地を密かに調査した**津軽藩**が残した記録に見えるのが最初であろう。その資料をあげる。

『寛文拾年狄蜂起集書』には、次のようにある。

一、石かり湊より壱里登リはつしやふ、家弐十間計。

一、同上ニさつぼろ家十四五計。

次の記録は、津軽藩の歴史書として編纂された『津軽一統志』による。

シャクシャイン蜂起　シャクシャインの戦いとも。164頁参照。

津軽藩　正式名は弘前藩で、陸奥（むつ）国弘前に藩庁をおいた。ロシア南下に抗するため、幕府より蝦夷地警備を命じられた。明治4年の廃藩置県で、弘前県を経て青森県に編入。

一、石狩湊口より一里程登り候て、はつしやふより弐里程登り候て、さつほろと申所に狄有、さつほろの枝川に竪横半里計りの沼御座候由、川添より順風に二日登り候て、ちよまかうたと申所に狄多く御座候、(中略)ちよまかうたより津石狩と申所迄川路二日に登り申候由。

一、石狩川口よりいへちまたと申所迄三日路余御座候、此いへちまたよりしこつ・ゆふはりのぬまへ小船にて往来仕候由。

両書ともに、江戸初期の最も古い札幌周辺の地名と様子が記載されており、興味深いものがある。

松前藩が幕府に提出した国絵図

次いで、松前藩が幕府に提出した国絵図について記す。江戸幕府は、江戸初期から全国の大名に命じて、国ごとの大型地図である「国絵図」を何度も作成させている。

松前藩に初めて国絵図と**郷帳**(ごうちょう)の提出が命じられたのは、正保元年(1644)12月であった。残念ながら、この時に松前藩が提出した国絵図や郷帳は現存せず、後に作成された「正保日本図」の中の「蝦夷地」でその面影を見ることができる。その図には、「イシカリ、ユウバリ、シコツ」の地名こそ見えるものの、札幌

郷帳　国絵図作成の際に付した、一村の総石高、村名を列挙し郡別に集計したもの。

周辺の地名は見当たらない。

その後、元禄13年（1700）1月、松前藩が幕府へ提出した『**松前嶋郷帳**』には、「はつしやふ、しのろ、しやつほろ、いしかり、いちやり、つうめん、嶋まつふ、いへちまた、ついし狩、かばた」が記載され、同時に提出された『**松前島絵図**』にも、同様の地名が見える。

『松前島絵図（元禄国絵図）』〈元禄13年〉（北海道庁編『新撰北海道史第二巻　通説一』〔北海道庁、昭和12年〕より）

また、享保3年（1718）12月に写された『**松前蝦夷図**』には、「はつしやふ、しのろ、しやつほろ、いしかり、おしよろこつ、あつた」などの地名が見える。このように徐々にではあるが、札幌周辺の地名が明らかになっていく。

鳥屋場から商場知行へ

札幌周辺の地名は、寛文から元禄期にかけての記録・地図で見られるようになるが、同時にこの時期、イシカリ地域は松前藩士の**知行地**となり、**鷹**の捕獲地となったようである。

元禄13年（1700）の『**松前藩支配所持并家中扶持人名前帳**』には、「鳥

松前嶋郷帳　北大附属図書館蔵。

松前島絵図　北大附属図書館蔵。

松前蝦夷図　大東急記念文庫蔵。

知行地　大名が家臣に対して与えた土地を指すが、松前藩の場合は交易権を与えられた交易地のことをいう。

鷹　武士が和弓の矢羽根に用いる鷹の羽根は、きわめて価値が高く、蝦夷地など北方産のワシ・タカの尾羽が珍重された。

松前藩支配所持并家中扶持人名前帳　東大史料編纂所蔵。

屋（鷹の狩場）*1」として「伊別満多、シユマ満布、沙津保呂、志古津、賀波多」などの地名が、藩士に与えられた持場として見える。

さらに享保年代（1716～1735）になると、「鳥屋場」から徐々に「**商場知行制**」へ移行したらしく、享保12年（1727）8月の『**松前西東在郷并蝦夷地所附**』には、「石狩川、はつしやふ、しやつほろ、しのろ、つい石狩、かばた、いへちまた、ゆふばり、嶋まつふ」の地名が記載されており、後のイシカリ十三場所の原型ができあがっている（177頁参照）。

なお札幌の地名は、古くから「しやつほろ」と「さつほろ」の二通りが記録に見えてきたが、享保期以降から「さつほろ」が主流となっていく。

イシカリ十三場所の成立

宝暦年代（1751～1763）に入ると、**飛騨屋武川久兵衛**によってイシカリ周辺の蝦夷檜（エゾマツ）の伐木が開始される。この当時、飛騨屋が伐採した木材を運び出すために、川の流路を記録した『**飛騨屋久兵衛石狩山伐木図**（仮称）』が現存する。

この図には、本流の石狩川から分かれる支流として、「ハツサブ川、サツホロ川、トウ別川、トイシカリ川、伊別川」が描かれ、さらにサツホロ川から分かれる大小の枝川に、「ヲシヨシ川、マコマ内川、ヲカバロシ川、ニセン別川、ヘニヤチライベツ

＊1　鳥屋場ともいわれた。

商場知行制　松前藩主が家臣に商場での交易権を与え、その収益を家臣の収入とする仕組み。

松前西東在郷并蝦夷地所附　北大附属図書館蔵。

飛騨屋武川久兵衛　江戸期の材木商、蝦夷地の場所請負人。元禄期、初代が松前藩から蝦夷檜伐採の許可を得て、各山を開き、江戸・大坂に運んで巨利を得た。3代の時には、石狩十三場所を始めとする諸場所を請け負い、事業を拡大した（165頁参照）。

飛騨屋久兵衛石狩山伐木図　岐阜県歴史資料館寄託「武川久兵衛家文書」（165頁参照）。

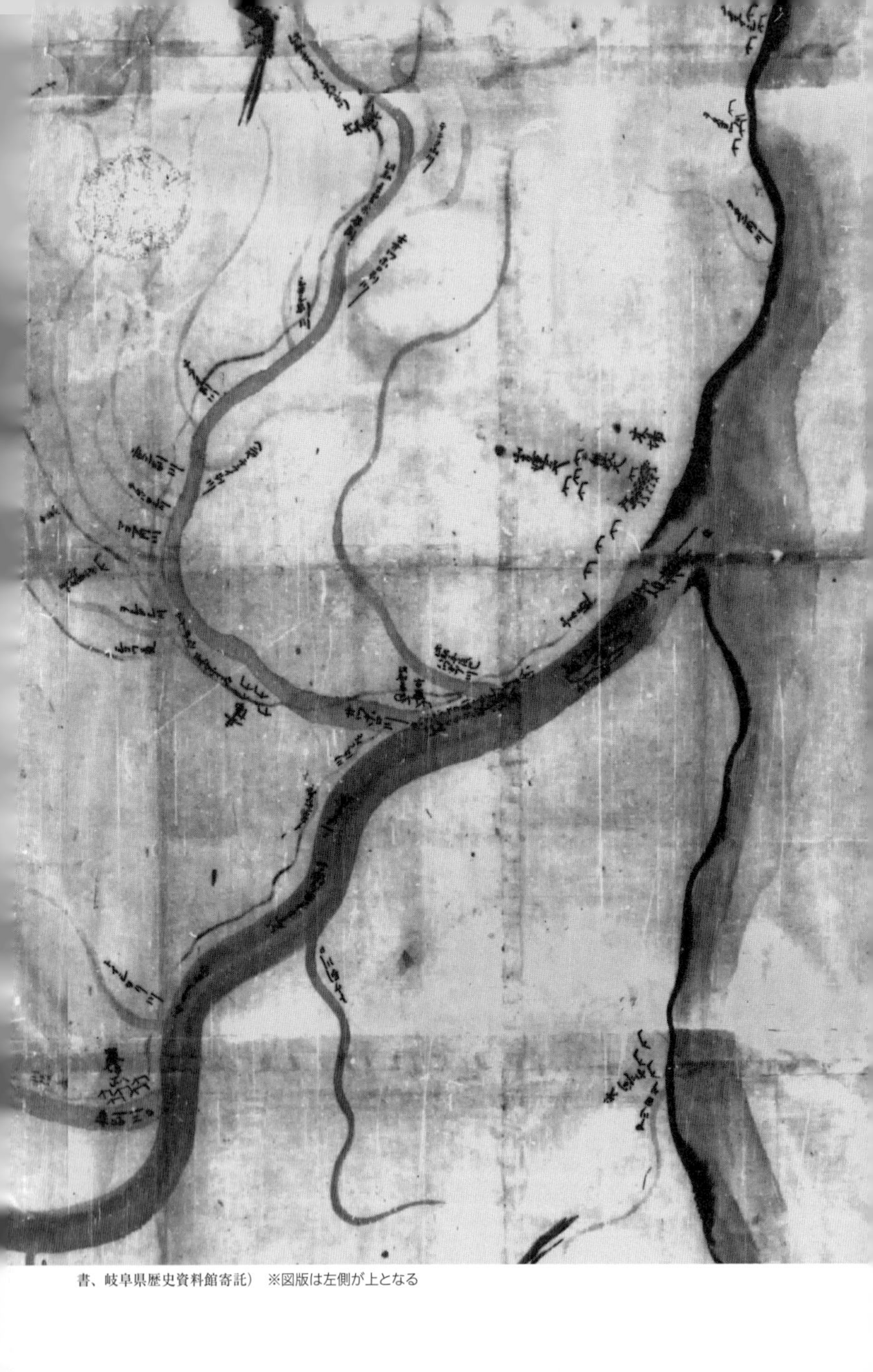

書、岐阜県歴史資料館寄託） ※図版は左側が上となる

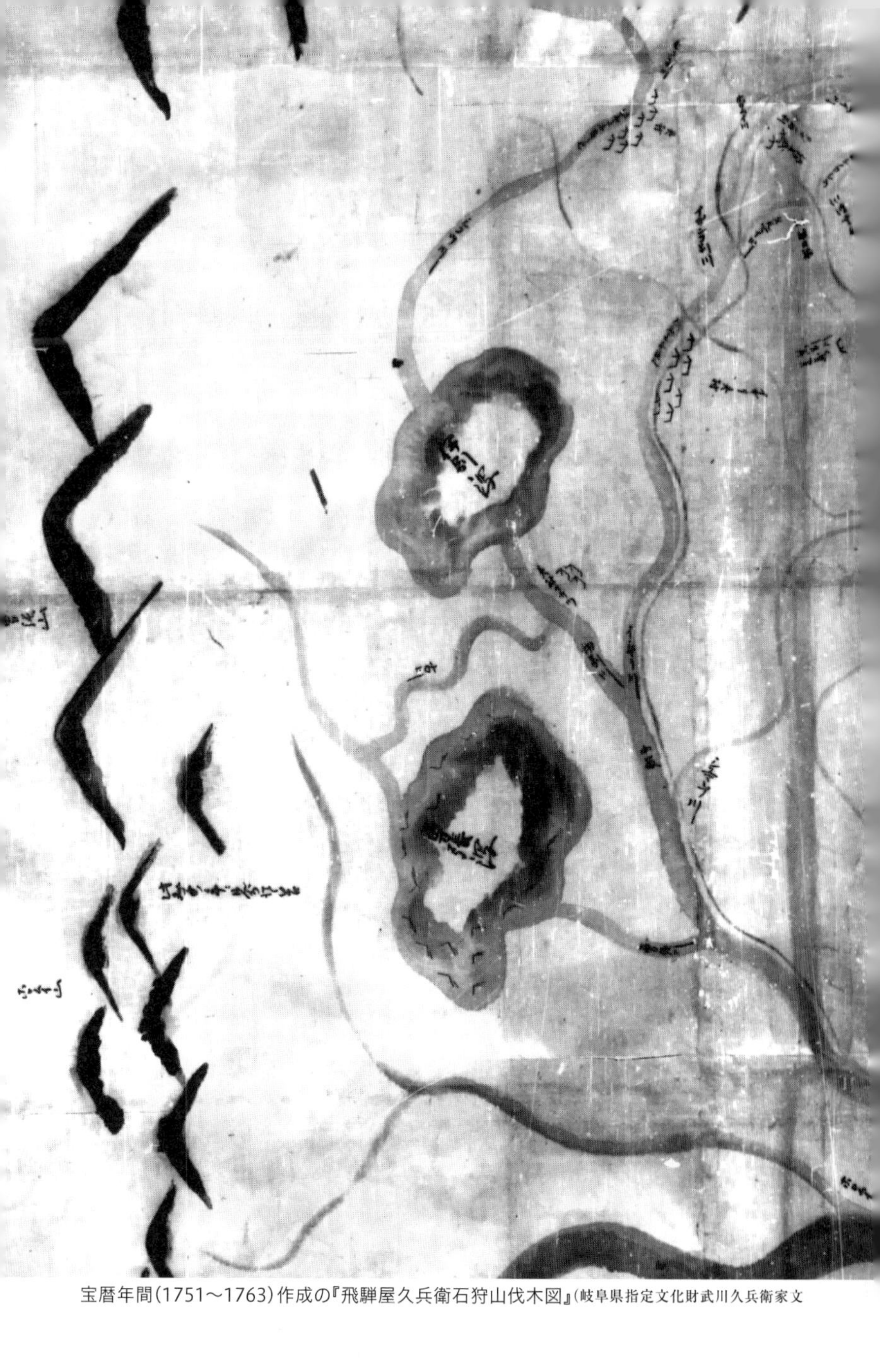

宝暦年間(1751〜1763)作成の『飛騨屋久兵衛石狩山伐木図』(岐阜県指定文化財武川久兵衛家文

川、チライ別川、ショシ別川、モサツホロ別川」が描かれている。

さらに時代が下がった天明から寛政期になると、イシカリ十三場所が確定している。『**北藩風土記**』に、「下シノロ、上サッポロ、上シノロ、下サッポロ、ハッサフ、シツカリ、ツイシカリ、シママフ、下ユウハリ、上ユウハリ、上カワタ、トエヒラ、トクヒラ」が見られ、十三場所が定着したことがうかがえる。

幕府の蝦夷地調査と松前藩の記録

天明5年（1785）から同6年にかけて、老中・**田沼意次**（たぬまおきつぐ）は、江戸幕府初の蝦夷地調査を実施した。このときの報告書というべきものが『**蝦夷拾遺**（えぞしゅうい）』であり、同時に『蝦夷地図』も作成された。『蝦夷拾遺』には、「ヲタルナイ、イシカリ、アツタ」の地名が見え、イシカリには「島ノ中央ヲ西流シ諸山ノ谷川合流シテイシカリ浜ニ落ツ」と記されている。また『蝦夷地図』にも、「ヲタルナイ、イシカリ、アツタ」の地名はあるが、札幌周辺の地名はまだ記載されていない。

一方、寛政期に松前藩が残した、記録・地図にも注目したい。

一つは、寛政3年（1791）、**松前志摩守**（しまのかみ）差出と記された『**絵図面方角道規地名控**』である。ここには、「一、イシカリ―ヲタルナエヨリ道規九里半程、同所川上夷村地名如左」として「一ハシヤフ、一サツホロ、一ヱヘツ、一シママフ、一ユウハリ、一ツイシカリ、一カハタ、一チフカルウシ、以上八ヶ所」と見える。

北藩風土記　池量平編、西尾市岩瀬文庫蔵。

田沼意次　1719～1788年。江戸中期の幕臣。安永元年（1772）に老中となり、大規模な新田開発や蝦夷地開発計画など、積極的な経済政策の展開を試みた。

蝦夷拾遺　調査隊の一人、佐藤玄六郎の序文をもち、蝦夷地に関する地理・人物・産物・蝦夷語などについて詳細に記述した書。

松前志摩守　松前藩8代藩主・松前道広（みちひろ、1754～1832）のこと。志摩守は武家の官位を表す。

絵図面方角道規地名控　天理大学附属天理図書館蔵。

一ヲイナ　フルヒラヨリ道規三里程
一ヲショロ　ヲイナヨリ道規一里程
一シクツシ　ヲショロヨリ道規四里半程　同所ヨリヲタルナヱ方角辰巳ニ當ル　イシカリ卯辰ニ當ル
一タカシマ
一ヲタルナヱ　シクツシヨリ道規一里程
一テミヤ
一イシカリ　ヲタルナヱヨリ道規九里半程　同所川上夷村地名如左
一ハシヤフ　一サツホロ
一ヱヘツ　一シママフ
一ユウハリ　一ツイシカリ
一カハタ　一チフカルウシ
以上八ケ所
一アツタ　イシカリヨリ道規三里程　同所ヨリハママシケ領ヲクルケ崎方角子丑ニ當ル

『絵図面方角道規地名控』〈寛政３年〉（天理大学附属天理図書館蔵）

　もう一つは、同じく寛政3年頃、松前藩士の**加藤肩吾**（けんご）の作成した『**松前地図**』である。ここでいう「松前」とは、「松前島」を指し、蝦夷地を意味する。この図は、肩吾による自筆であり、「ハツシヤフ、サツホロ、ヱヘツ、ツイシカリ、カハタ」の地名が載る。この系統図は以後、長らく写し継がれていくことから、現存する図が多い。

　いま一つは、寛政9年の『**松前地 并**（ならびに）**西蝦夷地明細記**』で、この資料に見られる地名とその地の様子を列記する。

○バツシヤブ―川幅三十七八間、此所ヨリ又両方大木立、一里余上リ右手ニ枝川アリ、サツホロト云。
○サツホロ―川幅四十間位、当所ヨリ又暫ク木立原上リ左手ニ枝川アリ、トウヘツト云。

加藤肩吾　1762～1822年。松前藩医。作成した『松前地図』は、松前藩の公式地図として長く使われた。ラクスマンの根室来航、ブロートンの虻田・室蘭来航の際、応接に当たった。著書に『魯西亜実記』がある。

松前地図　北大附属図書館蔵。

松前地并西蝦夷地明細記　道立文書館蔵。

○トウヘツ―川幅三十間位、此所ヨリ又両方木立原上リ左手ニ枝川アリ、ツイシカリト云。
○ツイシカリ―川幅十七八間、トウヘツヨリ是迄十五六丁、是ヨリ又少シ両方大木立原上リ右手ニ枝川アリ、ヱベツト云。
○ヱベツ―川幅十間余、此所ヨリシコツヘ出ルナリ、当所ヱベツ上リ両方大木立左手ニ枝川アリ、ユウバリト云フ。

2　文化期から天保期

蝦夷地の大半を幕府が直轄

寛政11年（1799）1月、**東蝦夷地**は幕府の**直轄地**となり、さらに文化4年（1807）3月には、西蝦夷地も直轄地となり、松前周辺を除いて蝦夷地のほとんどが幕府の治めるところとなった。

文化3年3月、目付・**遠山景晋**（とおやまかげみち）、勘定吟味役・**村垣定行**は幕命によって西蝦夷地検分（実際に現地に赴いての調査）を命じられる。このときに書かれた『遠山村垣西蝦夷地日記』によれば、同年3月に松前を出立し、沿岸を進んで石狩を過ぎ、5月には宗谷に達し、6月中旬、再び石狩に到着。ここから内陸部に入り、「フシコベツ、ハツシヤブ川、ヤウシハ、サツポロ、ヒトイ、トウペツ、津石狩川、ツ

東蝦夷地　道南の和人地（松前藩の藩域）を除く蝦夷島は、知床岬を境に太平洋側を東蝦夷地、オホーツク海側から日本海側を西蝦夷地と呼んだ。

直轄地　幕府が大名などを介さず、直接支配する地域のこと。

遠山景晋　1752～1837年。江戸後期の幕臣。長崎奉行、勘定奉行などを歴任した。蝦夷地には三度にわたって渡航巡検し、『未曾有記』『未曾有後記』『続未曾有後記』を著した。

村垣定行　1762～1832年。江戸後期の松前奉行、勘定奉行。遠山景晋と西蝦夷地を検分。その後、幕府による松前藩からの西蝦夷地没収に伴い、松前奉行に就任した。

イシカリ、イベツブト」を通過した。
なかでも注目すべきは、「津石狩川」について書かれた部分で、「右近年迄は小川に御座候処、四五年以前大水にてサッポロ川上に切所出来、其後ツイシカリ水深、船通路自由の川に罷成候由」とあり、この頃、洪水のためにツイシカリ川にサッポロ川が合流して本流となったことがわかる。これが後の豊平川となり、元のサッポロ川は「フシコサッポロ川」となるのである。

近藤重蔵の蝦夷地開拓論

幕府の役人である**近藤重蔵**（こんどうじゅうぞう）は、寛政10年以来、エトロフ島の調査・開拓と西蝦夷地の検分を計6回にわたって実施した。文化4年12月、江戸へ帰着した後、幕府へ蝦夷地開拓に関する建白書を提出する。いわゆる「蝦夷地開拓論」で、この重蔵の開拓論は、文化2年頃作成の『**蝦夷地絵図**』から始まる。この絵図には、次の様に記載されている。

一、各地への拠点として新たに駅路を開く。一、石狩川上流（現旭川付近）に奉行所あるいは領主の居所を置く。一、運送の良い湊に陣屋・番屋を設置する。
一、石狩平野を開墾すると米穀百万石余が産出する。

しかし、それから2年後の文化4年8月、初めて西蝦夷地沿岸と内陸部を実地検分した重蔵は、帰着後に書き上げた建白書で次の様に述べた。

近藤重蔵 220頁参照。江戸末期の幕臣、北方探検家。寛政10年、国後島、択捉島などを探検。択捉島に「大日本恵登呂府」の標柱を建て、日本の領土であることを主張した。その後も数度の北方探検を行い、幕府に北方警備の重要性を建策した。

蝦夷地絵図 三井文庫蔵。

一、石狩川周辺は平地・沃野であり、食料になる魚類も多い、四方にある大きな川に接続して通路としても便利である。一、重要拠点としてカバト山（現浦臼町）、タカシマ・オタルナイの奥（現小樽市）、イシカリ・サツホロの西テンゴ山（現札幌市周辺）の3ヶ所のいずれかに設置するのがよい。一、箱館付近の野崎（現北斗市）に築城し、松前の住民を移したほうが良い。一、蝦夷地の中央部から各地の拠点へ道路を開く。

東京大学史料編纂所に多数所蔵される重蔵関係文書の中では、『蝦夷地図』に「ハッシヤブ、ツイシカリ、イベツ、ピ

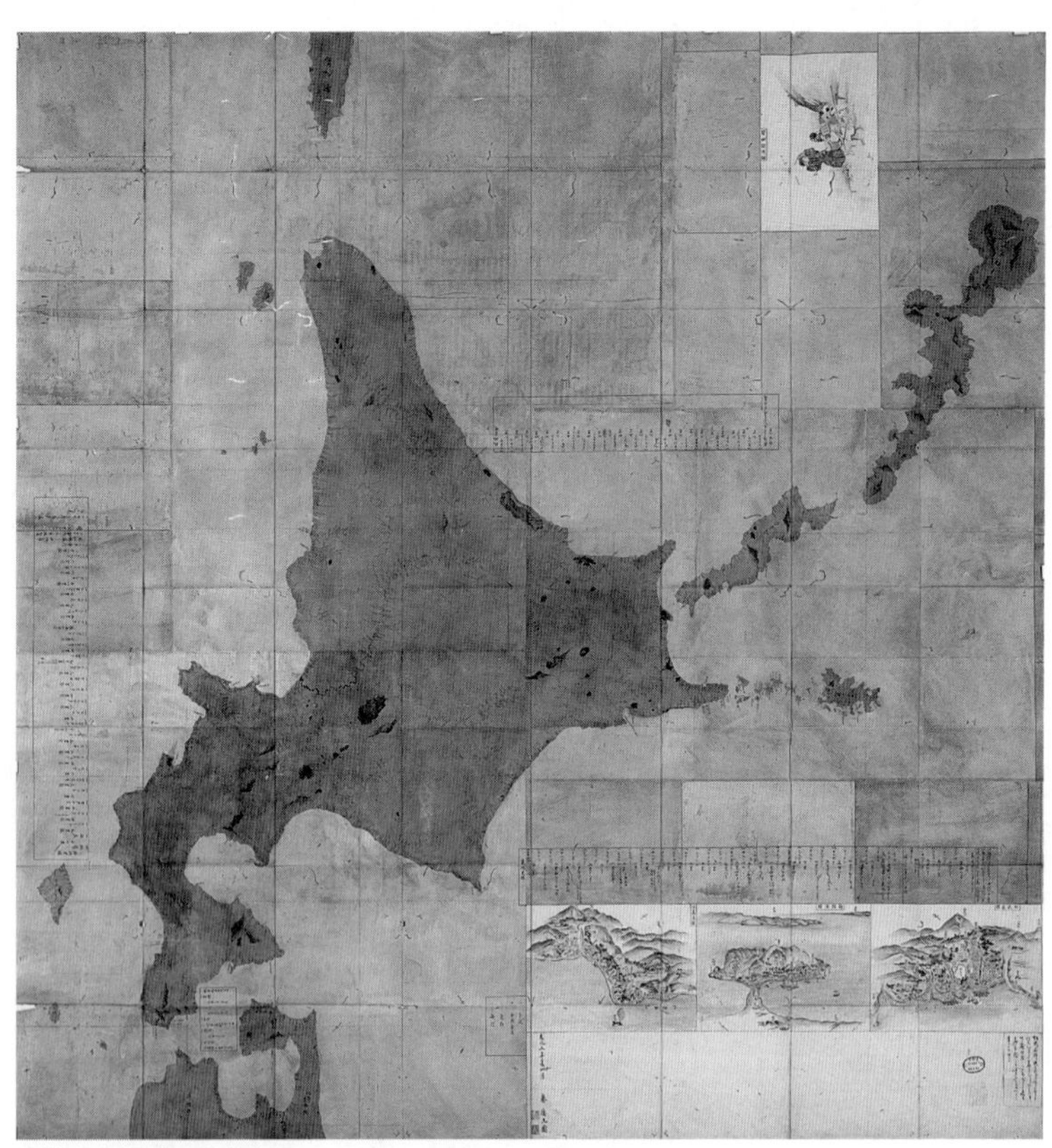

秦檍丸自筆『蝦夷島地図』〈文化5年〉（京都大学総合博物館蔵）

トイ、ナイホ、イシヤマ、トイヒラ、マコマナイ、サツホロ、天狗山」の地名が、『石狩・アブタ間行程絵図』には「マコマナイ、サツホロ川、サツホロ、テンゴ山」の地名が見える。また、文化6年4月の『**蝦夷地図**』には、「サツホロ、サツホロ山、トイシカリ、イヘツ」の地名が書かれている。

このように重蔵は、当初、蝦夷地の内陸部を調査しないまま、首都を現旭川市周辺に設置すると定めた。しかし、その後に内陸部を実地調査するにおよんで、首都は石狩川に近い、現浦臼町周辺、現札幌市周辺、現小樽市周辺の3ヶ所のうち、いずれかに設置すると方針を改めたのである。

秦檍丸による蝦夷地の地図

同時期、蝦夷地で活躍した人物に、幕府雇の**秦檍丸**（はたあわぎまる）（別名村上嶋之允）がいる。寛政10年以降、幾度も蝦夷地へ渡って活躍した。測量術を身につけた檍丸は、さらに絵画にも力量を発揮した。

著作の中では、『蝦夷島奇観』が最もよく知られている。このほか、何点かの蝦夷地図も作成しており、その代表作が文化5年4月に描き上げられた、大型で詳細な『**蝦夷島地図**』（自筆図）である。

この自筆図から札幌周辺の地名を挙げれば、「シノロ、モイレヘツホ、ナイホ、ヘニウシヘツ、シヨコシヘツ、シヤリシコトニ、ツイシカリ、フシコシヘツ、ヌマウシ、トイ

蝦夷地図　国文学研究資料館蔵。

秦檍丸　1760〜1808年。江戸末期の幕吏。寛政10年、近藤重蔵らとともに幕府の一員として蝦夷地を踏査。蝦夷地・千島の様子やアイヌ民族の習俗を克明に記録した。門弟に間宮林蔵がいる。

蝦夷島地図　京都大学総合博物館蔵。

ヒ、マコマナイ、ハツタルウシヘ」などがあるものの、「サツホロ」の地名は見えない。

石狩川流域を描いた二つの図

次に、石狩川流域を描いた図を紹介する。イシカリ十三場所の一つを請負っていた阿部屋（あぶや）**村山家**の旧蔵で、作成は文化期と推測される『イシカリ川之図』（札幌市立藻岩北小学校蔵）がある。石狩川口から上流までを描いた詳細な図で、十三場所名も記載されている。この中の石狩川支流に、「ハッシヤフ、サツホロ、ナイホウ、シノロ、ヨコシヘツ、コトニ、ツイシカリ、アシ、ヘツ、トイヒラ、マコマナイ、トマヽタイ、ヱベツ川」などの地名が見える。

もう一枚は、余市場所請負人の竹屋（たけや）**林家**旧蔵の安政5年（1858）作成、『西蝦夷地石狩川略絵図』（札幌市中央図書館蔵）である。石狩川流域の半ばまで描いたもので、「ヲタヒリ、ハツシヤウフト、サツホロフト、ヒトヱ、トヱヒリ、タン子ヤウシ、ホントマヽタイ、トマヽタイ、ツイシカリ、ツイシカリフト、上ムカイ、ホリカムイ、ヱヘツフト」の地名が見える。

伊能忠敬と間宮林蔵の実測

ここで、**伊能忠敬**（いのうただたか）と**間宮林蔵**（まみやりんぞう）による蝦夷地測量について述べたい。伊能忠敬は幕命により、17年間にわたって天体観測と沿岸の実地測量を行い、正確な日本地

村山家 石川県出身の初代村山伝兵衛は、元禄期に松前に移り、松前藩御用の廻船業を営みながら、場所請負にも手を広げた。村山家は、新しい漁法の導入など優れた手腕で、多くの場所の運営を任されるようになり、日本でも指折りの資産家に成長した。178頁参照。

林家 秋田県出身の初代長左衛門は、文化元年に松前へ渡り、竹屋の屋号で商店を営んで財力をつけ、場所請負人となった。厚岸場所を経て、余市場所を請け負い、4代にわたり継続した。

伊能忠敬 1745〜1818年。江戸後期の地理学者。49歳で隠居してから、西洋暦法・測量術を学ぶ。幕府の測量方役人となり、蝦夷地のほか、全国の沿岸測量に従事した。17年に及ぶ実測をもとに、日本初となる実測図「大日本沿海輿地（よち）全図」を作成中、死去。後に門弟たちの手で完成された。

図を作成したことで知られる。その最初の実地測量となったのが、寛政12年に行った東蝦夷地（太平洋沿岸）の沿岸測量であった。

翌年、忠敬は西蝦夷地測量を請願したが、幕府はこれを認めず、東北以南の測量を命じたため、再び蝦夷地へ渡ることはなかった。そこで後年、東西蝦夷地を実地測量したのが、忠敬の教えを受けた間宮林蔵である。その測量成果も含めて、文政4年（1821）6月に完成したのが『大日本沿海輿地全図』である。

この図には、林蔵の実地測量によって石狩川周辺も描かれており、「フシコサツホロ川、ビトイ、ビトイ川、ショナイ、チヨマヲタ、トーベツ川、トーベツト、トマヲマタイ、トイシカリ川、シフヌツナイ、モシリヲマナイ、イベツ川、イベツフト」の地名が見えるが、「サツホロ」の文字はない。

文政5年頃になって、間宮林蔵が独自に作成したと推測される『**北海道全図**（河川図）』〔仮称〕には、「シノロ、トイシ、モイレヘツ、トイヒラ、マコマナイ、イベツブト、イベツ、ナイボ」の地名が記載されているが、やはりこちらにも「サツホロ」の地名は見当たらない。

幕府が完成させた最後の国絵図

天保2年（1831）12月、幕府は最後となる国絵図・郷帳の作成事業を開始した。この時、国絵図と郷帳の作成は分離して行われている。

間宮林蔵　1775～1844年。江戸後期の探検家。幕府の蝦夷地御用雇となり、蝦夷地に渡った際、伊能忠敬の知遇を得て測量術を学ぶ。千島・樺太（サハリン）を探査。この時、海峡を渡り、樺太が島であることを確認した。著作に『東韃紀行』『北蝦夷図説』など。

北海道全図　北大附属図書館蔵。

天保5年12月に完成した『**松前島郷帳**』には、「イシカリ持場之内」として「ハツシヤブ、シノロ、コトニ、モマニウシ、ナイボ、サツホロ、ヒトイ、トマヽタイ、トイシカリ、アシリベツ、トクビラ、マコマナイ、トウベツ、シユマヽツプ」などの地名が記載されている。

また、天保9年12月に完成した国絵図『**松前嶋図**』には、郷帳と同様に、「ハツシヤブ、サツポロ、シノロ、コトニ、トマヽタ井、トイシカリ、ナイボ、アシリベツ、トクビラ、マコマナ井、ヒト井、シユマヽツプ、トウベツ、モマニウシ」などの地名が、札幌周辺に記載されている。

松前島郷帳　原本は国立公文書館蔵。

松前嶋図　原本は国立公文書館蔵。絵図の作成は天保6年12月より始まり、完成までに3年の歳月を要した。縦6・65メートル、横5・0メートルの極大型図で、地名総数は590を数える。

3　安政期から明治初期

松浦武四郎による踏査

安政2年（1855）2月、幕府は再び蝦夷地の直轄を実施し、箱館奉行所を設置した。この前後に、松浦武四郎が登場する。松浦武四郎は伊勢国（現三重県松阪市）に生まれ、後に全国を遊歴。さらに蝦夷地への渡海を果たし、6度にわたって蝦夷地、クナシリ・エトロフ島、カラフト島南部の調査を行ったのである。この間、武四郎が札幌周辺を調査したのは、4度にわたる。

弘化3年（1846）8月、武四郎は初めて札幌周辺を調査するが、そのときの記録である『蝦夷日誌　二編』には、「トクヒラ、ワツカヲイ、テン子ン、マコンベツ、シビシヒシ、トウヤウシ、上トウヤウシ、ハンナンコロ、フスコベツ、ヲタヒリ、ハツシヤフ、サツホロ、ベケレトシカ、ビトイ、シノロ、カマヤウシ、トウハラ、トンヒル、トウベツ、タン子ヤウシ、トマヽツタイ、ツイシカリ、イベツフト」の地名が記載されている。

安政2年12月、武四郎は江戸の幕府役人・**堀利熙**（ほりとしひろ）との出会いをきっかけに蝦夷地調査を命じられ、それまでの私人から幕府雇いとなって調査に赴くことになった。翌安政3年から3度にわたって蝦夷地に赴き、東西蝦夷地の各沿岸を始め、奥地までも踏査し、請負場所で働くアイヌの過酷な実状を詳しく報告書にまとめて、幕府に提出したのである。

安政3年5月の調査結果が記された『丙辰日誌』によると、札幌周辺の地名は「ワツカウイ、トクビラ、シヒウス、モシンレハ、マクンヘツ、上トウヤウシ、下トウヤウシ、ハンナンクル、ヲタヒリ、フスコベツ、ハツシヤブ、ヘケツテシカ、サツホロブト、サツホロ、フシコサツホロ、ナイボウ、シノロ、シヤクシコトニ、ノシケコトニ、コトニ、チケウシヘツ、ヘケレトシカ、ヒトヱ、トヱヒリ、カマヤウシ、トウバラ」などが見える。

安政4年5月の調査結果が記された『丁巳日誌』では、「ワツカウイ、テイ、子、トクビラ、シヒンヤウス、ヲヤウ、モシレンバ、ホロモシリ、下トヤウシ、ウツナイ、上トヤウシ、ハンナンクル、ヲタヒリ、ハツシヤブフト、サツホロブト、チフトラ

堀利熙　1818～1860年。江戸後期の幕臣。北蝦夷地視察に赴き、蝦夷地防備の必要を痛感。箱館奉行を経て、安政5年、英仏露使節の応接準備、応接掛となり、外国奉行や神奈川奉行を兼務。修好通商条約締結や横浜開港に尽力した。

シ、ケニウシヘツ、コトニ、シンノシケコトニ、セロヲンヘツ、モシヤクシコトニ、モヱレヘツフト、ナイホウ、イシヤン、フシコヘツ、ヘケツテシカ、ビトイ、ホンビトイ、トイビリ、カマヤウシ、トウハラ、トウブト、トイヒリ、タン子ヤウシ、ホンタン子ヤウシ、トマヽタイ、ホントマヽタイ、ツイシカリ」の地名などが記載されている。

最後となった、安政5年2月の調査結果が記された『戊午日誌』によると、「ワツカウイ、テイヽ子、トクビラ、シビンヤウス、ヲヤウ、モシンレパ、ホロモシリ、下トヤウシ、ウツナイ、上トヤウシ、パンナンクル、ヲタビリ、ハツシヤブブト、サツホロブト、ベケツテシカ、ビトイ、ホンビトイ、トイヒリ、カマヤウシ、トウハラ、トウブト、トイビリ、タン子ヤウシ、ツイシカリ、ホロカムイ、シノツ、モシリケシヲマナイ、ヱベツブト」などの地名が見える。

武四郎はその後、6度にわたる蝦夷地調査で蓄積した膨大な資料を駆使して、安政6年暮れに『東西蝦夷山川地理取調図』（全28枚）を刊行する。山地の描写に**ケバ描法**を使用した、当時最新の蝦夷地図であった。この地図には、およそ9800におよぶ地名が記載されているといわれる。

この地図に描かれた石狩・札幌周辺には、「ハツシヤフフト、ヲヒタリ、ヒトイ、ヘケツテシカ、ハンケサツホロ、シホナイ、カマヤウシ、トイヒリ、トウヘツフト、ツイシカリ、ノホロ、カハトウ、ホンハツシヤフ、フシコサツホロ、シノロフト、ナイホ」などの地名が記載されている。

ケバ描法　等高線に対して直角に、長さと濃度の異なる緑色の楔形（ケバ）を描くことで、山の様子を表す地図の描写技法。

玉虫左太夫　1823〜1869年。幕末の仙台藩士。安政7年、咸臨（かんりん）丸で渡米し、帰国後、アメリカ視察の克明な記録『航米日録』を著す。戊辰（ぼしん）戦争で奥羽越列藩同盟成立に尽力するが、仙台藩の降伏により切腹させられた。

仙台藩士の紀行に見る札幌の地名

安政4年（1857）4月、箱館奉行・堀利熙と村垣範正は、東西蝦夷地の巡検に出立した。このとき、近習の名目で随行したのが、仙台藩士・玉虫左太夫（たまむしさだゆう）である。その巡検の旅での見聞をまとめた著作『入北記』を読むと、同年閏5月と9月の2度、札幌周辺を通過したことがわかる。

それによると、「ハツサフ、ポンハツサフ、ハツサフブト、ハツサフ川、ハツサフ山、フシコベツ、ビヽト、ツイシカリ、ツイシカリ川、イビツブト、シノツブト、トマヽタイ、タン子ヤウシ、トウベツブト、サツホロ、サツホロ川、サッポロ古川、サツホロ山、トヱヒラ、ヘツカシウシ、コトニ、コトニ山」などの地名が見える。

札幌周辺の村々の成立

明治を迎えると、開拓使による主導のもと、北海道開拓が開始され、札幌も北海道の首都としての歩みを始めた。その前後には、札幌周辺にも村々が成立して

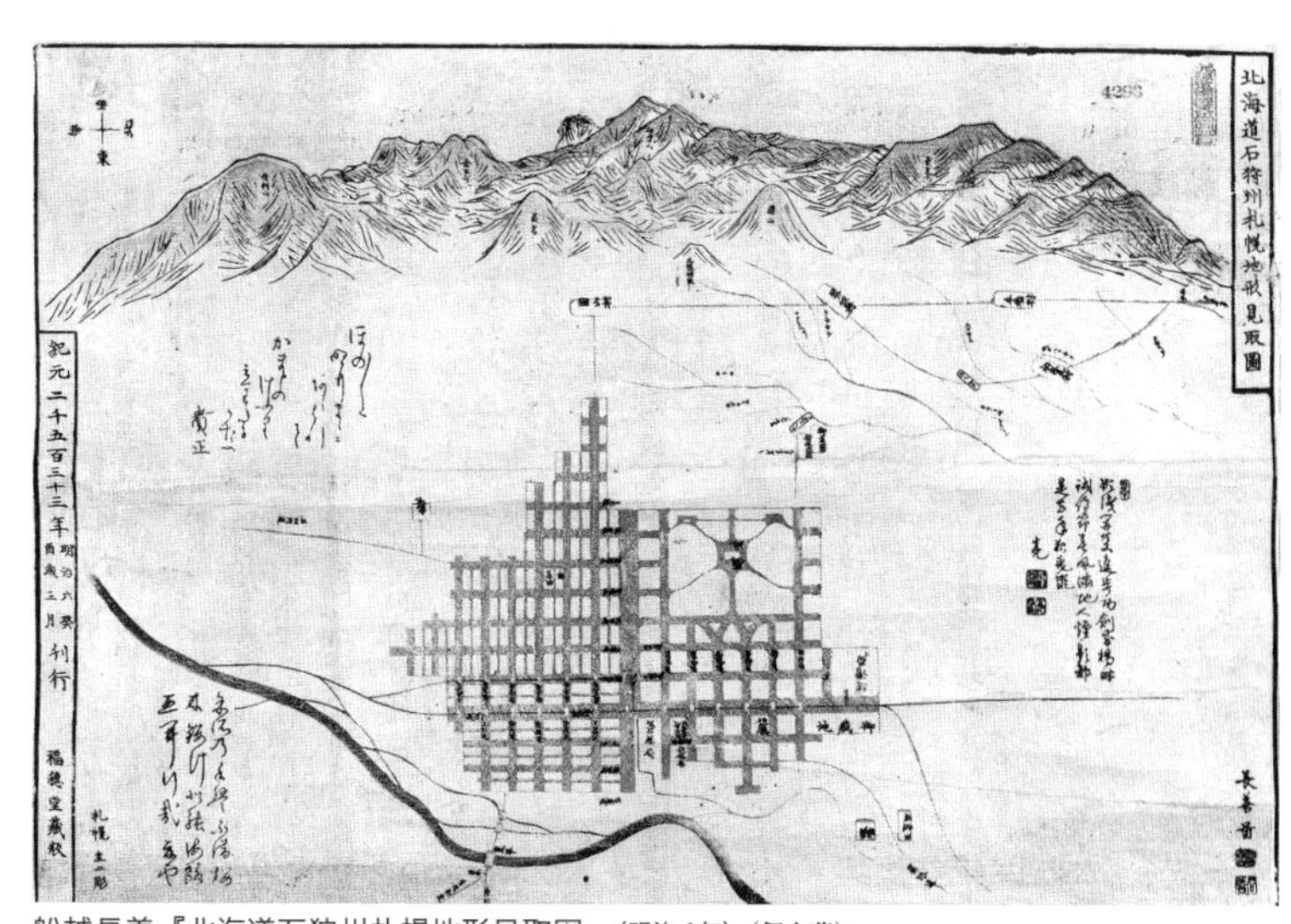

船越長善『北海道石狩州札幌地形見取図』〈明治6年〉（個人蔵）

いくことになる。

慶応3年（1867）頃までには、ハッサム村、シノロ村、サッホロ村、コトニ村、ホシホキ村が設置され、明治4年（1871）5月になると、苗穂村、丘珠村、円山村、平岸村、月寒村、対雁村が、さらに同年から6年にかけて、白石村、手稲村、下手稲村、雁来村が成立し、現在の札幌市街地が徐々に形成されていく。

『開拓使事業報告　第壱編』（明治18年11月刊）には、「明治6年12月」の項に「白石村、手稲村、札幌村、苗穂村、丘珠村、篠路村、平岸村、月寒村、円山村、琴似村、発寒村、対雁村」の12ヶ村名が記録されている（Ⅱ部第2章参照）。

この頃、札幌市街図として初めて木版印刷されたのが、明治6年3月刊行の『北海道石狩州札幌地形見取図』で、作者は盛岡在住の画家で当時、開拓使画工であった**船越長善**（ふなこしちょうぜん）であった。山々に「長峯、初覚山、円山、最岩、金子山、咲柯山」があり、続いて「テイネイニタ、追分、クヲベツ、手稲村、ポンハッサフ、初覚村、ハツサム、チフトセ、琴似村、ケ子ウシ、ヨクシベツ、円山村、コトニ、ポンコトニ、セロンベツ、シヤクシコタン」の地名が見える。

素朴な図ではあるが、札幌の黎明期を飾るにふさわしい市街地図であった。

船越長善　1830～1881年。秋田県出身。盛岡藩を代表する絵師に師事したが、明治期に北海道に渡り、開拓使に出仕。測量や図製作に従事するかたわら、風景を写生したことで知られる。

〔参考文献〕

堀淳一編『日本の古地図（15）札幌』（講談社、１９７７年）
札幌市教育委員会編『札幌歴史地図〔明治編〕』（札幌市、１９７８年）
高倉新一郎「地図から見た石狩川」（『札幌の歴史』13号、１９８７年）
高倉新一郎「地図に描かれた札幌」（『札幌の歴史』14・15号、１９８８年）
『開拓使事業報告　第壱編　沿革・地理・戸籍』〔復刻版〕（北海道出版企画センター、１９８１年）
札幌市教育委員会編『新札幌市史　第一巻通史一』（札幌市、１９８９年）
札幌市教育委員会編『新札幌市史　第二巻通史二』（札幌市、１９９１年）
松浦武四郎、高倉新一郎編『竹四郎廻浦日記　上』（北海道出版企画センター、１９７８年）
高倉新一郎編『犀川会資料　全』〔復刻版〕（北海道出版企画センター、１９８２年）
松浦武四郎、高倉新一郎校訂、秋葉実解読『丁巳東西蝦夷山川地理取調日誌　上』（北海道出版企画センター、１９８２年）
松浦武四郎、高倉新一郎校訂、秋葉実解読『戊午東西蝦夷山川地理取調日誌　上』（北海道出版企画センター、１９８５年）
玉虫左太夫、稲葉一郎解説『入北記　蝦夷地・樺太巡見日誌』（北海道出版企画センター、１９９２年）
松浦武四郎、秋葉実翻刻・編『蝦夷日誌　校訂　二編』（北海道出版企画センター、１９９９年）
青森県史編さん近世部会『青森県史　資料編　近世二』（青森県、２００１年）

Chapter..... 13

戦前の琴似町字名改正における「宮の森」「盤渓」の由来を再検証

街歩き研究家
和田 哲

中央区の**宮の森**と**盤渓**は、どちらも旧**琴似町**に属し、昭和18年（1943）5月の**字名改正**で正式に制定された新しい字名だ。

「宮ノ森」（現在の表記は宮の森）は、それまでの東十二軒・西十二軒・中央十二軒・東山ノ手の一部を改称したもので、琴似町の資料ではその意味を「札幌神社ノ神域ノ周囲ニ位置シ、宮ノ森ノ森厳サヲ拝スルヲ光栄トシテ命名ス」と説明。つまり「宮」とは札幌神社、現在の北海道神宮を指すことになる。一方、それまでの盤ノ沢・小別沢を改称した「盤渓」は、「発寒川ノ支流ニシテ沿岸岩盤露出ノ個所アリ、清流岩ヲ噛ム」と説明されている。*1

しかし、資料に記された二つの字名の意味が、従来の説とは違うと感じる人も多いのではないだろうか。『さっぽろ文庫1　札幌地名考』には、「宮の森」は**宮様スキー大会**をきっかけに命名され、「盤渓」はアイヌ語の〈パンケ（川下の方）〉からきているとの記述がある。この本は40年以上にわたって市民に親しまれており、地元でもそのように語られることが多かった。

宮の森　23頁参照。

盤渓　19頁参照。

琴似町　138頁参照。

字名改正　408頁参照。

***1**　423頁【表5】参照。

宮様スキー大会　国際スキー連盟公認の国際的な競技会。毎年3月、宮の森ジャンプ競技場ほか、札幌市内各所で開催される。

では、さっぽろ文庫の記述は誤りだったのだろうか。本項では、各地名の由来について改めて検証してみたい。

1　宮の森

辛未移民12戸の移住

宮の森の旧地名・十二軒は、明治初期に集団移転してきた12戸に由来する。明治2年（1869）、開拓使は仮の移民扶助規則を制定し、翌年から2年間、米などを支給する条件で札幌市街周辺への移民を募集した。明治3年末頃に応募した移民は、翌年の干支（えと）にちなみ「辛未（しんび／かのとひつじ）移民」と呼ばれ、現在の中央区南6条西1〜6丁目付近に建てられた茅造りの移民小屋に一時収容され、**辛未一（いち）ノ村**と称した。その後、明治4年2月に琴似・円山方面へ集団移転している。

琴似村では3つのグループに分かれ、24戸が現在の西区二十四軒1〜3条5・6丁目の市道二十四軒第1横線沿いに、8戸が西区琴似3条1丁目〜八軒2条西2丁目にかけての**チツフトラシ**という川の左岸に、12戸が中央区宮の森2・3条7〜10丁目の市道十二軒線沿いにそれぞれ集落を形成。その戸数がそのまま、二十四軒・八軒・十二軒の地名になったというわけだ。

4年後の明治8年には、二十四軒に隣接する土地に**琴似屯田（とんでん）**兵村が開かれたが、屯田兵たちは先住者である二十四軒の住民たちに敬意を表していたという。

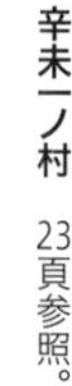
辛未一ノ村　23頁参照。

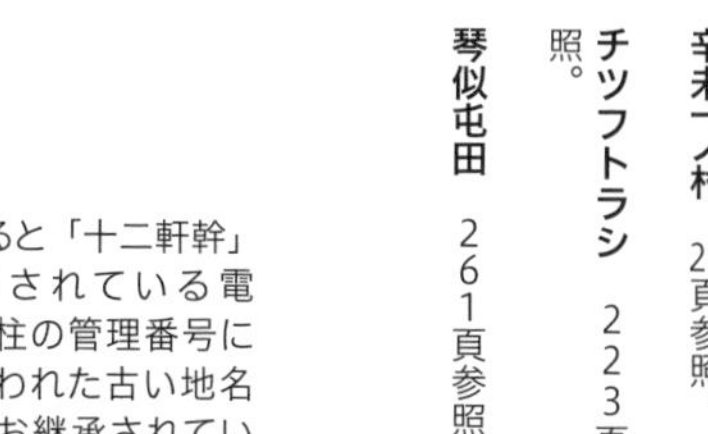
チツフトラシ　223頁参照。

琴似屯田　261頁参照。

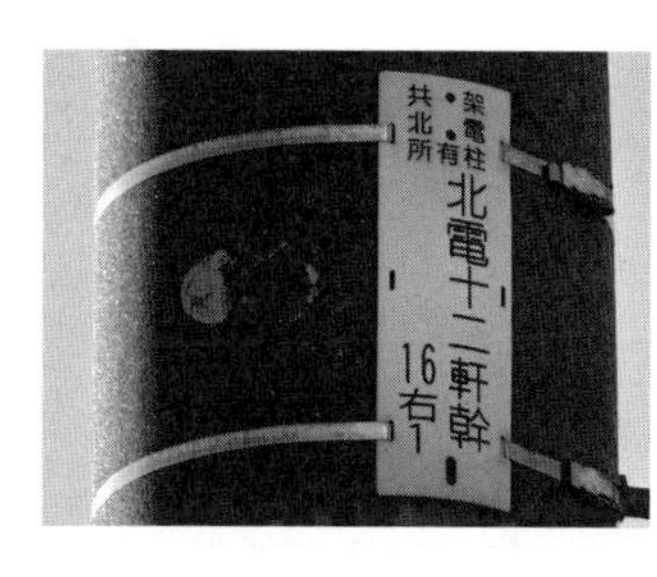

よく見ると「十二軒幹」と表示されている電柱。電柱の管理番号には、失われた古い地名が今なお継承されていることが多い（筆者撮影）

さて、字名改正を推進していた道庁は、新しい字名の制定にあたって「イ　漢字デ二字乃至三字トスルコト」「ニ　歴史的由緒沿革等ハ成ルベク尊重スルコト」などの方針を昭和15年（1940）に示していた。「二十四軒」は漢字4字なので「イ」には反するにも関わらず、「ニ」に該当することから変更を免れた。

それに照らせば、「十二軒」も残される資格は十分にあったはずなのだが、前述のように「宮ノ森」に改められた。このことは、重視されていたはずの〝歴史的由緒沿革〟を上回る、重要な理由がなければ説明がつかない。

札幌でスキーを楽しんだ秩父宮

札幌にスキーが伝えられたのは、明治末期のことだ。戦前はリフトを設置したゲレンデなどなかったが、**三角山**や**荒井山**などのスロープで技を磨く大学スキー部の学生たちの姿が見られるようになっていく。*2

そんな中、昭和3年（1928）2月22日から3月4日にかけて、スキーヤーとして知られていた当時25歳の**秩父宮雍仁親王**が北海道に滞在。札幌近郊の盤渓峠や幌見峠で軽く汗を流されたのを皮切りに、手稲山・朝里岳・春香山・銭函峠などでヒュッテ（山小屋）に滞在しながら山岳スキーを楽しまれている。

昆布駅から**青山温泉**に馬そりで移動した際は、途中からスキーを履いて歩かれたり、同行した北海道帝国大学スキー部の学生たちと車座になって夜遅くまで歓

三角山　367頁参照。

荒井山　348頁参照。

***2**　348頁参照。

秩父宮雍仁親王　1902～1953年。大正天皇の第2皇子。兄は昭和天皇、弟に高松宮親王らがいる。

昆布駅　函館本線に属し、蘭越町に位置する。明治期に開業し、駅名はアイヌ語に由来すると言われる。

青山温泉　狩太村（現ニセコ町）昆布温泉地区で明治期に創業した温泉旅館「青山温泉不老閣」のこと。昭和期には、スキーを楽しむ多くの皇室関係者の宿泊所となった。平成元年に廃業。

談されたりするなどした秩父宮。その気さくな人柄を示すエピソードの数々は、新聞で連日詳報され、道民が若き秩父宮の来道に寄せた関心の高さがうかがえる。

青山温泉での北海道滞在最後の夜、秩父宮は学生たちにこう語られた。

「私は永い間憧れていた冬の北海道に来て、ますますこの自然に対する愛着と親しみを深めました。特殊な環境にある諸君が、学問の余暇にこの男性的なスポーツで心身を鍛錬されることは必要な事であり、かつ当然の事であります」

スキーを楽しまれる秩父宮雍仁親王。国際規格のシャンツェの必要性を説かれた（昭和３年撮影、札幌市公文書館蔵）

秩父宮は、北国の生活におけるスキーの必要性をこのように説かれたのだ。この発言は、それまでスキーを一部の学生の贅沢な遊び程度に捉えていた道民の考えを、大きく変えるだけのインパクトを持っていたと、北大スキー部の部長で後に全日本スキー連盟の設立に参画する**大野精七**（おおのせいしち）教授は振り返っている。

また秩父宮は、将来オリンピックが開催できるような国際規格のシャンツェを建設すべきと述べられ、**大倉喜七郎**男爵を通じて

大野精七　１８８５～１９８２年。茨城県出身。医学博士。北海道帝国大学産婦人科教授、道立札幌医科大学初代学長。北大スキー部部長を経て、全日本スキー連盟の設立に参画。宮様スキー大会の終生大会長を務めた。

大倉喜七郎　３４８頁参照。

ノルウェーから専門家を招くようアドバイス。これを受けて、シャンツェ建設の世界的権威・ヘルセット中尉が来日する。こうして昭和4年12月、十二軒の荒井山に完成した40メートル級のジャンプ台は、前年の秩父宮、そしてこの年1月の**高松宮宣仁親王**（たかまつのみやのぶひと）の来道を記念して「記念シャンツェ」と命名された。

宮様スキー大会の会場として

昭和5年（1930）2月11日の紀元節、札幌スキー連盟の主催で「秩父宮殿下、高松宮殿下御来道第1回記念スキー大会」が開幕した。現在まで続く宮様スキー大会の始まりである。正式名称があまりにも長いため、当時から新聞では「宮さまスキー大会」「宮さまデースキー大会」と呼んでいた。

会場は荒井山の記念シャンツェ周辺で、新聞には「札幌神社外苑記念シャンツェ」と表記された。小学生から社会人までの参加者が年齢別の4クラスに分かれ、距離やジャンプなどノルディックスキーの4種目に挑むもので、競技人口の拡大を主眼としたスキーを楽しむ人々のための大会、という性格だったようだ。

その後、会場は荒井山の記念シャンツェ周辺にしばらく固定される。同じ会場でありながら新聞での表記が変化したのは、昭和7年2月23日付の**北海タイムス**で、第3回大会を報じる記事には「札幌神社外苑宮の森スキー場を中心に」と、初めて「宮の森」の地名が登場する。字名改正の11年前のことだ。特に注

高松宮宣仁親王　1905〜1987年。大正天皇の第3皇子。長兄は昭和天皇、次兄が秩父宮親王、弟に三笠宮崇仁親王がいる。

北海タイムス　1901年創刊。1942年、戦時統合で「北海道新聞」に統合され終刊。戦後、北海タイムス有志により「新北海」として再度創刊し、1949年北海タイムスに改題。1998年廃刊。

釈もないことから、荒井山・大倉山エリアを指す通称地名として、すでに一般的になっていたと考えられる。

昭和12年の第8回大会に至っては、北海タイムス紙上の大会名称が「宮様御来道記念スキー大会」「宮様スキー大会」「宮の森デー」「宮様デー」と4種類も混在しており、一本の記事の中でも表記揺れが見られる。

例えば、2月25日に掲載された18行の短い記事を見ると、見出しに「宮の森デー」、本文1行目に「宮様御来道記念スキー大会」、10行目に「宮の森デー」、13行目に「宮様デー」とある。正式名称はともかくとして、略称に「宮の森」と「宮様」が混在しているのは奇妙だ。記事に添えられたポスターの写真には「宮の森デー」と書かれているので、恐らく「宮様デー」は誤記なのだろう。しかし、先述したように第1回大会では、「宮さまデー」の略称が使われた例もある。

「宮」の意味は、宮様か札幌神社か

新聞の表記揺れから推測すると、宮の森の本来の由来が琴似町議会の資料にある通り「札幌神社の森」であったとしても、当時の多くの人は「宮様」と結び付けて理解していたのではないだろうか。宮様の来道を記念するシャンツェがあり、宮様スキー大会（宮の森デー）が毎年開催される

完成間もない頃と思われる、荒井山記念シャンツェ。ノルウェーから招いた専門家のヘルセット中尉による設計で改修した（撮影年不詳、札幌市公文書館蔵）

会場が宮の森スキー場だったのだから、そのように理解するのも無理はない。

あるいは、宮様が本来の由来だったが、字名改正が行われた昭和18年（1943）当時の時代背景を考えると、皇室にちなむ命名の理由をあえて隠したのかもしれない。だからこそ、「さっぽろ文庫」などで広く流布していた「宮様説」に、これまで何十年も異議が唱えられなかったのではないかと筆者は考える。

2　盤渓

議会資料への素朴な疑問

スキー場で知られる中央区盤渓は、左股（ひだりまた）川を経て**琴似発寒（はっさむ）川**に注ぐ**盤渓川**の上流にある。その響きは、「さっぽろ文庫」で語源として紹介されているアイヌ語の〈パンケ（川下）〉と確かによく似ている。

同じくバンケイと読む**壮瞥（そうべつ）町**の蟠渓（ばんけい）温泉は、〈パンケ・ユ（川下の温泉）〉が由来。長流（おさる）川沿いには2つの温泉があり、上流側にある北湯沢（きたゆざわ）温泉が〈ペンケ・ユ（川上の温泉）〉と呼ばれていたからだ。

アイヌ語のペンケ（川上）とパンケ（川下）は相対的な関係で、例えば川の本流に流れ込む小さな沢が2本ある場合、本流の上流側に合流する沢を〈ペンケ○○〉、下流側の沢を〈パンケ○○〉（○○の部分は同じ名称）と呼ぶことが多い。だから、パンケがあれば必ずペンケもあり、いずれか一方しかないことはありえない。

琴似発寒川　402頁参照。

盤渓川　374頁参照。

壮瞥町　胆振総合振興局の西部、洞爺湖南東岸に面する観光と農業のまち。有珠山などの活火山を有する。

一方、札幌の盤渓は、アイヌ語を直接音訳した地名ではなく、旧字名の「盤ノ澤」を改めたものだ。それを踏まえると、少なくとも「渓」の音がパンケのケであるとは考えにくい。沢も渓も意味はほぼ同じなので、盤渓は盤ノ沢を漢文調に改めたものと見るべきだろう。

問題は、旧字名時代から一貫して使われている「盤」が、何を意味するかだ。先に引用した琴似町の資料では、「岩盤露出」「清流岩を噛む」と説明しているが、これはさすがに無理があるのではないだろうか。山の中の沢は、たいてい岩盤が露出していて、岩を噛まない清流はほとんどない。そもそも地名は、その土地に特有の地形や事象から名付けられるはずであり、川の上流に岩盤があるなどというような当たり前の風景を、地名にするのは不自然に思えるのだ。

では、「岩盤」ではないとすると何だろうか。残念ながら、その核心に迫るような文書を見つけることはできなかったのだが、やはり〈パンケ〉が由来なのではないかと筆者は想像している。

盤ノ沢の開拓

ここで、盤渓（旧盤ノ沢）地区の歴史を振り返っておきたい。明治中期までの盤ノ沢は**陸軍省**の公有地で、琴似と新琴似の**屯田兵**が出征準備用地として借用していた。明治27年（1894）に日清戦争が勃発し屯田兵の出征が決まると、こ

陸軍省　旧日本陸軍の軍政管轄機関。1872年、兵部省から分離し、海軍省と同時に設置された。

屯田兵　260頁参照。

の準備用地を活用して出征に必要な木炭を製造することになり、翌同28年に職人を雇って炭焼きに着手している。

当時の盤ノ沢は鬱蒼とした森で、現在の西区福井から川伝いに入る以外に道はなかった。職人頭の我満(がまん)嘉吉だけは笹小屋を建て、この地に移り住んだが、他の職人たちは居住しようとせず、手稲右股周辺から通ったという。木炭製造が始まって1年が過ぎた頃、山火事が発生。嘉吉がその焼け跡に粟を植えてみたところ、予想以上によく実った。これが盤ノ沢で農業が始まるきっかけとなった。

屯田兵による木炭製造は3年間続けられ、その後は職人たちに炭焼き窯の権利が譲渡されたことから、定住者が次第に増えていく。明治30年になると**官林**の一部と新琴似屯田兵借用地の樹木が払い下げられ、木炭製造と並行して造材事業も始まった。

木炭製造と造材を地域の基幹産業としていた盤ノ沢だったが、明治40年頃になると農業を目的とした入植者が増えてくる。琴似村役場は開墾者に小作権を与え、農業を奨励した。土中に石が多いこの地の開墾は困難を極めたが、小麦や**稲黍**(いなきび)、金時豆の栽培が好成績を上げたことから、さらに移住者が増え、やがて農家12戸、畑地5町歩に発展する。

札幌市街への近道としては、明治38年に荒井山経由の道路(現在の盤渓峠)、大正3年(1914)には**幌見峠**(ほろみ)経由の道路が開通。**北ノ沢**方面への道路が開かれ

官林 国家が所有する森林。官有林とも。現在は国有林と呼ばれる。

稲黍 イネ科キビ属の雑穀モチキビ(黍)の地方での異名。

幌見峠 349頁参照。

北ノ沢 121頁参照。

るのは、さらに半世紀がたってからのことだ。

教師が名付けた「盤渓」

盤ノ沢は集落として成立したが、札幌市街はもちろん、琴似村の中心部からも遠く不便であることが悩みの種だった。特に子どもたちは、片道8キロメートルもある遠方の学校に通うことが難しかった。そこで住民たちは、山の木を切って集落内に小屋を建て、学校を誘致。その熱意が通じて明治45年（1912）、琴似尋常高等小学校の分校「盤ノ澤特別教授場」として認められた。

しかし、教師たちが市街地から通うにはあまりに遠く、次々に音を上げてすぐに逃げ出してしまう。そのような中、大正6年（1917）に赴任し、6年間にわたり教師を務めたのが結城（ゆうき）三郎である。37歳で着任した三郎はその日、出迎えた生徒たちに「金剛石（こんごうせき）のうた」を教えた。「ダイヤモンドも磨かなければ光らない。人はそれぞれ素晴らしい宝を持っているが、ダイヤモンドと同じく努力しなければ輝くことはない。自分の宝を磨きなさい」という内容のその歌は、生徒たちの心に深く染み込んだ。

勉強面ではとても厳しかったが、集落の子どもたちの髪を切ったり、虫歯を抜いたりと、わが子のように可愛がったという。人格者として大人たちからも慕われた三郎の存在が、やがて分校を独立校にしようという集落ぐるみの運動につながっ

金剛石　ダイヤモンドの和名。

ていく。三郎は校長の資格を取得するための努力を重ねながら、琴似村役場に何度も通い交渉を重ねた。そして大正11年12月、ついに盤ノ沢の分校は、独立校としての開校が決まった。この知らせを受けて集落中が喜びに包まれ、祭りのような雰囲気になったと伝えられている。

三郎は新しい学校に「盤溪尋常小学校」と命名。「盤ノ澤」を漢文調の「盤溪」に改めたのだ。琴似町議会で字名が正式に改められる21年前のことである。集落の人々はこの漢文調をとても気に入ったらしく、大正15年に開山した顕本寺奥の院（現在の妙福寺）が山号を「盤渓山」としたほか、集落の鎮守である盤ノ沢神社の社号も昭和12年（1937）の社殿改築を機に「盤渓神社」に改められた。

神社の名称を変えるというのは、よほどのことである。**三里塚神社**（清田区）や**烈々布神社**（東区）など旧字名を残す神社は多いが、社号まで新字名に変えた例は極めて少ない。この時に、「盤溪」という新しい地名が、住民たちの総意によって選択されたと言っても良い。昭和18年の正式な字名改正は、すでに地元で形成されていた既成事実の事後承認に他ならなかったのである。

結城先生の悲劇

開校式を3日後に控えた大正11年（1922）12月21日、三郎は初代校長の辞令と独立校の象徴である**教育勅語**を受け取るため、羽織袴の正装に身を包み、

三里塚神社　105頁参照。

烈々布神社　45頁参照。

教育勅語　天皇制国家の思想、教育の理念を、直接国民へ発した天皇の言葉。

現在の盤渓峠経由で琴似村役場（現在の八軒まちづくりセンターの位置）に出向いた。

　それらを受け取って役場を出たのは午後2時。まっすぐに盤ノ沢には戻らず、円山で知人が営む定松商店（現在の中央区南1条西24丁目）に立ち寄る。開校式などで勅語を扱うのに必要な、袱紗（ふくさ）と白手袋を買うためだったが、あいにく在庫がなく、問屋まで調達に出かけた店主の帰りを待った。

　無事に品物を入手した頃、外はすでに真っ暗。しかも、この年12月の札幌は積雪がすでに約1メートルに達し、この晩も激しく降り続いていた。この日の夕方6時の天気図が残るが、強い冬型の気圧配置で「北海道西部ハ北西ノ風雪」と記されている。この天候で、夜に徒歩で峠を越えるのは危険だ。三郎は店主から泊まるよう勧められるが、「大切な勅語を持っているので民家

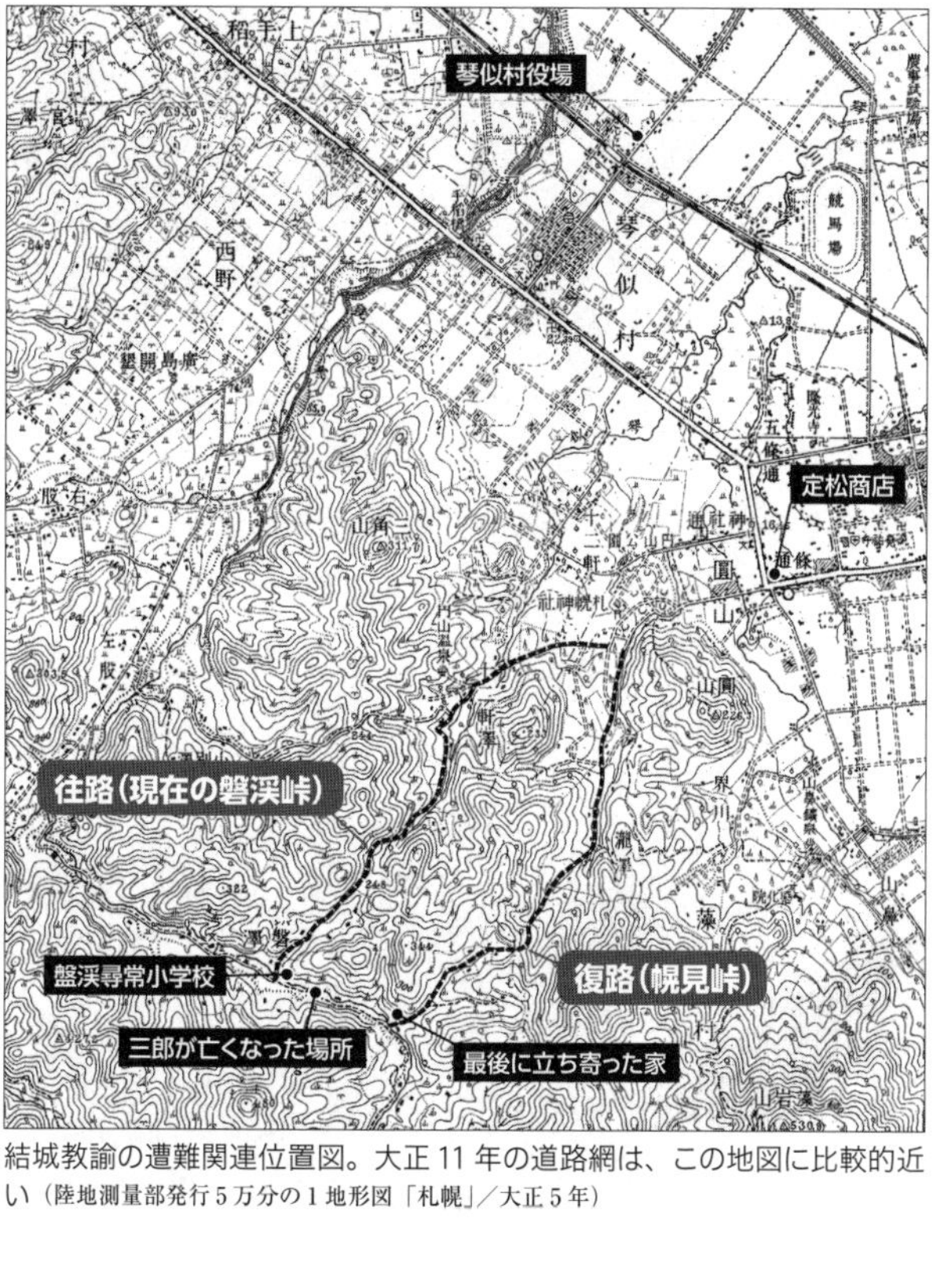

結城教諭の遭難関連位置図。大正11年の道路網は、この地図に比較的近い（陸地測量部発行5万分の1地形図「札幌」／大正5年）

に泊まるわけにはいかない」と辞退し、提灯だけを借りて、来た道とは違う幌見峠経由で盤ノ沢に向かった。

吹雪の中、深い雪を漕ぎながらどうにか幌見峠を越え、峠道の出口に近い顔なじみの家に立ち寄った。三郎はここでも宿泊を辞退し、火をもらって2本目のロウソクに点火する。すでに夜10時半となっていたが、学校まではあと約1・2キロメートル。ここまで来れば着いたも同然、と思ったのかもしれない。

だが、そこから1キロメートルほど進んだ地点で三郎は力尽き、翌朝、雪の下で遺体となって発見された。享年42。わずか200メートル先の校舎の灯りが、もう見えるであろう場所だ。教育勅語は着ていた羽織に包み、その胸にしっかりと抱かれていた。

そりに乗せられた遺体を囲んで、教え子たちは泣いた。残された家族はもちろん、盤ノ沢集落全体が深い悲しみに包まれたという。今、遺体が見つかったとされる場所に立つと、当時と同じ位置にたつ札幌市立**盤渓小学校**の校舎がすぐそこに見える。三郎の無念を思うと胸が痛む。

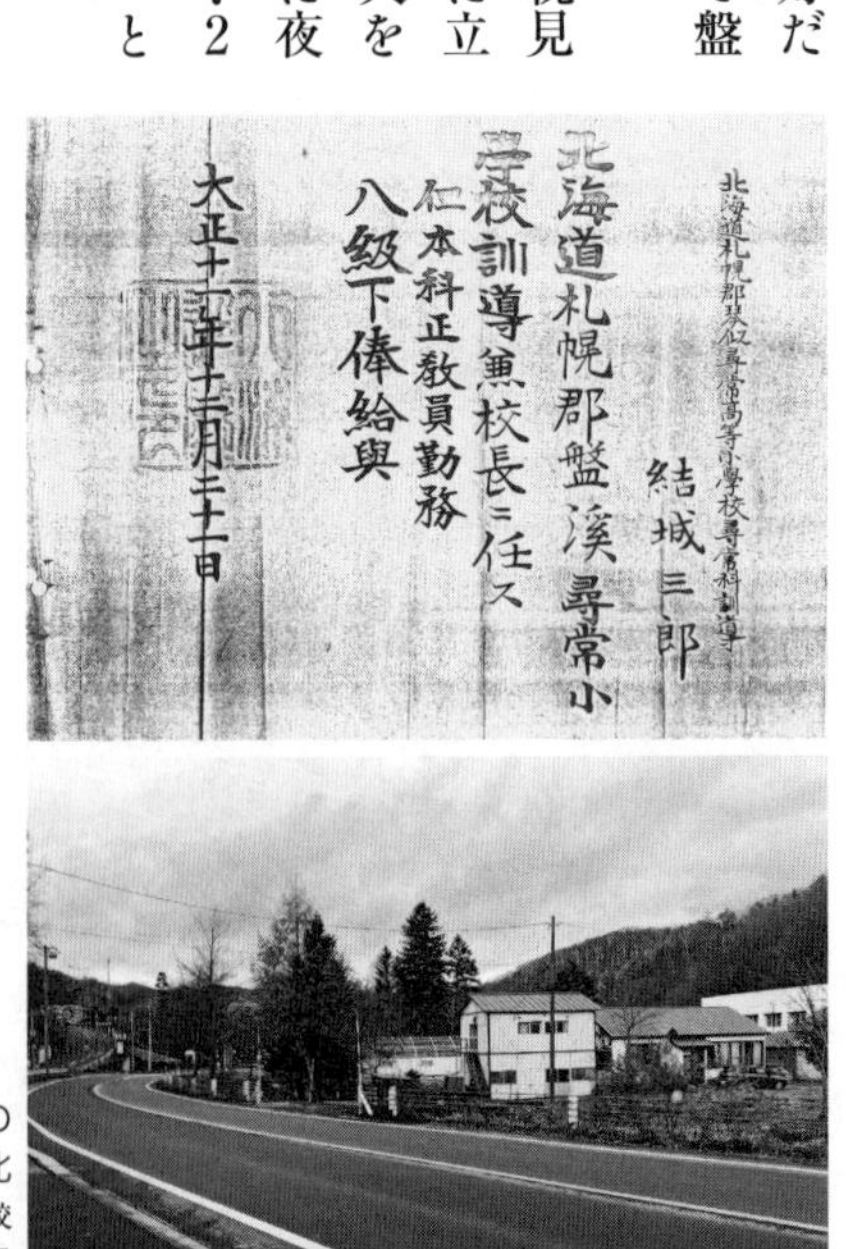
結城三郎
北海道札幌郡盤渓尋常小学校訓導兼校長ニ任ス
本科正教員勤務
八級下俸給與
大正十一年十二月二十一日

上は、三郎を初代校長に任命する辞令の写し。大正11年12月21日の日付と北海道庁の角印が見える（札幌市立盤渓小学校蔵）。下は、三郎の遺体が発見された場所。写真右奥に、現在の盤渓小の校舎が見える（筆者撮影）

往路と同じ盤渓峠ルートではなく、あえて遠回りの幌見峠ルートを選んだ理由について、地元では、分校独立のために戦った同志の家に立ち寄って、辞令を一刻も早く見せたかったのだろうと語り伝えられている。確かに結城が立ち寄った事実はある。

しかし疑問はぬぐえない。吹雪の夜道を歩くのは危険だ。安全に帰ることを優先し、同志と喜びを分かち合うのは明日にしようと考えるのが、冷静な判断ではないか。とすれば、視界の悪さで道を誤った、もしくは森に囲まれた幌見峠ルートで吹雪の直撃を少しでも避けようとした可能性もあると思うのだ。

悲劇から40年後の昭和37年（1962）、分校設置から50周年の式典に当時の教え子たちも参列した。ところが、式典では結城三郎のことが一言も言及されなかった。開校式の前に亡くなったので、歴代校長として記録されていなかったのだ。教え子たちは衝撃を受ける。分校独立のために尽力し、盤渓の名付け親でもある三郎の存在が忘れ去られてはならないと、彼らは行動に出た。趣意書を作って寄付を募ることで、校庭の一角に「あゝ結城先生」の石碑を建立したのである。昭和39年5月の除幕式は、新聞でも報道された。教え子たちは碑の前で、着任初日に三郎から教わった「金剛石のうた」を感慨深く歌ったという。

現在、盤渓小学校は市の小規模特認校に指定され、自然に恵まれた環境で学びたい校区外の子どもたちを受け入れている。

盤渓小学校　盤渓尋常小学校、札幌郡盤渓国民学校、札幌郡盤渓小学校を経て、1955年に札幌市立盤渓小学校となる。1977年には、恵まれた自然環境の中で、少人数での特色ある教育を行う小規模特認校となった。

「パンケ」だと仮定して

最初の入植が遅かったためか、盤渓川（旧盤ノ沢）のアイヌ語名は伝わっていない。だが、盤が〈パンケ〉の音訳だとすると〈パンケ○○〉と呼ばれ、盤渓川が注ぐ左股川の上流には〈ペンケ○○〉という川が同じく注いでいたことになる。左股川の盤渓川河口よりも上流には、源八の沢川や中の沢川などがあり、そのいずれかが〈ペンケ○○〉と呼ばれていたのではないだろうか。

今となっては確かめる術もないが、もしもこの想像が正しいとすれば、「盤」の音だけでもよくぞ残してくれた、と心から思う。

「宮の森」も「盤渓」も、字名改正のためににわかに考案された地名ではなく、それまで地元で長く親しまれていた通称地名が追認されたものだ。一方で、長く使われてきた新字名の由来が忘れられたり、あるいは誤解されたりすることを、琴似町の資料や「さっぽろ文庫」の記述、そして巷間の理解との相違から

教え子や地域住民らが昭和 39 年に建立した「あゝ結城先生」の石碑（左端）。近年、校章入りの台座や肖像などが整備された（筆者撮影）

読み取ることができる。

このように、後世に生きる私たちの推理と想像を深める余地が今なお残ることもまた、北海道の地名ならではの面白さなのかもしれない。

［参考文献］

我満春吉『盤渓郷土史』（1942年）
札幌市史編集委員会編『琴似町史』（札幌市、1950年）
進藤ハル『幼き日の思い出　結城先生のことなど』（北海道出版、1967年）
札幌市教育委員会文化資料室編　さっぽろ文庫『1　札幌地名考』（札幌市、1977年）、『16　冬のスポーツ』（札幌市、1981年）
札幌スキー連盟編『宮様スキー大会50年史』（札幌スキー連盟、1979年）
坪谷京子『さっぽろむかしあったとさ』（共同文化社、1986年）
札幌市教育委員会編『新札幌市史　第二巻通史二』（札幌市、1991年）
札幌スキー連盟編『宮様スキー大会70年史』（札幌スキー連盟、2001年）
ニセコ町百年史編さん委員会『ニセコ町百年史　上巻』（ニセコ町、2002年）
札幌市下水道河川局総務部河川管理課『札幌市河川網図』（札幌市、2017年）
関秀志編『札幌の地名がわかる本』（亜璃西社、2018年）
『北海タイムス』（1928年2月21日～3月5日、1930年2月13日、1932年2月23日、1937年2月25日）

あとがき

本書の出版元である亜璃西社社長の和田由美氏から、同社創立30周年記念に、札幌の地名に関する本を出版したいので、協力して欲しいとの依頼があったのは、平成28年のことであった。

同社はすでに、堀淳一氏の北海道の地図に関する名著や、私の研究仲間である桑原真人・川上淳両氏の共著『北海道の歴史がわかる本』などを出版され、和田氏には財団法人北海道開拓の村（現北海道歴史文化財団）の評議員として協力いただいていることもあって、ご要望に応ずることになった。

同年11月、同社の本書編集担当・井上哲氏から「『札幌の地名の本』企画案」が提示された。さっぽろ文庫『札幌地名考』の発刊以後、新たに誕生した地名も含め「行政上の地名に加えて、過去にあった地名や通称名から、通り名、河川湖沼名までを収録。単なる語源集にとどまらず、地名にまつわるエピソードまでを掲載することで、一般の読者も親しめる内容を目指し」、執筆は複数の研究者による共同執筆とした上で、刊行は札幌の「開基」１５０周年にあわせて平成30年としていた。

その後、この企画案を基に、具体的な「編集計画」（私案）を作成し、翌12月に井上氏と協議した結果、本書の内容がほぼまとまり、私は監修者（後に編者に変更）として参画することとなった。早速、多数の研究者に協力を要請し、執筆者の多くを内定していった。

平成29年の2月から5月にかけては、数回にわたり執筆者の方々にお集まりいただいての編集会議を開催し、執筆作業がスタートした。この間に、執筆者の意見を取り入れて計画の一部を修正し、未定だった執筆者も決めることができた。この後も、執筆者との個別協議を行いながら、執筆、編集作業が進行し、ようやく発刊の日を迎えることができた。

執筆者の方々には、極めてご多忙の中、本書刊行の意義を理解され、これまでに蓄積された研究成果を生かして、執筆にご協力をいただいた。心からお礼を申し上げます。また、本書の執筆・編集に膨大な文献などを利用させていただいた関係者の皆様にも謝意を表します。さらに、掲載させていただいた写真・図版の所蔵者・所蔵機関については、それぞれキャプションに明記させていただいたが、改めてここに深く感謝いたします。

最後に、本書の刊行に関わった亜璃西社の皆さん、特に編集を担当された井上氏が、編集目的に掲げた「一般読者も楽しめる内容」にするために払われた熱心なご努力に感謝します。

平成30年9月25日

関　秀志

増補改訂版の刊行に際して

本書の初版が刊行されてから4年近くの歳月が経過した。刊行以来、幸いにも好評を得るとともに、新聞、雑誌等でも広く紹介していただいた。さらに、多くの読者からご感想や誤りのご指摘を頂戴しており、これらのご厚意にここで感謝の意を表したい。

その後、初版の在庫がなくなったことから、この度、増補改訂版として刊行する運びとなった。今回の版では、初版の誤りを訂正するとともに部分的に加筆・差し替えを行ったほか、新たな執筆者に街歩き研究家の和田哲(さとる)氏を迎え、新章「戦前の琴似町字名改正における『宮の森』『盤渓』の由来を再検証」を増補して一層の充実を図ることができた。

札幌市制100周年の年に刊行する本書が、この街の歴史を知るための一助となれば幸いである。

令和4年9月5日

関　秀志

ゆのさわがわ　湯の沢川　南　61
ゆりがはら　百合が原*　北　65
ゆりがはらえき　ゆりがはら駅　北　61
ゆりがはらこうえん　百合が原公園*　北　54

【よ】

よいちだけ　余市岳　南　10
ようごがっこう　養護学校　白石他　41
ようこしべ　ヨウコシベ　中央　3
ようじゅえんのさわ　養樹園ノ沢　中央　8
ようろういん　養老院　中央　27
よくしへつ　ヨクシヘツ　中央　5
よこしんどう　横新道　北　16
よこちょう　横丁　豊平　19
よこちょう　横町　白石　26
よしだやま　吉田山　白石　20
よつみね　四ツ峰　南　25
よつみねとんねる　四ツ峰トンネル　南　64
よねさと　米里*　白石　17
よんく　四区　白石　33
よんごうのさわ　四號ノ澤　南　22
よんじゅうまん　四十万　清田　25
よんばんどおり　四番通　北　16

【ら】

らいでんとおり　ライデントウリ　中央　4
らういない　ラウイナイ　南　2
らうねない　ラウ子ナイ　清田　3
らうねない　ラウ子ナイ　厚別・手稲・南　3
らうねない　ラウネナイ　豊平他　8
らうねないがわ　ラウネナイ川　豊平他　20
らかぬつ　ラカヌツ　手稲　3

【り】

りがくぶ　理学部　北　49
りくぐんち　陸軍地　厚別　20
りくぐんとんでんかんごくしょ　陸軍屯田監獄署　北　7
りくぐんとんでんへいだいたいほんぶ　陸軍屯田兵大隊本部　中央　7
りくじょうじえいたいありあけえんしゅうじょう　陸上自衛隊有明演習場　清田　70
りくじょうじえいたいさっぽろちゅうとんち　陸上自衛隊札幌駐屯地　中央　56
りくじょうじえいたいだんやくこ　陸上自衛隊弾薬庫　南　68
りくじょうじえいたいにしおかえんしゅうじょう　陸上自衛隊西岡演習場　豊平　68
りくじょうじえいたいまこまないしゃげきじょう　陸上自衛隊真駒内射撃場　南　68
りくじょうじえいたいまこまないちゅうとんち　陸上自衛隊真駒内駐屯地　南　56
りさいくるだんち　リサイクル団地　東　65
りゅ（ょ）ううんじ　龍雲寺　北　17
りゅうこうじ　隆光寺　中央　19
りゅーじゅきょうぎじょう　リュージュ競技場　手稲他　46
りゅうつうせんたー　流通センター*　白石　58
りょうまつしょうはしゅつじょ　糧秣廠派出所　東　19
りょうようじょ　療養所　中央　41
りんぎょうしけんじょうほっかいどうししょ　林業試験場北海道支所　豊平　50

【る】

るーとらしはつしやふ　ルートラシハツシヤフ　西　3
るへしない　ルへシナイ　南　3

【れ】

れいえんまええき　れいえんまえ駅　南　49
れいすいざわ（がわ）　冷水沢（川）　南　38（61）
れつれっぷ　烈々布　北他　33
れつれっぷそうしんじょ　烈々布送信所　東　26
れんぺいじょう　練兵場　豊平　20

【ろ】

ろうがっこう　聾学校　北　47
ろうじんほーむ　老人ホーム　中央　56
ろくばんどおり　六番通　北　16
ろーぷうぇい　ロープウェイ　中央他　43

【わ】

わうすやま　和宇尻山　小樽市・手稲　25

【を】

をかだまれつれっぷ　丘珠烈々布　東　17
をかはるし　ヲカハルシ　南　2･3
をかばろし（をかばるし）がわ　ヲカバロシ川（ヲカバルシ川）　南　1（11）
をこしね　ヲコシ子　南　3
をしまとおり　ヲシマトウリ　中央　4
をしようし　ヲシヨウシ　南　2
をしよしがわ　ヲシヨシ川　南　1
をたるない　ヲタルナイ　南　5
をたるないがわ　ヲタルナイ川　手稲他　5
をつちし　ヲツチシ　南　3
をまない　ヲマナイ　南　2
をろうえさつほろ（をろうえんさつほろ）　ヲロウヱサツホロ（ヲロウヱンサツホロ）　南　2（3）

むいねやま　無意根山（ムイ子山）　南　（12）25
むこうがおか　向ケ丘　豊平　20
むさしじょしたんだい　武蔵女子短大　北　47
むせんじゅしんじょ　無線受信所　北　31
むせんそうじゅしんじょ　無線送受信所　東　44
むせんちゅうけいじょ　無線中継所　南　33
むめいざわ　無名沢　南　12
むろらんかいどう　室蘭街道　豊平他　20
むろらんとおり　室蘭通　中央　6

【も】

もいれへつとほ　モイレヘツトホ　東　2
もいれとう　モイレトウ　東　5
もいれぬま　モイレ沼　東　8
もいわ　モイワ　中央　5
もいわ　藻岩　南　25
もいわげんしりん　藻岩原始林　南他　43
もいわした　藻岩下*　南　33
もいわしたはつでんしょ　藻岩下発電所　南　49
もいわばし　藻岩橋　南　29
もいわはつでんしょ　藻岩発電所　南　56
もいわむら　藻岩村　南他　22
もいわやま　藻岩山*　南　8
もいわやま　藻岩山　南他　8
もいわやまげんしりん　藻岩山原始林　南　43
もいわやますきーじょう　藻岩山スキー場　南　56
もうがっこう　盲学校　中央　49
もえれしょりじょう　モエレ処理場　東　55
もえれとう　モエレトウ　東　7
もえれぬま　モエレ沼　東　17
もえれぬまこうえん　モエレ沼公園*　東　65
もえれやま　モエレ山　東　65
もくざいしじょう　木材市場　東　55
もさつほろべつがわ　モサツホロ別川　豊平　1
もちきしやふ　モチキシヤフ　豊平他　3
もつきさっぷ　望月寒　豊平　8
もつきさっぷがわ　望月寒川　白石他　8
もつきさふ　モツキサフ　豊平　5
もつきさむがわ　望月寒川　豊平　51
もつきやま　モツキ山　南　5
もっこうだんち　木工団地　西　47
もとまち　元町　東・白石　41
もとまち　もとまち〔駅〕　東　54
もとまちだんち　元町団地　東　44
もとむら　本村　東　5
もとむら　元村　東　17
もとむら　本村　北・豊平　17·19
もとむらちょう　元村町　東　19
もとやま　元山　南　24
もなみがくえん　藻南学園　南　44
もなみこうえん　藻南公園　南　44
もなみばし　藻南橋　南　44
もみじだいきた　もみじ台北*　厚別　51
もみじだいにし　もみじ台西*　厚別　51
もみじだいひがし　もみじ台東*　厚別　51
もみじだいみなみ　もみじ台南*　厚別　51
もみじばし　紅葉橋　南　42
もり　モリ　北　8
もろらんとおり　モロラントウリ　中央　4

【や】

やけやま　焼山　豊平・南　23·25
やすはるがわ　安春川　北他　71
やなぎさわ　柳沢　南　38
やまかのうじょう　山嘉農場　清田　25
やまぐち　山口　手稲・北　15
やまぐちしょりじょう　山口処理場　手稲　53
やまぐちはいすい（がわ）　山口排水（川）　手稲　45（63）
やまぐちむら　山口村　手稲　10
やまこしとおり　ヤマコシトウリ（山越通）　中央　4（6）
やまこしとおり　山越通　中央　6
やまなか　山中　東　17
やまのいえ　山の家　南　64
やまのて　山手　中央　29
やまのて　山の手*　西　41
やまはな　山鼻　中央　19
やまはなこうせん　山鼻鑛泉　中央　19
やまはなとんでん　山鼻屯田　中央　8
やまはなむら　山鼻村　中央　8
やまはなむらとんでんち　山鼻村屯田地　中央　6·7
やまべがわ　山部川　清田他　23
やまみち　山道　白石　19
やまもと　山本　中央・厚別　33·34
やまもとしょりじょう　山本処理場　厚別　58
やまもとちょう　山元町　中央　41

【ゆ】

ゆうせいけんしゅうじょ　郵政研修所　中央　49
ゆうない　ユウナイ　南　3
ゆうひだけ　夕日嶽　南　24
ゆうひのさわがわ　夕日の沢川　南　69
ゆうびんきょく　郵便局　中央　7
ゆうふつとおり　勇拂通　中央　6
ゆうへをつ　ユウヘヲツ　西　3
ゆきじるしひかくこうじょう　雪印皮革工場　東　33
ゆざわ　湯澤　南　24
ゆのさわ　湯ノ澤　南　25

まきば　牧馬　中央・東　5
まきば　牧場　中央・東（清田）　4（23）
まきばしも　牧場下　厚別　17
まくおまない　マクオマナイ　南　8
まこおまない　マコオマナイ　南　3
まこまない　まこまない〔駅〕　南　25
まこまない　眞駒内*　南　8
まこまない　マコマナイ　南　2･3
まこまないあけぼのまち　真駒内曙町*　南　49
まこまないいずみまち　真駒内泉町*　南　50
まこまないかしわおか　真駒内柏丘*　南　60
まこまないかみまち　真駒内上町*　南　49
まこまないがわ　マコマ内（眞駒内）川　南　1（22）
まこまないこうえん　真駒内公園*　南　50
まこまないごりょう（ち）　眞駒内御料（地）　南　25
まこまないちゅうとんち　真駒内駐とん地　南　49
まこまないちゅうとんぶたい　真駒内駐とん部隊　南　43
まこまないひがしまち　真駒内東町*　南　66
まこまないほうぼくじょう　眞駒内放牧場　南　25
まこまないほんちょう　真駒内本町*　南　49
まこまないみどりまち　真駒内緑町*　南　50
まこまないみなみまち　真駒内南町*　南　50
ますのさわがわ　鱒の沢川　南　69
ますみのさわがわ　鱒見の沢川　南　70
ますみのたき　鱒見の滝　南　70
またしたやま　股下山　南　25
まつだのうじょう　松田農場　白石　20
まみすとうげ　眞簾峠　南　25
まみすぬま　眞簾沼　南　25
まよいざわがわ　迷沢川　南　64
まよいざわやま　迷澤山　南　25
まるじゅうご　丸重吾　南　25
まるやま　圓山*　中央　8
まるやま　丸山　手稲　15
まるやまおんせん　圓山温泉　中央　19
まるやまきたまち　円山北町　中央　33
まるやまげんしりん　円山原始林　中央　43
まるやまこうえん　圓山公園　中央　19
まるやまこうえんえき　まるやまこうえん駅　中央　56
まるやまどうぶつえん　円山動物園　中央　49
まるやまにしまち　円山西町*　中央　41
まるやまむら　円山村　中央　5
まるやまむら　圓山村　中央　4
まるややま　マルヤ山　中央　5

【み】

みかほこうえん　美香保公園　東　41
みぎまた　右股　西　19
みぎまたがわ　右股川　南　24
みぎまたのたき　右股ノ滝　西　25
みずあげば　水揚場　東　17
みずほおおはし　水穂大橋　中央　56
みすまい　簾舞*　南　25
みすまい　みすまい〔駅〕　南　25
みすまいがわ（みすまっぷがわ）　簾舞川　南（11）38
みすまいれいえん　みすまい霊園　南　68
みその　美園*　豊平　33
みそのえき　みその駅　豊平　66
みそまつふ　ミソマツフ　南　5
みたきのさわ　三滝ノ澤　清田　25
みついぎんこう　三井銀行　中央　7
みついしとおり　ミツイシトウリ（三石通）　中央　4（6）
みどりがおか　みどりがおか〔駅〕　南　44
みどりまち　緑町　南　44
みなみ　南一条～三十九条　中央　6･49
みなみおおはし　南大橋　中央　43
みなみく　南区*　南　49
みなみこうこう　南高校　中央　33
みなみさんじゅういちじょうおおはし　南三十一条大橋　南　56
みなみさわ　南沢*　南　44
みなみじゅうくじょうおおはし　南19条大橋　中央　49
みなみだけ　南岳　南　64
みなみななじょうおおはし　南七条大橋　中央　49
みなみにじゅうにじょうおおはし　南二十二条大橋　中央　49
みなみはっさむ　南発寒　西　33
みなみひらぎしえき　みなみひらぎし駅　豊平　66
みなみまち　南町　白石・南　41･44
みやがおか　宮ケ丘*　中央　49
みやのおかこうえん　宮丘公園　西　54
みやぎざわがわ　宮城沢川　西　64
みやのさわ　宮の沢*　西　54
みやのさわ　宮（ノ）澤（沢）　西　（19）29･33
みやのさわえき　宮の沢駅　西　71
みやのもり　宮ノ森　中央　33
みやのもり　宮の森*　中央　49
みやのもりじゃんぷきょうぎじょう　宮の森ジャンプ競技場　中央　49
みゅんへんおおはし　ミュンヘン大橋　中央　67
みょうふくじ　妙福寺　中央　67
みよしじんじゃ　三吉神社　中央　19

【む】

むいねしりこや　無意根尻小屋　南　61

ほくせいたんだい 北星短大 中央 49
ほくだい 北大 北 29
ほくだいしょくぶつえん 北大植物園 中央 67
ほくだいだいにのうじょう 北大第二農場 北 54
ほくだいびょういん 北大病院 北 44
ほくぶそうかんぶ 北部総監部 中央 49
ほくぶほうめんそうかんぶ 北部方面総監部 中央 41
ほしおき 星置* 手稲 10
ほしおき ほしおき〔駅〕 手稲 63
ほしおきがわ 星置川 手稲 30
ほしおきがわばし 星置川橋 手稲 45
ほしおきこうえん 星置公園 手稲 63
ほしおきのたき 星置ノ瀧 手稲 15
ほしおきみなみ 星置南* 手稲 63
ほしをき ホシヲキ 手稲 5
ほしみ ほしみ〔駅〕 手稲 63
ほしみりょくち 星観緑地 手稲 63
ほっかいえいごがっこう 北海英語学校 中央 7
ほっかいがくえんうんどうじょう 北海学園運動場 清田 70
ほっかいがくえんだい 北海学園大 豊平・中央 49
ほっかいこうこう 北海高校 豊平 33
ほっかいしょうかだい 北海商科大 豊平 67
ほっかいせいしこうじょう 北海製紙工場 西 31
ほっかいちゅうがく 北海中學 豊平 19
ほっかいどういりょうだいがく 北海道医療大学 北 65
ほっかいどうかいたくのむら 北海道開拓の村 厚別 58
ほっかいどうかがくだい 北海道科学大 手稲 71
ほっかいどうきょういくだいがくさっぽろこう 北海道教育大学札幌（分）校 北 （55）65
ほっかいどうけいさつほんぶ 北海道警察本部 中央 73
ほっかいどうこうだい 北海道工大 手稲 47
ほっかいどうじどうしゃたんだい 北海道自動車短大 豊平 67
ほっかいどうじんぐう 北海道神宮 中央 43
ほっかいどうしんりんかんりきょく 北海道森林管理局 中央 67
ほっかいどうだいがく 北海道大学 北 33
ほっかいどうちょう 北海道廳 中央 43
ほっかいどうちょうせんがくえん 北海道朝鮮学園 清田 51
ほっかいどうのうぎょうけんきゅうせんたー 北海道農業研究センター 豊平 66
ほっかいどうのうぎょうしけんじょう 北海道農業試験場 豊平 51
ほっかいどうひゃくねんきねんとう 北海道百年記念塔 厚別 51
ほっかいどうまいにちしんぶんしゃ 北海道毎日新聞社 中央 7
ほっかいどうむさしじょしたんだい 北海道武蔵女子短大 北 67
ほっかいどうやっかだい 北海道薬科大 手稲 71
ほにじゅうご 歩二十五 豊平 26
ぼぶすれーきょうぎじょう ボブスレー競技場 手稲 46
ぽぷらなみき ポプラ並木 北 49
ほへいえい 歩兵營 豊平 20
ぽりてくせんたー ポリテクセンター 中央 72
ほろあししゆしへつ ホロアシシユシヘツ 厚別 3
ほろいずみとおり ホロイツミトウリ（幌泉通） 中央 4（6）
ほろそううしない ホロソウウシナイ 南 3
ほろない ホロナイ 厚別 3
ほろないよりてみやにいたるてつどう 自幌内至手宮鉄道 中央他 8
ぽろはったりべつ ポロハッタリベツ 南 8
ほろひらばし 幌平橋 中央 27
ほろひらばし ほろひらばし〔駅〕 中央 56
ほろべつとおり ホロベツトウリ（幌別通） 中央 4（6）
ほろみとうげ 幌見峠 中央 29
ほろやきやま ホロヤキ山 南 2
ほんあしゆしへつ ホンアシユシヘツ 厚別 3
ほんがんじ 本願寺 中央 4・5
ほんがんじべついん 本願寺別院 中央 7
ほんけねうしべ ホンケ子ウシベ 西 3
ほんごうどおり 本郷通* 白石 51
ほ（ぽ）んことに ホ（ポ）ンコトニ 中央 5
ほんそううしない ホンソウウシナイ 南 3
ほんそん 本村 北・豊平 25・26
ほんちょう 本廳 中央 4・5
ほんちょう 本町* 東 49
ほんどおり 本通* 白石 20
ほんどおりきた 本通北 白石 51
ほんどおりみなみ 本通南 白石 51
ぽんのっぽろがわ ポン野津幌川 厚別 8
ほんはつさぶ ホンハツサブ 西 5
ぽんはったりべつ ポンハッタリベツ 南 8
ほんはつしやふ ホンハツシヤフ 白石 3
ほんへつはろ ホンヘツハロ 白石 3
ほんりゅうおくごや 本流奥小屋 南 40

【ま】

まいそうち 埋葬地 中央 6・7
まえだ 前田* 手稲 41
まえだしんりんこうえん 前田森林公園 手稲 54
まえだのうじょう 前田農場 北 16

ひらぎし　平岸*　豊平　19
ひらぎしえき　ひらぎし駅　豊平　56
ひらぎしむら　平岸村　豊平　4･5
ひらぎしれいえん　平岸霊園（苑）豊平　(41) 43
ひらほをまない　ヒラホヲマナイ　南　2
びーるこうじょう　ビール工場　中央　44
ひろしまかいこん　廣島開墾　西　19

【ふ】

ふうねしり　フウ子シリ　西　3
ふくい　福移　北　32
ふくい　福井*　西　33
ふくしまとおり　フクシマトウリ（福嶌通）　中央　4 (6)
ふくずみ　福住*　豊平　34
ふくずみ　ふくずみ〔駅〕豊平　66
ふくじゅうじ　福住寺　豊平　20
ふしこ　伏古*　東　47
ふしこいんたーちぇんじ　伏古IC　東　61
ふしこがわ　伏篭（籠）川　北他　31 (54)
ふしここうえん　伏古公園　東　54
ふしこさつほろ　フシコサツホロ　西　3
ふしこさっぽろがわ　伏戸（籠）札幌川　東他　8 (17)
ふしこへつ　フシコヘツ　東　2
ふじじょしだい　藤女子大　北　54
ふじじょしたんだい　藤女子短大　北　49
ふじの　藤野*　南　38
ふじのこうえん　藤野公園　南　59
ふじのさわ　藤ノ澤　南　38
ふじのさわ　ふじ（ぢ）のさわ〔駅〕南　(25) 28
ふじのしぜんこうえん　藤野自然公園　南　50
ふじのすきーじょう　藤野スキー場　南　50
ふじのせいざんえん　藤野聖山園　南　68
ふじのぱーくえるくのもり　藤野パークエルクの森　南　59
ふしみ　伏見*　中央　26
ふしみちょう　伏見町　中央　43
ふしゅこさっぽろがわ　伏籠札幌川　東他　19
ふたごやま　二子山　中央　34
ふたごやま　双子山*　中央　56
ふたごやまちょう　双子山町　中央　43
ぶっさんきょくせいぞうしょ　物産局製造所　中央　6
ぶっさんちんれつじょう　物産陳列場　中央　19
ふっずすきーじょう　フッズスキー場　南　68
ふつついうし　フツヽイウシ　白石　2
ぶどうしゅじょうぞうしょ　葡萄酒醸造所　中央　7
ふなは　フナハ　豊平　2
ふなば　舟場　豊平　1
ふふうしないいとこ　フフウシナイイトコ　南　3
ふもとばし　富茂登橋　西　49
ふるかわ　古川　北　16
ふろうのたき　不老の滝　厚別　68
ぶんかかいかん　文化会館　中央　67

【へ】

へいそん　兵村　北　26
へいふくとんねる　平福トンネル　西　67
へいわ　平和*　西　33
へいわおおはし　平和大橋　中央　66
へいわとう　平和塔　中央　43
へいわどおり　平和通*　白石　51
へいわのたき　平和の滝　西　46
へけつてしか　ヘケツテシカ　北　3
へけとしかぬ　ヘケトシカヌ　北　3
ぺけれっとぬま　ペケレット沼　北　41
へけれとうしか　ヘケレトウシカ　北　5
へにうしへつ　ヘニウシヘツ　西　2
へにやちらいべつがわ　ヘニヤチライ別川　南　1
へるべちあひゅって　ヘルベチアヒュッテ　南　64
ぺんけくとーしかぬま　ペンケクトーシカ沼　北　13
へんけさつほろ　ヘンケサツホロ　北　3
へんけちらいべつがわ　ヘンケチライ別川　南　1
へんけちらいをつ　ヘンケチライヲツ　南　3
へんけといひり　ヘンケトイヒリ　豊平　3
へんけとしかぬ　ヘンケトシカヌ　北　3
へんけはつたるしべ　ヘンケハツタルシベ　南　3
へんけはつたるへつ　ヘンケハツタルヘツ　南　5

【ほ】

ほうおんがくえん　報恩学園　厚別　51
ぼうしょくじょう　紡織場　中央　7
ほうすいおおはし　豊水大橋　東　55
ほうすいすすきのえき　ほうすいすすきの駅　中央　56
ほうそうきょく　放送局　中央　26
ほうそうじょ　放送所　豊平　26
ほうへいかん　豊平館　中央　6･7
ほうへいきょう　豊平峡　南　38
ほうへいきょうだむ　豊平峡ダム　南　61
ほうへいきょうだむせんようどうろ　豊平峡ダム専用道路　南　69
ほうへいきょうとんねる　豊平峡トンネル　南　69
ほうらいさん　蓬莱山　南　61
ほうらいぬま　宝来沼　南　69
ぼくしゃ　牧舎　豊平　36
ほくせいがくえん　北星学園　中央　33
ほくせいがくえんだいがく　北星学園大学　厚別　51
ほくせいこうじょこう　北星高女校　中央　27

はつさぶがわ　ハツサブ川　西他　1
はっさむ　發（発）寒*　西　16（31）
はっさむえき　はっさむ〔駅〕　西　54
はっさむちゅうおうえき　はっさむちゅうおう駅　西　54
はっさむとんでん　發寒屯田　西　8
はっさむばし　発寒橋　西　29
はっさむみなみえき　発寒南駅　西　67
はつしやふ　ハツシヤフ　北　2
はつ（っ）しやふふ（ぶ）と　ハツ（ッ）シヤフフ（ブ）ト　北　3
はつたるうしぺ　ハツタルウシペ　南　2
はったりべつ　八垂別　南　22
ばとう　馬頭　南　19
はまましとおり　ハマヽシトウリ　中央　4
はまますとおり　濱益通　中央　6
ぱらだいすひゅって　パラダイスヒュッテ　手稲　63
ばらと　茨戸　北　16
ばらとがわ　茨戸川　北　8
ばらとしんどう　茨戸新道　北他　7
ばらとどう　茨戸道　北他　16
ばらとふくいばし　茨戸福移橋　北　54
はらひうか　ハラヒウカ　中央　3
はらひらか　ハラヒラカ　中央　2
ばらふと　バラフト　北　5
はるかざわがわ　春香沢川　手稲　63
はるかやま　春香山　南　61
ばんけい　盤渓*　中央　33
ばんけいがわ　盤渓川　中央　49
ばんけいすきーじょう　盤渓スキー場　中央　56
ばんけいぬま　万計沼　南　25
ばんけいばし　盤渓橋　中央　56
はんけさつほろ　ハンケサツホロ　北　3
はんけといひり　ハンケトイヒリ　豊平　3
はんけはつたるしへ　ハンケハツタルシヘ　南　3・5
はんけはつたるへつ　ハンケハツタルヘツ　南　5
はんのさわ　ハンノサワ　南　5
ばんのさわ　盤ノ沢　南　12
ばんのさわ　盤ノ澤　中央　19
ばんのさわがわ　盤の沢川　南　69
ばんのさわばし　盤の沢橋　南　42

【ひ】

ひがし　東　西　33
ひがし　東一丁目～二十七丁目　東　6・49
ひがしうら　東裏　豊平　20
ひがしかりき　東雁来*　東　61
ひがしかりきちょう　東雁来町*　東　41
ひがしく　東区　厚別　34
ひがしく　東区*　東　47
ひがしくやくしょまえ　ひがしくやくしょまえ〔駅〕　東　54
ひがしこうこう　東高校　中央　33
ひがしごりょう　東御料　南　25
ひがしさっぽろ　ひがしさっぽろ〔駅・国鉄千歳線〕　白石　25
ひがしさっぽろ　ひがしさっぽろ〔駅・地下鉄東西線〕　白石　66
ひがしさっぽろ　東札幌*　白石　41
ひがしそうせいまち　東創成町　中央　6
ひがしつきさむ　東月寒　豊平　34
ひがしなえぼ　東苗穂*　東　61
ひがしなえぼちょう　東苗穂町*　東　41
ひがしばらと　東茨戸*　北　54
ひがしほんがんじ　東本願寺　中央　44
ひがしまち　東町　白石　41
ひがしやまはな　東山鼻　中央　19
ひがしよねさと　東米里*　白石　32
ひがしよねさとしょりじょう　東米里処理場　白石　65
ひこうじょうあと　飛行場跡　東　31
びぜん　備前　南　24
ひだかとおり　ヒダカトウリ（日高通）　中央　4（6）
ひだりまた　左股　西　8
ひだりまたがわ　左股川　南・西　38・49
ひつじがおか　羊ヶ丘*　豊平　34
ひつじがおか　羊ヶ岡　豊平　41
ひつじがおかかんとりーくらぶ　羊ヶ丘CC　豊平　70
ひつじがおかてんぼうだい　羊ヶ丘展望台　豊平　49
ひとい　ヒトイ　北　3・13
びとい　ビトイ　北　5・13
ぴとい　ピトイ　北　13
ひのまるこうえん　ひのまる公園　東　54
ひのまるのうじょう　日ノ丸農場　東　16
ひばりがおか　ひばりヶ丘　厚別　41
ひばりがおかえき　ひばりがおか駅　厚別　58
ひばりがおかだんち　ひばりが丘団地　厚別　51
びひないやま　美比内山　南　61
ひゃくまつざわ　百松澤山　西　25
ひゃくまつざわ（がわ）　百松沢（川）　南　42（64）
ひゃくまつばし　百松橋　南　42
ひやまとおり　ヒヤマトウリ（檜山通）　中央　4（6）
ひやみず　冷水　豊平　19
ひやみずごや　冷水小屋　南　69
ひやみずとんねる　冷水トンネル　南　69
びょういん　病院　中央　4・6
ひらおか　平岡*　清田　34
ひらおかこうえん　平岡公園*　清田　58
ひらおかこうえんひがし　平岡公園東*　清田　66

にしの　西野*　西　19
にしのがわ　西野川　西　67
にしのへんでんしょ　西野変電所　西　57
にしばらと　西茨戸*　北　54
にしほんがんじ　西本願寺　中央　49
にしまち　西町　白石　41
にしまちきた　西町北*　西　56
にしまちみなみ　西町南*　西　56
にしみやのさわ　西宮の沢*　手稲　54
にしやまはな　西山鼻　中央　19
にじゅうよんけん　二十四軒*　西　33
にじゅうよんけんえき　にじゅうよんけん駅　西　56
にしんじゅうはっちょうめ　にしんじゅうはっちょうめ〔駅〕中央　56
にせいけ　ニセイケ　南　3
にせいけしよまふ　ニセイケシヨマフ　南　3
にせをまない　ニセヲマナイ　南　2
にせんべつがわ　ニセン別川　南　1
になるうしない　ニナルウシナイ　豊平他　3
にばんどおり　二番通　北・南　16·25
にばんどおりこうえん　二番通公園　北　54
にほんいりょうだい　日本医療大　清田　70
にりづか　二里塚　清田　20
にりづかきたどおり　二里塚北通　清田　20
にんべつ　ニンベツ　清田　20

【ぬ】

ぬううとるをまない　ヌウウトルヲマナイ　手稲　3
ぬつろふら　ヌツロフラ　厚別　3
ぬのしきのたき　布敷の滝　手稲　64
ぬふるをつ　ヌフルヲツ　厚別　2
ぬまのはた　沼ノ端　東　17

【ね】

ねんぽうじ　念法寺　厚別　58

【の】

のうがくしけんじょう　農学試験場　北　19
のうがくぶ　農学部　北　49
のうかだいがく　農科大学　北　16
のうかだいがくだいいちのうじょう　農科大學第一農場　北　19
のうかだいがくだいさんのうじょう　農科大学第三農場　東　16
のうかだいがくだいにのうじょう　農科大學第二農場　北　19
のうがっこう　農學校　中央　6
のうぎょうしけんじょう　農業試験場　西　31
のうぎょうせんもんがっこう　農業専門学校　豊平　58
のうぐせいさくしょ　農具製作所　中央　7
のうげいでんしゅうじょのうえんじむしょ　農藝傳習所農園事務所　北　7
のうしこうえん　農試公園　西　54
のうじしけんじょう　農事試験場　北　19
のうじしけんじょうびょうえん　農事試験場苗園　西　31
のうりんしょうしゅようじょう　農林省種羊場　豊平　34
のしけことに　ノシケコトニ　中央　3
のっぽろ　野幌　厚別　20
のっぽろ　野津幌　厚別他　25
のっぽろがわ　野津幌川　厚別他　8
のっぽろがわばし　野津幌川橋　厚別　51
のっぽろこくゆうりん　野幌國有林　厚別　18
のっぽろしんりんこうえん　野幌森林公園　厚別　51
ののさわ　野ノ澤　南　25
ののさわがわ　野々沢川　南　59
のほろ　ノホロ　厚別他　3·5
のほろふと　ノホロフト　厚別他　5
のほろやま　ノホロ山　厚別　5

【は】

はいこう　廃坑　南　74
ばくしゅかいしゃ　麥酒會社　中央　19
ばくしゅこうじょう　麥酒工場　中央　41
ばくしゅじょうぞうがいしゃ　麦酒醸造會社　中央　7
ばくしゅじょうぞうしょ　麥酒釀造所　中央　7
はくぶつかん　博物館　中央　19
はくぶつじょう　博物場　中央　7
はこだてほんせん　函館本線　中央他　16
ばしゃてつどう　馬車鐵道　北他　16
ばすせんたーまええき　バスセンターまえ駅　中央　56
はちけん　八軒*　西　31
はちけんえき　はちけん駅　西　54
はち（っ）けんざん　八剣山　南　42
はち（っ）けんざんとんねる　八剣山トンネル　南　68
はちこ　八戸　西　5
はちごうのさわ　八號ノ澤　南　22
はちゃむ　初寒　西　5
はちゃむがわ（はっさむがわ）　發寒川　西他　8
はちゃむがわ　初寒川　西　5
はちゃむとんでん　發寒屯田　西　8
はちゃむむら　初寒村　西他　5
はちゃむ（はっさむ）むら　發寒村　西　8
はちゃむやま　初寒山　手稲他　5
はっこうがくいん　八紘学院　豊平　51
はつさふ　初寒　西　5

とやまだむ　砥山ダム　南　69
とやまはつでんしょ　砥山発電所　南　50
とよたき　豊滝*　南　42
とよたきがくえん　とよたき学園　南　60
とよはこうざん　豊羽鑛山　南　24
とよはこうざんせんようせん　豊羽鉱山専用線　南　38
とよはせんこうじょ　豊羽選鉱所　南　44
とよひら　豊平*　豊平　20
とよひら　とよひら〔駅〕　豊平　25
とよひらがわ　豊平川　豊平他　4･6
とよひらく　豊平区*　豊平　49
とよひらこうえんえき　とよひらこうえん駅　豊平　66
とよひらじんじゃ　豊平神社　豊平　49
とよひらせいこうこうじょう　豊平製鋼工場　西　72
とよひらちょう　豊平町　豊平他　22
とよひらばし　豊平橋　中央　6･7
とよひらむら　豊平村　豊平　7
とんでん　屯田*　北　41
とんでん　屯田（兵村）　北　31
とんでんこうえん　屯田公園　北　71
とんでんちょう　屯田町*　北　47
とんでんにしこうえん　屯田西公園　北　54
とんでんへいほんぶ　屯田兵本部　中央　7
とんねうしない　トンネウシナイ　清田　8
とんねやうす　トン子ヤウス　北　5

【な】

ないほ　ナイホ　東　3
ないぼう　ナイボウ　東　2
なえぼ　苗穂　東　19
なえぼ　なえぼ〔駅〕　東　44
なえぼちょう　苗穂町*　東　49
なえぼむら　苗穂村　東　5
ながおやま　長尾山　南　25
なかごや　中小屋　南　24
なかじま　中島　北・豊平　16･19
なかじまこうえん　中島公園*　中央　19
なかじまこうえんえき　なかじまこうえん駅　中央　56
なかじまばし　中嶋橋　北　16
なかだけ　中岳　南　61
ながと　長門　南　24
なかとうべつぶと　中當別太　北　17
なかどおり　中通　東　16
ながぬま　長沼　南　25
なかぬま　中沼*　東　41
なかぬまちょう　中沼町*　東　48
なかぬまにし　中沼西*　東　65
なかの　中野　東　17
なかのかわ　中の（ノ）川　西　（31）47
なかのさわ　中ノ沢*　南　11
なかのさわがわ　中ノ沢川　南　49
なかのしま　中ノ島　豊平　41
なかのしま　中の島*　豊平　44
なかのしま　なかのしま〔駅〕　豊平　56
なかふくい　中福移　東　32
ながみねざわがわ　永峰沢川　手稲　46
なかやまえきてい　中山駅逓　南　25
なかやまとうげ　中山峠　南　61
なへぼ　なへぼ〔駅〕　東　25
なへぼむら　苗穂村　東他　5･7
なんごう　南郷　白石　20
なんごうじゅうさんちょうめえき　南郷十三丁目駅　白石　58
なんごうじゅうはっちょうめえき　南郷十八丁目駅　白石　58
なんごうどおり　南郷通*　白石　51
なんごうななちょうめえき　南郷七丁目駅　白石　58

【に】

にいかつふとおり　ニイカツフトウリ（新冠通）　中央　4（6）
にく　二区　白石　33
にごうばし　二号橋　南　38
にこりがわ　ニコリ川　手稲　5
にごりがわ　濁（ニゴリ）川　手稲　（10）53
にさしべつがわ　ニサシベツ川　南　1
にし　西一丁目〜二十八丁目（三十丁目）　中央　6･49
にしいちごうせん　西一號線　厚別　18
にしうしへつ　ニシウシヘツ　西　2
にしおか　西岡*　豊平　33
にしおかこうえん　西岡公園　豊平　70
にしきばし　錦橋　南　38
にしきばし　にしきばし〔駅〕　南　38
にしく　西区　厚別・手稲　34･46
にしく　西区*　西　47
にしこうこう　西高校　中央　33
にしごりょう　西御料　南　25
にしごりょうがわ　西御料川　南　68
にしさんごうせん　西三號線　厚別　18
にしじゅういっちょうめえき　西11丁目駅　中央　67
にしじゅうはっちょうめえき　にしじゅうはっちょうめ駅　中央　56
にしそうせいまち　西創成町　中央　6
にしとおり　ニシトウリ（爾志通）　中央　4（6）
にしどおり　西通　豊平　20
にしにごうせん　西二號線　厚別　18

【て】

ていこくせいまこうじょう　帝国製麻工場　北　26
ていこくだいがく　帝国大学　北　26
ていしゃば　停車場　中央　7
ていしゃばまえ　停車場前　白石　20
ていね　手稲　手稲　25
ていねいなづみこうえん　手稲稲積公園　手稲　54
ていねいなほ　手稲稲穂*　手稲　45
ていねいにた　テイネイニタ　手稲　5
ていねいんたーちぇんじ　手稲IC　手稲　47
ていねえき　ていね駅　手稲　54
ていねおりんぴあ　手稲オリンピア　手稲　46
ていねおりんぴあごるふじょう　手稲オリンピアゴルフ場　手稲　63
ていねおんせん　手稲温泉　手稲　47
ていねかなやま　手稲金山*　手稲　45
ていねく　手稲区*　手稲　54
ていねげすいしょりじょう　手稲下水処理場　手稲　45
ていねこうぎょうだんち　手稲工業団地　手稲　47
ていねこうざん　手稲鉱山　手稲　30
ていねちょう　手稲町　手稲　30
ていねどこうがわ　手稲土功川　手稲　63
ていねとみおか　手稲富丘*　手稲　47
ていねにしの　手稲西野　西　49
ていねにた　テイネニタ　手稲　5
ていねはいらんどすきーじょう　手稲ハイランドスキー場　手稲　53
ていねばし　手稲橋　手稲　19
ていねひがし　手稲東　西　49
ていねふくい　手稲福井　西　49
ていねへいわ　手稲平和　西　46
ていねほしおき　手稲星置*　手稲　45
ていねほんちょう　手稲本町*　手稲　47
ていねまえだ　手稲前田*　手稲　47
ていねみやのさわ　手稲宮の沢　西　47
ていねみやのさわきた　手稲宮の沢北　西　47
ていねむら　手稲村　手稲　5･19
ていねやま　手稲山　手稲他　10
ていねやまぐち　手稲山口*　手稲　45
てっこうこうえん　鉄興公園　西　54
てっこうだんち　鉄工団地　西・東　47･61
てつどういんこうじょう　鉄道院（省）工場　東　19（26）
てみやてつどう　手宮鐵道　中央他　8
てれびきょく　テレビ局　中央　44
てれびとう　テレビ塔　中央　49
てんぐさわがわ　天狗沢川　南　64
てんぐだけ　天狗岳　南　3
てんぐばし　天狗橋　西　16
てんくやま　テンク山　南　1
てんぐやま　天狗山　南　10
てんくやまがわ　テンク山川　南　1
てんしたんだい　天使短大　東　49
てんしびょういん　天使病院　東　19
でんしんきょく　電信局　中央　7
てんじんやま　天神山　豊平　19
てんのさわがわ　貂の沢川　南　64

【と】

といしかりがわ　トイシカリ川　江別市他　1
といしざわがわ　砥石沢川　中央　67
といしやま　砥石山*　南　25
といひ　トイヒ　豊平　2
といひり　トイヒリ　北　3
とううしへ　トウウシヘ　北　5
どうおうじどうしゃどう　道央自動車道　白石他　55
とうかいだいがく　東海大学　南　50
とうざん　陶山　清田　23
どうちょう　道庁　中央　67
とうにち（とうひ・とうび・とうじつ）ひゅって　東日ヒュッテ　南　28
どうぶつえいせいけんきゅうしょししょ　動物衛生研究所支所　豊平　66
どうぶつえん　動物園　中央　41
とうへつぴとい　トウヘツピトイ　北　5
とうべつぶと　當別太　北　8
どうみんかつどうせんたー　道民活動センター　中央　67
とうようごむこうじょう　東洋ゴム工場　手稲　45
とうようもくざいこうじょう　東洋木材工場　手稲　47
どうりつようごがっこう　道立養護学校　手稲　53
とがしかいこん　富樫開墾　北　17
ときわ　常盤*　南　38
とくしゅきょういくせんたー　特殊教育センター　中央　73
とくべつしえんがっこう　特別支援学校　中央　67
どくやみね　毒矢峰　南　64
とけいだい　時計台　中央　33
どこうはいすい　土功排水　手稲　45
とさつば　屠殺場　中央　19
どじんさんこ　土人三戸　中央　5
どじんななこ　土人七戸　西　5
とつふしるをまない　トツフシルヲマナイ　手稲　3
とどやま　トド山　手稲　15
どば　土場　南　22
とみおか　富丘*　手稲　31
とやま　砥山*　南　25

だいにふしこがわばし　第二伏籠川橋　北　54
だいにぶ　第二部　中央　7
だいにぶんこう　第二分校　中央　7
たいへい　大平　北　41
たいへい　太平*　北　54
たいへいえき　たいへい駅　北　54
たいへいこうえん　太平公園　北　71
たいりょうざわがわ（おおいざりさわがわ）　大漁沢川　手稲　64
たかをない　タカヲナイ　白石他　3
たき　タキ　南　5
たき　タキ　手稲　5
たきの　滝野*　南　61
たきのさは　たきのさは〔駅〕　南　25
たきのさわ　タキノサワ　南　5
たきのさわ　瀧ノ澤　中央・西　19・25
たきのさわ　滝ノ沢　南　12
たきのさわおおはし　滝の沢大橋　南　64
たきのさわがわ　滝ノ沢川　南・手稲　61・64
たきのすずらんきゅうりょうこうえん　滝野すずらん丘陵公園　南　68
たきのれいえん　滝野霊園　南　68
たくちぞうせいちゅう　宅地造成中　南他　56
たくほく　拓北*　北　32
たくほくえき　たくほく駅　北　61
たくほくのうじょう　拓北農場　北　26
たにぐちぼくじょう　谷口牧場　北　32
たぬきこうじ　狸小路　中央　27
たんさんすいこうせん　炭酸水鉱泉　南　38
たんねうえんしり　タン子ウエンシリ　手稲他　3
たんねのほり　タン子ノホリ　手稲　5
たんねはつたら　タン子ハツタラ　南　3
たんねやうす　タン子ヤウス　東　5

【ち】

ちかてつとうざいせん　地下鉄東西線　中央他　56
ちかてつとうほうせん　地下鉄東豊線　中央他　54
ちかてつなんぼくせん　地下鉄南北線　中央他　54
ちかふせとしめむ　チカフセトシメム　白石　3
ちきしやふ　チキシヤフ　豊平他　3
ちくさんしけんじょしじょう　畜産試験所支場　豊平　20
ちじこうかん　知事公館　中央　49
ちせねしり　チセ子シリ　西　2・3
ちつふとらし　チツフトラシ　西　5
ちとくじ　智徳寺　厚別　20
ちとせしんどう　千年新道　豊平他　5
ちとせせん　千歳線　豊平他　34
ちとせどおり　千歳通　中央他　6
ちむくしことに　チムクシコトニ　西　2
ちゃしはろやしへつ　チャシハロヤシヘツ　南　3
ちやしはろやんへつ　チヤシハロヤンヘツ　南　3
ちやしをしまけ　チヤシヲシマケ　南　2
ちゅうおう　中央*　白石　34
ちゅうおうおろしうりしじょう　中央卸売市場　中央　67
ちゅうおうく　中央区*　中央　49
ちゅうおうけいばじょう　中央競馬場　中央　49
ちゅおうじ　中央寺　中央　7
ちゅうおうしじょう　中央市場　中央　41
ちゅうおうとしょかん　中央図書館　中央　56
ちゅうきょういん　中教院　中央　6
ちゅうふくえき　中腹駅　南　67
ちょうしぐち　銚子口　南　38
ちょうせいえん　長生園　中央　49
ちらいべつがわ　チライ別川　南　1
ちらいをつ　チライヲツ　西（南）　2・3
ちりか　地理課　中央　6
ちりさま　チリサマ　手稲他　3

【つ】

ついしかり　ツイシカリ　江別市他　2・3
ついしかりめむ　ツイシカリメム　白石　3
ついしかりげんや　對雁原野　東他　17
ついしかりどう　對雁道　東他　7
ついしかりむら　對厂村　東　5
ついしかりむら　對雁村　東　8
つううんがいしゃ　通運會社　中央　7
つうどう　通洞　南　25
つがるとおり　ツガルトウリ（津軽通）　中央　4（6）
つきさっぷ　月寒　豊平　8
つきさっぷ　つきさっぷ〔駅〕　豊平　25
つきさっぷきたどおり　月寒北通　豊平　20
つきさっぷごるふくらぶ　ツキサップGC　清田　70
つきさっぷむら　月寒村　豊平他　5・8
つきさっぷえき　月寒駅　豊平　51
つきさっぷがわ　月寒川　豊平　8
つきさむえんしゅうじょう　月寒演習場　豊平　44
つきさむがくいん　月寒学院　豊平　34
つきさむがわ　月寒川　豊平　51
つきさむこうえん　月寒公園　豊平　44
つきさむたいいくかん　月寒体育館　豊平　56
つきさむちゅうおうえき　つきさむちゅうおう駅　豊平　66
つきさむちゅうおうどおり　月寒中央通*　豊平　49
つきさむにし　月寒西*　豊平　49
つきさむひがし　月寒東*　豊平　58
つげやま　榉山　南　25
つりばし　釣橋　厚別　20

しんぜんこうじ　新善光寺　中央　7
しんどう　新道　白石他　4
しんどうひがしえき　しんどうひがし駅　東　54
しんとよはし　新豊橋　南　69
しんはっさむ　新発寒*　手稲　54
しんばんのさわばし　新盤の沢橋　南　68
しんもいわばし　新藻岩橋　南　49
しんりんこうえん　しんりんこうえん〔駅〕　厚別　58
しんりんそうごうけんきゅうじょほっかいどうししょ　森林総合研究所北海道支所　豊平　66
しんりんてつどう　森林鉄道　南　38

【す】

すいげんち　水源池　豊平　44
すいごうきたおおはし　水郷北大橋　東　65
すいごうにしおおはし　水郷西大橋　東　55
すいごうひがしおおはし　水郷東大橋　東　55
すいしゃどおり　水車通　豊平　19
すいしゃちょう　水車町*　豊平　33
すいどうきねんかん　水道記念館　中央　73
すいどうじょうすいじょう　水道浄水場　中央　26
すいどうちょすいち　水道貯水池　豊平　23
すきーじょう　スキー場　手稲他　46
すすきのえき　すすきの駅　中央　56
すずらんごるふじょう　すずらんゴルフ場　南　50
すなやま　砂山　手稲　16
すべりざわがわ　滑沢川　南　64
すぽーつせんたー　スポーツセンター　中央　49
すまうし　スマウシ　白石　2
すまぬぷり　スマヌプリ　南　5
すみかわ　清川　手稲　15
すみかわ　澄川*　南　33
すみかわ　すみかわ〔駅〕　南　43

【せ】

せいかてい　清華亭　北　7
せいさんきょく　生産局　東　4
せいしがくいん　整肢学院　西　41
せいしゅうたんだい　静修短大　清田　51
せいしょうねんかいかん　青少年会館　南　60
せいしょうねんかがくかん　青少年科学館　厚別　66
せいせんこうじょう　製線工場　北　16
せいそうこうじょう　清掃工場　西他　47
せいばくしょ　精麥所　東　19
せいふんじょう　製粉場　中央　7
せいまがいしゃ　製麻會社　北　19
せいまがいしゃけんちくようち　製麻會社建築用地　東　7
ぜいむけんしゅうじょ　税務研修所　西　47
ぜいむだいがっこうさっぽろけんしゅうじょ　税務大学校札幌研修所　西　71
せいもうじょう　製網場　中央　7
せいやくこうじょう　製薬工場　西　31
せいゆじょ　製油所　手稲　15
せいりょういん　静（精）療院　豊平　（33）41
せいれんじょ　精錬所　南　24
ぜにばこかいどう　銭函街道　中央　7
ぜにばことうげ　銭函峠　手稲　61
せろんへつ　セロンヘツ　中央　5
せんこうじょ　選鉱所　南　38

【そ】

そうえん　桑園　中央　7
そうえんえき　そうえん駅　中央　41
そうこ　倉庫　東　4
そうごううんどうじょう　総合運動場　中央　33
そうごうぐらんど　総合グランド　中央　49
そうごうたいいくせんたー　総合体育センター　豊平　66
そうせいがっこう　創成學校　中央　7
そうせいがわ　創成川　中央他　8
そうはらさっぽろ　ソウハラサツホロ　南　3
そうふうばし　蒼風橋　北　54
そうまじんじゃ　相馬神社　豊平　19
そっこうじょ　測候所　中央　7
そらちとおり　ソラチトウリ（空知通）　中央　4（6）
そらぬま　空沼　南　25
そらぬまいりざわがわ　空沼入沢川　南　61
そらぬまごや　空沼小屋　南　61
そらぬまだけ　空沼嶽　南　25

【た】

たいいくかん　体育館　東他　47
たいいくせんたー　体育センター　中央　56
だいいちしんかわばし　第一新川橋　手稲　63
だいいちちゅうがく　第一中學　中央　19
だいいちのうじょう　第一農場　北　49
だいいちぶんこう　第一分校　中央　7
だいがくだいさんのうじょう　大学第三農場　東　26
だいがくだいにのうじょう　大学第二農場　北　33
だいがくのうじょう　大學農場　北　26
だいがくびょういん　大学病院　北　33
だいぎょうじ　大行寺　厚別　51
だいこくばし　大黒橋　厚別　20
だいさんふしこばし　第三伏籠橋　北　54
だいなすてぃありあけごるふくらぶ　ダイナスティ有明GC　清田　70
だいにちゅうがく　第二中學　中央　19
だいにのうじょう　第二農場　北　33

しゃりょうきち　車両基地　南他　66
じゅういがくぶ　獣医学部　北　49
じゅうごしまこうえん　十五島公園　南　44
じゅうにけん　十二軒　中央　19
じゅうにけんざわ　十二軒澤　中央　19
じゅうにこ　十二戸　中央　5
しゆしゆんない　シユシユンナイ　厚別　3
しゅちくじょう　種畜場　南　22
しゆまちせ　シユマチセ　南　3
じょうおんじ　浄恩寺　西　33
しょうがいがくしゅうせんたー　生涯学習センター　西　67
しょうがっこう　小學校　中央　6
しょうきゃくせんたー　焼却センター　手稲　53
しょうこんしゃ　招魂社　北　7
しょうこんち　招魂地　北　6
じょうざんけい（じょーざんけい）　定山溪*　南　5·12
じょうざんけい　じょうざんけい〔駅〕　南　38
じょうざんけいおおはし　定山渓大橋　南　69
じょうざんけいおんせん　定山渓温泉　南　42
じょうざんけいおんせんにし　定山渓温泉西*　南　69
じょうざんけいおんせんひがし　定山渓温泉東*　南　69
じょうざんけいごりょうち　定山渓御料地　南　25
じょうざんけいしぜんのむら　定山渓自然の村　南　69
じょうざんけいじんじゃ　定山渓神社　南　38
じょうざんけいだむ　定山渓ダム　南　61
じょうざんけいてつどう　定山渓鉄道　南　25
じょうざんこ　定山湖　南　61
じょうざんじ　定山寺　南　38
しょうしがくえん　尚志学園　豊平　49
しょうとくじんじゃ　彰徳神社　中央　33
しょうりゅうじ　祥龍寺　手稲　15
じょうすいじょ　浄水所　豊平　33
じょうすいじょう　浄水場　中央他　33
しょうねんかんべつしょ　少年鑑別所　中央　56
しょうぼうがっこう　消防学校　西　72
しょうぼうくんれんじょ　消防訓練所　西　54
しょくぎょうくんれんこう　職業訓練校　東　47
しょくぎょうほどうしょ　職業補導所　東　44
しょくぶつえん　植物園　中央　19
しよこへつ　シヨコヘツ　西他　2
しょうしんがわ　ショウシン川　豊平　5
しょーしんがわ　精進川　豊平　8
しょうじんがわ　精進川　豊平　25
じょししょくぎょうがっこう　女子職業學校　中央　19
しよしべつがわ　シヨシ別川　南　1
しらがわ　白川*　南　38
しらいかわ　白川　南　38
しら（ろ）いが（か）わ　白井川　南　23（12）
しらいこや　白井小屋　南　64
しらいだけ　白井嶽　南　25
しらいとのたき　しらいとのたき〔駅〕　南　38
しらいとんねる　白井トンネル　南　69
しらはたやま　白旗山　清田　25
しらはたやまきょうぎじょう　白旗山競技場　清田　70
しらみずがわ　白水川　南　61
しらみずさわ　白水沢　南　12
しらをいとおり　シラヲイトウリ（白老通）　中央　4（6）
しりつこうじょこう　市立高女校　中央　27
しりつびょういん　市立病院　中央　49
しりべしとおり　シリベシトウリ（後志通）　中央　4（6）
しりょうかん　資料館　中央　49
しろいがわ　シロイ川　南　5
しろいし　白石　白石　25
しろいしえき　しろいし〔駅・JR函館本線〕　白石　43
しろいしえき　しろいし〔駅・地下鉄東西線〕　白石　56
しろいしく　白石区*　白石　48
しろいしじんじゃ　白石神社　白石　20
しろいしちょう　白石町　白石　41
しろいしふくしえん　白石福祉園　白石　66
しろいしむら　白石村　白石他　4·5
しんいなほだんち　新稲穂団地　東　48
しんえい　真栄*　清田　52
しんかわ　新川　白石他　17
しんかわ　シンカワ　北　5
しんかわ　新川*　北　15
しんかわいんたーちぇんじ　新川IC　北　54
しんかわえき　しんかわ駅　北　54
しんかわぞえ（い）？　新川沿　北　19
しんかわぞえ（い）？　新川添　北・東　16·25
しんかわちゅうおうばし　新川中央橋　手稲　47
しんかわにし　新川西*　北　71
しんかわばし　新川橋　西　16
しんこうきょく　振興局　中央　67
しんことに　新琴似*　北　16
しんことに　しんことに〔駅〕　北　31
しんことにちょう　新琴似町*　北　47
しんことにとんでん　新琴似屯田　北　8
しんさっぽろ　しんさっぽろ〔駅〕　厚別　51
じんじゃどおり　神社通　中央　19
しんしゅうかいこん　信州開墾　厚別　20
しんしろいし　新白石　白石　5

さんかく　三角　東　17
さんかくやま　三角山　西　19
さんぎょうきょうしんかいじょう　産業共進会場　豊平　51
さんぎょうこうしゅうじょ　蚕業講習所　中央　19
さんく　三区　白石　33
さんじゅうまん　三十万　清田　22
さんたらつけ　サンタラツケ　手稲　3
さんたるへつ　サンタルヘツ　手稲　5
さんたるべつ　三樽別　手稲　16
さんたるべつがわ　三樽別川　手稲　46
さんちょうえき　さんちょう駅　手稲他　46
さんばんどおり　三番通　北　16
さんりがわ　三里川　清田他　20
さんりづか　三里塚　清田　23
さんりづかがわ　三里塚川　清田他　23
さんりづかきたどおり　三里塚北通　清田　23
さんろくえき　さんろく駅　中央他　56

【し】

しいしやもうしへ　シイシヤモウシヘ　中央　3
しうない　シウナイ　北　5
じぇいあーるなえぼこうじょう　JR苗穂工場　東　66
じぇいえふいーじょうこうこうじょう　JFE条鋼工場　西　71
じえいたい　自衛隊　東他　67
じえいたいえんしゅうじょう　自衛隊演習場　南　75
じえいたいしゃげきじょう　自衛隊射撃場　南　75
じえいたいまえ　じえいたいまえ〔駅〕　南　43
しぐれとんねる　時雨トンネル　南　69
しぐればし　時雨橋　南　38
じけいかいびょういん　慈啓会病院　中央　49
じけいがくえん　じけいがくえん〔駅〕　南　41
しけるべにんしべ　シケルベニンシベ　南　2
しけれべ　シケレベ　南　5
しけれへうしへつ　シケレヘウシヘツ　南　3
しこつどう　シコツ道　南他　1
しずないとおり　シズナイトウリ（静内通）　中央　4（6）
しぜんほどう　自然歩道　清田他　70
しつきさふ　シツキサフ　豊平　5
じっけん　十軒　北　17
じてんしゃせんようどうろ　自転車専用道路　南他　49
しのまんのほろ　シノマンノホロ　厚別　3
しのまんさつほろ（しのまんさっぽろ）　シノマンサツホロ（シノマンサッポロ）　南　3
しのまんはつしやふ　シノマンハツシヤフ　西　3
しのまんほんはつしやふ　シノマンホンハツシヤフ　西　3
しのろ　シノロ　北　2
しのろ　篠路*　北　54
しのろ　しのろ〔駅〕　北　31
しのろがわ　篠路川　北　8
しのろこうえん　篠路公園　北　54
しのろしんかわ　篠路新川　北他　48
しのろちょう　篠路町　北　75
しのろちょうかみしのろ　篠路町上篠路*　北　47
しのろちょうしのろ　篠路町篠路*　北　47
しのろちょうたいへい　篠路町太平*　北　47
しのろちょうたくほく　篠路町拓北*　北　47
しのろちょうふくい　篠路町福移*　北　48
しのろっと　シノロット　北　3
しのろみち　篠路道　東他　6
しのろとおり　篠路通　東他　7
しのろとんでん　篠路屯田　北　8
しのろふと　シノロフト　北　3
しのろぶ（ぷ）と　シノロブ（プ）ト　北　3（5）
しのろへいそん　篠路兵村　北　16
しのろむら　シノロ村　北　5
しのろむら　篠路村　北　8
しのろれつれっぷ　篠路烈々布　北　16
しはつさぶ　シハツサブ　西　5
しはんこう　師範校　中央　19
しぼうだい　四望台　豊平　36
しほない　シホナイ　北　3
しままつやま　島松山　清田　25
しまのほりいちめいくろがねやま　シマノホリー名黒金山　南　5
しみんすきーじょう　市民スキー場　南　41
しみんのもり　市民の森　中央他　67
しみんほーる　市民ホール　中央　67
しもていね　下手稲　手稲　15
しもていねほしおき　下手稲星置　手稲　14
しもていねむら　下手稲村　手稲　8
しもとうべつぶと　下當別太　北　17
しもにしやま　下西山　豊平　20
しものっぽろ　下野幌　厚別　18
しものっぽろ　下野津幌　厚別　20
しものっぽろてくのぱーく　下野幌テクノパーク*　厚別　62
しもふくい　下福移　北　26
しもふじの　下藤野　南　44
しもふじの　しもふじの〔駅〕　南　38
しもふみやま　霜蹈山　清田　20
しやくしことに　シヤクシコトニ　北　2･3
しゃげきじょう　射撃場　豊平　20
しやまにとおり　シヤマニトウリ　中央　4
しやりしことに　シヤリシコトニ　西　2

さけかがくかん　さけ科学館　南　56
さついだい　札医大（医科大学・札幌医大・札幌医科大）　中央　41（43·49·67）
さっかーじょう　サッカー場　白石　65
さっしょうせん　札沼線　北他　31
さっそんじどうしゃどう　札樽自動車道　東他　47
さってつなえぼこうじょう　札鉄苗穂工場　東　33
さっぽろ　札幌（縨）　東他　8（5）
さっぽろいんたーちぇんじ　札幌IC　白石　55
さっぽろうんてんじょ　札幌運転所　手稲　53
さっぽろうんゆししょ　札幌運輸支所　東　71
さっぽろ（えき）　さっぽろ〔駅・手宮鐵道〕　中央　8
さっぽろ（えき）　さっぽろ〔駅・地下鉄南北線〕　中央　56
さっぽろおおたにだい　札幌大谷大　東　67
さっぽろおおたにたんだい　札幌大谷短大　東　71
さっぽろがーでんひるずごるふこーす　札幌ガーデンヒルズゴルフコース　南　68
さっぽろかもつたーみなるえき　札幌貨物ターミナル駅　厚別　51
さつほろ　サツホロ　東他　2
さつほろがわ　サツホロ川　南他　1·5
さっぽろかんくきしょうだい　札幌管区気象台　中央　67
さっぽろかんごく　札幌監獄　東　17
さっぽろきたいんたーちぇんじ　札幌北IC　北　54
さっぽろく　札幌區　中央他　8
さっぽろけいばじょう　札幌競馬場　中央　19
さっぽろけいむしょ　札幌刑務所　東　26
さっぽろけいりんじょう　札幌競輪場　豊平　34
さっぽろこ　さっぽろ湖　南　61
さっぽろこうち（し）しょ　札幌拘置（支）所　東　49（56）
さっぽろこうのうえん　札幌興農園　東　16
さっぽろこくさいすきーじょう　札幌国際スキー場　南　64
さっぽろこくさいだいがく　札幌国際大学　清田　66
さっぽろこくさいたんだい　札幌国際短大　清田　70
さっぽろこんさーとほーる　札幌コンサートホール　中央　67
さっぽろさとらんど　サッポロさとらんど　東　65
さっぽろし　札幌市*　中央他　25
さっぽろじゃんくしょん　札幌JCT　白石　65
さっぽろしょうねんかんべつしょ　札幌少年鑑別所　東　65
さっぽろじょししょくぎょうがっこう　札幌女子職業学校　中央　7
さっぽろしりつだい　札幌市立大　中央・南　67·68
さっぽろじんじゃ　札幌神社　中央　4·5
さっぽろじんじゃようはいどう　札幌神社遥拝堂　中央　7
さっぽろじんじょうしはんがっこう　札幌尋常師範學校　中央　7
さっぽろしんどう　札幌新道　北他　47
さっぽろだいがく　札幌大学　豊平　49
さつほろだけ　サツホロ岳　南　5
さつ（っ）ぽろだけ　サツポロ岳（札幌岳）　南　3（12）
さっぽろたんだい　札幌短大　中央　49
さっぽろていねすきーじょう　サッポロテイネスキー場　手稲　63
さっぽろてくのぱーく　札幌テクノパーク　厚別　58
さっぽろでんぱかんしきょく　札幌電波監視局　西　31
さっぽろとおり　札幌通　中央　6
さっぽろどーむ　札幌ドーム　豊平　66
さっぽろにしいんたーちぇんじ　札幌西IC　手稲　54
さっぽろのうがっこう　札幌農學校　中央　7
さっぽろのうがっこうふぞくのうえん　札幌農學校付属農園　中央　7
さっぽろびーるえん　サッポロビール園　東　66
さっぽろびーるこうじょう　サッポロビール工場　中央・東　49
さっぽろひこうじょう　札幌飛行場　北・東　26·44
さっぽろふようかんとりーくらぶ　札幌芙蓉CC　清田　70
さつほろへつふと　サツホロヘツフト　現江別　5
さっぽろみなみいんたーちぇんじ　札幌南IC　厚別　58
さっぽろみなみごるふくらぶこまおかこーす　札幌南GC駒丘コース　清田　68
さっぽろみなみびょういん　札幌南病院　南　76
さっぽろむら　札幌村　東　8
さっぽろむらしゃ　札幌村社　東　19
さっぽろむらじんじゃ　札幌村神社　東　19
さっぽろよりおたるにいたるみち　自札幌至小樽道　中央他　10
さっぽろよりはこだてにいたるみち　自札幌至函館道　中央他　8
さっぽろりょうようじょ　札幌療養所　西　33
さっぽろれつれっぷ　札幌烈々布　東他　16
さとづか　里塚*　清田　34
さとづかれいえん　里塚霊園　清田　70
さとづかみどりがおか　里塚緑ヶ丘*　清田　66
さまにとおり　様似通　中央　6
さるとおり　サルトウリ（沙流通）　中央　4（6）

こうぎょうしけんじょう　工業試験場　西　49
こうぎょうせいさくじょう　工業製作場　中央　6
こうぎょうだんち　工業団地　手稲　64
こうこうこう　工高校　中央　33
こうさいたいせきじょう　鉱さい堆積場　南　74
こうさんしゃちない　興産社地内　北　17
こうせいこうこう　光星高校　東　33
こうせいねんきんかいかん　厚生年金会館　中央　49
こうせきやま　硬石山　南　68
こうそくてつどうなんぼくせん　高速鉄道南北線　南他　49
こうとうぎじゅつせんもんがくいん　高等技術専門学院　東　54
ごうどうしゅせいこうじょう　合同酒精工場　西　31
こうとうじょがっこう　高等女學校　中央　19
こうとうようごがっこう　高等養護学校　手稲　63
こうのうえん（ぼくそうち）　興農園（牧草地）　東　17
こうほく　耕北　北　31
こうみょうじ　光明寺　北　16
こうゆうち　公有地　清田　25
ごおうじんじゃ　五王神社　西　33
こがね　黄金　南　12
こがねゆ　小金湯*　南　42
こがねゆ　こがねゆ〔駅〕　南　42
こがねゆおんせん　黄金湯（小金湯）温泉　南　42（69）
こくさいせんたー　国際センター　白石　66
こくてつこうじょう（こくてつなえぼこうじょう）　国鉄工場（国鉄苗穂工場）　東　41（49）
こくどうごごうせん　国道五号線　西他　31
こくどうじゅうにごうせん　国道十二号線　白石他　34
こくどうにひゃくさんじゅうごうせん　国道230号線　南他　38
こくどうよんごうせん　国道四号線　西他　33
こくりつさっぽろびょういん　国立札幌病院　白石　49
こくりつびょういん　国立病院　豊平・西　34·56
こくりつりょうようじょ　国立療養所　南　38
ごごうのさわ　五號ノ澤　南　22
ごこくじんじゃ　護国神社　中央　49
ごじょうどおり　五條通　中央　19
こしらやま　小白山　南　25
こすいおおはし　湖水大橋　南　69
こたきのさわ　小滝ノ澤　南　25
こてんぐだけ　小天狗嶽（岳）　南　24（76）
こてんぐとんねる　小天狗トンネル　南　69
ごてんざん　五天山　西　43
ごとうかいこん　後藤開墾　東　17
ことに　コトニ　西　3
ことに　ことに〔駅・手宮鐵道〕　西　8
ことに　ことに〔駅・地下鉄東西線〕　西　56
ことに　琴似*　西　25
ことにがわ　コトニ川　西　5
ことにがわ　琴似川　西　8
ことにちょう　琴似町　西　29
ことにどう　琴似道　西他　7
ことにとんでん　琴似屯田　西　8
ことにとんでんへいそんへいおくあと　琴似屯田兵村兵屋跡　西　54
ことにはっさむがわ　琴似発寒川　西他　47
ことにびょうえん　琴似苗園　西　31
ことにへいわがくえん　琴似平和学園　西　56
ことにむら　琴似村　西　5·7
こどものげきじょう　こどもの劇場　東　71
このっぽろ　小野幌　厚別　18
このっぽろがわ（おのっぽろがわ）　小野津幌川　厚別他　18
ごのへ　五ノ戸　北　17
こばやしとうげ　小林峠　中央　56
ごばんどおり　五番通　北　49
こびきおおはし　木挽大橋　南　69
こびきざわ（がわ）　木挽澤（コビキ沢川）　南　24（69）
こべつざわ　小別澤*　中央　25
こみゅにてぃどーむ　コミュニティドーム　東　65
こむにうしたいほ　コムニウシタイホ　南　3
こめせほいみち　米セホイ道　南他　1
こやざわ　小屋沢　南　40
こやなぎざわ　小柳澤　南　24
ごりんおおはし　五輪大橋　南　49
ごるふじょう　ゴルフ場　手稲他　46
こんべんしょんせんたー　コンベンションセンター　白石　66

【さ】

さいえん　菜園　北　4
さいばんしょ　裁判所　中央　7
さうえん　さうゑん　中央　26
さうすざわ　狭薄沢　南　38
さうすやま　狭薄山　南　25
さうせいはし　サウセイハシ　中央　7
さかいがわ　界川*　中央　19
さかいがわちょう　界川町　中央　41
さかえどおり　栄通*　白石　51
さかえまち　栄町*　東　41
さかえまちえき　さかえまち駅　東　54
さかさがわ　逆川　白石・南　20·64
さきんざわ　砂金沢　南　12

かんのんじ　観音寺　北　31

【き】

きかいば　器械場　清田　25
きくすい　菊水*　白石　44
きくすいえき　きくすい駅　白石　56
きくすいかみまち　菊水上町*　白石　49
きくすいちょう　菊水町　白石　41
きくすいもとまち　菊水元町*　白石　49
きしやうし　キシヤウシ　厚別　2
きせんほくたん　基線北端　北　26
きた　北一条～五十一条　中央他　6・49
きたいばらき　きたいばらき〔駅〕　南　26
きたおかだま　北丘珠*　東　55
きたく　北区*　北　47
きたごう　北郷*　白石　20
きたごういんたーちぇんじ　北郷IC　白石　58
きたこうこう　北高校　中央　33
きたさんじゅうよじょうえき　きたさんじゅうよじょう駅　東　54
きたじゅうさんじょうおおはし　北十三条大橋　東　56
きたじゅうさんじょうひがしえき　北13条東駅　東　67
きたじゅうにじょうえき　きたじゅうにじょう駅　北　54
きたじゅうはちじょうえき　きたじゅうはちじょう駅　北　54
きたしろいしがわ　北白石川　白石　55
きたにじゅうよじょうえき　きたにじゅうよじょう駅　北　54
きたの　北野*　清田　34
きたのさわ　北ノ沢*　南　33
きたのさわがわ　北の沢川　南　49
きたはっさむ　北発寒　西　31
きたまち　北町　白石　41
きたまるやま　北円山　中央　41
きたむらのうじょう　北村農場　白石　20
きもぺつだけ　喜茂別(キモベツ)岳　南　(12) 25
きゅういしかりかいどう　旧石狩街道　北　31
きゅうことにがわ　旧琴似川　東　65
きゅうじゅうまん　九十万　清田　25
きゅうちょうしゃ　旧庁舎　中央　49
きゅうとよひらがわ　旧豊平川　白石　32
きゅうなかのかわ　旧中の川　西　67
きゅうむろらんかいどう　旧室蘭街道　清田　36
きょういくがくぶ　教育学部　北　54
きょういくだいがく　教育大学　中央　44
きょういくぶんかかいかん　教育文化会館　中央　73
きょうえいばし　共栄橋　手稲・清田　54・70
きょうがんじ　教願寺　北　70
きょうぎじょう　競技場　南　49
きょうしょうじ　教照寺　白石　20
きょうしんかいじょう　共進會場　中央　7
ぎょうゆうじ　尭祐寺　中央　19
きょうようぶ　教養部　北　54
きよた*　清田　清田　34
きよたく　清田区　清田　70
きよただんち　清田団地　清田　52
きるうしない　キルウシナイ　豊平　3
きんだいびじゅつかん　近代美術館　中央　56
ぎんれいそう　銀嶺荘　南　61

【く】

くとしんそをまない　クトシンソヲマナイ　西　3
くまのさわ　熊ノ澤　厚別　9
くまのさわこうえん　熊の沢公園　厚別　66
くらーくぞう　クラーク像　北　49
くるみざわ(がわ)　胡桃澤(胡桃沢川)　南　24 (74)
くをへつ　クヲヘツ　手稲　5
ぐんくやくしょ　郡區役所　中央　7

【け】

げいじゅつのもり　芸術の森*　南　59
けいさつがっこう　警察学校　南　44
けいさつしょ　警察署　中央　7
けいさつむせんそうしんじょ　警察無線送信所　東　31
けいばじょう　競馬場　中央　7
けいむしょしゅっちょうじょ　刑務所出張所　中央　27
けいむしょどおり　刑務所通　東　26
げすいしょりじょう　下水処理場　北他　47
けなしやま　ケナシ山　南　5
けねうしべ　ケ子ウシベ　中央　3
けねうす　ケ子ウス　南　5
けねうすへつ　ケ子ウスヘツ　中央　5
げんぱちさわがわ　源八(の)沢川　西　46 (64)
げんや　原野　厚別他　20

【こ】

こいざりやま　小漁山　南　25
こうえんじ　光圓寺　清田　20
こうえんたんだい　光塩短大(光塩学園短大・光塩学園女子短大)　南　50 (60・67)
こうがくぶ　工学部　北　49
こうぎょうかいはつしけんじょ　工業開発試験所　豊平　58
こうぎょうきょくようち　工業局用地　中央　6
こうぎょうこう　工業校　中央　27

おのっぽろがわ（このっぽろがわ） 小野津幌川 厚別他 18
おもてさんどう 表参道 中央 26
おろしせんたー 卸センター 東 49
おんこのさわ 水松沢（オンコの澤） 南 (24) 38
おんしつ 温室 中央 7

【か】

かいたくきねんかん 開拓記念館 厚別 51
かいたくきねんひ 開拓記念碑 中央 7
かいはつきょくけんしゅうせんたー 開発局研修センター 東 66
かいらくえん 偕樂園 北 4
かうない カウナイ 厚別 3
かがくかん 科学館 厚別 58
かがくしょりじょう 化学処理場 北 48
がくえんとしせん 学園都市線 北他 65
がくえんまええき がくえんまえ駅 豊平 66
かくおうじ 覚王寺 北 16
がくげいだいがく 学芸大学（学大） 中央 33 (41)
がくしゅうせんたー 学習センター 西 72
がくでん 學田 北・東・清田 16・17・23
かしわおか 柏丘 南 75
かそうば 火葬場 豊平 33
かたいしやま 硬石山* 南 22
かちくえいせいしけんじょう（しじょう） 家畜衛生試験場（支場） 豊平 51 (58)
がっこうえん 學校園 北 6
かなやま 金山* 手稲 30
かねこざわがわ 金古沢川 南 68
かはとう カハトウ 北 3・5
かばととおり カハトトウリ（樺戸通） 中央 4 (6)
かぶといわ 兜岩 南 68
がまざわ（がわ） 蝦蟆沢（川） 南 38 (61)
かまやうし カマヤウシ 北 3
かまやうす カマヤウス 北 3・5
かまやうす 釜谷臼 北 17
かまやうす かまやうす〔駅〕 北 48
かまやす かまやす 北 17
かみいそとおり カミイソトウリ（上磯通） 中央 4 (6)
かみしのろ 上篠路 北 31
かみしろいし 上白石 白石 19
かみしろいしばし 上白石橋 東 49
かみしろいしむら 上白石村 白石 8
かみていね 上手稲 西 16
かみていねむら 上手稲村 西 8
かみとうべつぶと 上當別太 北 17
かみにしやま 上西山 豊平 19
かみのっぽろ 上野幌* 厚別 34
かみのっぽろ かみのっぽろ〔駅〕 厚別 25
かみののさわ 上野ノ澤 南 25
かみひらさわがわ 上平沢川 南 64
かみまち 上町 白石 43
かみやまはな 上山鼻 南 19
かむいざわがわ 神威沢川 南 69
かむいだけ 神威嶽 南 25
かむいばし 神居橋 南 24
かむむ カムム 中央 8
かもいちせ カモイチセ 南 3
かもかも カモカモ 中央 5
かもかもがわ 鴨々川 中央 19
かもつせんようせん 貨物専用線 白石 49
かりきいんたーちぇんじ 雁来IC 東 55
かりきおおはし 雁来大橋 東 55
かりきしんかわ 雁来新川 東 48
かりきちょう 雁来町* 東 49
かりきばし 雁来橋 東 32
かりきむら 雁來村 東 5・7
かるがは かるがは〔駅〕 手稲 8
がるがわ ガルガワ 手稲 5
がるがわ 輕川 手稲 15
がるがわ 軽川 手稲 64
がるがわおんせん 輕川温泉 手稲 15
がるがわさわ 輕川澤 手稲 15
かるとう カルトウ 北 3
かれき 雁來 東 17
がろがわ ガロガワ 手稲 5
かわきた 川北* 白石 51
かわしも 川下* 白石 20
かわしもこうえん 川下公園 白石 66
かわぞえ 川沿* 南 50
かわぞえちょう 川沿町* 南 37
かわむこう（かわむかい） 川向 東 17
かんえん 官エン 中央 5
かんかいん 感化院 中央 19
かんぎょういちごうえん 勧業壱號園 中央 6
かんぎょうせいしじょ 勧業製糸所 中央 6
かんぎょうぼくようじょう 勧業牧羊場 中央 6
かんこ 官庫 北・東 6
かんこうじどうしゃどうろ 観光自動車道路 南 49
かんごくしょ 監獄所 東 6
かんごくどおり 監獄通 東 19
かんじょうきたおおはし 環状北大橋 東 66
かんじょうだい 干城臺 豊平 20
かんじょうとおりひがしえき かんじょうとおりひがし駅 東 65
がんせんたー がんセンター 白石 66
かんのんいわやま 観音岩山 南 25
かんのんざわがわ 観音沢川 南 59

いなりじんじゃ　稲荷神社　西　49
いふいとろまふ　イフイトロマフ　南　3
いぶりとおり　イフリトウリ（膽振通）　中央　4（6）
いりょうふくしせんもんがっこう　医療福祉専門学校　北　55
いわまつ　イワマツ　南　5

【う】

うえんしりきしよまふ　ウヱンシリキシヨマフ　西　3
うこちしね　ウコチシ子　南　2
うすしんどう　有珠新道　南他　4・5
うすとおり　ウストウリ（有珠通）　中央　4（6）
うすへつ　ウスヘツ　南　5
うすべつ　薄別　南　25
うすべつおんせん　薄別温泉　南　38
うすべつがわ　薄別川　南　12
うすべつばし　薄別橋　南　69
うつくしがおか　美しが丘*　清田　70
うらかわとおり　浦川通　中央　6
うりゅうとおり　雨龍通　中央　6
うんかは　運河　手稲　15
うんがぶち　運河縁　北　16
うんそうきょく　運漕局　中央　4
うんてんめんきょしけんじょう　運転免許試験場　手稲　53
うんどうじょう　運動場　中央　29

【え】

えいじゅびょういん　衛戍病院　豊平　20
えいぜんきょく　営繕局　中央　4
えいようたんだい　栄養短大　南　50
えいりんきょく　営林局　中央　44
えきしよまさつほろ　エキシヨマサツホロ　南　3
えっちゅうやま　越中山　厚別　18
えぬえっちけい　NHK　中央　49
えひしよまはつしやふ　エヒシヨマハツシヤフ　西　3
えぷいうとろまっぷ　エプイウトロマップ　南　11
えぼしだけ　烏帽子嶽　南　25
えぼしとんねる　烏帽子トンネル　南　69
えるむとんねる　エルムトンネル　北　67
えんかるしべ　ヱンカルシベ　南　5
えんかるしへのほり　エンカルシヘノホリ　南　3
えんげいだんち　園芸団地　北　55

【お】

おいわけ　追分　豊平・手稲　4・16
おいわけがわ　追分川　手稲他　8
おおいざりさわがわ（たいりょうざわがわ）　大漁沢川　手稲　64
おおえざわ　大江澤　南　24
おおくらしゃんつぇ　大倉シャンツェ　中央　33
おおくらやまじゃんぷきょうぎじょう　大倉山ジャンプ競技場　中央　49
おおさわ　大澤　厚別　18
おおたにがくえん　大谷学園　東　33
おおたにたんだい　大谷短大　東　54
おおどおり　大通　中央　7
おおどおりえき　おおどおり駅　中央　56
おおどおりこうえん　大通公園　中央　43
おおふたまたやま　大二股山　南　40
おおまがり　大曲　清田　23
おおまがりがわ　大曲川　清田他　23
おおまがりばし　大曲橋　厚別　23
おおやち　大野地　北　17
おお（おほ）やち　大谷地　清田他　25・20
おおやち　おおやち〔駅・国鉄千歳線〕　白石　34
おおやち　おおやち〔駅・地下鉄東西線〕　厚別　58
おおやちいんたーちぇんじ　大谷地IC　厚別　58
おおやちげんや　大谷地原野　白石　17
おおやちにし　大谷地西*　厚別　58
おおやちひがし　大谷地東*　厚別　58
おおやちりゅうつうせんたー　大谷地流通センター　白石　51
おおやふち　大爺淵　南　25
おかだま（たま）　丘珠　東　25・26
おかだまくうこう　丘珠空港　東　48
おかだまちょう　丘珠町*　東　41
おかだまてっこうだんち　丘珠鉄工団地　東　48
おかだまひこうじょう　丘珠飛行場　東　41
おかたま（だま）むら　丘珠村　東　5・7
おかだま（たま）れつれっぷ　丘珠烈々布　東　17
おかばろ（る）しがわ　オカバロ（ル）シ川　南　1（59）
おがわ　小川　南・白石　12・20
おくていねのさわがわ　奥手稲の沢川　手稲　64
おくていねやま　奥手稲山　手稲　61
おくないきょうぎじょう　屋内競技場　南他　49
おくないすけーとじょう　屋内スケート場　豊平　49
おくないひろば　屋内広場　西　72
おしまとおり　渡嶋通　中央　6
おしどりざわ　鴛鴦沢　南　24
おすいしょりじょう　汚水処理場　東　48
おたるない　小樽内　南　69
おたるないがわ　小樽内川　南　10
おたるないしんどう　小樽内新道　手稲他　5
おーときゃんぷじょう　オートキャンプ場　南　68
おとめのたき　乙女ノ滝　手稲　46

あしりべつえんしゅうじょう　厚別演習場　清田　20
あしりべつきたどおり　厚別北通　白石　20
あしりべつじんじゃ　厚別神社　厚別　51
あしりべつたき　厚別滝　清田　25
あしりべつのたき　アシリベツの滝　清田　61
あしりべつひがしとおり　厚別東通　清田　39
あしりべつみなみどおり　厚別南通　清田　23
あしりべつみなみどおりさんかくてん　厚別南通三角貼　清田　25
あずまばし　東橋　中央　19
あだち　安達　厚別　18
あつたとおり　アツタトウリ（厚田通）中央　4（6）
あつっぺ　アツッペ　白石　8
あつべつ　厚別　清田　20（25）
あつぺっ　厚別　清田　8
あつぺつ　あつぺつ〔駅〕厚別　8
あつべつ　あつべつ（駅）厚別　25
あつぺっ　アツペッ　厚別　8
あっぺつ　アッペツ　白石　8
あつべつ（あしりべつ）がわ　厚別川　清田他　20・25
あつべつきた　厚別北*　厚別　58
あつべつく　厚別区*　厚別　58
あつべつげんや・あしりべつげんや　厚別原野　厚別他　17
あつべつこうえん　厚別公園　厚別　58
あつべつちゅうおう　厚別中央*　厚別　58
あつべつちょうあさひまち　厚別町旭町　厚別　51
あつべつちょうかみのっぽろ　厚別町上野幌*　厚別　51
あつべつちょうかわしも　厚別町川下　厚別　51
あつべつちょうこのっぽろ　厚別町小野幌*　厚別　51
あつべつちょうしものっぽろ　厚別町下野幌*　厚別　51
あつべつちょうひがしまち　厚別町東町　厚別　51
あつべつちょうやまもと　厚別町山本*　厚別　51
あつべつななごうばし　厚別七号橋　厚別　55
あつべつにし　厚別西*　厚別　51
あつべつばし　厚別橋　厚別　51
あつべつひがし　厚別東*　厚別　58
あつべつみなみ　厚別南*　厚別　58
あなのがわ　アナノ川　南　5
あなのがわ　穴の川　南　59
あなのさわ　穴ノ澤（沢）　南　25（11）
あぶたとおり　アフタトウリ（虻田通）中央　4（6）
あぶたみち　アブ田道　南他　1
あべやま　阿部山　西　64
あゆみのその　あゆみの園　白石　66
あらいやま　荒井山　中央　49
あらうつない　アラウツナイ　豊平　8
あらをつた　アラヲツタ　南　3
ありあけ　有明*　清田　61
ありあけのたき　有明の滝　清田　70
あわかいこん　阿波開墾　厚別　18
あんらくじ　安樂寺　厚別　20
あんらころうしない　アンラコロウシナイ　厚別　3

【い】

いがくぶ　医学部　北　49
いけみがくえん　池見学園　南　50
いざりいりえがわ　漁入江川　南　61
いざりいりさわ　漁入沢　南　40
いざりいりざわがわ　漁入沢川　南　25
いざりだけ　漁嶽　南　25
いしかり　イシカリ　北他　2
いしかりかいどう　石狩街道　北　16
いしかりがわ　石狩川　北　1・3
いしかりしちょう　石狩支庁　中央　56
いしかりとおり　イシカリトウリ（石狩通）中央　4（6）
いしきりしんどう　石切新道　中央他　4・6
いしきりやま　石キリ山　南　5
いしきりやま　石切山　南　28
いしきりやま　いしきりやま〔駅〕南　28
いしやぬ　イシヤヌ　白石　2
いしやま　石山*　南　11
いしやまおおはし　石山大橋　南　59
いしやまどおり　石山通　南　22
いしやまひがし　石山東*　南　59
いずみまち　泉町　南　44
いだい（びょういん）医大（病院）中央　33（49）
いだいびょういん　医大病院　中央　49
いたわりざわ　板割沢　南　11
いちごうばし　一号橋　南　38
いちじょうどおり　一條通　中央　49
いちじょうおおはし　一条大橋　中央　49
いちじょうばし　一条橋　中央　33
いちのさは　いちのさは〔駅〕南　25
いちのさわ　一ノ澤　南　25
いちのさわかわ　一の沢川　南　69
いちばんどおり　一番通　北・南　16・25
いちやのぼり　イチヤノボリ　南　3
いっく　一区（二区、三区、四区）白石　33
いとうのうじょう　伊藤農場　白石　39
いなづみこうえんえき　いなづみこうえん駅　手稲　54
いなづみのうじょう　稲積農場　手稲　16
いなほ　稲穂*　手稲　30
いなほ　いなほ〔駅〕手稲　63
いなりしゃ　稲荷社　中央　19

48　2万5千分の1地形図「札幌東北部」（昭和50年第3回改測）
49　2万5千分の1地形図「札幌」（昭和50年第3回改測）
50　2万5千分の1地形図「石山」昭和50年第3回改測）
51　2万5千分の1地形図「札幌東部」（昭和50年第3回改測）
52　2万5千分の1地形図「清田」（昭和50年第3回改測）
53　2万5千分の1地形図「銭函」（平成2年修正）
54　2万5千分の1地形図「札幌北部」（平成4年要部修正）
55　2万5千分の1地形図「札幌東北部」（平成4年要部修正）
56　2万5千分の1地形図「札幌」（平成4年修正）
57　2万5千分の1地形図「手稲山」（平成2年修正）
58　2万5千分の1地形図「札幌東部」（平成4年要部修正）
59　2万5千分の1地形図「石山」（平成3年修正）
60　2万5千分の1地形図「清田」（平成2年修正）
61　20万分の1地勢図「札幌」（平成5年要部修正）
62　2万5千分の1地形図「野幌」（平成13年修正）
63　2万5千分の1地形図「銭函」（平成18年更新）
64　5万分の1地形図「銭函」（平成20年修正）
65　2万5千分の1地形図「札幌東北部」（平成18年更新）
66　2万5千分の1地形図「札幌東部」（平成18年更新）
67　2万5千分の1地形図「札幌」（平成27年調整）
68　2万5千分の1地形図「石山」（平成27年調整）
69　2万5千分の1地形図「定山渓」（平成28年調整）
70　2万5千分の1地形図「清田」（平成28年調整）
71　2万5千分の1地形図「札幌北部」（平成28年調整）
72　2万5千分の1地形図「札幌北部」（平成18年調整）
73　2万5千分の1地形図「札幌」（平成18年更新）
74　2万5千分の1地形図「無意根山」（平成18年更新）
75　5万分の1地形図「札幌」（平成20年修正）
76　5万分の1地形図「定山渓」（平成3年修正）

❖地図に見る札幌の地名一覧

【あ】

あいのさと　あいの里*　北　55
あいのさときょういくだいえき　あいのさときょういくだい駅　北　61
あいのさとこうえん　あいの里公園　北　65
あいのさとこうえんえき　あいのさとこうえん駅　北　61
あおばちょう　青葉町*　厚別　51
あおばちゅうおうこうえん　青葉中央公園　厚別　65
あおもりしんたくのうじょう　青森信託農場　北　26
あけぼの　曙*　手稲　54
あけぼのまち　曙町　南　44
あさひがおか　旭ガ丘　中央　33
あさひがおか　旭ヶ丘*　中央　44
あさひだけ　朝日岳　南　69
あさひまち　旭町　厚別　20
あさひまち　旭町*　豊平　33
あさひやま　朝日山　南　24
あさひやまきねんこうえん　旭山記念公園　中央　49
あさひびーるこうじょう　朝日ビール工場　白石　51
あさぶえき　あさぶ駅　北　54
あさぶちょう　麻生町*　北　41
あさりだけ　朝里嶽（岳）　南　25（61）
あさりだけさわがわ　朝里岳沢川　手稲　64
あさりとうげ　朝里峠　手稲　61
あさりとうげ　朝里峠トンネル　手稲　64
あさりとうげさわがわ　朝里峠沢川　手稲　64
あししへつふと　アシヽヘツフト　厚別　5
あしへつ　アシヘツ　厚別　5
あしゆしへつ　アシユシヘツ　清田他　3
あしりべつ　厚別　清田　25

❖地名採録地図一覧 ＊29番以降はすべて国土地理院測図・発行

1 「飛騨屋久兵衛石狩山伐木図（仮称）」（宝暦年代、岐阜県歴史資料館寄託「武川久兵衛家文書」）
2 「松前蝦夷地嶋圖一」（文化5年、文化13年村山直之写、北海道大学附属図書館蔵）
3 松浦竹四郎「東西蝦夷山川地理取調圖五・十」（安政6年、北海道大学附属図書館ほか蔵）
4 開拓使測量課「北海道札幌之圖」（明治6年、北海道大学附属図書館蔵）
5 飯嶋矩道・船越長善「札縨郡西部圖」（明治6年、北海道立図書館蔵）
6 開拓使地理課「北海道札幌之圖」（明治11年・同14年加筆、北海道大学附属図書館蔵）
7 北海道廳第二部編纂「札幌市街之圖」（明治22年製図、写者／望月学、彫刻兼印刷松島東一郎、関秀志蔵）
8 北海道假製五万分の一圖「札幌」（明治29年、陸地測量部）
9 北海道假製五万分の一圖「江別」（明治29年、陸地測量部）
10 北海道假製五万分の一圖「銭函」（明治29年、陸地測量部）
11 北海道假製五万分の一圖「平岸」（明治29年、陸地測量部）
12 北海道假製五万分の一圖「札幌岳」（明治29年、陸地測量部）
13 北海道假製五万分の一圖「石狩」（明治29年、陸地測量部）
14 北海道假製五万分の一圖「札幌」（明治42年部分修正、陸地測量部）
15 2万5千分の1地形図「銭函」（大正5年測図、陸地測量部）
16 2万5千分の1地形図「茨戸」（大正5年測図、陸地測量部）
17 2万5千分の1地形図「丘珠」（大正5年測図、陸地測量部）
18 2万5千分の1地形図「野幌」（大正5年測図、陸地測量部）
19 2万5千分の1地形図「札幌」（大正5年測図、陸地測量部）
20 2万5千分の1地形図「月寒」（大正5年測図、陸地測量部）
21 2万5千分の1地形図「江別」（大正5年測図、陸地測量部）
22 2万5千分の1地形図「石山」（大正5年測図、陸地測量部）
23 2万5千分の1地形図「輪厚」（大正5年測図、陸地測量部）
24 5万分の1地形図「定山渓」（大正6年測図、陸地測量部）
25 20万分の1地勢図「札幌」（大正15年製版、陸地測量部）
26 5万分の1地形図「札幌」（昭和10年修正、陸地測量部）
27 2万5千分の1地形図「札幌」（昭和10年修正、陸地測量部）
28 5万分の1地形図「石山」（昭和10年修正、陸地測量部）
29 5万分の1地形図「札幌」（昭和22年資料修正）
30 2万5千分の1地形図「銭函」（昭和25年修正）
31 2万5千分の1地形図「茨戸」（昭和25年修正）
32 2万5千分の1地形図「丘珠」（昭和25年修正）
33 2万5千分の1地形図「札幌」（昭和27年資料測量）
34 2万5千分の1地形図「月寒」（昭和25年修正）
35 2万5千分の1地形図「野幌」（昭和27年資料修正）
36 2万5千分の1地形図「清田」（昭和25年修正）
37 2万5千分の1地形図「石山」（昭和25年修正）
38 2万5千分の1地形図「定山渓」（昭和30年測図）
39 5万分の1地形図「札幌」（昭和27年資料修正）
40 5万分の1地形図「札幌岳」（昭和30年資料修正）
41 5万分の1地形図「札幌」（昭和35年修正）
42 5万分の1地形図「定山渓」（昭和42年編集）
43 5万分の1地形図「札幌」昭和43年編集）
44 5万分の1地形図「石山」（昭和43年編集）
45 2万5千分の1地形図「銭函」（昭和51年第2回改測）
46 2万5千分の1地形図「手稲山」（昭和51年改測）
47 2万5千分の1地形図「札幌」北部（昭和51年第3回改測）

付録 地図に見る札幌の地名

作成：山内正明／監修：関 秀志

凡 例

1 本覧には、採用地図に記載された地名のみを掲載した。本文では札幌市内の現行行政地名を網羅したが、その他の地名については一部しか掲載できなかった。それを補完することを目的とするが、紙数の制約により採録に用いた地図は別記の主要な地図に限定した。よって、本覧に掲載した以外にも膨大な地名が存在する。本書巻末の索引も参照されたい。

2 採用地図について
①江戸期のものは、最古の札幌地方詳図、サッポロ川が流路を大きく変えた直後の地図、松浦武四郎の代表的な蝦夷図の3点に絞った。
②近現代のものは、開拓使が製作した代表的な地図3種、北海道庁・陸地測量部・国土地理院の地形図70種である。別途、地図の一覧を挙げた。

3 地名などの表記について
①地名は五十音順に並べ、「地名の読み、地図記載地名、該当区名、掲載地図番号」の順に表記した。地図記載地名に（ ）で表記された部分は、同一地名で表記の異なるものを示す。地図上で「～駅」の記載がない駅名については、〔駅〕を補足した。地名末尾に付した＊印は、現行の行政地名となる。ただし、以下の行政地名については、採用した地図に記載が見られなかった。

◆明日風（手稲区）、大通西・東（中央区）、真駒内幸町（南区）、南あいの里（北区）

②原則的に採録した地図の表記に従い、明らかな誤りと思われるものも、そのまま掲載した。江戸期～明治29年（1896）の地図に記載されている地名は、すべて記載したが、それ以降の地図については主要なものに限定した。
③地名の所在地（現在の区名）については、「～区」の表記は省略した。古い地図の場合、区の境界が不明確なものが少なくないため、推定地を記載している。河川や山岳で複数の区にまたがる場合は、主要な区のみを記載し、橋の所在区については左岸側の区を掲載した。
④末尾の採用地図については、地図番号のみ記した。地名が複数の地図に記載されている場合は、明治29年の地図（13番）まで、古い順に2種のみ記した。14番以降については、基本的に初出の地図番号のみを記したが、同一名称で場所の異なる地名は複数の地図番号を併記した。このほか、同一地名で表記の異なる場合も地図番号を併記し、地名の表記に対応して「4（6）」のように地図番号に（ ）を付した。

ヌプサムメム　377
ヌポロペッ　76，385

【ハ】

ハシウシペッ　217
ハシペッ　217，384
ハシュシペッ　217
ハスシペッ　217
ハチヤムエプイ　214
ハチャムエプイ　368
ハチャムペッ　224，378，403
ハツサプ　224
ハツシヤプ　34
ハッタルペッ　393
パナウンクル　219
パナウングルヤソッケ　219
パラト　211，375
パラトプト　210
パラトプトゥ　211
パラピウカ　174
ハリウス　358
パンケ　374
パンケサッポロ　176
パンケチライペッ　396
パンケドエピラ　90
パンケトー　400
パンケハッタル　120，393

【ヒ】

ピラケシ　212，213

【フ】

フシコサッポロペッ（フシコサッポロペッ）
54，174，226，375，379
フシコペッ　200

【ヘ】

ペーペナイ　360
ペケレトシカ　378
ベケレトシカトー　204
ペシポキ　213
ベツカウシ　142
ペンケ　375
ペンケドエピラ　90
ペンケトー　400
ペンケハッタル　120，393

【ホ】

ホシポキ（ホシホキ）　213，214
ホルカウエンサッポロ　177
ポロコトニ　373
ポンコトニ　373
ポンヌポロペッ　385
ポンハシウシュペッ　217
ポンハチャム　404

【マ】

マクオマナイ（マクオマナイ）　125，392
マサリ　359
マサルカ　359

【ム】

ムイネシリ　215，361

【モ】

モイレペッ　350，381
モイレペットー　54，381
モイワ　221，347
モサッポロペッ　176
モチキサプ　388

【ヤ】

ヤムペ　107，390

【ユ】

ユオヲチ　360
ユクニクリ　218，374

【ヨ】

ヨイチパオマナイ　397
ヨコウシペッ　218
ヨコシペッ（ヨコシベツ）　347，374

【ラ】

ラウネナイ　384，388

【ル】

ルエトイェプ　224
ルエトイプ　56

【ワ】

ワウシリ　358

オペッカウシイ 142
オペッカウシ 214，368，403
オロウエンサッポロ 176

【カ】

カマヤウス 46
カムイニセイ 226，398
カムイヌプリ 356

【キ】

キムンカムイ 356
キモペッ 362

【ク】

クオナイ 146
クオペッ 146，404

【ケ】

ケネウㇱ 354
ケネウㇱペッ 216，373

【コ】

コタンペッ 347
コッネイ 208，372

【サ】

サクㇱコトニ 208，373，377
サシヌ 363
サツテクホロ 171
サッポロ 171，172，173，207
サッポロヌプリ 177，362
サッポロプッ 175
サッポロプトゥ 226
サツポロプト 376
サッポロペッ 173，174，362
サリポロペッ 173
サンダロッキヒ 405

【シ】

シノコトニオロ 373
シノマンサッポロ 177
シノロプト 35，376
シンノㇱケコトニ 373

【ス】

スマヌプリ 356，357

【セ】

セロンペッ 373

【ソ】

ソーポク 214
ソーパルサッポロ 176
ソラルマナイ 363

【タ】

タンネウェンシㇼ 210，366
タンネハッタㇽ 393，402

【チ】

チェプンペッ 372，373
チキサㇷ゚ 220，388
チㇷ゚トゥラシ 223
チワㇱペト 43

【ツ】

ツイシカリ 384
ツイシカリメㇺ 382

【テ】

テイネイ 152
ティネイ 366
テイネニタッ 210
テイネヌプリ 210，366

【ト】

トゥイエピラ 90
トゥイピラ 387
トㇱカ 378
トゥシリパオマナイ 367，405
トゥンニウㇱナイ 378，390
トーパロ 381
トーペッ 43

【ナ】

ナイポ 51

【ニ】

ニセイオマㇷ゚ 211，394

【ヌ】

ヌツホコマナイ 391
ヌプオルオペッ 76

山田開墾　37
山田農場　37
山根通　19
山ノ上　132
山の手（山ノ手）　**147**
山鼻　**25**，120，124，218
山鼻（屯田）兵村　121，130
山鼻村（町）　17，25，26，120，123
山部川　99，107，390
山本（区）　80
山本川（排水）　80
山本処理場　80
山本農場　80
山本排水処理施設　80

【ゆ】

湯の沢　**133**
百合が原　37，**44**
百合が原駅（百合が原臨時乗降場）　45
百合が原公園　**44**

【よ】

横町　63，**71**
横町通　72
吉田川　97，383
吉田善太郎　68
吉田山（公園）　68
吉田用水　68，106
米里　**70**
米里行啓通　72
四軒村　19
四号の沢　121
四番通　40

【ら】

ラーメン横丁　25

【り】

陸上自衛隊真駒内駐屯地　125
流通センター　**67**

【れ】

霊園前駅　96
烈々布　36，**45**，56
烈々布会館　45
烈々布地蔵尊　45
烈々布神社　45

【ろ】

六軒村　97

アイヌ語地名索引

この索引は、I部とII部を対象に、原則として日本語の語義解説が付されたアイヌ語に限った。

【ア】

アサリ　359
アシㇼペッ　109，390

【イ】

イオチ　360
イシカルンクㇽ　219
イチャㇴ　364
イヨチオマサッポロ　397
インカルㇱペ　222，347，352，391

【ウ】

ウコツシンネイ　118
ウライウㇱナイ　388

【エ】

エピショマサッポロ　397
エプイ　348，353
エプユトゥロマㇷ　394
エペシ　356
エンガルシュペ　222

【オ】

オカパルㇱ　394
オㇰカイタㇺチャラパ　226
オソウシ　211，212，392
オタルナイ　406
オッカイタㇺ　50
オッカイタㇺチャラパ　50

真駒内団地　126
真駒内中央公園　125
真駒内東町　125，126
真駒内牧牛場　125
真駒内本町　124，126
真駒内緑町　124，126，127
真駒内南町　124，126
真古茂野　125
鱒沢（鱒ノ沢）　117
鱒見の沢川　128，391
鱒見の滝　128，400
まちづくりセンター　57
松浦武四郎　114
マルジュウゴの沢（丸重吾ノ沢）　130
円山　**20**，221，347
円山朝市　21，22
円山西町　**21**
円山町　13，120，131
円山南町　16，21
円山村　21，120
円山養樹園　22

【み】

美泉定山　112，**114**
ミカオ公園　58
美香保公園　58
美香保　**58**
美香保体育館　59
三木勉　143
右股　149
瑞穂池　77，78
簾舞（ミスマイ／ミソマイ）　90，**115**，130
簾舞ヲカバルシ川上流　130
簾舞野々沢　130
簾前　130
美住町　52
美園（御園）　**96**
美園駅　96
緑ケ丘団地　108
南あいの里　**35**
南大橋　92
南区　**112**
南里塚　107
南沢　**122**
南七条大橋　92
南の沢川　122，393
南発寒　140
南平岸駅　96
宮ケ丘　**22**
宮の沢（宮ノ澤）　**143**，160
宮の森　**23**
御幸通　124

【む】

村界通　64
村山家　130

【も】

藻岩下　**124**
藻岩発電所　124
藻岩村　120
藻岩山　**119**，222，352
藻岩山観光自動車道　121，123
モエレ沼　53，54
モエレ沼公園　51，**54**
モエレ山　48
望月寒　132
最月寒　60
望月寒川　67，94，131，388
望月寒川沿い　96
元右衛門堀　18
元町　**56**
元町団地　54
元村　50，56，416
元山　135
本山道路　135
藻南公園　123
もみじ台　85
もみじ台北　**85**
もみじ台団地　74，85，286
もみじ台通　78
もみじ台西　**85**
もみじ台東　**85**
もみじ台南　**85**

【や】

焼山　94，99，351
焼山精進川沿　132
安春川　**46**
山口　37
山口運河　158，406
山口星置　158
山口（村）　159
山口緑地　161

羊ケ丘通ニュータウン　107
ひばりが丘団地　74，82，85，86，286
ひまわり団地　38
平岡　76，**106**
平岡公園　**108**
平岡公園東　**109**
平岸　**95**，132
平岸駅　96
平岸通　95，132
平岸掘割　95
平岸村　93，95，125，130，132，133
広島開墾　143，150
広島線　151
広島通（道路）　**150**

【ふ】

福移　43，44
福井　**145**
福住寺　97
福住　**97**
伏古（フシコ）　**54**
伏籠川（伏篭川）　43，50，54，375，379
伏籠（伏戸）札幌川　54
伏古団地　54
藤野　**129**
藤の沢（藤ノ沢）　129，130
伏見（町）　**19**，21
双子山　**20**
双子山町　20

【へ】

平和　**149**
平和通　**67**，81
平和の滝　149，406
ペケレット湖　35，378

【ほ】

報国社　36
豊平館　18，119
豊平峡　**134**
豊平峡ダム　114，134
望豊台　128
北星学園大学　81
北星学園大学附属高等学校　78
北大第三農場　59
北都団地　69，288
星置　154，**158**
星置川　158，406
星置の滝　158，406
星置南　**158**
北海学園大学　92
北海学園北海短期大学　92
北海道開拓記念館　78
北海道開拓の村　77，78
北海道工業試験場　141，304
北海道神宮　21
北海道製麻会社　38，294
北海道拓殖銀行　37
北海道知事公館　27
北海道農事試験場　141，304
北海道博物館　77，78
北海道百年記念塔　77，78
歩兵第二十五連隊　98，100
幌内炭鉱　69
幌内鉄道　69，157，311
幌平橋　93，318
本願寺街道（道路）　114，115
本郷通　**66**
本町　**55**
本通　**67**，71，81
本間長助農場　161

【ま】

前田　**156**
前田利為　156
前田農場　43，156，304
牧場　39
間古間内　125
真駒内　**124**
真駒内曙町　124，126
真駒内泉町　124，126
真駒内駅　127
真駒内屋内競技場　127
真駒内開拓団　133
真駒内柏丘　125，126，127
真駒内上町　124，126
真駒内川　125，133，392
真駒内公園　125，126
真駒内公園屋外競技場　127
真駒内御料札幌線　106
真駒内御料地　133
真駒内ゴルフ場　127
真駒内幸町　124，126
真駒内種畜場　125，133

【に】

西蝦夷地イシカリ場所　46
西岡　**94**
西岡公園　88，94
西岡水源池　94
西岡団地　94
西区　**138**
西野　**142**
西野白石線　95
西野通　150
西発寒　140
西茨戸　**42**
西牧場　39
西町北　**148**
西町南　**148**
西宮の沢　**160**
西山　94，128
西山ノ手　147
二十四軒　**141**
二十四軒北　144
二十四軒手稲通　156
二十四軒西　144
二十四軒東　141
二十四軒南　141

【ぬ】

沼ノ（の）端　44，53

【の】

農業研究センター　99
農試　141
農試公園　141，304
残村　96
野津幌川　77，385
野幌森林公園　77
野々川　130
野々沢　129，130

【は】

馬車鉄道　43
八軒　**141**
八軒駅　141
八軒北　141
八軒西　141
八軒東　141
八号の沢　121，122
八望台団地　106
八剣山　116
八紘（八紘学園）　98，**100**
発寒（發寒）　**140**，158
発寒神社　140
発寒屯田兵村　140
発寒村　140
八窓庵　18
八垂別（発垂別／ハッタリベツ）　26，119，120，121，122，123
八垂別の滝　122
発足別　120
馬場山　348
茨戸　43
茨戸街道　39，40
茨戸川　43，375
茨戸太　42，43
茨戸油田　43
盤渓　**19**，123，146
万計沢　133
盤渓小学校　19
盤ノ沢　19，117
盤之沢　146

【ひ】

東　148
東裏　132
東雁来（町）　**52**
東雁来江別線　80
東区　**48**
東久世通禧　114，115
東区役所前駅　57
東札幌　**63**
東篠路駅　38
東月寒　98
東苗穂　**52**，55
東苗穂町　**52**
東発寒　140
東茨戸　**42**
東本願寺　124
東牧場　39
東山ノ手　147
東米里　**71**
左股　145
左股川　145，403
羊ケ丘　**99**
羊ケ丘通　110

月寒中央駅　98
月寒中央通　**97**，98
月寒西　**97**，98
月寒東　**97**
月寒村　97，98，102，128
つどーむ　51

【て】

帝室林野管理局　116
手稲明日風工業団地　159
手稲遺跡　157
手稲稲穂　**154**
手稲駅　157
手稲金山　**155**
手稲区　**152**
手稲鉱山　155
手稲土功川　154
手稲富丘　**156**
手稲西野　142
手稲東　148
手稲福井　145
手稲平和　149
手稲星置　**158**
手稲本町　**157**
手稲前田　**156**
手稲宮の沢　143
手稲山　149，365
手稲山口　154，**159**
手稲山口バッタ塚　161
帝麻　38，41
鉄東　**57**
天神山　95，131，350

【と】

砥石山　116，**123**
樋平　90
道央自動車道　71，108，310
東海大学　122
道庁旧本庁舎　119
東部緑地　77，109
当別太　43，44
東北通　65
道立真駒内公園　127
常盤　119，**127**
独立歩兵大隊　98
土功組合　77，78，154
トド山　**162**
椴山　162
土場　118，127
富丘　**156**
砥山　**116**，123
豊川稲荷札幌別院　25
豊滝　**116**
豊羽鉱山　114，119，135，302
豊畑　53
豊平　**90**
豊平駅　90
豊平川　15
豊平区　**88**
豊平町　90
豊平橋　90，91，92
豊平村　90，96
屯田　**41**，42
屯田団地　42
屯田町　**41**
屯田防風林　42

【な】

苗穂　**49**
苗穂町（村）　**51**
苗穂駅　52
長岡重治　104
中河原　93
中島　93
中島公園　**17**，18
中島村　34
中当別太　44
中沼　44，**53**
中沼団地　54
中沼町　**53**
中沼西　**53**
中野　44，53
中野開墾　44
中の川　143，404
中ノ沢　**121**
中之沢　146
中の沢川　121，393
中の島（中ノ島）　**93**
中福移　44
ななめ通　57
なまこ山　348
南郷通　**65**，66，81，82，83

十二軒　23，216
傷痍軍人北海道第二療養所　131
定山渓　90，112，**114**
定山渓温泉　112，**114**
定山渓温泉西　114
定山渓温泉東　114
定山渓ダム　114
定山渓鉄道　69，90，113，115，118，132
精進川　93，131，392
シライカワ　131
白井川　114，135，397
白川浄水場　131
白川　119，**131**，394
白川道路　131
白川野外教室　131
白旗山　**110**
白旗山都市環境林　105
後志通　14，15
シロイカワ　131
白石駅　69
白石区　**60**
白石フラグステーション　69
白石本村　68
白石村（町）　62，64，67，72，74，78
白石藻岩通　94，95
白石遊郭　62
真栄　**107**
真栄団地　107
新川　29，**39**，157
新川駅（新川臨時乗降場）　40
新川西　**39**
新琴似　38，**40**
新琴似駅　40，41
新琴似町　**40**
新琴似屯田兵村　40，41，265
新さっぽろ駅　84
新札幌駅　83
信州開墾地　70，80
新発寒　**158**
辛未一ノ村　23，141，233
森林公園駅　84
森林総合研究所　99

【す】

水車川　92
水車町　**92**
すすきの（薄野）　**23**，24，62，90
薄野遊郭　25
鈴木煉瓦製造場　68
澄丘神社　79
澄川　**131**
澄川駅　132

【そ】

桑園　**27**，293
創成川　14，15，**28**，29，371
創成川公園　29
創成橋　**30**，104
早山清太郎　34，147，231
空沼岳　109，133，363

【た】

大学村　59
大学村の森公園　59
第七師団　98
太平　**36**
太平駅（太平臨時乗降場）　37
大門通　62
滝野　**128**
瀧野　128
滝ノ上　128
滝ノ沢　17，20
滝野自然学園　129
滝ノ下　128
滝野すずらん丘陵公園　129
拓北（駅）　35，**37**，38，46
狸小路　24，**27**，28，66

【ち】

千歳越新道　88
千歳道　97
中央　**64**
中央区　**12**
中央発寒　140
中隊本部　40

【つ】

対雁　53
通行屋　115，156
ツキサップ　97
月寒西通　97
月寒　**97**，98
月寒川　67，94，99，220，383，388
月寒種羊場　99，299

界川町　17
栄小学校　55
界通　64
栄通　**64**, 81
栄町　**55**, 56
栄町駅　55
逆川　70
酒田県　21, 27
札沼線　34, 141
札樽自動車道　143, 155, 310
札北馬車軌道　43
札幌アートヴィレッジ　129
サッポロ御手作場　56
札幌オリンピック冬季大会　16, 111, 113, 126, 127, 132
札幌オリンピックミュージアム　23
札幌温泉　16, 17
札幌監獄　52
札幌環状線　95
札幌区　17, 18, 72, 90, 187
札幌区立女子職業学校　24
札幌芸術の森　129
札幌刑務所　52
サッポロ越新道　30, 88, 104
サッポロさとらんど　51
札幌支笏湖線　128
札幌（豊平川）扇状地　16, 25
札幌市北方自然教育園　131
札幌市立大学芸術の森キャンパス　129
札幌神社　21
札幌繊維卸センター　58
札幌総合卸センター　58
札幌手稲工業団地　154
札幌テクノパーク　79
さっぽろテレビ塔　15
札幌ドーム　99
札幌農学校第四農場　115, 117
札幌ハイテクヒル真栄　107
さっぽろ羊ケ丘展望台　99
札幌太　34, 35
札幌ふれあいの森　110
札幌本道　90, 115
札幌村　56, 181
札幌藻岩山スキー場　124
札幌遊郭　25, 62
札幌烈々布　45, 56
里塚　**104**, 107
里塚緑ケ丘　**107**
里塚霊園　104
三角街道　52
三樽別川　156, 405
三樽別　156
サンピアザ　84
三里川　105
三里塚　104, 105
三里塚小学校　105
三里塚神社　105

【し】

自衛隊前駅　132
自助園牧場　122
始成橋　30
自然観察の森　110
地蔵寺　20
十軒　34, 35
信濃開墾地　70
信濃神社　70
篠路（シノロ）　**34**, 35
篠路川　34, 43
篠路新川　53
篠路町上篠路　**34**, 35
篠路町篠路　**34**, 35
篠路町太平　**36**
篠路町拓北　**37**, 38, 46
篠路町茨戸　43
篠路町福移　**43**, 46
篠路屯田兵村　41, 105
篠路兵村　130
篠路村　34, 41
篠路烈々布　45
島義勇　14, 20
清水川坂ノ上　132
下荒井村　34
下シノロ　34
下手稲村　159
下当別太　44
下砥山　116
下野幌　78, 79, 82, 84
下野幌1号線　78
下野幌小学校　82
下野幌テクノパーク　79
下茨戸　43
下福移　44
十五島公園　130

監獄通　52
環状通　55，95
環状通東駅　58
観音岩山　116，354

【き】

器械所　15，292
器械場　128
菊水　**62**，72，90
菊水上町　**63**
菊水北町　62
菊水中央通　62
菊水西町　62
菊水東町　62
菊水南町　62
菊水元町　**63**
菊亭脩季　62
北一番通　42
北茨木駅　132
北丘珠　**50**，51
北区　**32**
北郷　**68**，81
北野　**105**
北ノ沢　**121**
北の沢川　121，393
北野団地　106
北発寒　140
キャンプ・クロフォード　124，125
旧石狩川　43
旧国鉄千歳線東札幌駅　63
旧国道36号　**110**
行啓通　26
京都伏見神社　140
清田　**104**
清田区　**102**
清田団地　104
金山　**155**

【く】

熊本開墾　117
黒田清隆　14
軍艦岬　25，123，**134**

【け】

芸術の森　**129**
源八の沢（源八沢）　145
ケプロン　51

【こ】

庚午一ノ村　51，233
庚午三ノ村　21，233
庚午二ノ村　21，233
興産社　**36**，37，274
工試　141
光星　**56**
光星商業学校　56
公有地　105，121，122，130
小金湯　**117**
小金湯温泉郷　117
小金湯桂不動　117
国道36号　90，110
国道453号　127
国分青崖　134
五号の沢　121
小天狗岳　135，356
五天山　146，367
琴似　**144**
琴似川　27，142，373
琴似神社　**150**
琴似町　138
琴似町新川　39
琴似町新琴似　38
琴似屯田　140，144，261
琴似屯田兵村　40
琴似発寒川　142，402
琴似兵村　121，140，144
琴似本通　144，**150**
琴似村　23，40，138，144
小野幌　82，84
小野幌川　77，78
木の花団地　95
五ノ戸　35
小林峠　121
小別沢　**146**
小別沢トンネル　146
駒岡　131，**132**
駒岡小学校　133
駒岡団地　133
御料地　116
御料農場　116
五輪団地　127

【さ】

界川　**16**

一ノ沢　117
稲積　**160**
稲積豊次郎　160
稲積農場　160
稲穂　**154**
稲荷神社　140
茨木農場　132
岩村通俊　30

【う】

美しが丘　**107**

【え】

エドウィン・ダン　125
エドウィン・ダン記念館／公園　125
江別村　74，77

【お】

花魁淵　**123**，401
追分　143，160
大倉山　23，348
大通　14
大通西　**14**
大通東　**15**，16，18
大友亀太郎　28，48，181，231
大友堀　28，49
大曲川　109，385
大野地　37
大谷地　67，81
大谷地駅　82
大谷地西　**82**
大谷地東　**82**
大谷地流通業務団地　68
丘珠　**50**
丘珠街道　50
丘珠空港　51，55
丘珠町　**50**
丘珠烈々布　45
オカバルシ川　130，394
オカバルシ川沿　130
オカバルシ川上　130
御手作場　28，50，56
小野幌川　78，385
オリンピック記念公園　127
水松沢　**135**

【か】

学園都市線　35，141
学園前駅　92
学田　41
硬石山　**119**，123，302，353
金山　**155**
曲長通　**161**
庚午一ノ村　51，233
庚午三ノ村　21，233
庚午二ノ村　21，233
辛未一ノ村　23，141，233
釜谷臼（駅）　36，37，**46**
上荒井村　34
上篠路（上シノロ）　34，35
上白石　62，**72**
上手稲　143
上手稲西部　143
上手稲村　142
上当別太　44
上砥山　116
上畄穂　55
上野幌　**76**
上野幌駅　76
上茨戸　42
上福移　44
上山鼻　124
鴨々川　17，372
茅野　97
雁来　52，70
雁来街道　53
雁来新川　53
雁来町　**52**，70
軽石軌道　157
軽川　**157**，405
軽川街道　156
軽川停車場　157
河岸　92
川北　**69**
川下　**69**
川沿　**123**
川沿町　**123**
川添西　144
川添東　144
官園　27
観光自動車道　121

「I　10区の歴史と地名」索引

この索引は「I　10区の歴史と地名」（11～162ページ）を対象に、掲載した立項地名および本文中の主要な地名、さらに脚注に採用した地名・人名・施設名に限ったものとなる。また太字は、主要な解説ページである。なおアイヌ語地名については、別項「アイヌ語地名索引」（494ページ）にまとめて掲載した。

【あ】

あいの里　**35**
あいの里教育大駅　36
あいの里公園駅　36
青葉小学校　82
青葉（町）団地　74，82，85，286
青葉町　**82**
青葉通　81，82
アカンボ川　37
曙　**154**
麻畑　95
旭ケ丘　**16**
旭町　76，**91**
旭山記念公園　17
麻生団地　38
麻生町　**38**
厚別（あしりべつ）　104，109
厚別川上　128
厚別器械場　128
厚別北通　105
あしりべつ郷土館　110
厚別神社　110
アシリベツの滝　128，400
厚別橋　110
厚別本通　104，106
厚別山水車器械場　128，300
明日風　**159**
明日風のまちニュータウン　159
厚別（あつべつ）　76，128
厚別駅　74，76，77，83，84，86
厚別川　70，80，**109**，384，389
厚別川下　70
厚別北　**82**
厚別区　**74**
厚別原野　80
厚別西部　80，81
厚別滝野公園通　81
厚別弾薬庫　83
厚別中央　**83**
厚別中央通　76
厚別町旭町　**85**
厚別町上野幌　**76**，84
厚別町小野幌　**77**，82
厚別町下野幌　**78**，84，85
厚別町東町　**86**
厚別町山本　**80**
厚別東部　81
厚別西　**79**，80
厚別西区　79
厚別東　**84**
厚別東区　80，81
厚別水再生プラザ　80
厚別南　**84**
穴の川　118，393
穴ノ川口　118
穴ノ川尻　118
穴ノ川沿　118
穴の沢（穴ノ沢）　118
油沢　94
荒井金助　34，231
荒井村　34
有明　**105**，128
有明の滝都市環境林　105
有島武郎　62
アンパン道路　**100**

【い】

石狩街道　43，45
イシカリ十三場所　34，51
石切山駅　118
石切山道　25
石山　**118**，301
石山通　26，118，123
石山東　**118**
石山本通　120，123
石山陸橋　128
石山緑地　119

地図研究を続ける。著作は『北海道の古地図』（五稜郭タワー、2000年）、『近世日本の北方図研究』（北海道出版企画センター、2011年）ほか。

谷本晃久（たにもと・あきひさ）
昭和45年（1970）、北海道出身。学習院大学大学院中退。北海道大学文学研究院教授。専門分野は日本近世史。著作は『近藤重蔵と近藤富蔵』（山川出版社、2014年）、『近世蝦夷地在地社会の研究』（山川出版社、2020年）ほか。

中根有理（なかね・ゆり）
昭和55年（1980）、北海道出身。北海道大学大学院文学研究科歴史地域文化学専攻修士課程修了。専門分野は中国文化。札幌市公文書館専門員を経て、現札幌市図書情報専門員。論文は「仲よし子ども館の活動と位置づけ」（共同執筆、「札幌市公文書館年報第5号」2018年）ほか。

永野正宏（ながの・まさひろ）
昭和45年（1970）、北海道出身。北海道大学大学院文学研究科博士後期課程修了。文化庁 調査官。専門分野は日本近世史。著作は『北海道天然痘流行対策史』（北海道大学出版会、2022年）ほか。

中村英重（なかむら・ひでお）
昭和26年（1951）、北海道出身。明治大学大学院文学博士課程修了。札幌学院大学非常勤講師。専門分野は歴史学。著作は『北海道移住の軌跡』（高志書院、1998年）、『古代氏族と宗教祭祀』（吉川弘文館、2004年）ほか。

濱本武司（はまもと・たけし）
昭和22年（1947）、北海道出身。東京教育大学大学院理学研究科地理学専攻修士課程修了。元札幌国際大学教授。札幌地理サークル会員。専門分野は自然地理学。著作は『北緯43度　札幌というまち…』（共著、清水書院、1980年）ほか。

宮坂省吾（みやさか・せいご）
昭和18年（1943）、長野県出身。北海道大学理学部卒業。株式会社アイピー 地質情報室。専門分野は地質学。著作は『揺れ動く大地　プレートと北海道』（共著、北海道新聞社、2018年）、『北海道自然探検　ジオサイト107の旅』（共著、北大出版会、2016年）ほか。

谷中章浩（やなか・あきひろ）
昭和46年（1971）、埼玉県出身。北海道教育大学大学院修士課程修了。札幌市公文書館専門員。専門分野は北海道近代史、路上観察。論文は「中島児童会館資料の整理・受け入れとその活用」（「札幌市公文書館年報第4号」2017年）ほか。

山内正明（やまのうち・まさあき）
昭和26年（1951）、北海道出身。北海道教育大学札幌分校卒業。札幌地理サークル会長。専門分野は地理教育学。著作は『北緯43度　札幌というまち…』（共著、清水書院、1980年）、『北海道　地図で読む百年』（共著、古今書院、2001年）ほか。

和田 哲（わだ・さとる）
昭和47年（1972）、北海道出身。日本大学法学部新聞学科卒業。雑誌社等を経て、現在は古地図や古写真から札幌の歴史を紐解く街歩き研究家として、各紙誌への寄稿やテレビ出演、講演活動を行う。著作は『古地図と歩く　札幌圏』（あるた出版、2020年）。

編者・執筆者プロフィール（50音順）

【編・執筆】

関　秀志（せき・ひでし）
昭和11年（1936）、北海道出身。北海道大学文学部卒業。元北海道開拓記念館学芸部長、現北海道史研究協議会副会長。専門分野は北海道近現代史。著作は『北海道の風土と歴史』（共著、山川出版社、1977年）、『北海道の研究8』（清文堂出版、1988年）、『北海道の歴史　下（近代・現代編）』（共著、北海道新聞社、2006年）、『北海道開拓の素朴な疑問を関先生に聞いてみた』（亜璃西社、2020年）ほか。

【執筆】

池田　茜（いけだ・あかね）
平成4年（1992）、北海道出身。金沢大学人間社会学域人文学類フィールド文化学コース卒業。元札幌市公文書館専門員。

榎本洋介（えのもと・ようすけ）
昭和30年（1955）、北海道出身。東京学芸大学大学院修士課程修了。専門分野は日本近代史。著作は『開拓使と北海道』（北海道出版企画センター、2009年）、『島義勇（佐賀偉人伝）』（佐賀県立佐賀城本丸歴史館、2011年）ほか。

大庭幸生（おおば・ゆきお）
昭和7年（1932）、大分県出身。北海道大学大学院文学研究科博士課程修了。元北星学園大学教授。専門分野は北海道史。著作は『新北海道史』（共著、北海道、1969-1981年）、『北海道の歴史　下（近代・現代編）』（共著、北海道新聞社、2006年）ほか。

岡田祐一（おかだ・ゆういち）
昭和18年（1943）、北海道出身。北海道教育大学札幌分校卒業。元北海道開拓記念館学芸員。ほっかいどう学を学ぶ会幹事。専門分野は教育災害史・民俗芸能史。著作は『語り継ぎたい日本人』（共著、モラロジー研究所、2004年）ほか。

小黒七葉（おぐろ・ななは）
平成元年（1989）、北海道出身。桜美林大学リベラルアーツ学群卒業。元札幌市公文書館専門員。

佐々木利和（ささき・としかず）
昭和23年（1948）、北海道出身。法政大学大学院人文科学研究科日本史学修士課程修了。博士（文学）。専門分野はアイヌ民族史・日本近世史。東京国立博物館、文化庁、国立民族学博物館などを経て、現北海道大学アイヌ・先住民研究センター招聘教員、東京国立博物館名誉館員。著作は『アイヌ絵誌の研究』（草風館、2004年）ほか。

佐藤真名（さとう・まな）
昭和61年（1986）、北海道出身。札幌市立高等専門学校インダストリアルデザイン学科専攻科工芸専攻修了。元札幌市公文書館専門員。論文は「さっぽろ閑話〈大正7年の博覧会と札幌の都市発展〉」（「札幌市公文書館年報第4号」2017年）ほか。

髙木崇世芝（たかぎ・たかよし）
昭和13年（1938）、北海道出身。金沢美術工芸大学デザイン科卒業。長年にわたり古

■編著者
関 秀志

■執筆者（五十音順）
池田 茜
榎本洋介
大庭幸生
岡田祐一
小黒七葉
佐々木利和
佐藤真名
髙木崇世芝
谷本晃久
中根有理
永野正宏
中村英重
濱本武司
宮坂省吾
谷中章浩
山内正明
和田 哲

■編集スタッフ
加藤太一
河井大輔
野崎美佐
宮川健二

■制作協力
杉浦正人
高並真也
竹島正紀
前田瑠依子
吉雄孝紀

＊本書掲載の写真について、一部著作権者および著作権継承者不明のものがございます。お気づきの方は、小社までご連絡ください。

増補改訂版 札幌の地名がわかる本

2022年10月13日 第1刷発行

編 者 関 秀志

装 幀 佐々木正男

編集人 井上 哲

発行人 和田由美

発行所 株式会社亜璃西社（ありすしゃ）
〒060-8637
札幌市中央区南2条西5丁目6-7
TEL（011）221-5396
FAX（011）221-5386
URL http://www.alicesha.co.jp/

印刷所 株式会社アイワード

ISBN 978-4-906740-53-6 C0021